Local Autonomy Law Text

# 地方自治法概説

【第10版】

宇賀克也

有斐閣
yuhikaku

# 第10版はしがき

今回の改訂は，以下の方針で行った。

第1に，本書の第9版刊行後に行われた地方自治法改正，第11次地方分権一括法，第12次地方分権一括法の制定を始めとして，法令の制定・改正について加筆した。

第2に，第9版刊行後に出されたものを中心として，最高裁判例を含め，裁判例について加筆した。

第3に，地方自治に関する最近の重要な動向についても加筆した。

第4に，地方自治に関する法的論点についても，かなりの加筆を行った。

第5に，学習・研究や実務上の調査の便宜のために注で引用している参考文献についても，かなりの補充を行った。

第6に，本書の特色であるコラム欄について，大阪府及び大阪市における一体的な行政運営の推進に関する条例，オンライン議会，墨田区議会議長の辞職拒否事件，長期欠席議員の報酬，外国人の住民投票，品川区長選の再選挙等，20増設した。コラム総数は188となった。コラム欄で取り上げたものの中には，社会的に注目を集めて報道されたものが少なくないので，読者の方に，コラム欄を通じて，地方自治法への関心を深めていただければ幸いである。

第7に，制度の運用の実態に関する統計について，入手しうる最新のものに更新した。

第10版の刊行に当たっても，有斐閣法律編集局書籍編集部の島袋愛未氏に大変精緻な作業をしていただき，多くの点で本書を改善することができた。

ここに記して厚くお礼申し上げたい。

2023年2月

宇賀克也

# 初版はしがき

本書は，著者が東京大学大学院法学政治学研究科および同大学法学部において行ってきた地方自治法の講義内容をまとめたものである。講義においては，地方自治法の基本的な制度・理論についての理解を深めることを基本的目標としつつ，新聞等で報道されている新しい問題を素材としてできる限り取り入れることにより，受講者に地方自治法が国民生活と密接に関係していることを認識してもらうように努めてきた。

本書は，法学教室 273 号～ 282 号に連載した原稿を基礎にしているが，2004 年の地方自治法改正の内容を盛り込み，その他，最近の地方自治をめぐる重要な動きについて言及する等，かなりの加筆修正を行った。また，引用している重要判例については，磯部力＝小幡純子＝斎藤誠編・地方自治判例百選〔第 3 版〕の事件番号を付加している。

本書を出版するに当たり，これまで地方自治に関する研究会等でご指導いただいた成田頼明，塩野宏，西尾勝，小早川光郎等の諸先生に厚くお礼申し上げる。拙い本書であるが，研究者としての基礎的訓練を施していただいた塩野宏先生に本書を献呈させていただきたい。

末筆ではあるが，法学教室連載時にお世話になった有斐閣法学教室編集長（当時）の西野康樹，単行本化に際して校正等の労をとっていただいた有斐閣書籍編集第 1 部の佐藤文子，小野美由紀の 3 氏の精緻な編集作業に対して，心から謝意を表させていただきたい。

2004 年 10 月

宇 賀 克 也

# 目　次

# 文献略語

| | |
|---|---|
| 阿部ほか編・大系① | 阿部照哉ほか編『地方自治大系1巻』（嵯峨野書院，1989年） |
| 阿部ほか編・大系② | 阿部照哉ほか編『地方自治大系2巻』（嵯峨野書院，1993年） |
| 阿部・解釈学Ⅰ | 阿部泰隆『行政法解釈学Ⅰ』（有斐閣，2008年） |
| 阿部・住民訴訟 | 阿部泰隆『住民訴訟の理論と実務——改革の提案』（信山社，2015年） |
| 礒崎・自治体政策法務 | 礒崎初仁『自治体政策法務講義〔改訂版〕』（第一法規，2018年） |
| 礒崎＝金井＝伊藤・地方自治 | 礒崎初仁＝金井利之＝伊藤正次『ホーンブック地方自治〔新版〕』（北樹出版，2020年） |
| 板垣・現代的課題 | 板垣勝彦『地方自治法の現代的課題』（第一法規，2019年） |
| 宇賀・概説Ⅰ | 宇賀克也『行政法概説Ⅰ〔第7版〕』（有斐閣，2020年） |
| 宇賀・概説Ⅱ | 宇賀克也『行政法概説Ⅱ〔第7版〕』（有斐閣，2021年） |
| 宇賀・概説Ⅲ | 宇賀克也『行政法概説Ⅲ〔第5版〕』（有斐閣，2019年） |
| 宇賀・自治体行政手続 | 宇賀克也『自治体行政手続の改革』（ぎょうせい，1996年） |
| 宇賀・行政手続・情報公開 | 宇賀克也『行政手続・情報公開』（弘文堂，1999年） |
| 宇賀・アメリカ行政法 | 宇賀克也『アメリカ行政法〔第2版〕』（弘文堂，2000年） |
| 宇賀・オンライン化 | 宇賀克也『行政手続オンライン化3法』（第一法規出版，2003年） |
| 宇賀・行政手続・情報化 | 宇賀克也『行政手続と行政情報化』（有斐閣，2006年） |
| 宇賀・行政手続三法解説 | 宇賀克也『行政手続三法の解説〔第3次改訂版〕』（学陽書房，2022年） |
| 宇賀・個人情報逐条解説 | 宇賀克也『新・個人情報保護法の逐条解説』（有斐閣，2021年） |
| 宇賀・情報公開法逐条解説 | 宇賀克也『新・情報公開法の逐条解説〔第8版〕』（有斐閣，2018年） |

| | |
|---|---|
| 宇賀監修・行政手続・監査 | 宇賀克也監修『行政手続と監査制度』(地域科学研究会，1998 年) |
| 宇賀編・地方分権 | 宇賀克也編『地方分権――条例制定の要点』(新日本法規出版，2000 年) |
| 宇賀ほか編・対話 | 宇賀克也＝大橋洋一＝高橋滋編『対話で学ぶ行政法』(有斐閣，2003 年) |
| 薄井・分権時代 | 薄井一成『分権時代の地方自治』(有斐閣，2006 年) |
| 碓井・自治体財政 | 碓井光明『要説自治体財政・財務法〔改訂版〕』(学陽書房，1999 年) |
| 碓井・住民訴訟 | 碓井光明『要説住民訴訟と自治体財務〔改訂版〕』(学陽書房，2002 年) |
| 大石＝石川編・争点 | 大石眞＝石川健治編『憲法の争点』(有斐閣，2008 年) |
| 小滝・アメリカ | 小滝敏之『アメリカの地方自治』(第一法規，2004 年) |
| 兼子・自治体法 | 兼子仁『自治体法学』(学陽書房，1988 年) |
| 兼子・行政法 | 兼子仁『行政法学』(岩波書店，1997 年) |
| 兼子・新自治 | 兼子仁『新地方自治法』(岩波書店，1999 年) |
| 兼子＝村上・地方分権 | 兼子仁＝村上順『地方分権』(弘文堂，1995 年) |
| 木佐・国際比較 | 木佐茂男『国際比較の中の地方自治と法』(日本評論社，2015 年) |
| 北村・分権改革 | 北村喜宣『分権改革と条例』(弘文堂，2004 年) |
| 木村・広域連携 | 木村俊介『広域連携の仕組み――一部事務組合と広域連合の機動的な運営〔改訂版〕』(第一法規，2019 年) |
| 小西・改正史 | 小西敦『地方自治法改正史』(信山社，2014 年) |
| 小西・地方財政改革 | 小西砂千夫『地方財政改革の現代史』(有斐閣，2020 年) |
| 小早川＝小幡編・自治・分権 | 小早川光郎＝小幡純子編『あたらしい地方自治・地方分権』(有斐閣，2000 年) |
| 小原ほか編・平成大合併 | 小原隆治＝長野県地方自治研究センター編『平成大合併と広域連合』(公人社，2007 年) |
| 駒林・地方自治組織法制 | 駒林良則『地方自治組織法制と地方議会』(法律文化社，2021 年) |
| 斎藤・法的基層 | 斎藤誠『現代地方自治の法的基層』(有斐閣，2012 年) |
| 塩野・行政法Ⅲ | 塩野宏『行政法Ⅲ〔第 5 版〕』(有斐閣，2021 年) |
| 塩野・地方公共団体 | 塩野宏『国と地方公共団体』(有斐閣，1990 年) |

| | |
|---|---|
| 塩野・法治主義 | 塩野宏『法治主義の諸相』（有斐閣，2001 年） |
| 塩野・行政法概念 | 塩野宏『行政法概念の諸相』（有斐閣，2011 年） |
| 芝池＝小早川＝宇賀編・争点〔3 版〕 | 芝池義一＝小早川光郎＝宇賀克也編『行政法の争点〔第 3 版〕』（有斐閣，2004 年） |
| 曽和・行政法執行システム | 曽和俊文『行政法執行システムの法理論』（有斐閣，2011 年） |
| 髙木＝宇賀編・争点 | 髙木光＝宇賀克也編『行政法の争点』（有斐閣，2014 年） |
| 田村・分権改革 | 田村達久『地方分権改革の法学分析』（敬文堂，2007 年） |
| 地方自治制度研究会編・Q＆A | 地方自治制度研究会編『Q＆A改正地方自治法のポイント』（ぎょうせい，1999 年） |
| 成田・道程 | 成田頼明『地方分権への道程』（良書普及会，1997 年） |
| 成田・分権改革 | 成田頼明『分権改革の法システム』（第一法規出版，2001 年） |
| 成田編・都市づくり | 成田頼明編著『都市づくり条例の諸問題』（第一法規出版，1992 年） |
| 成田監修・ポイント | 成田頼明監修・川崎政司編集代表『地方自治法改正のポイント』（第一法規出版，1999 年） |
| 成田ほか編・注釈 | 成田頼明ほか編『注釈地方自治法〔全訂〕』（第一法規出版，2000 年～） |
| 成田編・争点〔新版〕 | 成田頼明編『行政法の争点〔新版〕』（有斐閣，1990 年） |
| 西尾・分権改革 | 西尾勝『未完の分権改革』（岩波書店，1999 年） |
| 西尾編著・分権と自治 | 西尾勝編著『地方分権と地方自治』（ぎょうせい，1998 年） |
| 西村＝廣田・自治体間連携 | 西村茂＝廣田全男＝自治体問題研究所編『大都市における自治の課題と自治体間連携――第 30 次地方制度調査会答申を踏まえて』（自治体研究社，2014 年） |
| 原島・自治立法権 | 原島良成編著『自治立法権の再発見』（第一法規，2020 年） |
| 原田・法としくみ | 原田尚彦『地方自治の法としくみ〔新版改訂版〕』（学陽書房，2005 年） |
| 人見・分権改革 | 人見剛『分権改革と自治体法理』（敬文堂，2005 年） |
| 藤田・行政組織法 | 藤田宙靖『行政組織法〔第 2 版〕』（有斐閣，2022 年） |
| 松下＝西尾＝新藤編・制度 | 松下圭一＝西尾勝＝新藤宗幸編『自治体の構想 2　制度』（岩波書店，2002 年） |

| | |
|---|---|
| 松本・詳解 | 松本英昭『新地方自治制度詳解』（ぎょうせい，2000 年） |
| 松本・逐条 | 松本英昭『新版 逐条地方自治法〔第 9 次改訂版〕』（学陽書房，2017 年） |
| 村上・行政訴訟 | 村上裕章『行政訴訟の基礎理論』（有斐閣，2007 年） |
| 室井＝原野編・入門 | 室井力＝原野翹編『新現代地方自治法入門〔第 2 版〕』（法律文化社，2003 年） |
| 山口・自治体実務 | 山口道昭『自治体実務からみた地方分権と政策法務』（ぎょうせい，2000 年） |

| | |
|---|---|
| 民　集 | 最高裁判所民事判例集 |
| 刑　集 | 最高裁判所刑事判例集 |
| 高　民 | 高等裁判所民事判例集 |
| 下民集 | 下級裁判所民事裁判例集 |
| 下刑集 | 下級裁判所刑事裁判例集 |
| 行　集 | 行政事件裁判例集 |
| 訟　月 | 訟務月報 |
| 判　時 | 判例時報 |
| 判　タ | 判例タイムズ |
| 判例自治 | 判例地方自治 |
| 裁　時 | 裁判所時報 |
| 判例集 | 大橋洋一＝斎藤誠＝山本隆司編・行政法判例集 I（総論・組織法）〔第 2 版〕（有斐閣，2019 年） |
| 判例集 II | 大橋洋一＝斎藤誠＝山本隆司編・行政法判例集 II（救済法）〔第 2 版〕（有斐閣，2018 年） |
| 百　選 | 磯部力＝小幡純子＝斎藤誠編・地方自治判例百選〔第 4 版〕（有斐閣，2013 年） |
| 公　法 | 公法研究 |
| 時　法 | 時の法令 |
| 法　時 | 法律時報 |

# 著者紹介

宇賀克也（うが　かつや）

東京大学法学部卒業。東京大学名誉教授，最高裁判所判事。この間，東京大学大学院法学政治学研究科教授（東京大学法学部教授・公共政策大学院教授），ハーバード大学，カリフォルニア大学バークレー校，ジョージタウン大学客員研究員，ハーバード大学，コロンビア大学客員教授を務める。

**〈主要著書〉**

**行政法一般**

判例で学ぶ行政法（第一法規，2015 年）
行政法〔第 2 版〕（有斐閣，2018 年）
行政法概説Ⅰ〔第 7 版〕（有斐閣，2020 年）
行政法概説Ⅱ〔第 7 版〕（有斐閣，2021 年）
行政法概説Ⅲ〔第 5 版〕（有斐閣，2019 年）
ブリッジブック行政法〔第 3 版〕（編著，信山社，2017 年）
対話で学ぶ行政法（共編著，有斐閣，2003 年）
アメリカ行政法〔第 2 版〕（弘文堂，2000 年）
行政法評論（有斐閣，2015 年）

**情報法関係**

新・個人情報保護法の逐条解説（有斐閣，2021 年）
個人情報保護法制（有斐閣，2019 年）
個人情報の保護と利用（有斐閣，2019 年）
情報公開・オープンデータ・公文書管理（有斐閣，2019 年）
新・情報公開法の逐条解説〔第 8 版〕（有斐閣，2018 年）
自治体のための 解説 個人情報保護制度——行政機関個人情報保護法から各分野の特別法まで〔改訂版〕（第一法規，2022 年）
論点解説 個人情報保護法と取扱実務（共著，日本法令，2017 年）
逐条解説 公文書等の管理に関する法律〔第 3 版〕（第一法規，2015 年）
情報公開・個人情報保護——最新重要裁判例・審査会答申の紹介と分析（有斐閣，2013 年）
情報法（共編著，有斐閣，2012 年）
情報公開と公文書管理（有斐閣，2010 年）
個人情報保護の理論と実務（有斐閣，2009 年）
情報公開法制定資料⑴～⒀（共編，信山社，2020 ～ 2022 年）
地理空間情報の活用とプライバシー保護（共編著，地域科学研究会，2009 年）
災害弱者の救援計画とプライバシー保護（共編著，地域科学研究会，2007 年）
大量閲覧防止の情報セキュリティ（編著，地域科学研究会，2006 年）
情報公開の理論と実務（有斐閣，2005 年）

諸外国の情報公開法（編著，行政管理研究センター，2005 年）
情報公開法――アメリカの制度と運用（日本評論社，2004 年）
プライバシーの保護とセキュリティ（編著，地域科学研究会，2004 年）
解説 個人情報の保護に関する法律（第一法規，2003 年）
個人情報保護の実務Ⅰ・Ⅱ（編著，第一法規，加除式）
ケースブック情報公開法（有斐閣，2002 年）
情報公開法・情報公開条例（有斐閣，2001 年）
情報公開法の理論〔新版〕（有斐閣，2000 年）
行政手続・情報公開（弘文堂，1999 年）
情報公開の実務Ⅰ・Ⅱ・Ⅲ（編著，第一法規，加除式）
アメリカの情報公開（良書普及会，1998 年）

**行政手続・マイナンバー法関係**

マイナンバー法の逐条解説（有斐閣，2022 年）
行政手続三法の解説〔第 3 次改訂版〕（学陽書房，2022 年）
マイナンバー法と情報セキュリティ（有斐閣，2020 年）
番号法の逐条解説〔第 2 版〕（有斐閣，2016 年）
論点解説 マイナンバー法と企業実務（共著，日本法令，2015 年）
完全対応 特定個人情報保護評価のための番号法解説（監修，第一法規，2015 年）
完全対応 自治体職員のための番号法解説［実例編］（監修，第一法規，2015 年）
施行令完全対応 自治体職員のための番号法解説［制度編］（共著，第一法規，2014 年）
施行令完全対応 自治体職員のための番号法解説［実務編］（共著，第一法規，2014 年）
行政手続法制定資料⑾～⒃（共編，信山社，2013 ～ 2014 年）
行政手続法の解説〔第 6 次改訂版〕（学陽書房，2013 年）
完全対応 自治体職員のための番号法解説（共著，第一法規，2013 年）
マイナンバー（共通番号）制度と自治体クラウド（共著，地域科学研究会，2012 年）
行政手続と行政情報化（有斐閣，2006 年）
改正行政手続法とパブリック・コメント（編著，第一法規，2006 年）
行政手続オンライン化 3 法（第一法規，2003 年）
行政サービス・手続の電子化（編著，地域科学研究会，2002 年）
行政手続と監査制度（編著，地域科学研究会，1998 年）
自治体行政手続の改革（ぎょうせい，1996 年）
税務行政手続改革の課題（監修，第一法規，1996 年）
明解 行政手続の手引（編著，新日本法規，1996 年）
行政手続法の理論（東京大学出版会，1995 年）

**政策評価関係**

政策評価の法制度――政策評価法・条例の解説（有斐閣，2002 年）

**行政争訟関係**

行政不服審査法の逐条解説〔第 2 版〕（有斐閣，2017 年）

解説 行政不服審査法関連三法（弘文堂，2015年）
Q&A 新しい行政不服審査法の解説（新日本法規，2014年）
改正行政事件訴訟法〔補訂版〕（青林書院，2006年）

**国家補償関係**

条解 国家賠償法（共編著，弘文堂，2019年）
国家賠償法［昭和22年］（日本立法資料全集）（編著，信山社，2015年）
国家補償法（有斐閣，1997年）
国家責任法の分析（有斐閣，1988年）

**行政組織関係**

行政組織法の理論と実務（有斐閣，2021年）

**地方自治関係**

2017年地方自治法改正――実務への影響と対応のポイント（編著，第一法規，2017年）
環境対策条例の立法と運用（編著，地域科学研究会，2013年）
地方分権――条例制定の要点（編著，新日本法規，2000年）

**医事法関係**

次世代医療基盤法の逐条解説（有斐閣，2019年）

**宇宙法関係**

逐条解説宇宙二法（弘文堂，2019年）

**法人法関係**

Q&A 新しい社団・財団法人の設立・運営（共著，新日本法規，2007年）
Q&A 新しい社団・財団法人制度のポイント（共著，新日本法規，2006年）

# 第1章 地方自治法序論

**Point**

1) 地方自治には，住民自治と団体自治の2つの要素がある。
2) 住民自治とは，地方の事務処理を中央政府の指揮監督によるのではなく，当該地域の住民の意思と責任の下に実施するという原則である。
3) 団体自治とは，国家の中に国家から独立した団体が存在し，この団体がその事務を自己の意思と責任において処理する原則である。
4) 団体自治の法的根拠について，大日本帝国憲法下において，固有権説と伝来説との間で論争があった。固有権説とは，地方公共団体の自治権は国家から与えられたものではなく，地方公共団体が本来有している前国家的権利であるとする説である。他方，伝来説とは，近代国家の統治権はすべて国家に帰属し，地方公共団体も国家の統治機構の一環をなし，その自治権も国家統治権に由来すると解する説である。
5) 戦後の有力説は，憲法が地方自治という制度を保障していると解する「地方自治の制度保障の理論」である。この説は，一方において，地方自治制度は憲法によって保障されたものであり，憲法以前に自然権として存在するものではないので，固有権説を否定することになり，憲法改正により地方自治制度を廃止することも可能となる。他方において，憲法上の保障を受けているので，法律によって地方自治の本質的内容を否定することは違憲となり許されないことを意味する。
6) 日本国憲法92条は，「地方公共団体の組織及び運営に関する事項は，地方自治の本旨に基いて，法律でこれを定める」と規定している。「地方自治の本旨」とは，団体自治と住民自治を意味すると一般に解されている。
7) 日本国憲法93条1項は，「地方公共団体には，法律の定めるところにより，その議事機関として議会を設置する」と定め，同条2項は，「地方公共団体の長，その議会の議員及び法律の定めるその他の吏員は，その地方公共団体の住民が，直接これを選挙する」と定めている。
8) 日本国憲法94条は，「地方公共団体は，その財産を管理し，事務を処理し，及び行政を執行する権能を有し，法律の範囲内で条例を制定することができる」と規定している。
9) 日本国憲法95条は，「一の地方公共団体のみに適用される特別法は，法律の定めるところにより，その地方公共団体の住民の投票においてその過半数の同意を得なければ，国会は，これを制定することができない」と定めている。

10）地方自治の本旨に基づいて，地方公共団体の区分ならびに地方公共団体の組織および運営に関する事項の大綱を定め，併せて国と地方公共団体との間の基本的関係を規定しているのが地方自治法である。

11）地方公共団体の構成要素の１つとして，国家の領土の一部を自己の区域としていることがある。地方自治法は，「普通地方公共団体の区域は，従来の区域による」と定めている。

12）市町村の境界について紛争があったり，境界が判明しない場合の手続については，1952年の地方自治法改正により，第１次的には行政権の責任で境界を確定し，それによっても解決しないときに第２次的に裁判所に出訴できることとされた。

13）地方公共団体の人的構成要素は住民である。地方自治法は，市町村の区域内に住所を有する者は，当該市町村およびこれを包括する都道府県の住民とすると規定している。住民に関する記録を正確かつ統一的に行う住民基本台帳の制度が「住民基本台帳法」によって定められている。

14）最高裁は，日本国憲法93条２項が選挙権を与えた住民は，日本国籍を有する者に限られるが，立法政策の問題として，永住者等であってその居住する区域の地方公共団体と特段に密接な関係を持つに至ったと認められる外国人に地方参政権を認めることは可能としている。

# Ⅰ　地方自治の基礎理論

## *1*　地方自治の２つの要素

### ⑴　住 民 自 治

地方自治には，住民自治と団体自治の２つの要素がある。住民自治とは，地方の事務処理を中央政府の指揮監督によるのではなく，当該地域の住民の意思と責任の下に実施するという原則である。住民自治の起源はイギリスに見出されるといわれるが，その後，他の欧米諸国に普及していった。民主主義の理念に基づくものであり，人民自治もしくは政治上の意義における自治，政治的自治または対内的自治といわれることもある。住民自治の理想型は，古代ギリシャの都市国家における市民集会のように，住民が直接に政治的意思決定を行う直接民主制とも考えられるが，あらゆる行政事務を直接民主制により行うことは実際上困難である。そのため，住民が選挙によって代議員を選出する間接民主制，代表民主制が一般的になっている。

日本国憲法も，地方公共団体の長，議会の議員は，その地方公共団体の住民が直接これを選挙すると定め（憲93条2項），間接民主制，代表民主制による住民自治を保障している[1)]。もっとも，地方自治法においては，直接民主制の要素も取り入れられており，「半直接民主制」ともいいうる[2)]。

### ⑵　団体自治

地方自治のもう1つの基本的要素が団体自治である。団体自治とは，国家の中に国家から独立した団体が存在し，この団体がその事務を自己の意思と責任において処理することをいう。法的意味の自治，法律的自治または対外的自治といわれることもある。わが国の都道府県や市町村は，団体自治を認められた団体である。団体自治は，地方分権主義の理念の表明といえる。わが国では，団体自治が確保されていることが住民自治の前提であるとする見解が有力である[3)]。すなわち，団体自治が保障された団体において，当該団体の意思形成における住民の参加が認められている場合，住民自治が保障されていることになる。日本国憲法は，地方公共団体は，その財産を管理し，事務を処理し，および行政を執行する権能を有し，法律の範囲内で条例制定権を有すると定めることによって（憲94条），団体自治を保障している。

---

1）　住民自治が団体自治に優位するという視点から住民自治を分析したものとして，今川晃編『地方自治を問い直す――住民自治の実践がひらく新地平』（法律文化社，2014年）参照。

2）　わが国の地方議会について，半代表的性質を持つものととらえて，その課題を検討するものとして，木村俊介「半代表的性質を伴う我が国の地方議会の課題」ガバナンス研究16号（2020年）1頁以下参照。

3）　学説の状況につき，芝池義一「団体自治と住民自治」法教165号（1994年）16頁。

## *2*　団体自治の根拠

### (1)　固有権説

団体自治の法的根拠については，大日本帝国憲法下の地方団体の「固有事務」をめぐって，固有権説と伝来説（承認説）との間で論争が行われてきた。固有権説とは，地方公共団体の自治権は，国家から与えられたものではなく，地方公共団体が本来有している前国家的権利であるとする説である。

**Column　諸外国における固有権説の起源と展開**

固有権説の起源は，欧州の中世における都市の自治権に求められることもあり，その後，フランス革命期に「地方権（pouvoir municipal）」の理論が有力になった4)。しかし，フランスでは，強力な中央集権体制がとられたこともあり，固有権説は発展せず，1830年のベルギー憲法において具体化されたといわれる。そして，ドイツにおいても，自然法の一種として継承されていった。1848年の3月革命を契機として，翌49年に憲法制定議会が可決した「ドイツ帝国憲法」（フランクフルト憲法）は，各ゲマインデ（市町村）の基本権として，市町村事務の独立の執行等を保障した（184条）。この規定は，第6章「ドイツ国民の基本権」の中に置かれており，固有権説の立場から団体自治を保障したものと一般に解されている。しかし，ドイツにおいても，19世紀には，自然法の法源性を否定し，実定法のみを法とする法実証主義が有力となったため，固有権説は力を失っていくのである。

アメリカにおいては，ミシガン州最高裁判事であったトーマス・クーリーのように，団体自治を地方公共団体の絶対的権利として位置づける者もあった。彼にとって，中央集権は，必然的に専制的になり，地方分権こそ市民の自由を保障するものであったのである5)。このような，自治体の固有権（inherent power）を認める説の中には，1066年のウィリアムⅠ世によるイングランドの武力征服以前のアングロ・サクソン法にその起源を求め，この伝統がコモンローを通じてアメリカ諸州に継受されたと唱える者もいた。この固有権説はミシガン州のほかインディアナ，ケンタッキー，アイオワ，ネブラスカの各州の判例で受容されたが，歴史的にみても，ノルマン人の征服以降のイギリスにも，団体自治が固有権であるとする思想は存在しなかったことが指

---

4)　もっとも，これが固有権説を意味するものかについては疑問がある。河合義和「自治権」法教165号（1994年）11頁。

5)　クーリー・ドクトリンについては，小滝・アメリカ135頁以下参照（同書については，宇賀克也「書評」自治研究80巻9号（2004年）136頁以下参照）。

摘され，また，たとえ，コモンロー上，かかる権利が認められていたとしても，立法によりそれを変更することは可能であるという反論を受けて影響力を失い，大方の判例は，固有権説を否定したのである。現在のアメリカでは，一般に，地方公共団体は，法理論上，州の被造物と理解されている。アメリカにおいて，地方公共団体が連邦ではなく州の被造物とされていることは，アメリカ合衆国憲法には地方自治条項が置かれておらず，各州の憲法に置かれていることからもうかがわれる。

大日本帝国憲法には地方自治を保障する規定がなかったため[6]，戦前のわが国においては，固有権説は地方団体の自治を拡大するための重要な実践的意義を有していたのであるが，少数説にとどまった。日本国憲法下においても，初期に，日本国憲法は自然法思想を基礎としているという理解の下に，憲法92条が定める「地方自治の本旨」について，固有権説が唱えられたことがある。しかし，自然法を法源として認めるかという問題のほか，先に述べたように，固有権思想自体は，人権とは異なり，欧米で根づいているわけではない。そのため，わが国でも，自然法思想に基づく固有権説は広い支持を集めているとはいえない。

もっとも，わが国では，新固有権説と呼ばれる学説も唱えられている。この説は，団体自治を自然法によって根拠づけようとするのではなく，日本国憲法の定める国民主権原理と基本的人権保障の規定を根拠に団体自治の根拠を再構成しようとするものである。すなわち，基本的人権の保障は，個人の自己決定権の保障を意味するが，それと同様，地方公共団体も，団体基本権を保障されているとみるべきであり，また，地方公共団体のほうが国よりも国民主権原理の実現に適していることが，固有の団体自治の根拠とされるのである[7]。もっとも，これに対しては，前国家的な地方公共団体の固有権の実証性が十分に説明されていないと

6）　ただし，北海道，島嶼，外地等を対象とした地方制度特例を除き，地方自治制度は勅令事項ではなく，大日本帝国憲法10条の「他ノ法律ニ特例ヲ掲ケタルモノ」に当たる法律事項であった。斎藤誠「公衆衛生における地方自治・分権の軌跡と展望」公衆衛生82巻4号（2018年）266頁。

7）　手島孝『憲法学の開拓線』（三省堂，1985年）247頁以下，同『学としての公法』（有斐閣，2004年）98頁，杉原泰雄「地方自治権の本質3」法時48巻4号（1976年）133頁以下，同「地方自治の本旨」法教165号（1994年）13頁，鴨野幸雄「地方自治論の動向と問題点」公法56号（1994年）4頁以下。

いう指摘がなされている[8]。

### (2) 伝来説

伝来説とは，地方公共団体の自治権は，国家から与えられたものであって，前国家的なものではないとする説である。この説は，たとえ沿革的に国家の成立前に地域住民の共同体が成立したという事実があるにせよ，近代国家の統治権はすべて国家に帰属し，地方公共団体も国家の統治機構の一環をなし，その自治権も国家統治権に由来すると解するのである。

ただし，大日本帝国憲法下の伝来説[9]と日本国憲法下のそれとの間には，重要な相違がある。大日本帝国憲法下の伝来説では，地方自治は憲法上保障されているわけではなく法律によって認められたものであり，法律によっていかようにも左右されるものと解するのが一般的であった。これに対して，日本国憲法は，地方自治について1章を設けている（憲8章）。これについて，地方自治に関する日本国憲法の規定は単なる宣言的なものであり，大日本帝国憲法下におけると同様，国は地方自治の廃止も含めて地方公共団体の自治権の範囲を立法政策によって自由に決定することができるとする見解も，戦後唱えられたことがあった。しかし，これでは，憲法に地方自治に関する章が置かれた意味がほとんどなくなることになり，今日では，かかる見解はみられなくなった。したがって，戦後の伝来説は，憲法自体に自治権の根拠が求められることから，憲法伝来説といわれることがある[10]。

***Column*　地域主権改革**

2010年通常国会に「地域主権改革の推進を図るための関係法律の整備に関する法律案」が提出された。そこでは，「地域主権改革」とは，日本国憲法の理念の下に，住民に身近な行政は，地方公共団体が自主的かつ総合的に広く担うようにするとともに，地域住民が自らの判断と責任において地域の諸課題に取り組むことができるようにするための改革と定義されていた。同法案では，2009年11月17日の閣議決定で設置されていた地域主権戦略会議を法律上の機関とすることとしていた。しかし，主権は国家にあるので，「地域主権」という表現は問題であるという自由民主党の指摘

8）　塩野・行政法Ⅲ 142頁。
9）　これについては，兼子・自治体法10頁参照。
10）　原田・法としくみ21頁。

を容れて，同法案の名称は，「地域の自主性及び自立性を高めるための改革の推進を図るための関係法律の整備に関する法律案」に修正され，条文中の「地域主権改革」という文言も修正された（第1次一括法。2011年4月28日成立）。このように法律では「地域主権」[11]という言葉は使用されていないが，閣議決定では，地域主権戦略大綱（2010年6月22日）のように，地域主権という言葉が使用された例がある。

### (3)　制度的保障の理論

戦後の有力説は，憲法が地方自治という制度を保障していると解しており，かかる見解を「地方自治の制度的保障の理論」という[12]。最判平成7・2・28民集49巻2号639頁［百選14］も，日本国憲法の地方自治に関する規定は，「住民の日常生活に密接な関連を有する公共的事務は，その地方の住民の意思に基づきその区域の地方公共団体が処理するという政治的形態を憲法上の制度として保障しようとする趣旨に出たものと解される」と判示している。ここにいう「地方自治の制度的保障」は，2つのことを意味する。一方において，地方自治制度は，憲法によって保障されたものであり，憲法以前に自然権として存在するものではないので，固有権説を否定することになる。そして，憲法改正によって地方自治制度を廃止することも可能になる。他方において，憲法上の保障を受けているのであるから，法律によって地方自治の本質的内容を否定することは違憲となり許されないことを意味する[13]。しかしながら，制度的保障が与えられている地方自治の本質的内容が何かは明確でなく，意見が分かれている。

このように，制度的保障の具体的内容を確定することは困難であるが，制度的保障には2つの重要な機能がある。第1は，権限付与機能である。すなわち，個別の法律の授権がなくても，地方公共団体が具体的な権能を行使することが憲法

11）「地域主権」の用語は地域自治権を強調したものとする見解として，兼子仁『変革期の地方自治法』（岩波書店，2012年）4頁参照。

12）成田頼明「地方自治の保障」同『地方自治の保障』（第一法規，2011年）73頁以下。

13）なお，この制度的保障理論は，カール・シュミットの理論に依拠するものであるが，シュミットの理論の理解の仕方については，最近有力な異論が提起されている。石川健治『自由と特権の距離〔増補版〕』（日本評論社，2007年）。シュミットによる地方自治の制度的保障理論が，市町村に憲法上独立の地位を与えることに対して懐疑的なものであったことについては，薄井・分権時代27頁参照。

上認められる場合があるということである。もう1つは，防御的機能である。すなわち，制度的保障が与えられている部分については，法律によってもこれを侵害できないこととする機能である[14]。

***Column*　全国学力テストと教育に関する地方自治の原則**

最大判昭和51・5・21刑集30巻5号615頁［百選2］［判例集175］は，法律の根拠なしに全国学力テストの実施を国が地方公共団体に要求することは教育に関する地方自治の原則に反するとした上で，文部大臣の要求が違法であっても，教育委員会はそれに拘束されず，自己の判断で行ったのであるから，当該学力テストの実施は違法ではなかったと判示した。また，全国学力テストの実施を地方公共団体に義務づける法律が教育に関する地方自治の原則に反し，違憲となると解したわけではない。

## *3*　日本国憲法の規定

### ⑴　地方自治の基本原則

日本国憲法92条は，「地方公共団体の組織及び運営に関する事項は，地方自治の本旨に基いて，法律でこれを定める」と規定している。地方自治法2条11項・12項においても，「地方自治の本旨」の文言が用いられている。「地方自治の本旨（the principle of local autonomy）」とは，団体自治と住民自治を意味すると一般に解されているが，そうであれば，地方公共団体の組織・運営について国が法律で定めることを認めることは自己矛盾であるようにも思われる。実際，マッカーサー草案においては，国会の制定する法律の範囲内において，自己自身の憲章を作成する地方公共団体の権利は奪われてはならない旨規定されていた（87条）。すなわち，地方公共団体に自らの組織について決定する憲章の制定権を保障しようとしたのである。しかし，この案は，日本政府の抵抗の結果，採用されることなく終わった。その結果，日本国憲法92条のような表現に落ち着いたのである。

日本国憲法92条は，地方公共団体の組織および運営に関する事項を法律で定める場合，地方自治の制度的保障と抵触しないことを求めており，主として地方

---

14）　塩野・地方公共団体22頁。

自治の制度的保障の防御的機能を念頭に置いた規定とみることができよう。また，「地方自治の本旨」は，地方自治制度とその運用をあるべき方向へ誘導する「指標概念」としての意味も持つといえよう[15]。「地方自治の本旨」については，市町村最優先の事務分配の原則，自主財源の保障，地方公共団体の組織・事務を定める憲章を自ら制定し地方公共団体を設ける権能等も含めて広く理解する見解もある[16]。

### ⑵　地方公共団体の機関とその直接選挙

日本国憲法93条1項は，「地方公共団体には，法律の定めるところにより，その議事機関として議会を設置する」と定め，同条2項は，「地方公共団体の長，その議会の議員及び法律の定めるその他の吏員は，その地方公共団体の住民が，直接これを選挙する」と定めている。このように，憲法で一律に地方公共団体の組織を規定してしまうことが，地方自治の本旨に適合しているかについては疑問が提起されている。

憲法93条2項は，地方公共団体の長は住民の公選によることを明記しており，ここでいう地方公共団体の長が，実質的な行政府の長であるとすると，議会＝支配人制（→6章I ***2***）は違憲となることになってしまう。

このように，憲法93条は，地方公共団体の組織の多様化を妨げている面があるが，他面において，地方公共団体の組織の民主的構造を保障している。戦後，GHQの占領政策において，官選知事制度を廃止し，知事公選制を実現することが日本の民主化のための重要政策とされたこともあり，日本国憲法は，地方公共団体の組織の多様化の要請よりも，民主的構造の保障を重視したといえよう。

---

15)　原田・法としくみ20頁。日本国憲法制定過程における「地方自治の本旨」をめぐる議論について，斎藤誠「戦後地方自治の原像――帝国議会における憲法条項審議をめぐって」自治実務セミナー638号（2015年）14頁以下およびそこで引用されている文献参照。

16)　杉原・前掲注7)「地方自治の本旨」13頁，白藤博行「地方自治の本旨」芝池＝小早川＝宇賀編・争点〔3版〕156頁，大津浩「地方自治の本旨」大石＝石川編・争点308頁，佐々木高雄「『地方自治の本旨』条項の成立経緯」青山法学論集46巻1＝2号（2004年）152頁。自治権の裁判的保護を「地方自治の本旨」の規範的内容として最重要とするものとして，白藤博行「地方自治の本旨」髙木＝宇賀編・争点203頁参照。

### (3) 地方公共団体の権能

日本国憲法94条は，「地方公共団体は，その財産を管理し，事務を処理し，及び行政を執行する権能を有し，法律の範囲内で条例を制定することができる」と規定している。ここに，地方自治の制度的保障の権限付与機能が示されている。「財産を管理」するとは，財産権の主体となり，財産を取得し，利用し，処分することである。「行政を執行する」とは，地方公共団体の事務のうち，特に権力的・統治的作用を行いうることを明確にしたものと解されている[17]。「法律の範囲内で条例を制定することができる」ということは，法律の委任がなくても地方公共団体が条例制定権を有することを明確にするとともに，条例は法律に違反することができないという条例制定権の限界も示している（ただし，条例は地方公共団体の区域内で施行されるが，地方議会議員の投票権を有しない他の地方公共団体の住民などをも拘束するのが一般的であり，民主制は貫徹していないとして，条例による刑罰規定の制定には法律の委任が必要であるとする説もある[18]）。

### (4) 地方自治特別法

日本国憲法95条は，「一の地方公共団体のみに適用される特別法は，法律の定めるところにより，その地方公共団体の住民の投票においてその過半数の同意を得なければ，国会は，これを制定することができない」と定めている。その手続は，国会法67条ならびに地方自治法261条および262条で定められている。この規定は，アメリカにおいて，州議会による過剰・不当な干渉から地方公共団体を保護するための規定が州憲法に設けられたという経緯を反映し，日本の国会が同様な干渉を行う場合，当該地方公共団体の住民投票を防波堤としようとしたものである[19]。

当面は1つの地方公共団体にのみ適用されるが，制度上は一般的に適用される法律は，ここでいう地方自治特別法には該当しない。都制は当面は東京にのみ適

17） 宮沢俊義著・芦部信喜補訂『全訂日本国憲法』（日本評論社，1978年）770頁。
18） 田中利幸「行政と刑事制裁」雄川一郎＝塩野宏＝園部逸夫編『現代行政法大系(2)』（有斐閣，1984年）279～280頁。
19） 成田頼明「地方公共団体住民の憲法上の権利」田上穣治ほか編『体系憲法事典』（青林書院新社，1968年）666頁。

用されているが，地方自治法 281 条 1 項は「都の区は，これを特別区という」と定め，都を東京都のみに限定する文言を使用しておらず，また同法には都を将来も東京都のみに限定する趣旨の規定はないので，他の地方公共団体においても都制を施行する可能性はあるから，都制に伴う特別区の定めは，憲法 95 条にいう地方自治特別法に該当しないと解されている（東京地判昭和 39・5・2 判タ 162 号 149 頁）。憲法 95 条に基づく地方自治特別法については，半世紀以上，制定実績がないため，廃止論も存在する[20]。

***Column*　「大阪都」構想**

1868 年，府藩県三治制により大阪府が設置され，1878 年制定の郡区町村編制法（明治 11 年太政官布告第 17 号）4 条の規定に基づき大阪府に 4 区（東区，西区，北区，南区）が設置された。1889 年，市制施行により 4 区を基礎として大阪市が誕生したが，「市制中東京市京都市大阪市ニ特例ヲ設クルノ件」（明治 22 年法律第 12 号）1 条の規定により府知事が市長を兼任した。1898 年に「市制中東京市京都市大阪市ニ於ケル特例廃止法律」（明治 31 年法律第 19 号）が可決され，同年，大阪市に初代市長が誕生した。1932 年，大阪市は，同市の権限を強化する特別市制の採用を国に要望した。1953 年に大阪府議会が「大阪産業都建設に関する決議」をしたり，1955 年に大阪府地方自治研究会が大阪府と大阪市を廃止して大阪都を設置し，市内に都市区を設置する「大阪商工都」構想を提案したことがあったが，今世紀になってから，「大阪都」構想をめぐる議論が活発になってきた。太田房江元大阪府知事が「大阪都」構想に関心を示し，大阪府地方自治研究会が 2003 年に，市町村の広域連合方式（府は消滅）と並んで，府市合併による「大阪新都」構想を提言した。さらに，橋下徹前大阪市長を代表とする大阪維新の会は，東京府と東京市が合併し東京都が誕生したように，府市合併による「大阪都」構想を熱心に提唱した。2010 年 3 月に大阪維新の会が公表した大阪 20 都区構想は，二重行政の解消を目指して，大阪府の区域全体を大阪都とし，区域内に公選の区長を置く 20 の特別区を設置し，大阪市・堺市は消滅させ，特別区に分割しようとするものである[21]。大阪維新の会の政治的影響力が強まった結果，「大阪都」構想の実現を法的に可能とする立法が 2012 年の通常国会で実現した。同法の下で，2015 年，2020 年と 2 度にわたり，大阪都構想の可否にかかる住民投票が行われたが，いずれも僅差で否決された[22]。なお，2011 年 2 月の知事・市長選挙において，大村秀章愛知県知事と河村たかし名古屋市長が「中京都構想」を共通公約としたことがあり，2011 年には泉田裕彦新潟県知事（当時）と篠田昭新潟市長（当時）が共同記者会見で新潟市を廃止する「新潟州構想」を提唱したことがある。川勝平太静岡県知事も

20)　廣田全男「地方自治特別法の住民投票」杉原泰雄編『新版体系憲法事典』（青林書院，2008 年）778 頁参照。

政令指定都市である静岡市を廃止して権限の強い特別区を置く「静岡県型都構想」を提唱している。

## *4*　地方自治に関する法源

### (1)　憲　　法

地方自治に関して，憲法が1章を設けていることはすでに述べた（→*2*(2)）。

### (2)　条　　約

条約による規制対象に地方公共団体が含まれている場合がある。WTO政府調達協定がその例であり，都道府県と政令指定都市を対象に含めている。そのため，政府は，「地方公共団体の物品等又は特定役務の調達手続の特例を定める政令」を制定し，都道府県および政令指定都市が締結する調達契約において，入札手続の公正性・透明性を確保する措置を講じた。また，「海上における人命の安全のための国際条約」の2002年改定を受けて，「国際航海船舶及び国際港湾施設の保安の確保等に関する法律」が制定され，特定港湾管理者（37条）である地方公共団体に保安確保の措置が義務づけられることになった。

地方公共団体が自動執行（self-excuting）条約の対象になる場合には，条約によ

---

21）「大阪都」構想について，公益財団法人特別区協議会『「大都市地域特別区設置法」にもとづく特別区制度設計の記録』（学陽書房，2016年），大森彌「『大阪都』構想と都区制度」自治実務セミナー49巻5号（2010年）1頁，高寄昇三「大阪都構想と政令指定都市」都市政策141号（2010年）19頁，村上弘「『大阪都』の基礎研究――橋下知事による大阪市の廃止構想」立命館法学331号（2010年）241頁，同「大阪都構想――メリット，デメリット，論点を考える」立命館法学335号（2011年）557頁，木佐茂男監修『地方自治制度“再編論議”の深層』（公人の友社，2012年）9頁以下（青山彰久執筆），99頁以下（阿部正樹＝人見剛＝大津浩＝木佐茂男執筆），森裕之「『大阪都構想』の現況と改革の意味」西村＝廣田・自治体間連携109頁以下，同「大阪都構想と『国家改造』」榊原秀訓編著『自治体ポピュリズムを問う――大阪維新改革・河村流減税の投げかけるもの』（自治体研究社，2012年）103頁以下，松田恵里「大阪都構想について」調査と情報740号（2012年）1頁以下参照。

22）善教将大『大阪の選択――なぜ都構想は再び否決されたのか』（有斐閣，2021年）第Ⅱ部は，大阪都構想が再度否決された住民投票に係る有権者の意識を分析している。

り地方公共団体が直接に規制を受けることになる。小樽市内の入浴施設が，一部の外国人のマナーを問題視して，すべての外国人の施設利用を拒否したために提起された訴訟においては，人種差別撤廃条約が地方公共団体にも人種差別撤廃措置を講ずることを義務づけているにもかかわらず，小樽市は，かかる措置を講じなかったとして，小樽市に対し損害賠償請求がなされている（札幌地判平成14・11・11判時1806号84頁は，外国人に対する一律の入浴拒否は不法行為になるが，市は人種差別撤廃条例の制定を義務づけられていないとして，市に対する請求は棄却，札幌高判平成16・9・16判例集不登載は控訴棄却，最決平成17・4・7判例集不登載は上告棄却，上告不受理)。条約の規制対象に地方公共団体が含まれる場合には，条約締結過程への地方公共団体の参加の確保が課題となる[23)]。

### (3) 法　律

地方自治の本旨に基づいて，地方公共団体の区分ならびに地方公共団体の組織および運営に関する事項の大綱を定め，併せて国と地方公共団体との間の基本的関係を規定しているのが「地方自治法」である[24)]。地方自治に関する最も重要な法律といえる。2010年6月22日に閣議決定された地域主権戦略大綱においては，「地域主権改革を更に進めるため，地方政府基本法の制定（地方自治法の抜本見直し）について総務省の地方行財政検討会議において検討を進め，成案が得られた事項から順次国会に提出する」こととされていたが[25)]，地方制度調査会の再開に伴い，地方行財政検討会議は休眠状態にある。

> **地方自治に関する諸法律**　地方公共団体の組織については，「地方教育行政の組織及び運営に関する法律」「警察法」「消防組織法」「水防法」等の個別法にも規定が置かれている。
> 　また，議会の解散については「地方公共団体の議会の解散に関する特例法」，公

23）斎藤誠「グローバル化と地方自治」自治研究87巻12号（2011年）19頁，日本都市センター『国際条約と自治体』（日本都市センター，2005年），渋谷秀樹「地方公共団体の条例と国際条約」立教法学73号（2007年）233頁以下参照。

24）地方自治法は制定以来，400回以上改正されている。小西・改正史は，1947年から2012年までの66年間における402件の同法改正の内容を網羅的に整理しており，資料的価値がきわめて高い。

25）人見剛「『地方政府基本法』制定と地方自治法の抜本的見直し」法と民主主義449号（2010年）12頁以下参照。

務員に関しては「地方公務員法」「地方公務員災害補償法」「地方公務員等共済組合法」，財政に関しては「地方財政法」「地方交付税法」「地方公共団体の財政の健全化に関する法律」「国有資産等所在市町村交付金法」等，税制に関しては「地方税法」，市町村合併については「市町村の合併の特例に関する法律」，選挙に関しては「公職選挙法」，地方公営企業については「地方公営企業法」，国の出先機関と地方公共団体の連携については「地方行政連絡会議法」が存在する。

憲法95条に基づく地方自治特別法は，1949年から1951年までに15本制定されている（18都市）。「広島平和記念都市建設法」「長崎国際文化都市建設法」「旧軍港市転換法」（横須賀，呉，佐世保，舞鶴の各市）等である。しかし，これらは国が特別の財政援助を与えることを主目的としたものであり，地方公共団体の組織・運営についての特別の定めを設けるものではなかった。しかし，「広島平和記念都市建設法」6条，「長崎国際文化都市建設法」6条，旧軍港市転換法8条1項は，それぞれ，広島市長，長崎市長，旧軍港市の市長に努力義務を課しており，特定の地方公共団体の機関にのみ特別の努力義務を課しているので，地方自治特別法とされたのである。他方，「古都における歴史的風土の保存に関する特別措置法」（以下「古都法」という）「明日香村における歴史的風土の保存及び生活環境の整備等に関する特別措置法」（以下「明日香法」という）のように，憲法95条に基づく地方自治特別法ではないが，特定の地方公共団体の区域に特別の規制を行う法律がある。古都法は，京都市，奈良市，鎌倉市以外の政令で定める市町村にも適用されることになっているので，そもそも特定の市町村のみに適用されるものではなく，制度自体は一般的なものであるから，地方自治特別法とはされなかった。また，明日香法は，明日香村の区域にのみ適用されるものではあるが，地方公共団体としての明日香村またはその機関に特別の義務を課しているわけではないので，地方自治特別法とされていない。このように，特定の地方公共団体の区域についてのみ特別の規制がなされても地方自治特別法とされるわけではなく，法人としての地方公共団体またはその機関に特別の（努力）義務を課す法律のみが地方自治特別法とされている[26)]。北海道開発法，小笠原諸島復帰暫定措置法，沖縄復帰特別措置法も，地方自治特別法としての住民投票は行わずに制定されている。

#### ⑷ 条例・規則

地方公共団体独自の法源として，地方公共団体の議会の制定する条例と，地方公共団体の長および委員会が制定する規則がある。告示の形式で制定されるものの中にも，規則と同様，法的拘束力を持ち，法源としての性格を有するものがありうる。

#### ⑸ 不文法源

地方公共団体においても，慣習法・判例法・条理は不文法源たりうる。なお，慣習法を尊重して，実定法上の権利として承認する例もある。市制・町村制施行前からの「旧来の慣行」による公有財産の使用権について，その旧慣によることを地方自治法が明示的に認めているのがその例である（自治238条の6第1項）。

## Ⅱ　地方公共団体の構成要素

### *1* 区　域

#### ⑴ 意　義

地方公共団体[27]は，構成要素の1つとして，国家の領土の一部を自己の区域[28]としている。地方自治法5条1項は，「普通地方公共団体の区域は，従来の区域による」と定めている。「普通地方公共団体」については後に詳しく説明す

26）　地方自治特別法についての近年の文献として，松永邦男「地方自治特別法について──憲法95条は機能しているか」都市問題96巻5号（2005年）79頁以下，福岡久美子「憲法95条の地方自治特別法」現代社会フォーラム5号（2009年）79頁以下，小林公夫「地方自治特別法の制定手続について──法令の規定及びその運用を中心に」レファレンス59巻10号（2009年）59頁以下，今井良幸「地方自治特別法の存在意義を考える──道州制特区法を素材にして」名城法学論集37号（2009年）3頁以下，加藤一彦「地方自治特別法の憲法問題」東京経済大学現代法学会誌18号（2009年）29頁以下，山元一「地方自治特別法」大石＝石川編・争点322頁参照。

27）　地方公共団体の概念について精緻に分析するものとして，仲野武志「国及び公共団体の概念」稲葉馨先生・亘理格先生古稀記念『行政法理論の基層と先端』（信山社，2022年）60頁以下参照。

るが，都道府県および市町村のことである（自治1条の3第2項）。

***Column*　従来の区域**

ここでいう「従来の区域」とは，地方自治法施行時の区域であるが，地方自治法施行時の区域とは，市制・町村制下の区域ということになる。なお，市制・町村制は，1888年にプロイセンの自治制を範として1つの法律として制定され，翌年から施行され，1911年に大幅に改正されて，1947年に地方自治法に統合された法律で，前者は市，後者は町村の組織・権限・監督等について規定していた（地方自治法制定附則2条により，市制および町村制は，東京都制および道府県制とともに廃止されている)。1911年改正前の市制・町村制を「旧市制・町村制」と，同年改正後の市制・町村制を「新市制・町村制」と称することがある。市制・町村制下の市町村の区域も遡ると，江戸時代の町村の区域にたどりつく。すなわち，1878年の郡区町村編制法（太政官布告17号）は，府県の下に郡区町村を画することとし（1条)，「郡町村ノ区域名称ハ総テ旧ニ依ル」（2条）としていた。そして，1888年制定の旧市制・町村制においても，「凡町村ハ従来ノ区域ヲ存シテ之ヲ変更セス」（旧町村制3条）と規定されていたのである。このように，現在の市町村の区域も，江戸時代の町村の区域を基礎とし，その後の合併により変遷してきたのである。

なお，市制・町村制下において，領海内の海域が地方公共団体の区域に含まれるかについて，肯定説，否定説が対立していたが，裁判例・学説の大勢は，肯定説をとっていた。地方自治法5条1項がいう「従来の区域」も，海域を含める趣旨と解される。このことは，地方自治法9条の3が公有水面のみにかかる市町村の境界変更について定めていることからも明らかである。

### ⑵　境界確定手続

#### ⒜　境界確定の基本的考え方

市町村境界訴訟における最初の最高裁判決である最判昭和61・5・29民集40巻4号603頁［百選9］は町村の境界を確定するに当たっては，当該境界につきこれを変更または確定する法定の措置がすでにとられていない限り，まず江戸時代における関係町村の当該係争地域に対する支配・管理・利用等の状況を調べ，そのおおよその区分線を知り得る場合には，これを基準として境界を確定すべきものと解す

28）　地方公共団体が区域を有する団体であることが地方公共団体に与える特色を，地方公共団体の処理する事務との関係で精緻に考察したものとして，太田匡彦「区域・住民・事務――『地域における事務』の複合的性格をめぐって」地方自治807号（2015年）2頁以下参照。

るのが相当であるとし，区分線を知りえない場合には，当該係争地域の歴史的沿革に加え，明治以降における関係町村の行政権行使の現状，国または都道府県の行政機関の管轄，住民の社会・経済生活上の便益，地勢上の特性等の自然的条件，地積などの考慮の上，最も衡平妥当な線を見出してこれを境界と定めるべきと判示している。

### (b)　基本的仕組み

市町村の境界について紛争があったり，境界が判明しない場合の手続については，戦前は，第1審として府県参事会，第2審として行政裁判所に境界確定訴訟を提起することが認められており，これを受けて，地方自治法9条以下に定めが置かれることになったため，当初の9条では，裁判所に境界確定権を認めていた。しかし，1952年の地方自治法改正により，第1次的には行政権の責任で境界を確定する仕組みに変わり，それによっても解決しないときに第2次的に裁判所に出訴できることとされた。

### (c)　境界に関し争論がある場合

(ア)　調　停　　市町村の境界に関し争論があるときは，都道府県知事は，関係市町村の申請に基づき，自治紛争処理委員による調停に付すことができる（自治9条1項)。9条2項では「すべての関係市町村」と規定されているのに対して，9条1項は単に「関係市町村」と規定しているので，争論のあるすべての関係市町村ではなく，そのうちの1つの市町村からの申請で足りるとする見解が実務ではとられているが[29]，9条2項は「前項の規定によりすべての関係市町村の申請に基いてなされた調停」と規定しているので，関係市町村すべての申請を要すると解する説もある[30]。「調停に付することができる」とされているので，調停に付すことが義務づけられているわけではない。

(イ)　裁　定　　調停により市町村の境界が確定しないとき，または市町村の境界に関し争論がある場合においてすべての関係市町村から裁定を求める旨の申請があるときは，都道府県知事は，関係市町村の境界について裁定をすることができる（自治9条2項)。このように，調停に付すことは，裁定を行うための前提になっているわけではない。

(ウ)　訴　訟　　市町村の境界に関し争論がある場合において，都道府県知事が調停または裁定に適しないと認めてその旨を通知したときは，関係市町村は，裁判所に市町村の境界の確定の訴えを提起することができる。調停や裁定の申請をした日

---

29)　松本・逐条126頁。
30)　成田ほか編・注釈415頁（成田頼明執筆)。

から90日以内に，①調停に付されないとき，②調停により市町村の境界が確定しないとき，③裁定がないときも，境界の確定の訴えを提起することができる（自治9条9項）。この訴えは，行政事件訴訟法4条の「当事者訴訟」と解されている[31]。その性格については確認訴訟説が通説であったが，近時は創設的効果を認める形成訴訟説も有力になっている[32]。

***Column*　東京湾の人工島の帰属**

東京湾の人工島である中央防波堤埋立地は，1973年に東京都23区の廃棄物最終処分場として埋立てが開始された。その帰属をめぐり，大田区と江東区の間で紛争が生じた。大田区は，埋め立てられた本件水面では，江戸時代以来，大田の漁師がノリの養殖を行ってきた経緯を強調し，江東区は，本件埋立地に向かう廃棄物運搬車が江東区を通過し，江東区民がそれに起因する悪臭や交通渋滞に耐えてきたことを強調した。地方自治法9条1項の規定に基づき，大田区および江東区から，東京都知事に対して，自治紛争処理委員の調定に付することを求める申請がなされた。これを受けて，東京都知事は，2017年7月20日，同法251条の2第1項の規定に基づき，自治紛争処理委員を任命した。同年10月16日，自治紛争処理委員は，両区の海岸線から等距離となる中間線を境界とするという考え方に基づき，大田区に13.8％，江東区に86.2％を帰属させる調停案を提示して受諾を勧告した。これに対して，江東区は受諾書を提出したが，大田区は受諾しないことを決定した旨を通知した。大田区は，さらに，江東区に対して境界確定訴訟を提起するための議案を区議会で可決した。そのため，自治紛争処理委員は，調停による解決の見込みがないと判断し，同年11月13日，同法251条の2第5項の規定に基づき，東京都知事の同意を得て調停を打ち切った。大田区が提起した境界確定訴訟において，東京地判令和元・9・20判時2442号38頁は，中間線を基準の一つとして考慮する一方，利用状況も考慮し，海の森水上競技場，海の森クロスカントリーコースのような五輪会場は一体として江東区に帰属させ，コンテナ関連施設等の埠頭機能の整備が進行する区域は一体として大田区に帰属させる方針をとり，全体の20.7％を大田区，79.3％を江東区に帰属させる判決を下した。この判決に対しては，両区とも控訴せず，判決が確定することになった。

### (d)　境界に関し争論がない場合

市町村の境界が判明でない場合において，その境界に関し争論がないときは，都道府県知事は，関係市町村の意見を聴いてこれを決定することができる（自治9条の2）。

31）　この訴訟について詳しくは，小林博志『自治体の出訴の歴史的研究』（中川書店，2018年）11頁以下。
32）　塩野・地方公共団体300頁。

#### (e) 公有水面にかかる市町村の境界変更

従前は，市町村の境界紛争は，入会利用が行われてきた山林・里山等に関するものが多かったが，高度経済成長期には埋立地の帰属をめぐる紛争が多発し，これを早期に解決するために1961年に，公有水面にかかる市町村の境界変更に関する規定（自治9条の3）が新設された。それによれば，公有水面のみにかかる市町村の境界変更は，関係市町村の申請は要せず，関係市町村の同意を得て，都道府県知事が当該都道府県議会の議決を経て定めることとされている（同条1項）。公有水面のみにかかる市町村の境界変更で都道府県の境界にわたるものは，関係のある普通地方公共団体の同意を得て総務大臣が定める（同条2項）。しかし，関係市町村間に争論があるときは，都道府県知事は，職権により自治紛争処理委員の調停に付することができる。そして，調停により市町村の境界が確定しないとき，またはすべての関係市町村が裁定することについて同意するときは，都道府県知事は裁定することができる（同条3項）。以上の決定または裁定は，公有水面の埋立てが行われるときは，「公有水面埋立法」により埋立ての竣功の認可または通知がなされるときまで行うことができる（同条4項）。埋立ての竣功の認可または通知があると，埋立てが行われた場所は土地となるので，9条の規定の適用を受けることになる。

***Column*　関西国際空港の空港島の帰属**

大阪湾を埋め立てた海上空港である関西国際空港の空港島と対岸部の前島の帰属をめぐり，泉南市，田尻町，泉佐野市の間で13年間に及ぶ紛争が継続した。これは，関西国際空港の存在により，法人住民税，固定資産税，たばこ消費税（当時）の税収が70億〜90億円と見積もられていたためである。これについては，大阪府知事が，各市町の海岸線を直線の形で沖に平行移動して境界を定める「平行線比例案分方式」を提案し，各市町がこれに同意して，紛争が終結した（[百選9] 解説中の図参照）。

### (3) 公有水面埋立てに伴う村の設置

1957年から着工された八郎潟干拓事業によって生じた干拓地のように，大規模な公有水面埋立て（八郎潟は琵琶湖に次ぐ日本第2の面積の湖であった）によって生じた土地を関係市町村に帰属させるよりも，埋立地全域を区域とする村を新設するほうが適切と考えられる場合がある。そこで，1964年に「大規模な公有水面の埋立てに伴う村の設置に係る地方自治法等の特例に関する法律」が制定され，内閣は，関係普通地方公共団体の意見を聴いて，新たに村を設置することができることとされた。そして，八郎潟中央干拓地については1976年，秋田県南秋田郡大潟村が設置されている。

### (4) 市町村の区域内における新たな土地の出現

火山活動により海底が隆起して新島が出現したような場合には，市町村の区域内に新たに土地が生ずることになる。かかる場合，市町村長は，当該市町村議会の議決を経てその旨を確認し，都道府県知事に届け出なければならず，届出を受けた都道府県知事は直ちにその旨を告示しなければならない（自治9条の5）。

### (5) 未所属地域の編入

日本の領土でありながら，いずれの地方公共団体の区域にも属しなかった地域を都道府県または市町村の区域に編入する必要があると認めるときは，法律で別に定めるほか，内閣が定めることとしている。わが国が施政権を失った地域が復帰する場合等が念頭に置かれている。この場合において，利害関係があると認められる都道府県または市町村があるときは，あらかじめその意見を聴かなければならない（自治7条の2第1項）。奄美群島，小笠原諸島，沖縄の復帰に際しては，特別の法律が制定された（本条が設けられる前に帰属未定の無人の岩礁の市町村区域への編入が争われた事件において，最判昭和36・6・9訟月7巻8号1622頁［百選8］は，昭和27年法律第306号による改正前の地方自治法においては，いずれの都道府県にも属しなかった土地を市町村の区域に編入するためには法律によらなければならず，県知事の告示による区域編入処分は無効と判示している）。

***Column*　都県にまたがる境界未確定領域**

国土地理院は，毎年，全国都道府県市区町村別面積調を行い，都県にまたがる未確定領域も公表しているが，それによると，2020年1月1日現在，14か所で都県にまたがる境界が未確定になっている。富士山頂が静岡県富士宮市と山梨県南都留郡鳴沢村のいずれに属するかが未確定になっていたり，埼玉県三郷市と東京都葛飾区の間では，小合溜の水面部分および天王橋から江戸川に至る新川部分について境界が未確定である。国土地理院は未確定領域については，都県の面積に算入していない。

### (6) 都道府県の境界変更

都道府県の境界にわたって市町村の設置または境界の変更があったときは，都道府県の境界も自ら変更する（自治6条2項）。都道府県が市町村を包括するため（同5条2項），市町村の区域の確定が自動的に都道府県の区域も確定することになるからである。

***Column*　基礎的地方公共団体が存在しない地域**

わが国では，すべての区域は，いずれかの市町村に帰属させるという立法政策がとられている。したがって，日本に居住する住民は，いずれかの市町村の住民であるという制度になっている。このことは日本国民にとっては当然のように思われるが，このような制度がとられていない国もある。アメリカがその例であり，同国には，州の行政単位であるカウンティの行政サービスを受けるが，基礎的地方公共団体は存在しない地域（unincorporated area）[33]があり，特に中西部の州に多い。すなわち，住民が基礎的地方公共団体を法人として設立することを欲しない場合には，それも許される仕組みになっているのである。そして，全人口の4割近くが，このような地域に居住している。

### (7)　区域外における公務の執行

地方公共団体は，その区域外では公務を執行できないのが原則であるが，国際法上認められた「継続追跡権の法理」により，区域内で逃走を開始した船舶を継続して追跡し，区域外で停船命令を発することを適法な公務の執行と解したものとして，最判昭和40・5・20判時413号82頁［百選A4］がある。また，都道府県警察の警察官は，当該都道府県警察の管轄区域内において職権を行うのが原則であるが（警64条2項），警察庁または他の都道府県警察からの援助の要求による場合（警60条3項），管轄区域の境界周辺における事案の処理（警60条の2），広域組織犯罪等の処理（警60条の3），居住者，滞在者その他その管轄区域の関係者の生命，身体および財産の保護ならびにその管轄区域における犯罪の鎮圧および捜査，被疑者の逮捕その他の公安の維持に必要な限度での職権行使（警61条），重大サイバー事案の処理（警61条の3第4項）。現行犯逮捕（警65条），移動警察等に関する職権行使（警66条），緊急事態の布告区域に派遣された警察官による職権行使（警73条3項）については，例外として，所属する都道府県警察の管轄区域外で職権行使が認められている。

***Column*　仮の町**

政府の原子力災害対策本部は，2012年3月30日，当日から5年間を経過してもなお年間積算線量が20ミリシーベルトを下回らないおそれがあり，当該時点で年間放射線量が50ミリシーベルトを超える地域を帰還困難区域に指定する方針を定めた。福島県大熊町のように，住宅地の約96％が帰還困難区域に指定された町も存在する。地方公共団体の構成要素である地域は存在しても，その大部分において当面は住民が居住することのできない異常事態が生じてしまった。大熊町，浪江町，富岡町，双葉町は，帰還までの間の地域のコミュニティを維持するために町外コミュニティ（仮の町）の形成を希望している。福島復興再生特別措置法に基づく福島復興再生基本方針

33）小滝・アメリカ150頁参照。

（2012年7月13日閣議決定）において，国は，これらの町と受入先となる地方公共団体の協議結果を尊重して必要な措置を講ずるとしている。

## 2 住　民

### (1) 意　義

地方公共団体の人的構成要素が住民である。地方自治法は，市町村の区域内に住所を有する者は，当該市町村およびこれを包括する都道府県の住民とすると規定する（自治10条1項）。ここで重要なことは，「市町村の区域内に住所を有する」という事実のみによって，許可や登録等の行為なしに住民としての要件が充足されることである[34]。市町村は，別に法律の定めるところにより，その住民につき，住民たる地位に関する正確な記録を常に整備しておかなければならず（同13条の2），住民に関する記録を正確かつ統一的に行う住民基本台帳の制度が「住民基本台帳法」によって定められている。しかし，住民基本台帳への記録は公証行為であって，そこに記録されている住所が地方自治法上の住所であるという推定は働くが，反証は可能である。住民基本台帳に記載されなければ地方自治法10条1項の住民でないというわけではない。

この住民には，自然人に限られず法人も含まれる。ただし，地方自治法が「日本国民たる」住民と規定している場合（選挙権に関する11条等）には，自然人のみが念頭に置かれている。住民の要件として人種・性別・年齢・行為能力を問わないのはもとより，国籍も要件とされていない。なお，近年，自治基本条例で定義される「市民」は，当該地方公共団体内に住所を有しない在勤者，在学者も含

34）　住民の概念を出発点として，国と異なり構成員を自ら選択できず住所を有する者をすべて受け入れる開放的強制加入団体としての普通地方公共団体の性格について考察を行うものとして，太田匡彦「住所・住民・地方公共団体」地方自治727号（2008年）2頁以下参照。「住民」という概念に，参政権の行使，公共サービスの提供および負担分任という3つの要素が包含されているとし，この3つの要素を統一的に構成できなくなる例外的な場合についても論ずるものとして，山崎重孝「住民と住所に関する一考察」地方自治767号（2011年）2頁以下参照。また，住民の参政権，外国人の地方参政権について，岡崎勝彦「住民」法教165号（1994年）48頁。

み，「住民」よりも広い概念として「市民」という文言を用いる傾向がある（札幌市自治基本条例２条１項等参照）[35]。

**Column　交流人口・関係人口・定住人口**

地方自治法の住民の概念は，定住人口を念頭に置いたものであるが，過疎地域を活性化させる地方創生政策において，観光振興による交流人口の拡大，移住促進による定住人口の拡大と並んで，アドホックな観光と長期的な定住の中間に位置し，当該地域と多様に関わる人材の創出の重要性が認識されるようになり，かかる人々が関係人口と呼ばれるようになった。総務省は，地域外の住民が関係人口となる機会を提供する取組を行う地方公共団体を支援するモデル事業を「関係人口創出・拡大事業」として実施している。たとえば，北海道石狩市は，地域農業ファンづくりのため，収穫体験等の体験型レクリエーションツアーを行い，そこから農村滞在交流活動につなげていく取組を行っている[36]。

**Column　非嫡出子と住民票の記載**

1994年改正前の住民基本台帳事務処理要領においては，非嫡出子については世帯主との続柄を「子」と記載し，嫡出子については「長男」「次女」等と記載することとされていた。夫婦別姓を実現するため婚姻届を提出せずに同居していた夫婦が非嫡出子について「子」と記載する続柄記載処分の取消しと嫡出子と非嫡出子の区別なしに記載された住民票の発行を求める抗告訴訟を提起した事案において，最判平成11・1・21判時1675号48頁［百選〔3版〕13］は，住民票記載行為は，元来，公の権威をもって住民の居住関係に関する事項を記載し，それに公の証拠力を与えるいわゆる公証行為であり，それ自体によって新たに国民の権利義務を形成し，またはその範囲を確定する法的効果を有するものではないとする。もっとも，住民票に特定の住民の氏名等を記載する行為は，その者が当該市町村の選挙人名簿に登録されるか否かを決定づけるものであって，その者は選挙人名簿に登録されない限り原則として投票

35）　飯島淳子「地方公共団体の構成要素としての住民・区域」髙木＝宇賀編・争点205頁は，「準住民」を含む「市民」の拡張的統合が，地方公共団体による地域住民社会の組織編成への干渉となるおそれを孕んでいると指摘する。

36）　小田切徳美「関係人口という未来――背景・意義・政策」ガバナンス202号（2018年）14頁以下，同「『関係人口』の意味と意義」地域開発632号（2020年）2頁以下，田中輝美『関係人口をつくる――定住でも交流でもないローカルイノベーション』（木楽舎，2017年），同「『関係人口』の可能性と課題」地域問題研究95号（2019年）9頁以下，安部敏樹「関係人口を捉え直す――関係人口から新たな社会を」地域開発632号（2020年）56頁以下，指出一正「関係人口がひらく未来」同誌60頁以下，中井孝一「『関係人口』の創出に向けて」地方自治846号（2018年）63頁以下，総務省「これからの移住・交流施策のあり方に関する検討会報告書」（2018年）参照。

することができないから，これに法的効果が与えられているとする。しかし，住民票に特定の住民の世帯主との続柄がどのように記載されるかは，その者が選挙人名簿に登録されるか否かには何らの影響も及ぼさないことが明らかであり，住民票に続柄を記載する行為が何らかの法的効果を有すると解すべき根拠はないとする。

出生届の嫡出・非嫡出の欄を空欄にしたまま提出された出生届が受理されなかった子につき住民票の記載を求める親からの申出について，最判平成21・4・17民集63巻4号638頁［判例集92］［判例集II 68］は，市町村長に応答義務が課された住民基本台帳法の規定による届出とは異なり，本件のような申出に対する応答義務が課されておらず，当該申出は職権の発動を促すものにすぎないとする。そして，市町村長は，父または母の戸籍に入る子について出生届が提出されない結果，住民票の記載もされていない場合，常に職権調査による方法で住民票の記載をしなければならないものではなく，原則として，出生届の届出義務者にその提出を促し，戸籍の記載に基づき住民票の記載をすれば足りるとする。そして，届出の催告等による方法により住民票の記載をすることが社会通念に照らし著しく困難でありまたは相当性を欠くなどの特段の事情がある場合に限り，職権調査による記載義務が生ずるとする。具体的には，出生届の提出を懈怠していることにやむをえない合理的理由があるか，住民票の記載がされないことによって当該子に看過しがたい不利益が生ずる可能性があるような場合は，上記の特段の事情があるとする[37]。

### ⑵　住所の要件

ここでいう「住所」とは，自然人の場合，民法22条の趣旨が同様に妥当すると解されており，生活の本拠とされている場所である。何が生活の本拠かの認定が困難な場合が生じうるが，客観的な居住の事実が主たる考慮要素になる。しかし，それのみならず，その者の主観的意思も補足的に考慮して総合的に判断すべしとするのが現在の通説である。

法人の場合には，主たる事務所の所在地（一般法人4条）または本店の所在地（会社4条）をもって住所とすることになる。特別の法律に基づく法人の場合には，一般に法律で本店や主たる事務所の所在地が定められる。例えば，日本放送協会の主たる事務所は東京都に置かれ（放送17条1項），日本銀行の本店は東京都に置かれる（日銀7条1項）。

---

37）　戸籍法に基づく届出と住民票の記載の関係について詳しくは，山本隆司『判例から探究する行政法』（有斐閣，2012年）42頁以下参照。

### (3) 住所の効果

住所は，選挙権の発生要件になったり（公選9条2項），住民税の納税義務発生の要件になったりする（地税24条1項・294条1項）。法人にも住民税が課されている。

### (4) 住所の認定

住民基本台帳法4条は，住民の住所に関する法令の規定は，地方自治法10条1項に規定する住民の住所と異なる意義の住所を定めるものと解釈してはならないと定めている。このことを明確にしている法令もある（地税24条2項・294条2項）。他方，住民基本台帳法4条の規定は，地方自治法10条1項所定の住所が，常に住民票記載の住所によって定まることまでを意味するものではない（大阪高判平成元・3・22行集40巻3号264頁）。

**_Column_　ホームレスの住所**

公園内にテントを設置して居住してきたと主張する者が，当該テントの所在地を住所とする転居届を提出したところ，当該テントの所在地が住所とは認められないとして受理されなかったため，取消訴訟が提起された事案において，大阪地判平成18・1・27判タ1214号160頁［判例集40］は，住民基本台帳法4条にいう住所は，地方自治法10条1項にいう住所と同義であり，生活の本拠，すなわち，その者の生活に最も関係の深い一般的生活，全生活の中心を指すものであり，一定の場所がある者の住所であるか否かは，客観的に生活の本拠たる実体を具備しているか否かにより決すべきものと解するのが相当であると判示している。そして，当該テントが設置や撤去が容易な簡易工作物であるからといって，その一事をもって直ちに当該場所が生活の本拠たる実体を欠くことになるものではないし，その者が当該場所について占有権原を有するか否かは，客観的事実としての生活の本拠たる実体の具備とは本来無関係とし，原告が当該テントの所在地について都市公園法に基づく占用許可を受けておらず占有権原を有していないことを理由として転居届を受理しないことは許されないと述べている。しかし，その控訴審判決である大阪高判平成19・1・23判時1976号34頁は，一定の場所がある者の住所であるか否かは，客観的に「生活の本拠としての実体」を具備しているか否かによって決すべきであるが，「生活の本拠としての実体」があると認められるためには，単に一定の日常生活が営まれているというだけでは足りず，その形態が，健全な社会通念に基礎づけられた住所としての定型性を具備していることを要するとし，本件テントにおける被控訴人の生活の形態は，同所において継続的に日常生活が営まれているということはできるものの，それ以上に，健全な社会通念に基礎づけられた住所としての定型性を具備していると評価することはできないから，いまだ，「生活の本拠としての実体」があると認めるには足りないとして，第1審判決を取り消している。そして，最判平成20・10・3判時2026号11頁［百選10］は，上告人が都市公園法に違反して都市公園内に不法に設置されたキャンプ用テントを起居の場所とし，公園施設である水道設備等を利用して日常生活を営んでいるなど原審が適法に確定した事実関係の下においては，社会通念上，上記テントの所在地が客観的に生活の本拠としての実体を具備しているものとみることはできないとして，上告を棄却している[38)]。

また，宗教団体アレフ（旧オウム真理教）の信者からの転入届を不受理にしたことに対する取消訴訟と損害賠償請求訴訟が提起された事件において，最判平成15・6・26判時1831号94頁［百選15］は，住民基本台帳法の規定の適用が除外される者以外の者から転入届があった場合には，法定の届出事項にかかる事由以外の事由を理由として転入届を受理しないことは許されないとし，地域の秩序が破壊され住民の生命や身体の安全が害される危険性が高度に認められるような特別の事情がある場合には，転入届を受理しないことが許される旨の主張は，実定法の根拠を欠くと判示している。そして，住民票調製後にアレフの信者であることが判明したためになされた住民基本台帳からの消除処分の取消訴訟が提起され執行停止が申し立てられた事案において，住民の生命や安全が害される特別の事情についての審査権を市区町村長が有するとは即断しがたいとして，原審決定（執行停止の申立てを却下）を破棄したものとして，最決平成13・6・14判例自治217号20頁［百選〔3版〕12］がある。

市町村長は，住民の住所の認定について他の市町村長と意見を異にし，その協議が調わないときは，都道府県知事（関係市町村が2以上の都道府県の区域内の市町村である場合には，主務大臣）に対し，その決定を求める旨を申し出なければならず，主務大臣または都道府県知事は，この申出を受けた場合には，申出を受け

38）　ホームレスが住所や住民登録を確保すること，安定した居住環境を確保することの意義について論ずるものとして，長谷川貴陽史「住所・住民登録・居住」後藤玲子編著『正義』（ミネルヴァ書房，2016年）61頁以下。日米比較に基づき，ホームレスにとっての住所や住民票の意義を法社会学的観点から考察するものとして，同「居住における包摂と排除――『住所の確保』と『住居の提供』の日米事例比較から」新世代法政策学研究20号（2013年）307頁以下。

た日から60日以内に決定をしなければならない。関係市町村は，この決定に不服があるときは，決定の通知を受けた日から30日以内に裁判所に出訴することができる（住民台帳33条）。

**Column　長野県知事の住所問題**

長野県知事の住所について長野市長と泰阜村長の協議が調わず，長野市長が県知事に決定を求めた事案で，知事の諮問機関として設置された「住所認定に関する審査委員会」は，住所認定に当たっては，ある場所が客観的に生活の本拠たる実体を具備しているか否かによって決すべきであるとし，滞在日数の面では長野市に県知事の生活の本拠があるが，賃貸契約，家財道具の状況，地域活動への参加状況の面では泰阜村にも生活の本拠としての実体は存在し，いずれにも生活の本拠としての実体が存在すると考えられるとした。そして，このようにいずれにも生活の本拠としての実体が存在する場合には，憲法22条が居住・移転の自由を保障しており，住所をどこに定めるかという個人の意思が最大限尊重されるべきこと，住民基本台帳法も住民の居住意思を重視して届出制度を設けていることに照らして，「本人の居住意思」により決すべきであるとして，泰阜村を住所と認定する答申を出し，県知事は，2004年5月25日，この答申に基づき，2003年9月26日から2004年3月26日までの自己の住所は泰阜村にあったと決定した。

そこで，長野市長は，2004年6月23日，住民基本台帳法33条4項の規定に基づき，この決定の取消しを求める訴訟を提起した[39]。また，これとは別に，長野市内の有権者5人が長野県知事が泰阜村で選挙人名簿登録されていることは誤りであるとして，2004年3月5日，泰阜村選挙管理委員会に異議の申出（公選24条1項）をしたが，同月8日に棄却されたため，訴訟（同25条1項）を提起したところ，長野地判平成16・6・24判例集不登載は，2003年9月26日から2004年3月1日（登録基準日）までの長野市と泰阜村の滞在日数等の客観的な生活実態をもとに，生活の本拠が長野市から泰阜村に移ったとは認められないとし，泰阜村選挙人名簿への登録資格は認められないから選挙人名簿に誤りがあると認定し，異議申出棄却決定を取り消した。これに対して長野県知事が上告したが（同25条3項），最判平成16・11・18判例集不登載は，上告理由に該当しないとして上告を棄却した。その結果，長野市長は，長野県知事の住民票を職権で長野市にいったん戻し（住基令12条2項6号），同知事が長野市のマンションを退去した2004年5月13日付けで同市の住民票を職権消除した（2004年12月1日実施）。最高裁判決を受けて泰阜村も2004年度の住民税の課税を取り消し，長野市が2005年2月10日付けで住民税の課税を行い納税された。その結果，2004年5月25日の知事決定は無効になっているという認識に基づいて，長野市長は，

39）　この訴訟が機関訴訟ではなく私人間の境界紛争と実質的に同じであるとするものとして，曽和・行政法執行システム222頁以下参照。

住民基本台帳法33条4項の規定に基づく訴訟を取り下げている。

### ⑸ 権利義務

住民は，法律の定めるところにより，その属する普通地方公共団体の役務の提供をひとしく受ける権利を有し，その負担を分任する義務を負う（自治10条2項）。個別の法律の定めるところにより，住民以外の者がこれらの権利義務の帰属主体になることはありうる。例えば，普通地方公共団体は，他の普通地方公共団体との協議により，当該他の普通地方公共団体の公の施設を自己の住民の利用に供させることができる（同244条の3第2項）。公の施設とは，普通地方公共団体が，住民の福祉を増進する目的をもってその利用に供するための施設をいい（同244条1項），公立学校・公立図書館・公民館等がその例である。また，住民でなくても，当該市町村内に土地家屋等の固定資産を有する者には固定資産税が課される（地税342条・343条）[40]。

地方公共団体の中には，住民としての義務を果たさない者に対して，住民としての権利を否定する条例を定めるものもある。例えば，「小田原市市税の滞納に対する特別措置に関する条例」は，市税が滞納となっている場合において，当該滞納となっている市税の徴収の促進に必要があると認めるときは，市長は，当該滞納者に対し，他の法令，条例または規則の定めに基づき行うものを除くほか，市長が必要と認める行政サービスの停止，許認可の拒否等の措置をとることができるとしている。島根県「川本町町税等の滞納者に対する行政サービスの制限措置等に関する条例」は，行政サービスを受けようとする申請者または申請者以外で当該申請の許可により利益を受ける者に滞納があることを確認したときは，当該行政サービスの手続を停止しなければならないとしている。また，群馬県太田市の市営住宅条例は，市税の滞納者には，原則として入居資格を否定している。

---

40） 地方公共団体による公共サービスとその相手方との関係を類型化した上で，公共サービスの内容を住民か否かに応じて差異化する手法とその限界を考察したものとして，太田匡彦「自治体による公共サービスの対象者と住民」都市とガバナンス26号（2016年）12頁。

### (6) 住民基本台帳ネットワークシステム

1999年の住民基本台帳法の改正により，行政機関等に対する本人確認情報の提供および市区町村の区域を越えた住民基本台帳に関する事務の処理による行政の合理化ならびに住民の利便性の向上を目的として，各市区町村の住民基本台帳をネットワーク化した地方公共団体共同のシステムとして，住民基本台帳ネットワークシステム（以下「住基ネット」という）が構築された。このシステムについては，個人情報保護への懸念から多くの訴訟が提起された。最判平成20・3・6民集62巻3号665頁［百選20］［判例集92］は，憲法13条は，国民の私生活上の自由が公権力の行使に対しても保護されるべきことを規定しているものであり，個人の私生活上の自由の一つとして，何人も，個人に関する情報をみだりに第三者に開示または公表されない自由を有するとした上で，①住基ネットによって管理，利用等される本人確認情報は，個人の内面に関わるような秘匿性の高い情報とはいえないこと，②住基ネットによる本人確認情報の管理，利用等は，法令等の根拠に基づき，住民サービスの向上および行政事務の効率化という正当な行政目的の範囲内で行われていること，③住基ネットのシステム上の欠陥等により外部から不当にアクセスされるなどして本人確認情報が容易に漏えいする具体的な危険はないこと，④受領者による本人確認情報の目的外利用または本人確認情報に関する秘密の漏えい等は，懲戒処分または刑罰をもって禁止されていること，⑤住基ネットにシステム技術上または法制度上の不備があり，そのために本人確認情報が法令等の根拠に基づかずに，または正当な行政目的の範囲を逸脱して第三者に開示または公表される具体的な危険が生じているということもできないこと，⑥現行法上，本人確認情報の提供が認められている行政事務において取り扱われる個人情報を一元的に管理することができる機関または主体は存在しないことなどにも照らせば，行政機関が住基ネットにより住民の本人確認情報を管理，利用等する行為は，個人に関する情報をみだりに第三者に開示または公表するものということはできず，当該個人がこれに同意していないとしても，憲法13条により保障された上記の自由を侵害するものではないと解するのが相当である，と判示した。

***Column*　原発避難者特例法**

福島第一原発事故により，多数の住民が，住所を移転しないまま，その属する市町村の区域外に避難を余儀なくされている。避難生活が長期化し，その属する市町村で本来受けるべき行政サービスを受けることが困難な者が大量に発生した。かかる事態に対処するため，避難元の地方公共団体が避難先の地方公共団体に事務の委託を行うことは法的には可能であるが，避難先の地方公共団体が1000近くにのぼる状況の下では，実際上，事務の委託制度を利用することは困難である。そこで，2011年の通常国会で，「東日本大震災における原子力発電所の事故による災害に対処するための避難住民に係る事務処理の特例及び住所移転者に係る措置に関する法律」（原発避難者特例法）が制定され，同年8月12日に公布即日施行された。同法の規定に基づき福島県および県内の13の市町村が指定を受け，指定市町村の避難住民であって指定市町村の長に避難場所を届け出た者については，特例事務（避難住民にかかる事務であって避難元の地方公共団体が自ら処理することが困難な事務として総務大臣が告示した事務）を避難先の地方公共団体が行う義務を負うこととしている。避難住民にかかる事務処理の特例により生ずる費用は，原則として避難先の地方公共団体が負担するが，国は，その費用について必要な財政上の措置を講ずるものとされている。2011年11月15日，保育所入所に関する事務，予防接種に関する事務，児童生徒の就学等に関する事務，要介護認定等に関する事務等が，特例事務として告示されている。同法は，福島第一原発事故の結果，市町村の区域外への住所の移転を余儀なくされた者と移転元の市町村との絆を維持するための方策についても規定している。すなわち，総務大臣が指定する避難元の市町村および当該市町村の区域を包括する都道府県は，住所移転を余儀なくされた住民のうち申出をした者（特定住所移転者）に対し，移転元の地方公共団体に関する情報を提供するものとし，当該市町村の区域への訪問の事業その他当該市町村の住民との交流を促進するための事業の推進等の措置を講ずる努力義務を負うこととしている。また，これらの施策について意見を聴くため，当該市町村は，条例で，特定住所移転者から選任した者で構成される住所移転者協議会を置くことができることとしている[41)]。

41）　原発避難者特例法について，太田匡彦「居住・時間・住民——地方公共団体の基礎に措定されるべき連帯に関する一考察」嶋田暁文＝阿部昌樹＝木佐茂雄編・太田匡彦＝金井利之＝飯島淳子『地方自治の基礎概念——住民・住所・自治体をどうとらえるか？』（公人の友社，2015年）28頁以下，飯島淳子「住民」公法75号（2013年）170頁以下参照。太田論文は，原発避難者特例法に着目して，地方公共団体の住民の相互関係について考察している。また，被災自治体における住民の意思の反映の問題について，日本都市センター編『被災自治体における住民の意思の反映——東日本大震災の現地調査・多角的考察を通じて』（日本都市センター，2014年）参照。

### (7) 外国人の住民

前述したように（→(1)），地方自治法10条1項は，住民について国籍を要件としていない。したがって，例えば，外国人の住民に対しても，正当な理由なしに公の施設の利用を拒んではならない（自治244条2項）。

**Column　川崎市外国人市民代表者会議**

川崎市は，1996年，川崎市外国人市民代表者会議条例を制定し，同市の地域社会の構成員である外国人市民に自らにかかわる諸問題を調査審議する機会を保障することにより，外国人市民の市政参加を推進し，もって相互に理解しあい，ともに生きる地域社会の形成に寄与することを目的として外国人市民代表者会議を設置した。同会議は，外国人市民にかかる施策その他の外国人市民に関する事項について調査審議し，その結果を市長に報告し，または意見を申し出ることができる。市長その他の執行機関は，申し出られた意見を尊重するものとされている。同会議の構成員は公募で選出されるが，満18歳以上であって，川崎市の区域内において1年以上，在住していることが要件となっている。会議は，年4回開催される。同会議の意見を反映し，2000年制定の住宅基本条例には，外国人の居住の安定が住宅および住環境に関する政策の基本理念として明記され，2008年制定の住民投票条例においては，一定の要件を満たした外国人に投票資格が付与されている。

他方，普通地方公共団体の選挙の選挙権については，日本国民たる普通地方公共団体の住民に限定して与えられている（自治11条）。これが合憲かが問題になる。外国人への地方参政権の付与について，学説は，憲法上付与が要請されているとする要請説，憲法上の要請ではないが，立法者が選挙権を付与することが憲法上許容されているとする許容説，選挙権の付与が憲法上禁止されているとする禁止説に分かれている。日本国憲法93条2項は，「地方公共団体の長，その議会の議員及び法律の定めるその他の吏員は，その地方公共団体の住民が，直接これを選挙する」と定めているが，ここでいう住民は，日本国籍を有する者に限られるとするのが判例（最判平成7・2・28民集49巻2号639頁［百選14］）である[42]。これは，在日韓国人2世の原告らが，大阪市選挙管理委員会から選挙人名簿への登録を拒否されたことに異議を申し出たが却下されたため，訴訟を提起した事件

42）外国人の地方参政権の日独の判例の比較法的考察について，斎藤・法的基層147頁以下が有益である。

である。最高裁は，「憲法93条2項にいう『住民』とは，地方公共団体の区域内に住所を有する日本国民を意味するものと解するのが相当であり，右規定は，我が国に在留する外国人に対して，地方公共団体の長，その議会の議員等の選挙の権利を保障したものということはできない」とする。しかし，他方で，立法政策の問題として，一定の外国人に地方参政権を認めることは可能としている。すなわち，「我が国に在留する外国人のうちでも永住者等であってその居住する区域の地方公共団体と特段に緊密な関係を持つに至ったと認められるものについて，その意思を日常生活に密接な関連を有する地方公共団体の公共的事務の処理に反映させるべく，法律をもって，地方公共団体の長，その議会の議員等に対する選挙権を付与する措置を講ずることは，憲法上禁止されているものではないと解するのが相当である」と判示しているのである（国政選挙については，外国人に選挙権を付与しないことを合憲としたものとして，最判平成5・2・26判時1452号37頁がある）。

また，「御嵩町における産業廃棄物処理施設の設置についての住民投票に関する条例」が投票資格を日本国籍を有する者に限定していることは憲法21条1項，憲法14条1項等に違反するとして慰謝料が請求された事案において，最判平成14・9・27判時1802号45頁は，違憲論を退けている。しかし，最高裁は，住民投票条例の投票資格を外国人にも付与することが違憲と考えているのではないと思われる。実際，2002年制定の「米原町の合併についての意思を問う住民投票条例」を嚆矢として，永住外国人に投票資格を付与する住民投票条例は，多数制定されている。

**_Column_　外国人住民と住民基本台帳制度**

従前は，外国人住民は住民基本台帳制度の適用対象とはされず，外国人登録法の適用対象とされていた。2009年，外国人住民の利便の増進および市町村等の行政の合理化を目的として，外国人住民（3か月を超える中長期在留者〔空港・港等で交付される在留カード対象者〕および特別永住者等）を住民基本台帳法の適用対象に加え，転出・転入の届出や職権により外国人住民にかかる住民票の作成，修正等を行い，その氏名・住所等のほか，国籍，在留資格，在留期間等を記載することとした。従前の外国人登録制度は廃止され，住民基本台帳法上の閲覧制度，記載事項証明書の交付制度，住民基本台帳ネットワークシステム，住民基本台帳カードにかかる規定について，日本人と同様に外国人住民にも適用されることになった。これにより，日本人と外国人で構成される複数国籍世帯の正確な把握が可能になる。この法改正は，2012年7月9

日に施行された。

## *3* 法人格

地方公共団体の構成要素としては，区域，住民のほかに法人格が挙げられる（地方公共団体の第3の構成要素として，統治権＝自治権を挙げる見解もある）。地方自治法は，明文で地方公共団体は法人とすると定めている（自治2条1項）。すなわち，認可等の処分を要することなく，直接に地方自治法により地方公共団体に法人格を付与しているのである。地方公共団体は単に権利義務の帰属主体であるにとどまらず，統治団体であり，国と同様，行政主体と称されることもある。

法人の設立には法律の根拠を要するので（民33条），市町村が条例で，その区域内に法人格を持った下部団体を設立することはできない。

***Column*　住居表示**

合併等に伴い，市町村名が変更し，従前の歴史的・文化的価値のある市町村名が消滅してしまうことが少なくない。そして，住民が訴訟を提起して，市町村名の変更を阻止しようとすることもあった。そのため，1967年に住居表示に関する法律が改正され，街区方式によって住居を表示しようとする場合において，新たな町等の区域を定めた場合には，当該町等の名称は，できる限り従来の名称に準拠すべきことが明記され，さらに，同法5条の2において，町名等の変更について議会の議決を経ようとするときは，あらかじめ，その案を公示しなければならないこととされ，公示された案にかかる町等の区域内に住所を有する者で市町村の議会の議員および長の選挙権を有するものは，その案に異議があるときは，市町村長に対し，公示の日から30日を経過する日までに，50人以上の連署をもって，理由を付して，その案に対する変更の請求をすることができることとされた。そして，市町村長は，当該期間が経過するまでの間は，住居表示の実施のための町等の区域の新設等の処分に関する議案を議会に提出することができず，上記の変更の請求があったときは，市町村長は，直ちに当該変更の請求の要旨を公表することを義務づけられ，また，当該変更の請求にかかる町等の区域の新設等の処分に関する議案を議会に提出するときは，当該変更の請求書を添えてしなければならないこととされた。市町村の議会は，当該変更の請求にかかる町等の区域の新設等の処分に関する議案については，あらかじめ，公聴会を開き，当該処分にかかる町等の区域内に住所を有する者から意見を聴いた後でなければ，当該議案の議決をすることができない。

なお，上記の改正がなされる前の住居表示に関する法律の下での町名変更の事案であるが，最判昭和48・1・19民集27巻1号1頁［百選13］は，「町名は，住民の日常生活にとって密接な関係をもつものであるけれども，元来，それは，単なる地域特定のための名称であるにとどまり，個人が特定の町名を自己の居住地等の表示に用いることによる利益不利益は，通常，当該土地を含む区域に現に特定の名称が付されていることから生ずる事実上のものであるにすぎないのであつて，当該区域内の住民その他同区域内の土地に関係を有する者であるからといつて，直ちに現在の町名をみだりに変更されないという利益が法的に保障されているものと解すべき根拠は存しないし，もとより，これを他の特定の町名に変更すべきことを求める権利を有するものではない」とした。

# 第2章 普通地方公共団体

**Point**

1）地方自治法は，地方公共団体を普通地方公共団体と特別地方公共団体に分類している。前者には都道府県と市町村がある。

2）憲法上の地方公共団体の意義について，最高裁は，単に法律で地方公共団体として取り扱われているということだけでは足りず，事実上住民が経済的文化的に密接な共同生活を営み，共同体意識を持っているという社会的基盤が存し，沿革的にみても，また現実の行政の上においても，相当程度の自主立法権，自主行政権，自主財政権等地方自治の基本的権能を付与された地域団体であることを必要とすると判示している。

3）市町村は一般に憲法上の地方公共団体と解されているが，都道府県については意見が分かれている。

4）道州制論は必ずしも一様でないが，近時の道州制論は，道・州を地方公共団体として位置づけるのが一般的である。

5）2006年に「道州制特別区域における広域行政の推進に関する法律」が制定された。同法施行令で北海道が道州制特別区域となる特定広域団体として指定されている。

6）日本国憲法は，すべての住民は，少なくとも1つの憲法上の地方公共団体に属することを念頭に置いていると解される。

7）市と町村は，組織面において若干の相違があるし，市の組織も完全に一律ではないが，その差は微小であり，基本的には一律の組織構造になっている。

8）市制度の特例として，（政令）指定都市，中核市の制度がある。

9）市町村の合併の特例に関する法律においては，合併の円滑化のために，議会の議員の定数に関する特例，職員の身分取扱いへの配慮，地方税の不均一課税等が定められている。

10）市町村は条例で地域自治区を設置することができる。地域自治区には地域協議会が置かれる。市町村は，条例で定める市町村の施策に関する重要事項であって地域自治区の区域にかかるものを決定し，または変更しようとする場合においては，あらかじめ，地域協議会の意見を聴かなければならない。

11）合併に際して，合併関係市町村の協議により，1または2以上の関係市町村の区域であった区域を単位として，5年以下の期間，特別地方公共団体である合併特例区を設置することができる。合併市町村の長は，規約で定める合併市町村の施策に関する重要事項であって合併特例区の区域にかかるものを決定し，または変更しようとする場合においては，あらかじめ，合併特例区協議会の意見を聴かなければならない。

12）都・道・府・県の名称は多分に沿革的なものであり，制度上の区別はあまりない。ただし，都については，大都市行政の一体性にかんがみ，若干の特例が設けられている。

13）市町村は基礎的自治体として地方公共団体の事務を一般的に処理し，都道府県は広域自治体として市町村が処理するのに適しない事務を補完的に処理する。

14）都道府県から市町村へ地域の実情に応じた事務の移譲を推進するために，「条例による事務処理の特例制度」が設けられた。これは，都道府県条例の定めるところにより，市町村が事務処理を行うこととする制度である。

---

# I　地方公共団体の意義

## *1*　地方自治法上の地方公共団体

地方自治法は，地方公共団体を普通地方公共団体と特別地方公共団体に分類している。前者には都道府県と市町村があり，後者には，特別区，地方公共団体の組合，財産区があるほか（自治1条の3），合併特例区（市町村合併特27条）がある（2011年の通常国会における地方自治法改正により，地方開発事業団の制度は廃止されたが，改正法施行の時点で現存する地方開発事業団については，従前の例によることとされた）。地方公共団体という呼称については，戦前の制度の残滓を払拭していないとする批判があり，自治体という表現を用いるべきという主張がなされている[1]。最近は，政府の公式文書においても，地方自治体という表現が使用されることがある（地方分権改革推進委員会勧告参照）。また，行政学においては，地

1）　兼子・自治体法15頁，磯部力「地方公共団体」法教165号（1994年）22頁。

方公共団体を地方政府（Local Government）として理解し，国との関係を政府間関係として把握する見解が有力になっている[2)]。

## *2*　憲法上の地方公共団体

### (1)　憲法上の地方公共団体の要件および効果

憲法93条は，①地方公共団体には議事機関として議会を設置すること，②地方公共団体の長，その議会の議員および法律の定めるその他の吏員は，その地方公共団体の住民が直接選挙することの2つを定めている。「法律の定めるその他の吏員」の例として，1948年制定の旧教育委員会法に基づく教育委員公選制があったが，1956年制定の「地方教育行政の組織及び運営に関する法律」により，教育委員会委員は，長が議会の同意を得て任命する方式に変えられた。

一般に，諸外国の憲法における地方自治の保障に関する規定においては，憲法上の地方公共団体の名称を具体的に規定しているし，わが国においても，マッカーサー草案においては，そうであった。しかし，日本国憲法は，憲法上の地方公共団体が何であるかを具体的に明らかにしなかったため，この点が重要な解釈問題になっている。憲法上の地方公共団体の意義については，最大判昭和38・3・27刑集17巻2号121頁［百選1］が，憲法上の地方公共団体であるためには，「単に法律で地方公共団体として取り扱われているということだけでは足らず，事実上住民が経済的文化的に密接な共同生活を営み，共同体意識をもつているという社会的基盤が存在し，沿革的にみても，また現実の行政の上においても，相当程度の自主立法権，自主行政権，自主財政権等地方自治の基本的権能を附与された地域団体であることを必要とする」と判示している。もっとも，市の中でもベッドタウン化して共同体意識を欠くものは少なくないし，最高裁の定義では，違憲な立法政策により現実に自主立法権等を国が与えなければ憲法上の地方公共団体といえないことになってしまい，憲法上の地方公共団体であるか否かが立法政策によって左右されてしまうという問題がある[3)]。八郎潟を埋め立ててできた

---

2)　大森彌＝佐藤誠三郎編『日本の地方政府』（東京大学出版会，1986年）3頁以下（大森彌執筆）。

3)　塩野・行政法Ⅲ 168頁。

大潟村のような新設の村の場合，村民全員が移住者であり，当初から共同体意識は存在すべくもないが[4]，同村が憲法上の地方公共団体であることを否定すると，県が憲法上の地方公共団体でないと解する場合，当該地域には憲法上の地方公共団体が存在しないことになってしまうという問題がある。

憲法上の地方公共団体である場合には，その住民（少なくともその代表機関である議会）にその意思を確認する機会を与えずに，当該地方公共団体を廃止したり，憲法上の地方公共団体でない地方公共団体にされたりしない権利が保障されていると思われる[5]。

地方公共団体が条例で区を設置したことが，「地方公共団体の組織及び運営に関する事項は，地方自治の本旨に基いて，法律でこれを定める」と規定する憲法92条に違反しないかが争われた事案において，岡山地判平成11・3・24判例自治195号10頁［百選7］は，条例で設置した区は，少なくとも自主立法権を有しないことは明らかであり，憲法上の地方公共団体ではないから，憲法92条に違反しないと判示している。

### ⑵　地方自治法上の地方公共団体と憲法上の地方公共団体

地方自治法上の地方公共団体がすべて憲法93条が定める地方公共団体の要件を満たしているわけではない。一般に特別地方公共団体は，全国にあまねく存在するものでもなく，普通地方公共団体の存在を前提として特定の事務のみを行う団体であり，憲法上の地方公共団体ではないと解されている。ただし，現在の特別区については，憲法93条が規定する議事機関としての議会の設置，長・議員の住民による直接選挙の要件を充足しており，実質的にも市に近い性格を持っているため，憲法上の地方公共団体に当たるかにつき議論がある。この点については，次章（→3章Ⅰ***2***）で詳しく述べる。

それでは，普通地方公共団体は憲法上の地方公共団体であろうか。市町村は，一般に憲法上の地方公共団体と解されているが，都道府県については意見が分か

---

4)　宮田正馗＝嶋田暁文＝今村都南雄＝金井利之『ゼロからの自治――大潟村の軌跡と村長・宮田正馗』（公人社，2012年）参照。

5)　小西敦「日本国憲法上の『地方公共団体』の要件及び効果並びに今後の展望」比較憲法学研究32号（2020年）124頁参照。

れている（なお，最判平成25・3・21民集67巻3号438頁は，普通地方公共団体を憲法上の地方公共団体と捉えているように読める）。市町村と都道府県の双方が憲法上の地方公共団体であるとする意見がかつては，かなりみられたが（この説によれば，道州制導入には憲法改正が必要になる），都道府県は憲法上の地方公共団体ではなく法律で廃止しうるとする見解が有力になっている。とりわけ，戦後しばらくは，知事公選制に対する反発から都道府県を廃止して官選知事を復活させようとする動きがみられた。後述する特別市は，都道府県の区域外に置かれることが予定されていたので，都道府県と市町村の二層性は憲法上義務づけられていないことを前提とするものであったといえる（→Ⅱ**2**(1)）。また，都道府県と市町村の二層制が憲法上義務づけられているとまでは断言しないが，都道府県の廃止は「地方自治の本旨」に反することがあるとする説もある。さらに，折衷説として，憲法は地方公共団体の二層制を要求しているが，市町村と都道府県の二層制である必要はなく，市町村と道州の二層制であっても，それが地方自治の本旨に反しない限り合憲とする解釈もある[6]。

### (3)　道 州 制 論

#### (a)　高度経済成長期の道州制論

　戦前においても州庁設置案等が議論されたことがあったが，戦後も，都道府県と市町村の二層制は憲法上の要請ではないという立場を前提として，道州制論が唱えられることもある。道州制論は必ずしも一様ではないが，その中でも高度経済成長期に総合開発プロジェクトを行うに際し，国の意思を貫徹しやすいようにするという思惑から唱えられたものにおいては，都道府県を廃止して，より大規模な道・州という区画を設け，道長・州長は公選ではなく，国の機関が任命する方式を念頭に置くものが少なくなかった。この時期の道州制論の中には，道・州を単なる国の行政区画として構想するものもあれば，地方公共団体としての性格を併有させようとするものもあった。1955年の関西経済連合会提言は，府県制度を廃止して国の総合的出先機関としての道・州を設置しようとするものであり，1957年の第4次地方制度調査会答申（「地方制度の改革に関する答申」）は，府県制度を廃止し，自治体としての側面と国の総合出先機関としての側面の二重の性格を持った「半自

---

6)　各説の詳細については，塩野・地方公共団体284頁，渋谷秀樹「都道府県と市町村の関係」公法62号（2000年）218頁，斎藤・法的基層105頁，廣澤民生「『地方公共団体』の意義」大石＝石川編・争点310頁参照。

治体」としての「地方」を設け，「地方」の執行機関としての「地方長」は，「地方」の議会の同意を得て内閣総理大臣が任命することとすることを提言していた（府県合併を主張する少数意見もあった）。

しかし，都道府県知事，都道府県議会議員の公選が定着していく中で，都道府県を廃止して住民による公選でなく国の機関としての道・州で代替することが現実的でなくなってきたこともあり，経済界においても，次第に地方公共団体としての道・州を構想する見解が有力になっていった。1969年の関西経済連合会提言，1970年の日本商工会議所提言は，府県を併合して地方公共団体としての道・州を設置しようとするものであった。

#### (b)　第27次地方制度調査会答申

近時の道州制論は，道・州を地方公共団体として位置づけるのが一般的になっている[7)]。2003年の第27次地方制度調査会の「今後の地方自治制度のあり方に関する答申」も，道州を「基礎自治体を包括する広域自治体」であり，「道州の長と議会の議員は公選とする」としている。

平成の大合併政策により市町村合併が加速した中で，都道府県のあり方も再検討を余儀なくされ，青森，秋田，岩手3県による北東北合併構想，九州市長会がまとめた「九州府構想」等が議論された。第27次地方制度調査会答申は，都道府県合併は法律で定めるとする既存の手続に加えて，都道府県が自主的に合併する途を開くことを検討すべきことを指摘した。そして，都道府県合併等により道・州に移行する条件が整った団体を先行的に道・州に移行させることもありうるとしたことが注目される。

#### (c)　都道府県の申請に基づく合併

これを受けて，2004年の地方自治法改正により，都道府県合併について，法律で定める方法に加えて，新たに，関係都道府県の申請に基づき，内閣が国会の

---

7)　様々な道州制論およびその論拠については，横道清孝『日本における道州制の導入論議』（自治体国際化協会，2008年），同「道州制と基礎自治体」都市問題研究58巻9号（2006年）53頁，兼子＝村上・地方分権17頁，辻山幸宣「道州制」法教165号（1994年）26頁参照。また，多様な類型の道州制の導入に伴う憲法問題については，大橋洋一「地方分権と道州制」同『都市空間制御の法理論』（有斐閣，2008年）26頁以下参照。道州制の比較法的研究については，川﨑信文＝森邊成一編『道州制――世界に学ぶ国のかたち』（成文堂，2010年）参照。道州制に関する資料集として，松本英昭監修＝地方自治制度研究会編『道州制ハンドブック』（ぎょうせい，2006年）参照。

承認を経て定める方法が認められた（自治6条の2第1項）。この申請については，関係都道府県の議会の議決を経なければならない（同条2項）。また，政府の「経済財政運営と構造改革に関する基本方針2004」（いわゆる骨太の方針第4弾，2004年6月4日閣議決定）においては，「地方分権推進のモデル的な取組としてのいわゆる『道州制特区』について，地域からの提案を受け止めつつ，その趣旨を生かす推進体制を整える」と規定された。

#### (d)　第28次地方制度調査会答申

2006年2月に第28次地方制度調査会が「道州制のあり方に関する答申」を出しているが，そこにおいては，地方分権の推進および地方自治の充実強化，自立的で活力ある圏域の実現，国と地方を通じた効率的な行政システムの構築という観点から，道州制の実現を推進する方向が打ち出されており，現行の都道府県に代えて道州を置き，地方公共団体は，道州および市町村の二層制とすること，現在都道府県が実施している事務は大幅に市町村に移譲し，道州は，「圏域を単位とする主要な社会資本形成の計画及び実施」，「広域的な見地から行うべき環境の保全及び管理」，「人や企業の活動圏や経済圏に応じた地域経済政策及び雇用政策」などの広域事務を担う役割に軸足を移すこと，事務の規模または性質において市町村が処理することが適当でないとしてこれまで都道府県が担ってきた補完事務については，合併の進展による市町村の規模・能力の拡充等を踏まえ，道州は「高度な技術や専門性が求められ，また行政対象の散在性の認められる事務」等に重点化して担うこと，国は，以上の考え方に即して国と地方の事務配分のあり方を抜本的に見直し，現在国（特に各府省の地方支分部局）が実施している事務は，国が本来果たすべき役割にかかるものを除き，できる限り道州に移譲すること，を提言している。

#### (e)　道州制特別区域

2006年には，「道州制特別区域における広域行政の推進に関する法律」が成立した。これは，市町村合併の進展による市町村の区域の広域化，経済社会生活圏の広域化，少子高齢化等の経済社会情勢の変化に伴い，広域行政の重要性が増していることにかんがみ，道州制特別区域の設定，道州制特別区域における広域行政の推進についての基本理念，道州制特別区域基本方針の策定，道州制特別区域計画の作成およびこれに基づく特別の措置，道州制特別区域推進本部の設置等について定めるものである。現在，道州制特別区域となる特定広域団体は，同法施行令で北海道のみとされている。

**Column　道州制ビジョン懇談会**

2006年9月に初めて特命担当大臣（道州制担当）が置かれ，道州制の導入に関する基本的事項を議論し，「道州制ビジョン」の策定に資するため，2007年1月に特命担当大臣（道州制担当）の下に道州制ビジョン懇談会が開かれた。同懇談会は，2008年3月24日に中間報告を公表している。そこにおいては，国は，国際社会における国家の存立，国家戦略の策定，国家的基盤の維持・整備，全国的に統一すべき基準の制定に役割を限定し，道州は，広域行政，規格基準の設定，基礎自治体の財政格差調整を任務とし，基礎自治体は，地域に密着した対人サービス等の行政分野を総合的に行うとされている。そして，道州制導入のメリットとして，政治や行政が身近になり受益と負担の関係が明確になること，東京一極集中の是正により多様性のある国土と生活の構築が可能になること，重複行政の解消等により行財政改革が実現すること，道州の地域経営による広域経済文化圏が確立すること，国家戦略や危機管理に強い中央政府が確立すること等が挙げられている。他方，対応すべき課題としては，国の調整機能が失われることによる地域格差の拡大，住民との距離が広がることによる住民自治の形骸化等が指摘されている。しかし，こうした課題は，道州制の制度設計等により解決可能として，おおむね10年後に道州制の導入の実現を目指すとしている。都道府県と比較して道州が，住民との近接性を喪失させるという点は，住民自治という観点から大きな問題であり，この点について慎重な制度設計が必要と思われる。

#### (f)　近年の動向

2008年7月29日，自由民主党道州制推進本部が，「道州制に関する第3次中間報告」を公表し，同年11月18日，日本経済団体連合会が「道州制の導入に向けた第2次提言」を公表している。このように急速に道州制導入の動きが高まったが，政権交代により，慎重な検討を求める動きが強まり，2010年6月22日に閣議決定された地域主権戦略大綱においては，「地域の自主的判断を尊重しながら，いわゆる『道州制』についての検討も射程に入れていく」こととされた。自公政権復活後も，道州制は重要政策課題としては位置づけられていない。

### (4)　憲法上の地方公共団体への住民の帰属

日本の住民は，誰でも必ず少なくとも1つの憲法上の地方公共団体に属していなければならないのであろうか。アメリカでは，前述したように（→1章Ⅱ ***1*** (6)），

unincorporated area という地域があり，そこには地方公共団体が存在しない。しかし，日本では，憲法第8章で「地方自治」が保障され，憲法上の地方公共団体について，長や議員を選挙する権利が与えられているから，ある地域の住民が憲法上の地方公共団体に属しないということは，その住民には，憲法上保障された地方自治が存在しないことになる。したがって，日本国憲法は，すべての住民は，少なくとも1つの憲法上の地方公共団体に属することを念頭に置いているとみるべきであろう。この前提に立つと，もし都道府県が憲法上の地方公共団体でないとすると，特別区，すなわち東京都23区が憲法上の地方公共団体でなければならないことになる。

# II　各地方公共団体の検討

## *1*　市 町 村

### (1)　市

市になるための要件は，(a)人口5万以上を有すること（地方自治法制定当時は，3万以上とされていた），(b)当該普通地方公共団体の中心の市街地を形成している区域内にある戸数が，全戸数の6割以上であること，(c)商工業その他の都市的業態に従事する者およびその者と同一世帯に属する者の数が，全人口の6割以上であること，(d)当該都道府県の条例で定める都市的施設その他の都市としての要件を具えていることである（自治8条1項)。地方自治法8条1項は，「市となるべき普通地方公共団体は」と規定しており，これらは，市になるための要件であって，市であるための要件ではない。したがって，市になった後，過疎化が進行し人口流失が続き，人口が5万未満になったとしても，市制を廃止しなければならないわけではない。なお市になるための要件については，合併促進のため，「市町村の合併の特例に関する法律」7条で，特例が定められている[8)]。

町村を市にする（市制施行）ためには，地方自治法8条1項の要件を満たすのみ

8)　市の要件規定の変遷を示し，要件規定ごとに，それを根拠として具体的にいかなる市において市制が施行されたのかという規定の適用状況を詳細に分析したものとして，小西敦「市の要件規定の意義——規定の変遷とその適用状況から」行政法研究28号（2019年）1頁以下参照。

では足りず，所定の手続を踏まなければならない。すなわち，関係町村の申請に基づき，都道府県知事が当該都道府県議会の議決を経てこれを定め，直ちにその旨を総務大臣に届け出なければならない（自治8条3項・7条1項)。この場合，都道府県知事は，あらかじめ総務大臣に協議し，その同意を得なければならない（同8条3項・7条2項)。関係町村が申請を行う場合，関係町村の議会の議決を経なければならない（同8条3項・7条6項)。総務大臣は，都道府県知事から届出を受けたときは，直ちにその旨を告示するとともに，これを国の関係行政機関の長に通知しなければならない（同8条3項・7条7項)。この告示により市への移行の効果が生ずることになる（同8条3項・7条8項)。

### (2)　町　　村

町となるためには，当該都道府県の条例で定める町としての要件を具えていなければならない（自治8条2項)。一例として，茨城県の「町となるべき要件に関する条例」をみると，人口おおむね5000以上を有することと，当該普通地方公共団体の中心の連たん区域内にある戸数が全戸数の3割以上であることが要件とされている。過疎化の進行により市を町村にする場合にも，町村を市にする場合と同様の手続を経ることが必要である（同条3項)。市町村の区域内で町という名称が使用されている場合には，字と同様，地理的名称にとどまる（自治260条1項，住居表示に関する法律5条・5条の2)。村については，要件は法定されていない。

***Column*　郡**

郡とは，市の区域以外の区域について認められる地理的名称である。1890年，ドイツのKreis制を範として，府県と町村の中間的地方公共団体として郡制が制定されたが，間もなく廃止論が強くなり，1921年，原敬内閣の下で「郡制廃止ニ関スル法律」が成立した。1923年の郡制廃止後もなお行政区画として郡長が管轄したが，1926年に地方官官制改正により郡長を廃止して以来，郡は単なる地理的名称にすぎなくなった。もっとも，選挙区の単位，行政機関の管轄の単位，広域市町村圏の単位等として用いられている。例えば，都道府県の出先機関である地方事務所は，郡単位で設けられることが多い。群の区域を新たに画し，もしくはこれを廃止し，または群の区域もしくはその名称を変更しようとするときは，都道府県知事が，当該都道府県の議会の議決を経てこれを定め，総務大臣に届け出なければならない（自治259条1項)。

### (3)　市と町村の実質的差異

プレステージの問題は別として，市と町村の間には，どのような実質的差異があるのであろうか。

第1に，事務局を置かない市議会には書記長を置かなければならないが，町村議会においては書記長を置かないことができる（自治138条4項）。

第2に，市は郡の区域外とされている。

地方自治法は，郡の区域内において市の設置があったとき，または郡の区域の境界にわたって市町村の境界の変更があったときは，郡の区域も，また自ら変更すると定めている（同259条2項）。これは，市を郡の区域外とするためである。

第3に，市については，指定都市・中核市という特別の制度があるが，これについては後述する（→*2*）[9]。

第4に，町村にあって市にない特別の制度として，町村総会がある（同94条）。すなわち，町村は，条例で，議会を置かず，選挙権を有する者の総会を設けることができるのである。これは有権者全員が町村総会の構成員になるもので直接民主制を採用することになる。町村は憲法上の地方公共団体であるから，議会を置かないことは，憲法93条1項（「地方公共団体には，法律の定めるところにより，その議事機関として議会を設置する」）に違反しないかが問題になる。しかし，直接民主制は間接民主制よりも住民自治の理念に適合しており，通常は直接民主制を採用することが困難であるから次善の策として議会制民主主義を採用していると考えられる。したがって，直接民主制が可能な規模の地方公共団体がこれを採用することは違憲とはいえないであろう。かつては，実際に町村総会の実例もあった。すなわち，町村制施行時に，神奈川県足柄下郡芦之湯村で採用された例があり，地方自治法下では，東京都八丈支庁管内宇津木村で採用された例がある[10]。しかし，現在はない。

***Column*　高知県大川村における町村総会の設置の検討**

有権者数が約350人の高知県大川村には6名の村議がいるが，平均年齢が70歳でそのほとんどが次の選挙で引退する意向を示していたこと，65歳未満の有権者も，人口の減少により消防団，青年団等を兼務しており，村議に立候補する者がほとんどいなかったことのため，村議会の存続が危ぶまれた。2017年5月に議長は，正副議長を除く村議4名からなる議会運営委員会に村議会維持の見通しや町村総会設置の検討の必要性について諮問した。村長も，同年6月の村議会において，町村総会設置の検討を表明した。同年8月18日，議会運営委員会は，村議会を維持可能であるとする一方，町村総会については運用方法の調査・研究は必要だが，地方自治法に運用方法が規定されていないため，現時点での調査・研究は困難であるとする答申を提出し

---

9）　なお，国が指定都市・中核市とランク分けするのではなく，市町村が都道府県の事務のうち自ら実施可能なものを都道府県と協議して自己の事務に取り込む制度を設けるべきという注目すべき主張がある。原田・法としくみ42頁。

10）　榎澤幸広「地方自治法下の村民総会の具体的運営と問題点――八丈小島・宇津木村の事例から」名古屋学院大学論集社会科学篇47巻3号（2011年）93頁以下，同「宇津木村村民総会の制度設計・実践と現代的意義」都市問題109巻1号（2018年）63頁以下参照。

た。大川村のこの動きは，町村議会が抱える問題への社会の関心を惹起し，総務省は同年7月27日から，「町村議会のあり方に関する研究会」を開催した。2018年3月に公表されたその報告書においては，町村総会とは異なる制度的解決を提示する必要があるとして，現行議会のあり方を維持できることを前提に，新しい議会のあり方を条例で選択可能とすることを提言している（→7章Ⅰ*2*⒀）。

第5に，地方自治法以外でも，市と町村で扱いを異にしている場合がある。例えば，社会福祉法は，都道府県および市（特別区を含む）は，条例で福祉に関する事務所を設置しなければならないとし（社福14条1項），他方，町村は，条例で，その区域を所管区域とする福祉に関する事務所を設置することができるとする（同条3項）。市は必ず生活保護法に基づく保護の決定等の事務を行うが，町村は，福祉事務所を設置するもののみが生活保護法に基づく保護の決定等の事務を行うのが原則である（生活保護19条1項・6項）。都道府県は市については必ず都市計画区域を指定し，市は当該区域内における都市計画決定の事務を行うが，町村は都市計画区域が指定された場合にのみ，当該区域内における都市計画決定の事務を行う（都計5条1項・15条1項）。その他，児童扶養手当の支給・認定等，母子・父子自立支援員の委嘱および母子家庭自立支援給付金の支給等，商店街振興組合および同連合会の設立認可・指導監督，史蹟名勝天然記念物の現状変更の許可，公職選挙法が定める供託金や選挙公営の範囲等において差異がある[11)]。

以上のように，市と町村は，組織面においても若干の差異があるし，後述するように（→*2*⑴），指定都市には区または総合区を設置するので，市の間でも完全に一律ではないが，その差は微小であり，基本的に市町村は一律の組織構造になっている。もっとも，2008年5月28日の地方分権改革推進委員会第1次勧告は，基礎自治体として市町村を一体視するのではなく，市と町村で権限移譲の範囲に大きな差異を設けている。そして，2010年6月22日に閣議決定された地域主権戦略大綱別紙2においても，市には移譲するが町村には移譲しない事務が多数存在する。2011年8月に成立した「地域の自主性及び自立性を高めるための改革の推進を図るための関係法律の整備に関する法律」（第2次一括法）における基礎自治体への権限移譲では，市町村全体への移譲例もあるものの，市全体または一部の市（保健所設置市，指定都市）までの移譲とされている例もあり，市と町村の権限の差異が拡大したといえる。ただし，条例による事務処理の特例制度を用いて，都道府県知事の権限に属する事務を町が処理することは可能である。

11）　詳しくは，小西敦「市と町――効果のちがいは何か」立命館大学政策科学27巻3号（2020年）29頁以下参照。

## 2　市制度の特例

### (1)　指定都市

大都市行政の合理的能率的運営を図ることを目的とするもので，政令で指定することから，政令指定都市または単に政令市という呼び方がされることもある。他の法律では，指定市ということもある（道路7条3項・13条2項）。今日では，後述（→(2)）の中核市も政令で指定するため，指定都市，政令指定都市，政令市，指定市という呼称は適切ではなくなっている。

地方自治法は，「政令で指定する人口50万以上の市」（自治252条の19第1項）と規定しているが，人口50万以上であることは，指定を受ける必要条件であるが，必要十分条件ではない。旧自治省では，明確な内規を作成していたわけではないが，5大市（大阪市，名古屋市，京都市，横浜市，神戸市）並みの大都市であることを指定の目安としていた（なお，以上の5大市に東京を加えた6大市について，1922年，「六大都市行政監督ニ関スル法律」が制定され，6大市に対する府県知事の監督が制限された）。なぜならば，指定都市制度は，その前身である特別市の制度を改正したものであるが，地方自治法制定当時，5大市を特別市として指定することが予定されていたからである。

特別市とは，人口50万以上の大都市で特に法律で指定されるものであり，特別地方公共団体として，都道府県の区域外に独立し，その事務および権能は，都道府県および市の権能を併せもつものとされていた。そして，特別市指定法は，憲法95条の地方自治特別法として住民投票に付すことが予定されていた。しかし，府県から大都市が独立することは，府県にとって財政面等で大きな不利益になるので，1950年代前半に5大市と5大市を抱える府県の対立が激化し，特別市を指定する法律を制定することができなかったのである。そのため，1956年に特別市の制度は廃止され，代わって5大市を想定して指定都市の制度が設けられた[12)]。

12)　指定都市制度誕生の経緯について，北村亘『政令指定都市――百万都市から都構想へ』（中央公論新社，2013年）19頁以下参照。

**Column　指定都市の人口要件**

5大市が指定を受けた際，神戸市は人口約98万であったが，他の4市は人口100万を超えていた。以上のような経緯から，5大市の指定当時の人口を目安に100万都市であることが指定の一応の標準とされた。もっとも，神戸市の例からもうかがえるように人口100万にならなければ指定しないというわけではなく，広島市，福岡市が指定されたときは，人口約85万3000であった。そのため，85万が最低ラインと考えられてきたが，千葉市が指定を受けたときの人口は約83万5000で85万より少なかった。千葉市は，2000年には人口100万を超えると予想されていたので，近い将来において100万都市になることが重視されたようである。こうして，人口80万以上が指定の目安となったが，政府の市町村合併支援本部が2001年8月に公表した「市町村合併支援プラン」において，大規模な市町村合併が行われた場合に限り指定の人口要件を緩和する方針を打ち出し，そのため，人口約70万の静岡市が，2005年に指定都市になった。

現在，指定都市は，大阪市，名古屋市，京都市，横浜市，神戸市，北九州市，札幌市，川崎市，福岡市，広島市，仙台市，千葉市，さいたま市，静岡市，堺市，新潟市，浜松市，岡山市，相模原市，熊本市の20市である。指定都市については，地方自治法に関係市からの指定の申出の規定が置かれていない。この点は，中核市と異なるところである。

指定都市制度は，大都市行政の合理的能率的運営を図ることを目的とするものであるが[13)]，以下の4つの特例が認められる。

第1に，事務配分の特例である（自治252条の19第1項）。都道府県が処理することとされている事務のうち一部が指定都市事務となる（区域区分に関する都市計画決定，児童相談所の設置，県費負担教職員の任免および人件費の負担等）。

第2に，監督の特例である（同条2項）。市が処理する事務について都道府県知事等の許認可や命令についての定めがある場合，指定都市については，許認可を不要としたり，知事の命令に関する法令の規定を適用しないこととしている。ただし，知事の代わりに各大臣の許認可を要したり，各大臣の命令を受けるとされる場合もある（自治令174条の28第6項・174条の39第4項等）。

13）　指定都市制度の意義につき，本田弘『大都市制度論』（北樹出版，1995年）77頁参照。

第3に，組織上の特例である（自治252条の20)。指定都市は，市長の権限に属する事務を分掌させるため，条例で，その区域を分けて区（横浜市緑区，名古屋市千種区，京都市右京区等）を設け，区の事務所または必要があると認めるときはその出張所も置くものとするとされている（同条1項)。区の事務所またはその出張所の位置，名称および所管区域ならびに区の事務所が分掌する事務は，条例で定めなければならない（同条2項)。区にはその事務所の長として区長を置くこととされている（同条3項)。区長または区の事務所の出張所の長は，当該普通地方公共団体の長の補助機関である職員をもって充てることとされている（同条4項)。また，区には選挙管理委員会を置くこととされている（同条5項)。さらに，区には区会計管理者を1人置くこととされている（自治令174条の42第1項)。しかし，指定都市の区は，東京都23区のような特別区とは異なり，法人格があるわけではなく，市の行政事務処理の便宜のために設けられる行政区にとどまる。したがって，指定都市の区長がその職務を行うについて不法行為を行った場合，法人格のない行政区ではなく，指定都市を被告として国家賠償法に基づく損害賠償請求を行うことになる（最判昭和56・4・14民集35巻3号620頁［百選〔2版〕13］参照。これに対して，特別区は法人格を有するので，特別区の区長がその職務を行うについて不法行為を行った場合，特別区を被告として国家賠償法に基づく損害賠償請求を行うことができる)[14)]。

第4に，事務配分の特例により増加する財政需要を賄うための税財政上の特例がある。しかし，指定都市からは，税財政上の特例が指定都市特有の財政需要を賄うのに不十分であるとして，改善が求められている[15)]。

***Column*　大阪市区長準公選構想**

大阪維新の会の大阪都構想において特別区の区長が公選となることを意識して，平松邦夫元大阪市長の下で，「行政区調査研究会」が設置され，行政区長の準公選構想も議論された。これは，市長が行政区長を任命する現行の法制度を前提とした上で，区長候補者を選ぶ住民投票を行い，その結果を参酌して，市長が区長を任命する仕組

14)　指定都市における区を対象とした実地調査結果をまとめたものとして，沼尾史久『大都市における区政と区長――指定都市における区政に関する調査報告書』（東京市政調査会，1996年）参照。

15)　税財政上の特例の内容および指定都市からの要望については，初村尤而「指定都市財政の現状と改革の課題」西村＝廣田・自治体間連携77頁以下参照。

みである。しかし，橋下徹氏が大阪市長に当選したため，この構想は頓挫し，橋下前市長の下で，「大阪市区長公募要綱」が作成され，行政区長は原則として任期付職員として公募することとされた。

戦前の市町村は行政区の設置を自由に行うことができたが，戦後は，指定都市のみに行政区の設置が認められているため，町がその域内に条例で区を設置し，区長および区長代理者に報酬を支払ったことが違法として住民訴訟で争われた事案において，岡山地判平成11・3・24判例自治195号10頁［百選7］は，条例で指定都市の行政区に当たるものを設置することはできないが，当該町が設置した区は，町から助成を受け町に協力する地域住民の自主組織であって，指定都市の市長の権限を分掌することを本質とする地方自治法252条の20所定の行政区とは全くその性質を異にするから，同条例が地方自治法252条の20に違反するものではないとする。

なお，2004年の地方自治法改正により設けられた地域協議会は，地域自治区に置かれるのが原則であるが（自治202条の5第1項），指定都市は，必要があると認めるときは，区ごとに区地域協議会を置くことができ，この場合において，その区域内に地域自治区が設けられる区には，区地域協議会を設けないことができることとされた（同252条の20第7項）。

2013年6月25日の第30次地方制度調査会答申（「大都市制度の改革及び基礎自治体の行政サービス提供体制に関する答申」）は，指定都市においては，市役所の組織が大規模化し，そのカバーするサービスも幅広くなるため，個々の住民との距離は遠くなる傾向にあり，住民に身近な行政サービスを適切に提供することや住民の意思を行政運営に的確に反映させることが課題となっていると指摘し，都市内分権による住民自治の拡充を提言した[16)]。これを受けて，2014年の地方自治法改正で，指定都市は，その行政の円滑な運営を確保するため必要があると認めるときは，市長の権限に属する事務のうち特定の区の区域内に関するものを総合区長に執行させるため，条例で，当該区に代えて総合区を設け，総合区の事務所

16）　指定都市の区における住民自治に関する実証的研究について，柏原誠「指定都市制度の見直し――区役所改革と住民自治の観点から」西村＝廣田・自治体間連携51頁以下参照。

または必要があると認めるときはその出張所を置くことができることとされた（自治252条の20の2第1項）。総合区の事務所またはその出張所の位置，名称および所管区域ならびに総合区の事務所が分掌する事務は，条例で定めなければならない（同条2項）。総合区にその事務所の長として総合区長を置き（同条3項），総合区長は，市長が議会の同意を得てこれを選任する特別職の公務員である（同条4項，地公3条3項1号）。総合区長の任期は4年であるが，市長は，任期中においてもこれを解職することができる（自治252条の20の2第5項）。総合区長は，①総合区の区域にかかる政策および企画，②法律もしくはこれに基づく政令または条例により総合区長が執行することとされた事務（住民基本台帳事務等），③市長の権限に属する事務のうち主として総合区の区域内に関するもの（法律もしくはこれに基づく政令または条例により市長が執行することとされたものを除く）で(ア)総合区の区域に住所を有する者の意見を反映させて総合区の区域のまちづくりを推進する事務，(イ)総合区の区域に住所を有する者相互間の交流を促進するための事務，(ウ)社会福祉および保健衛生に関する事務のうち総合区の区域に住所を有する者に対して直接提供される役務に関する事務，④前記③に掲げるもののほか，主として総合区の区域内に関する事務であって条例で定めるものを行う（同条8項）。総合区長は，総合区の事務所またはその出張所の職員（政令で定めるものを除く）の任免権を有するが，指定都市の規則で定める主要な職員を任免する場合においては，あらかじめ，市長の同意を得なければならない（同条9項）。総合区長は，歳入歳出予算のうち総合区長が執行する事務にかかる部分に関し必要があると認めるときは，市長に対し意見を述べることができる（同条10項）。新潟市，名古屋市，大阪市では，総合区設置の検討がなされたが，2018年12月1日現在，総合区設置の例はない。

**Column　特別自治市**

2003年，大阪市は，大阪府から独立した「スーパー指定都市」構想を提言した。指定都市市長会は，2010年5月，指定都市に代わる新たな大都市制度として，特別自治市（仮称）の制度を提案した。特別自治市は，都道府県と同等の権限を持ち，警察権限も都道府県から移譲を受けることとし，広範な権限の行使に必要な財源確保のため，地方税を一元的に賦課徴収する「特別自治市税」（仮称）を設けることが構想されている。ドイツの自治州（ベルリン，ハンブルク，ブレーメン）に類似した仕組みといえよう。横浜市は，2012年6月に，「横浜特別自治市大綱素案（骨子）」を公表している。特別自治市構想は，かつての特別市制度と類似するが，特別市の区長公選制と同様，特別自治市の区長を公選とするか等について，検討を深める必要があろう。第30次地方制度調査会答申においては，指定都市市長会が主張する特別自治市に当たる特別市（仮称）を設ける場合，何らかの住民代表機能を持つ区が必要であるとする。また，警察事務について特別市（仮称）の区域とそれ以外の区域に分割することは，組織犯罪等の広域犯罪への対応に懸念があるとする。さらに，特別市（仮称）はすべての道府県税，市町村税を賦課徴収することとなるため，周辺自治体に対する都道府県の行政サービスの提供に影響する懸念も指摘されている。そして，まずは，都道府県から指定都市への事務と税財源の移譲を可能な限り進め，実質的に特別市（仮称）に近づけることを目指すべきとしている[17]。2020年11月16日，指定都市市長会は，「指定都市への事務権限及び税財源の移譲推進と多様な大都市制度の実現に向けた指定都市市長会提言」において，「特別市（仮称）」など大都市制度の議論を加速させ，早期実現を図ることにより，地域の実情に応じた多様な大都市制度を選択できるようにすることを提唱している。

指定都市が抱える大きな問題のもう1つは，道府県との二重行政である。この点について，第30次地方制度調査会答申では，都道府県から市町村への事務移譲を進めるとともに，両者の執行機関と議会がともに参画する協議会を制度化し，協議が調わず自治紛争処理委員による調停も受諾されない場合のための裁定等の仕組みを検討すべきとしている。これを受けて，2014年の地方自治法改正で，以下のような制度が導入された（都道府県から指定都市への事務移譲については，同年の第4次一括法で行われている）。

第1が，指定都市都道府県調整会議の設置である。すなわち，指定都市および当該指定都市を包括する都道府県（以下「包括都道府県」という）は，指定都市および包括都道府県の事務の処理について必要な協議を行うため，指定都市都道府県調整会議を設けることになった（自治252条の21の2第1項）。指定都市都道府県調整会議は，指定都市の市長および包括都道府県の知事をもって構成するが（同条2項），指定都市の市長および包括都道府県の知事は，必要と認めるときは，協議して，指定都市都道府県調整会議に，①指定都市の市長または包括都道府県の知事以外の執行機関が当該執行機関の委員長（教育委員会にあっては教育長），

17）「特別自治市」について，渡部俊雄「横浜市『特別自治市』構想の検証」西村＝廣田・自治体間連携125頁以下参照。

委員もしくは当該執行機関の事務を補助する職員または当該執行機関の管理に属する機関の職員のうちから選任した者，②指定都市の市長または包括都道府県の知事がその補助機関である職員のうちから選任した者，③指定都市または包括都道府県の議会がその議員のうちから選挙により選出した者，④学識経験を有する者を構成員として加えることができる（同条3項）。指定都市の市長または包括都道府県の知事は，指定都市の市長または包括都道府県の知事以外の執行機関の権限に属する事務の処理について，指定都市都道府県調整会議における協議を行う場合には，執行機関の独立性に照らし，指定都市都道府県調整会議に，当該執行機関が，当該執行機関の委員長（教育委員会にあっては教育長），委員もしくは当該執行機関の事務を補助する職員または当該執行機関の管理に属する機関の職員のうちから選任した者を構成員として加えるものとされている（同条4項）。ただし，長が統括代表権および予算編成権を有することに照らし，かかる場合においても，長は構成員から排除されない。指定都市の市長または包括都道府県の知事は，二重行政の解消のため必要があると認めるときは，指定都市の市長にあっては包括都道府県の事務に関し当該包括都道府県の知事に対して，包括都道府県の知事にあっては指定都市の事務に関し当該指定都市の市長に対して，指定都市都道府県調整会議において協議を行うことを求めることができ（同条5項），求めを受けた指定都市の市長または包括都道府県の知事は，当該求めにかかる協議に応ずる義務を負うこととされた（同条6項）。2020年10月12日現在，大阪市を除く19政令指定都市のうち9市で指定都市都道府県調整会議が開催された実績がある。兵庫県と神戸市が公営住宅の窓口を一元化したのは，この会議の成果といえる。

第2が，指定都市と包括都道府県の間の協議にかかる勧告制度である。指定都市の市長または包括都道府県の知事は，協議を調えるため必要があると認めるときは，総務大臣に対し，文書で，当該指定都市および包括都道府県の事務の処理に関し当該協議を調えるため必要な勧告を行うことを求めることができることとされた（自治252条の21の3第1項）。指定都市の市長または包括都道府県の知事は，勧告の求めをしようとするときは，あらかじめ，当該指定都市または包括都道府県の議会の議決を経なければならない（同条2項）。指定都市の市長または包括都道府県の知事は，勧告の求めをしようとするときは，指定都市の市長にあっては包括都道府県の知事，包括都道府県の知事にあっては指定都市の市長に対し，その旨をあらかじめ通知しなければならない（同条3項）。総務大臣は，勧告の求めがあった場合においては，個別分野における関係行政機関の専門的見地からの意見を考慮する必要があるので，これを国の関係行政機関の長に通知するとともに，指定都市都道府県勧告調整委員を任命し，当該勧告の求めにかかる総務大臣の勧告について意見を求めなければならないこととされた（同条5項）。この通知を受けた国の関係行政機関の長は，総務大臣に対し，文書で，当該勧告の求めについて意見を申し出ることができる（同条6項）。総務大臣は，国の関係行政機関の長の意見の申出があったときは，当該意見を指定都市都道府県勧告調整委員に通知しなければならない（同条7項）。総務大臣は，指定都市都道府県勧告調整委員から意見が述べられたときは，遅滞なく，指定都市の市長および包括都道府県の知事に対し，二重行政を回避するため必要な勧告をするとともに，当該勧告の内容を国の関係行政機関の長に通知し，かつ，これを公表しなければならない（同条8項）。

第3が，指定都市都道府県勧告調整委員制度の導入である。指定都市都道府県勧告調整委員は，総務大臣からの意見の求めに応じ，総務大臣に対し，勧告の求めがあった事項に関して意見を述べる（自治252条の21の4第1項）。指定都市都道府県勧告調整委員は，3人とし，事件ごとに，優れた識見を有する者のうちから，総務大臣がそれぞれ任命する非常勤の委員である（同条2項・3項）。指定都市都道府県勧告調整委員は，勧告の求めをした指定都市の市長もしくは包括都道府県の知事が勧告の求めを取り下げたとき，または総務大臣からの意見の求めに応じ，総務大臣に対し，勧告の求めがあった事項に関して意見を述べたときは，その職を失う（同条4項）。二重行政の問題の解決のためには，自治紛争処理委員による調停（自治251条の2）を利用することも考えられるが，指定都市都道府県勧告調整委員の任命は「協議を調えるため必要があると認められるとき」に総務大臣の勧告が求められたときに行われるので，紛争の存在を前提としていない。

### (2) 中核市

1994年の地方自治法改正で，指定都市に次ぐ地域拠点の市として中核市制度が設けられた。これは，1993年の第23次地方制度調査会答申（「広域連合及び中核市に関する答申」）に基づき，地域の中心となる地方大都市の権限を強化し，住民に身近な行政を充実させようという意図によるものであり，第2政令市と呼ばれることもある。2023年2月1日現在，宇都宮市，富山市等62市が指定されている。介護サービス事業者の指定，保育所の設置の認可・監督，身体障害者手帳の交付，飲食店営業等の許可，廃棄物処理施設の許可，県費負担教職員の研修等が中核市が処理することとなる事務である。

中核市は，指定都市が処理することができる事務のうち，中核市において処理することが適当でない事務（都道府県がその区域にわたり一体的に処理することが中核市が処理することに比して効率的な事務等）以外の事務で政令で定めるものを，政令で定めるところにより，処理することができる（自治252条の22第1項）。中核市がその事務を処理するに当たって，都道府県知事の命令を受けるものとされている事項で政令で定めるものについては，政令の定めるところにより，これらの命令に関する法令の規定を適用せず，または都道府県知事の命令に代えて，各大臣の命令を受けるものとされている（同条2項）。

中核市となるためには，人口20万以上を有することが要件とされている（同条1項）。

**中核市指定要件の緩和**　当該市の人口が30万以上50万未満の場合にあっては（この要件は2002年改正で付加されたものである），面積100平方キロメートル以上を有することという要件は，2006年の地方自治法改正で廃止された。なお，1999年に「地方分権の推進を図るための関係法律の整備等に関する法律」（以下「地方分権一括法」という）が成立するまでは，これに加えて，人口30万以上50万未満の場合には別の要件が定められていた。それは，当該市を含む周辺の地域における経済社会生活圏の中核としての機能を有する都市として政令で定める基準を満たすというものであった。政令（自治令旧174条の49の20）では，最近の国勢調査結果による当該市の従業地・通学地による人口を当該国勢調査結果による当該市の常住地による人口で除して得た数値に100を乗じて得た数値が100を超えることとされていた。要するに，昼夜人口比率を問題としていたのである。地方分権一括法により，この昼夜人口比率の要件が廃止された。この結果，横須賀市，奈良市，川越市，岡崎市等が中核市の要件を満たすことになったのである。2014年の地方自治法改正で人口20万以上であることが指定要件とされていた特例市制度が廃止され，中核市と統合されることになったため，中核市指定の要件は人口20万以上に緩和された。

関係市からの申出に基づいて，総務大臣が中核市の指定にかかる政令の立案を行うが（自治252条の24第1項），関係市が申出をしようとするときは，関係市は，あらかじめ，当該市の議会の議決を経て，都道府県の同意を得なければならない（同条2項）。都道府県は，この同意を与えるについては，都道府県の議会の議決を経なければならない（同条3項）[18]。

***Column*　特例市制度の廃止**

地方分権一括法により，1999年，新たに特例市制度が設けられた。これは，行政需要が高く，事務処理に必要な専門知識等を具備した組織を整備しうると思われる市に対して都道府県の権限の移譲を推進する観点から，人口20万以上の市につき，当該市からの申出に基づき，政令で指定することによって，中核市が処理することができる事務のうち，特例市において処理することが適当でない事務（都道府県がその区域にわたり一体的に処理することが特例市が処理することに比して効率的な事務等）以外の事務で政令で定めるものを，政令で定めるところにより，処理するものとする制度であった（自治旧252条の26の3第1項）。2014年4月1日時点で，福井市，小田原市等40市が指定されていた。汚染土壌処理業の許可，土地区画整理組合の設立認可，都市計画に基づく開発行為の許可等が特例市が処理することになる事務とされた。

第2次一括法等により，環境やまちづくりの分野で一般市への事務移譲が進み，特例市のみに移譲されている事務が少なくなったこともあり，第30次地方制度調査会答申では，人口20万以上であれば保健所を設置することにより中核市となることとして，中核市・特例市の両制度を統合することを検討すべきとされた。これを受けて，2014年の地方自治法改正で特例市制度は廃止されることになった。この改正は，2015年4月1日に施行されたが，この施行時前の特例市が中核市への移行を選択しない場合にも，当該市が処理していた特例市固有の事務は，引き続き当該市が処理することができる[19]。

## *3*　市町村の規模の適正化

### (1)　地方自治法の規定

地方自治法は，一方で「普通地方公共団体の区域は，従来の区域による」（自治5条1項）と規定しながら，他方では，市町村自治の基礎を強固にし，その自治の健全な発達を図るために，市町村の規模の適正化に配慮し，「地方公共団体は，常にその組織及び運営の合理化に努めるとともに，他の地方公共団体に協力を求めてその規模の適正化を図らなければならない」（同2条15項）と定めている。そして，都道府県知事にも，市町村の規模の適正化を図るのを援助するために，市町村の廃置分合または市町村の境界変更の計画を定め，これを関係市町村

18)　中核市と隣接市町村が合併し，引き続き中核市として指定を受けるときの手続上の問題については，亘理格「中核市・特例市」小早川＝小幡編・自治・分権93頁参照。

19)　中核市と特例市の統合について，角田英昭「中核市・特例市制度の統合の意味と課題」西村＝廣田・自治体間連携99頁以下参照。

に勧告する権限を付与している（同8条の2第1項）。さらに，国の関係行政機関は，この勧告に基づく市町村の廃置分合または市町村の境界変更を促進するため必要な措置を講じなければならないとしている（同条6項）。

***Column*　廃置分合**

廃置分合には，複数の市町村を廃止して，当該区域に新たな単一の市町村を設置する「合体」，1つまたは複数の市町村を廃止し，廃止された市町村の区域を他の市町村の区域に組み入れる「編入」，1つの市町村を廃止し，その区域を分けて複数の市町村を設置する「分割」，1つの市町村の区域の一部を分けて当該区域に新たな市町村を設置する「分立」の4類型がある。「合体」と「編入」を総称して「合併」という。

市町村合併は，関係市町村の申請に基づき，都道府県知事が当該都道府県の議会の議決を経てこれを定め，直ちに総務大臣に届け出，総務大臣が直ちにその旨を告示することによってその効力が生ずる（自治7条1項・7項・8項）。最判昭和30・12・2民集9巻13号1928頁［百選12］は，関係市町村民が地方自治法7条1項に基づく知事の処分の取消しを求める法律上の利益を有しないと判示している。市町村合併は，国家の統治の基本に密接に関連する事務であるので，「法律又はこれに基づく政令により都道府県，市町村又は特別区が処理することとされる事務のうち，国が本来果たすべき役割に係るものであつて，国においてその適正な処理を特に確保する必要があるものとして法律又はこれに基づく政令に特に定めるもの」（第1号法定受託事務。同2条9項1号）に当たる。なお，指定都市・中核市の各制度は，合併を推進するインセンティブを与えることも目的としている。

### (2)　市町村の合併の特例に関する法律

#### (a)　町村合併促進法と「市の合併の特例に関する法律」

合併によって議員数や職員数が減少したりすることになると，議員・職員の抵抗が強く，合併は難航することになる。そこで，合併を促進するための特別措置がとられてきた。わが国では，明治時代に，小学校事務の処理等を念頭に置いて300戸から500戸を標準とした「明治の大合併」が行われたが，1953年には町村合併促進法が制定され，中学校事務の処理などを念頭に置いて人口8000をめどにそれ以下の人口の町村の合併を促進しようとした（昭和の大合併）。1962年には「市の合併の特例に関する法律」が制定された。

### (b) 第1次市町村合併特例法

両法は，1965年に廃止され，それに代わって，同年，「市町村の合併の特例に関する法律」（以下「第1次合併特例法」という）が制定された。第1次合併特例法においても，国は，都道府県および市町村に対し，自主的な市町村合併を推進するため，必要な助言，情報の提供その他の措置を講ずるものとされていた（第1次市町村合併特16条1項)。以下，同法の設けた特例のうち主なものについてみることとする。

第1に，議会の議員定数の特例が定められていた。地方自治法は，市町村議会の議員定数の上限を法定していたが（自治旧91条2項)，例えば，人口2000未満の町村の議員定数の上限は，12人とされていた（同項1号)。人口1000で議員数12人の村と人口500で議員数12人の村が合併して，人口1500の村になる場合，当該村の議員定数の上限は12人であるから，議員数を半減しなければならないことになっていた。そこで，第1次合併特例法は，新たに設置された合併市町村にあっては，地方自治法旧91条2項の規定にかかわらず，合併関係市町村の協議により，市町村合併後最初に行われる選挙により選出される議会の議員の任期に相当する期間に限り，同項に規定する数の2倍を超えない範囲でその議会の議員の定数を定めることができることとしていた（第1次市町村合併特6条1項)。なお，2011年の通常国会における地方自治法改正により，議員定数の上限数の制限は廃止されている。

第2に，職員の身分取扱いへの配慮がある。すなわち，合併関係市町村は，その協議により，合併の際現にその職にある合併関係市町村の一般職職員が引き続き合併市町村の職員としての身分を保有するよう措置しなければならないこととし（同9条1項)，合併市町村は，職員の任免，給与その他の身分取扱いに関しては，職員のすべてを通じて公正に処理しなければならないこととしていた（同条2項)。A町とB町が合併したとき，市長選で前A町長と前B町長が争い，前A町長が当選した場合，旧A町職員を優遇し，旧B町職員を差別するようなことのないようにという配慮に基づくものである。

第3に，地方税の不均一課税を認めていた。A町とB町が合併する際，両町間の地方税賦課に著しい不均衡があったり，承継した財産の価格または負債額に著しい差異がある場合，一定期間不均一課税を承認していたのである（同10条)。

第4に，地方債の特例がある。合併市町村が市町村建設計画に基づいて行う一定の事業または基金の積立てのうち，当該市町村の合併に伴い特に必要と認められるものに要する経費については，一定期間，特別に地方債を財源とすることが認められていた（同11条の2第1項)。

そのほか，新産業都市建設促進法，工業整備特別地域整備促進法においても，関係市町村の規模の適正化を図る旨定められていたが，これらの法律は，2001年，「新産業都市建設促進法等を廃止する法律」により廃止されている。

第2臨調最終答申，行革審答申，地方分権推進委員会勧告等においても，市町村合併の推進が提言されてきたが，地方分権一括法により，合併協議会の設置の推進，合併特例債の創設を含む財政措置の拡充等を内容とする第1次合併特例法の改正が行われ，強力に市町村合併が推し進められてきた。

### (c) 第2次市町村合併特例法

第1次合併特例法は2005年3月31日に失効し，2005年4月1日からは，2004年に新たに制定された「市町村の合併の特例等に関する法律」（以下「第2次合併特例法」という）が施行された（2010年3月31日までの限時法）。第2次合併特例法では，合併特例債は廃止された。ただし，2005年3月31日までに都道府県知事に合併の申請を行い，2006年3月31日までに行われた市町村の合併については，第1次合併特例法が適用された（同附則2条2項）。第2次合併特例法においても，議会の議員の定数の上限に関する特例（第2次市町村合併特8条），職員の身分取扱いへの配慮（同12条），地方税の不均一課税（同16条1項）等が定められていた。

町村合併促進法が制定された1953年には，市が286，町が1966，村が7616存在したが，2023年2月1日現在，市が792，町が743，村が183となっており，市の数が大幅に増加し，町村の数が激減したことがうかがわれる。

とりわけ，1999年以来，強力に推し進められてきた「平成の大合併」の結果，市町村数は，1999年3月31日現在の3232から2018年12月1日現在の1718へと1514も減少した。2009年6月16日の第29次地方制度調査会答申（「今後の基礎自治体及び監査・議会制度のあり方に関する答申」）は，「平成11年以来の全国的な合併推進運動については，現行合併特例法の期限である平成22年3月末までで一区切りとすることが適当であると考えられる」「現行合併特例法期限後においても，自らの判断により合併を進めようとする市町村を対象とした合併に係る特例法が必要である。この法律においては，具体的には，合併の障害を除去するための措置や住民の意見を反映させるための措置（合併特例区，合併に係る地域自治区等）等を定めることが適当である」という考えを示した。

### (d) 第3次市町村合併特例法

これを受けて2010年，第2次合併特例法が改正され，第2次合併特例法の期限が10年延長され，名称も，「市町村の合併の特例に関する法律」（以下「第3次合併特例法」という）に変更された。第3次合併特例法は，2010年4月1日から施行されている（2020年3月31日までの限時法）。第3次合併特例法は，市町村合併推進のための措置を廃止した。具体的には，目的規定の「合併の推進」を「合併の円滑化」に改正し，総務大臣による市町村の合併の推進に関する基本方針の策定，都道府県による市町村の合併の推進に関する構想の策定，都道府県による市町村合併推進審議会の設置，都道府県知事による合併協議会設置の勧告のような合併推進のための国・都道府県による積極的な関与にかかる規定も廃止された。2010年6月22日に閣議決定された地域主権戦略大綱においても，「今後は，市町村合併のほか，広域連携の手法等を充実させ，多様な選択肢から最も適した仕組みを市町村自ら選択することによって行財政基盤を強化することが求められる」とされ，国策として強力に市町村合併を推進するのではなく，市町村自身が行財政基盤を強化するための方策を自主的に選択することが求められ，市町村合併は，多様なメニューの中の1つとして位置づけられるにとどまった。他方において，第3次合併特例法は，議会の議員定数または在任に関する特例（8条・9条），地方税に関する特例（16条），合併特例区（26条以下）等，合併の円滑化のための措置は存置している[20]。

2019年10月30日，第32次地方制度調査会は，「市町村合併についての今後の対応方策に関する答申」を内閣総理大臣に提出した。同答申では，第3次合併特例法が定める様々な措置は，同法下でそれまでに行われた7件の市町村合併のいずれの事例においても活用されており，合併の円滑化に寄与しているものと考えられること，他にも市町村合併に向けた動きがみられる地域が現に存在することが指摘され，したがって，同法の期限後においても，自らの判断により合併を進めようとする市町村を対象として，引き続きこれらの措置を講じることができるよう，同法の期限を延長すべきことが提言された。これを受けて，2020年3月27日，第3次合併特例法の期限を10年間延長する改正法が可決・成立した。

**_Column_　分町・分村**

合併した町村が分町・分村の手続をとって分離・独立することは，現行の地方自治法の下でも可能であり，座間町の相模原町からの分離独立のように，その例もある。しかし，市町村議会で分離案が可決されることのハードルは高い。他方，太平洋戦争中に軍事的理由から強制合併させられた市町村を主として念頭に置いて住民投票制度を用いた分離手続が設けられた（1948年自治附則旧2条。1948年7月新設，2年間で失効）。これにより分町・分村のハードルがかなり下がったと思われるので，現行の地方自治法にも，住民投票制度を用いた分町・分村手続を導入すべきとの意見もある[21]。

---

20）　平成の大合併の総括について，横道清孝「平成の大合併の着地点」地方自治725号（2008年）2頁，後藤・安田記念東京都市研究所編『平成の市町村合併――その影響に関する総合的研究』（後藤・安田記念東京都市研究所，2013年），今井照『「平成大合併」の政治学』（公人社，2008年），道州制と町村に関する研究会編『「平成の合併」をめぐる実態と評価』（全国町村会，2008年）等。

### (3)　地域自治区と合併特例区・地域審議会

#### (a)　第27次地方制度調査会答申

2003年の第27次地方制度調査会答申（「今後の地方自治制度のあり方に関する答申」）においては，基礎的自治体優先の原則をこれまで以上に実現していくために，基礎的自治体の規模・能力をさらに充実強化することが望ましいとし，市町村合併を推進する姿勢を示すと同時に，規模が大きくなる基礎的自治体内において住民自治を強化する観点から，基礎的自治体の事務のうち地域共同的な事務を処理するため，法人格を有しない行政区的なタイプの地域自治組織を設けることができることとする制度を創設すること，ただし，市町村合併に際しては，合併前の旧市町村が果たしてきた役割を踏まえ，合併後の一定期間，従前のまとまりにも特に配慮すべき事情がある場合には，合併前の旧市町村を単位に特別地方公共団体を設置することができるとすることが適当であるとされた。これは，「広域行政と狭域行政の調和」[22]を図り，基礎的自治体が住民の身近にあるという「住民近接性」[23]の合併による減殺を補完することを意図するものとみることができる。

#### (b)　地域自治区

これを受けて，2004年の地方自治法の改正により地域自治区の制度が，同年の第1次合併特例法の改正により合併特例区の制度がそれぞれ設けられた。合併特例区の制度は，第2次合併特例法を経て，第3次合併特例法にも継承されている（26条以下）。地域自治区は市町村が条例で設けることができる（自治202条の4第1項）。地域自治区には事務所が置かれ（同条2項），事務所の長は当該普通地方公共団体の長の補助機関である職員をもって充てられる（同条3項）。地域自治区には地域協議会が置かれ（同202条の5第1項），地域協議会の構成員は，地域自治区の区域内に住所を有する者のうちから，市町村長が選任する（同条2項）。地域協議会は，①地域自治区の事務所が処理する地域自治区の区域にかか

---

21）　小林博志「合併と分町・分村」同『現代行政法を問う』（尚学社，2021年）1頁以下。分町・分村問題の先駆的研究として，和田英夫「分町問題の理論と実態」同『地方行政の構造——北海道行政の分析を中心として』（三和書房，1954年）。

22）　山下淳「市町村合併と広域行政の推進」小早川＝小幡編・自治・分権99頁参照。

23）　斎藤・法的基層456頁。田村達久「道州制・市町村合併」髙木＝宇賀編・争点219頁も，この観点から基礎自治体の区域の広狭の適正さの問題を指摘する。

る事務に関する事項，②そのほか，市町村が処理する地域自治区の区域にかかる事務に関する事項，③市町村の事務処理に当たっての地域自治区の区域内に住所を有する者との連携の強化に関する事項のうち，市町村長その他の市町村の機関より諮問されたものまたは必要と認めるものについて審議し，市町村長その他の市町村の機関に意見を述べることができる（同202条の7第1項）。市町村長は，条例で定める市町村の施策に関する重要事項であって地域自治区の区域にかかるものを決定し，または変更しようとする場合においては，あらかじめ，地域協議会の意見を聴かなければならない（同条2項）。市町村長その他の市町村の機関は，地域協議会の意見を勘案し，必要があると認めるときは，適切な措置を講じなければならない（同条3項）。2009年の第29次地方制度調査会答申においては，「現在，地方自治法に基づく地域自治区は，市町村の全域にわたって設置するものとされているが，地域自治区制度の一層の活用を促す観点からは，市町村の判断により当該市町村の一部の区域を単位として地域自治区を設置することもできるようにすることについて検討すべきである」とされている[24]。

**Column　地域運営組織と地域自治組織**

総務省は，地域の暮らしを守るため，地域で暮らす人々が中心となって形成され，地域課題の解決に向けた取組みを実践する共助の組織，具体的には，従来の自治・相互扶助活動から一歩踏み出し，市町村役場の窓口代行，公的施設の維持管理，コミュニティバスの運行，空き家や里山の維持・管理等を行う組織を地域運営組織と称している。その多くは法人格を有しない任意団体であり，全国的に拡大傾向にある。他方，私的組織がフリーライダーに費用負担を求めることは困難であり，かかる地域運営組織では対応が困難な課題を解決するために，フリーライド可能な活動について費用負担を求める仕組みとして，法人としての地域自治組織（具体的には公共組合または特別地方公共団体としての地域自治組織）による共助を実現することが検討されている[25]。

**第3次合併特例法に基づく地域自治区**　第3次合併特例法は，地方自治法に基づく一般的な地域自治区の特例を定め，合併関係市町村の協議で定める期間に限り，合併市町村の区域の一部の区域に，1または2以上の合併関係市町村の区域であった区域をその区域とする地域自治区を設けることができるとしている（市町村合併特23条1項）。この場合，地方自治法の地域自治区について条例で定めるものとされ

24)　自治体内分権についてのケーススタディを行うものとして，三浦哲司『自治体内分権と協議会――革新自治体・平成の大合併・コミュニティガバナンス』（東信堂，2021年）参照。

ている事項については，合併関係市町村の協議により定めるものとされ（同条2項），この協議については，合併関係市町村の議会の議決を経るものとし，その協議が成立したときは，合併関係市町村は，直ちにその内容を告示しなければならない（同条3項）。合併市町村が，上記の協議により定められた事項を変更しようとするときは，条例でこれを定めなければならない（同条4項）。市町村の合併に際して設ける合併関係市町村の区域による地域自治区において，当該合併にかかる地域自治区の区域における事務を効果的に処理するため特に必要があると認めるときは，合併関係市町村の協議により，期間を定めて合併にかかる地域自治区の事務所の長に代えて区長を置くことができる（同24条1項）。区長は，地域の行政運営に関し優れた識見を有する者のうちから，合併市町村の長が選任する（同条2項）。区長の職は，地方公務員法3条の特別職である（同条14項）。第3次市町村合併特例法に基づく地域自治区については，住居表示に関する特例も認められており，住居を表示するには，当該合併にかかる地域自治区の名称も冠するものとされている（同25条）。2022年4月1日現在，地方自治法に基づく一般的な地域自治区が13団体で128区，第3次合併特例法に基づく地域自治区が5団体で12区存在する。

***Column*　池田市地域分権の推進に関する条例**

上記のような地方自治法に基づく地域協議会と異なり，条例に基づき独自の地域コミュニティ推進協議会を設ける注目すべき例がある。2007年6月に制定された「池田市地域分権の推進に関する条例」においては，地域分権の実現のため，小学校区ごとに地域住民のみならず在勤・在学者，地域内で活動している者を加えた地域コミュニティ推進協議会を設置し，同協議会に予算編成提案権（各校区おおむね600ないし700万円の範囲内）と協働事業提案権を付与している。地域分権の推進により住民自治を強化する試みとして注目に値する。

### (c)　合併特例区

他方，合併に際して，合併関係市町村の協議により，1または2以上の合併関係市町村の区域であった区域を単位として，5年以下の期間，特別地方公共団体

25)　総務省「地域自治組織のあり方に関する研究会報告書」（平成29年7月）参照。山本隆司「機能的自治の法構造――『新たな地域自治組織』の制度構想を端緒にして」『自治論文集――地方自治法施行70周年記念』（総務省，2018年）215頁以下，同「『新たな地域自治組織』とBID」地方自治847号（2018年）2頁以下，門脇美恵「『地域自治組織』による『機能的自治』の規範的条件」晴山一穂＝白藤博行＝本多滝夫＝榊原秀訓編著『官僚制改革の行政法理論』（日本評論社，2020年）281頁以下，同「『地域自治組織』による『機能的自治』の限界」住民と自治670号（2019年）32頁以下参照。

である合併特例区を設置することができる（市町村合併特26条1項・27条・31条2項）（→3章Ⅳも参照）。合併関係市町村は，合併特例区を設けようとするときは，協議により規約を定め，都道府県知事の認可を受けなければならない（同28条1項）。合併特例区は，①合併関係市町村において処理されていた事務であって，市町村の合併後の一定期間当該合併関係市町村の区域であった地域を単位として処理することが当該事務の効果的な処理に資するもの，および②合併関係市町村の区域であった地域の住民の生活の利便性の向上等のため市町村合併後の一定期間当該合併特例区が処理することが特に必要と認められる事務のうち，規約で定めるものを処理する（同30条）。合併特例区の長は，市町村長の被選挙権を有する者のうちから，合併市町村の長が選任する（同33条1項）。合併特例区には合併特例区協議会が置かれ，その構成員は，合併特例区の区域内に住所を有する者で合併市町村の議会の議員の被選挙権を有するもののうちから，規約で定める方法により合併市町村の長が選任する（同36条1項・2項）。合併市町村の長は，規約で定める合併市町村の施策に関する重要事項であって合併特例区の区域にかかるものを決定し，または変更しようとする場合においては，あらかじめ，合併特例区協議会の意見を聴かなければならない（同38条2項）。これまで若干の合併特例区が設置された例はあるが，2022年4月1日現在，合併特例区は存在しない。

**(d)　地域審議会**

このように合併特例区の制度は多用されてきたとはいえないが，地域審議会の制度はかなり用いられている。地域審議会とは，合併関係市町村の協議により，期間を定めて合併市町村に，合併関係市町村の区域であった区域ごとに，当該合併市町村が処理する当該区域にかかる事務に関し合併市町村の長の諮問に応じて審議し，または必要と認める事項につき合併市町村の長に意見を述べる審議会のことである（市町村合併特22条1項）。地域審議会の構成員の定数，任期，任免その他の地域審議会の組織および運営に関し必要な事項については，合併関係市町村の協議により定める（同条2項）。上記協議については，合併関係市町村の議会の議決を経るものとし，その協議が成立したときは，合併関係市町村は，直ちにその内容を告示しなければならない（同条3項）。合併市町村は，上記協議により定められた事項を変更しようとするときは，条例でこれを定めなければならない（同条4項）。2022年4月1日現在，8団体で21の地域審議会が設置されている。

## 4　都道府県

### (1)　戦前の都道府県

普通地方公共団体の名称は従来の名称により（自治3条1項），その区域は従来の区域による（同5条1項）ため，都道府県の名称も，地方自治法制定前の名称・区域を継承することとなった。そこで，戦前の都道府県がどのようなものであったかを概観しておくこととする。

1871年の廃藩置県により廃止された藩の区域を基礎に3府302県が置かれたが，急速に合併が進められ，1888年に香川県が愛媛県から独立して以来，県の数に変化はなく，1890年にプロイセンの制度に範をとり府県制が府県に関する基礎的法律として制定された時点では，3府43県となって，今日の都道府県の基礎が形成された。これらは自治体としての側面と国の総合出先機関としての側面の二重の性格を持っていたため，半自治体と呼ばれることもあった。自治体としての側面としては，公選の議員による府県会（1899年に改正がなされるまでは市会等による間接選挙であった）があり，1929年の府県制の改正により府県条例の制定も認められた。他方，国の総合出先機関としての側面についてみると，知事は官選であり，地方官官制によりその権限等が定められ，国の地方行政官庁（権限が行政事務一般に及ぶため普通地方官庁と呼ばれた）としての知事が府県令という国の命令を定める権能を有した。そして，知事の補助機関としての職員にも国の官吏と，自治体の公吏が併存していたのである。

なお，1901年に北海道会法，北海道地方費法が制定されているが，1922年に府県制の規定の大部分が北海道に準用されることになったため，府県との差はほとんどなくなった（1946年に府県制，北海道会法，北海道地方費法が統合され，道府県制になった）。そして，1943年に東京都制が制定されている。従前の東京府と東京市を廃止して，旧東京府の区域が東京都と呼ばれるようになった。東京都は，旧東京市の区域以外の区域については府県，旧東京市の区域については府県と市の機能を併有する団体であった。そして，官吏である東京都長官が管轄するとともに，自治権もある程度持つ地方団体であった。

***Column*　廃案となった府県廃置法**

1903年，桂太郎内閣は府県廃置法案を閣議決定したが，この法案は19県を廃止し，道府県の総数を28に減少させるものであり，また，宮城県を仙台県，愛知県を名古屋県とするなど，県の名称の変更も予定されていた。そして1904年4月に施行する予定であった。しかし，日露戦争の勃発により議会が解散し，この計画は頓挫することになった。もし，日露戦争が勃発しなければ，わが国の都道府県の姿は大きく変わっていたかもしれない。

### (2)　都

都・道・府・県の名称の相違は多分に沿革的なものであり，制度上の区別はあまりない。2003年の地方自治法改正前は，都，道および人口の区分に応じた4段階の府県について，設置される局または部の数が法定されており，この点で，都，道と府県の間で異なる扱いがされていたが，同改正で都道府県の局部数の法定制度が廃止されたため，この点でも差異がなくなった。ただし，都については，大都市行政の一体性にかんがみ，以下のような若干の特例が設けられている。

第1に，都に置かれる区は特別区と呼ばれる特別地方公共団体であり，市に準ずる取扱いを受ける（自治281条・283条）。もっとも，2012年8月29日に成立した「大都市地域における特別区の設置に関する法律」により，道府県内においても，一定の実体的・手続的要件を満たせば，特別区の設置が可能になったため，特別区は都にのみ存在しうる制度ではなくなった。

第2に，地方自治法以外の法律においても，都の特例が認められていることがある。消防組織法26条以下がその例である。すなわち，同法6条は「市町村は，当該市町村の区域における消防を十分に果たすべき責任を有する」と規定しているが，同法26条は「特別区の存する区域においては，特別区が連合してその区域内における第6条に規定する責任を有する」と定めている。また，同法27条1項は「前条の特別区の消防は，都知事がこれを管理する」とし，同条2項で「特別区の消防長は，都知事が任命する」と規定している。そして，同法28条では「前2条に規定するもののほか，特別区の存する区域における消防については，特別区の存する区域を一の市とみなして，市町村の消防に関する規定を準用する」と規定されている。

***Column*　東京消防庁**

特別区の存する区域においては，23区の連合体としての東京消防庁が，消防の責任を負っているが，これは，23区が一部事務組合として設置したものではなく，当該区域を一つの市とみなして，東京都都知事が当該区域の市長の資格において管理する組織であり，特別区の消防は都の条例の適用を受け，特別区の存する区域の消防に置かれる消防職員は都の職員である。東京都の特別区の存する区域に属しない市町村は，消防組織法6条の規定に基づき，自ら消防の責任を負うことになるが，一部の市町村を除き，東京消防庁に消防事務を委託している。

### (3) 道

北海道は，府県制施行後も，国の行政区画の時期があったが，1901年の北海道会法等により，地方公共団体になった。道についても地方自治法以外で，特例を定めている例がある。すなわち，警察法は，北海道の地理的特性にかんがみ，道の区域を5以内の方面に分かち，方面の区域内における警察の事務を処理させるため，道警察本部所在地を包括する札幌方面を除く方面ごとに方面本部を置くこととしている（警51条1項）。そして，方面本部に方面公安委員会を置くこととされ（同46条1項），函館，旭川，釧路，北見に方面公安委員会が設置されている。方面本部には方面本部長が置かれ（同51条2項），方面本部長は，方面公安委員会の管理に服し，また，道警察本部長の命を受け，方面本部所属の警察職員を指揮監督する（同条3項）。方面本部長は，国家公安委員会が道公安委員会の同意を得て任免し（同条4項・50条1項），道公安委員会は，国家公安委員会に対して，方面本部長の懲戒または罷免に関し必要な勧告をすることができる（同51条4項・50条2項）。方面の数，名称および区域ならびに方面本部の位置は，国家公安委員会の意見を聴いて条例で定め（同51条5項），方面本部の内部組織は，政令で定める基準に従い，条例で定める（同条6項）。

### (4) 府　県

府と県の間には組織上も権限上も差はなく，名称の相違は沿革上のものにとどまる。

**_Column_　都道府県を単位とする選挙区と1人別枠方式**

参議院議員選挙法（昭和22年法律第11号，昭和25年廃止）においては，参議院の選挙について，全国区選出議員については全都道府県の区域を通じて選出されるものとする一方，地方選出議員については，都道府県を単位とする選挙区において選出されるものとされていた。1950年に制定された公職選挙法の参議院議員定数配分規定は，参議院議員選挙法の議員定数配分規定をそのまま引き継いだものである。昭和57年法律第81号による公職選挙法改正による選挙区選出議員は従前の地方選出議員の名称を変更したにとどまり，選挙区選出議員が都道府県を単位とする選挙区において選出される仕組みは，維持された。最大判平成21・9・30民集63巻7号1520頁は，かかる仕組みについて，憲法が二院制を採用し参議院の実質的内容ないし機能に独特の要素を持たせようとしたこと，都道府県が歴史的にも政治的・経済的・社会的にも独自の意義と実体を有し1つの政治的まとまりを有する単位としてとらえうること等に照らし，相応の合理性を有するものであり，国会の有する裁量権の合理的行使の範囲を超えているとはいえないと判示している。

しかし，中川了滋裁判官が，反対意見において，都道府県単位の選挙区設定に一応の合理性があることを認めながらも，それは憲法上の直接の根拠を有するものではなく，投票価値の平等の重要性に照らし，当該選挙時における投票価値の格差による不平等状態は違憲とするなど，都道府県単位の選挙区設定の見直しにより，投票価値の著しい格差を是正すべきとする意見も少なくない。

最大判平成24・10・17判時2166号3頁は，2010年7月11日施行の参議院選挙について，投票価値の不均衡が違憲状態にあったとしたが，都道府県を選挙区の単位として固定する結果，その間の人口較差に起因して投票価値の大きな不平等状態が長期にわたって継続していると認められる状況の下では，上記の仕組み自体を見直すことが必要になるとし，単に一部の選挙区の定数を増減するにとどまらず，都道府県を単位として各選挙区の定数を設定する方式を改める立法措置を国会に求めており，きわめて注目される。

さらに，最大判平成26・11・26民集68巻9号1363頁は，2013年7月21日施行の参議院選挙について，投票価値の不均衡は，違憲の問題が生ずる程度の著しい不平等状態にあったが，当該選挙までの間にさらなる見直しがされなかったことをもって，国会の裁量権の限界を超えるものとはいえないとした。他方，国会において，都道府県を単位として各選挙区の定数を設定する方式をしかるべき形で改めるなどの具体的な改善案の検討と集約が着実に進められ，できる限り速やかに既存の選挙制度の仕組み自体の見直しを内容とする立法的措置によって違憲の問題が生ずる不平等状態が解消される必要があると指摘した。

このような最高裁の指摘を踏まえて，2015年の公職選挙法改正により，人口の少ない選挙区を合併して新たな選挙区を設ける合区制度が導入され，鳥取県・島根県選挙区と徳島県・高知県選挙区が新設された。そして2016年に，合区制度導入後初の参議院通常選挙が行われた。最大判平成29・9・27民集71巻7号1139頁は，選挙当時の選挙区間の最大較差が3.08倍であったものの，合区により最大較差の縮小を図ったこと，2015年改正法附則において，次回の通常選挙に向けて選挙制度の抜本的な見直しについて引き続き検討を行い必ず結論を得る旨を定めていることを評価し，合区が一部にとどまり，多くの選挙区はなお都道府県を単位としたまま残されているとしても，当該選挙当時の定数配分規定が違憲状態にあったとはいえないとした。そして，最大判令和2・11・18民集74巻8号2111頁は，当該選挙当時，最大較差が3.00倍であったものの，投票価値の不均衡が違憲の問題が生ずる程度の著しい不平等状態であったとはいえないとした。

他方，衆議院議員選挙については，小選挙区選挙で，各都道府県に1人を割り当てる1人別枠方式がとられていたが，この点について，最大判平成19・6・13民集61巻4号1617頁は，2005年の総選挙時点における1人別枠方式を含む小選挙区の区割基準および選挙区割りは投票価値の平等にかかる憲法の要請に反しないとしていたが，最大判平成23・3・23民集65巻2号755頁は，1人別枠方式は，2009年の衆議院総選挙時点では違憲状態にあったと判示している。2012年臨時国会においては，定数の削減による投票価値の不均衡の縮小措置を講ずる法改正がなされ，1人別枠方式の規定は削除されたが，実質的な見直しとはいえないという評価がある。最大判平成25・11・20民集67巻8号1503頁は，一人別枠方式の影響が残存していることを理由に，最大較差が2.425倍に達していた選挙区割りは投票価値の平等の要求に反する状態にあったが，違憲状態を是正するための合理的期間を徒過したものと断ずることはできないとした。最大判平成27・11・25民集69巻7号2035頁は，最大較差が2.129倍に達していた選挙区割りについて，同様の判示を行った。最大判平成30・12・19民集72巻6号1240頁は，選挙区間の最大較差が1.979倍であった選挙区割りについて，なお一人別枠方式の影響は残っていたものの，較差2倍以上の選挙区が存在しなくなったこと，2000年以降10年ごとに行われる国勢調査の結果に基づく都道府県への定数配分をアダムズ方式により行うことによって1人別枠方式の下における定数配分の影響を解消させて選挙区間の投票価値の較差を相当程度縮小させ，その状態が安定的に持続するような立法措置が講じられたこと（ただし，当該選挙の時点ではアダムズ方式に基づく区割りが行われていたわけではなかった）を評価して，当該選挙当時の選挙区割りが憲法の投票価値の平等の要求に反するものとはいえないとした。最大判令和5・1・25判例集未登載は，同じ選挙区割りで行われ選挙区間の最大較差2.08倍であった2021年の衆議院議員選挙について，その後の投票価値の較差の増大は，自然的な人口異動以外の要因によるものではなく，その程度も著しくないので合憲とした。

### ⑸　都道府県の廃置分合

都道府県の廃置分合は，法律で行われる場合（自治6条1項）と関係都道府県知事の申請に基づき内閣が国会の承認を経て行われる場合がある（自治6条の2第1項）。後者の場合，申請は関係都道府県の議会の議決を経て行われなければならず（同条2項），総務大臣を経由して行われる（同条3項）。国会の承認があったときは，総務大臣は，直ちにその旨を告示しなければならず（同条4項），告示により廃置分合の効力が生ずる（同条5項）。

# Ⅲ　都道府県と市町村の関係

## *1*　都道府県の事務と市町村の事務

都道府県は市町村を包括する（自治2条5項・5条2項）。日本の国土は，特別区の部分を除いて，必ず1つの市町村に属し，すべての市町村は1つの都道府県に属するというのが地方自治法の考え方である。したがって，市町村の区域内に住所を有する者は，当該市町村およびこれを包括する都道府県の住民になる（同10条1項）。

それでは，都道府県と市町村の機能はどのように異なるのであろうか。都道府県も市町村も，地域における事務およびその他の事務で法律またはこれに基づく政令により処理することとされているものを処理する（同2条2項）。1949年のシャウプ勧告，1950年の神戸勧告（地方行政調査会議「行政事務再配分に関する勧告」〔第1次〕）は，事務配分における市町村優先原則を提唱した（→5章Ⅲ *1*，*2* 参照）が，都道府県と市町村の事務の区分に関する規定は，1953年の第1次地方制度調査会答申（「地方制度の改革に関する答申」）を基礎にした1956年の地方自治法改正で追加された（ただし，この答申は，府県に国家的性格の事務を行わせることを提言したが，1956年の地方自治法改正は，その提言は容れなかった）。その区分は，若干の修正を経て，今日に引き継がれている。

現行法では，市町村は，基礎的な地方公共団体として，都道府県が処理するものとされているものを除き，一般的に，地方自治法2条2項の事務を処理することとされている（同条3項）。したがって，市町村の処理する事務の範囲を理解するためには，都道府県の処理する事務が明らかにならなければならない。都道府県は，市町村を包括する広域の地方公共団体として，普通地方公共団体の事務のうち，広域的土地利用計画の策定，治山治水事業，大規模な土地改良事業等，広域にわたるもの（広域事務），国・市町村間および市町村相互間の連絡調整に関するもの（連絡調整事務），およびその規模または性質において一般の市町村が処理することが適当でないと認められるもの（補完事務）を処理する（同条5項）。

今般の地方分権改革は，国と地方公共団体の対等・協力の関係を構築しようとしたのであるが，都道府県と市町村の間も対等・協力の関係として構築することを意図したため，都道府県の事務についても法改正が行われている[26)]。地方分権一括法による改正前の地方自治法旧2条6項においては，都道府県の事務として，広域事務（1号），統一事務（2号），連絡調整事務（3号），補完事務（4号）の4区分がとられていた。このうち，統一事務（義務教育の水準維持等）は，各地域の特性を尊重する地方分権の理念に合致しないため，都道府県の事務に含めないことになった。また，都道府県が処理する事務のうち，補完事務については，当該市町村の規模および能力に応じて，市町村が処理することができることになった（同2条3項ただし書）。補完事務は，一般的に一市町村の行政需要に対応するために市町村ごとに実施することが効率的でないという理由により都道府県の事務とされているにすぎないため，当該市町村の規模，能力に応じて市町村が処理することを妨げる合理的理由はないからである[27)]。

**補完事務の例**　都道府県が行う建築確認事務は，補完事務として位置づけうる。すなわち，建築基準法は，政令で指定する人口25万以上の市については，建築主事を置くことを義務づけているが（建基4条1項），それ以外の市町村については，建築主事を置くか否かは，当該市町村の判断にゆだねている（同条2項）。市町村が，任意の判断で建築主事を置こうとする場合においては，あらかじめ，その設置について，都道府県知事に協議しなければならない（同条3項）。市町村が都道府県知事に協議して建築主事を置くときは，市町村長は，建築主事が置かれる日の30日前までにその旨を公示し，かつ，これを都道府県知事に通知しなければならない（同条4項）。そして，都道府県は，建築主事を置く市町村の区域外における建築確認事務をつかさどらせるために，建築主事を置かなければならない（同条5項）。このように，市町村の規模・能力に応じて市町村が処理できない場合にのみ，都道府県が補完的に建築確認事務を行うのである。

災害対策基本法60条は，災害が発生し，または発生するおそれがある場合における避難のための勧告・指示権限を市町村長に付与しているが（同条1項），都道府

26)　その基礎になった地方分権推進委員会勧告について，小幡純子「都道府県と市町村の関係」法教209号（1998年）26頁参照。

27)　都道府県の機能について詳しくは，新川達郎編著『公的ガバナンスの動態研究——政府の作動様式の変容』（ミネルヴァ書房，2011年）179頁以下（市川喜崇執筆）参照。また，都道府県制度についての包括的な研究として，全国知事会自治制度研究会『都道府県制度論——新時代の地方自治のために』（1995年3月）参照。

県知事は，当該都道府県の地域にかかる災害が発生した場合において，当該災害の発生により市町村がその全部または大部分の事務を行うことができなくなったときは，当該市町村の長が実施すべき勧告・指示の措置の全部または一部を当該市町村長に代わって実施しなければならないとしている（同条6項）。このように，本来的には市町村の事務であるが，非常時において，都道府県が市町村の事務を代替することが認められている場合もある。

2015年に制定された「地域の自主性及び自立性を高めるための改革の推進を図るための関係法律の整備に関する法律」（第5次一括法）により，農地法が改正され，農地転用許可基準は，面積に関わりなく，都道府県知事または指定市町村長が有することになった。すなわち，市町村が指定を申請して指定を受けた場合には，指定市町村長が当該権限を有し，指定市町村以外の地域では，都道府県知事が権限を有することになる。

***Column*　景観行政団体**

景観行政団体とは，2004年制定の景観法を活用した景観行政を推進する団体であり，都道府県，政令指定都市，中核市は，法定景観行政団体となっている。その他の市区町村は，都道府県の同意を得た場合，景観行政団体となることができる。したがって，①政令指定都市，②中核市，③都道府県知事と協議した市区町村が，景観法に基づく施策を実施し，それ以外の市区町村の区域では，都道府県が景観行政団体として景観法に基づく施策を実施することになっている（同法7条1項）。これは，同一の空間においては，景観行政団体は1つとして，都道府県と市区町村の二重行政を回避するためであるが，都道府県からは広域的な景観行政を実施しにくいという問題も指摘されている。学説においては，都道府県内のすべての市区町村が景観行政団体になったとしても，都道府県は景観法に基づかない自主条例として，広域的観点から景観整備についての基本的方針を定めることが可能とするものがある[28)]。なお，景観行政団体数は，2022年3月31日現在で，799団体になる。

以上みてきたように，市町村は基礎的自治体として地方公共団体の事務を一般的に処理し，都道府県は広域的自治体として市町村が処理するのに適しない事務を補完的に処理することとされている[29)]。都道府県および市町村は，その事務

28）　北村喜宣『分権政策法務と環境・景観行政』（日本評論社，2008年）194頁参照。

29）　基礎的自治体，広域的自治体の意味につき，小早川光郎「基礎的自治体・広域的自治体」法教165号（1994年）24頁参照。地方分権時代における都道府県の機能について，三好規正「地域主権型社会における都道府県のあり方について」山梨学院ロー・ジャーナル7号（2012年）139頁以下参照。

を処理するに当たっては，相互に競合しないようにしなければならない（自治2条6項）。

**Column　高知県の地域支援企画員制度**

都道府県が市町村と連携しながら地域の自立と活性化を目指す取組みとして注目されるのが，2003年度から開始された高知県の地域支援企画員制度である。地域支援企画員は，福祉，農業等の分野ごとに置かれる県の出先機関に所属しない職員が，原則としてすべての県内市町村の役場等に駐在し，各職員の視点で自主的に活動を行うものであり，県と市町村のパイプ役を果たし，両者の情報共有が進み，両者のパートナーシップの構築に寄与していると評価されている[30]。

## 2　統制条例の廃止

地方分権一括法による改正前の地方自治法において，都道府県と市町村を上下・主従の関係として把握する観念が典型的に表れていたのが統制条例に関する規定であった。すなわち，都道府県が市町村の行政事務に関して，法令に特別の定めがあるものを除くほか，条例で必要な規定を設けることができることとしていた。ここでいう行政事務とは衛生行政等の権力的事務であり，これが統制条例と呼ばれていたものである。「北海道畜犬取締及び野犬掃討条例」（昭和28年北海道条例第131号）がその例であった。そして，行政事務に関する市町村の条例が都道府県の統制条例に違反するときは，当該市町村条例はこれを無効とすると規定されていたのである（自治旧14条4項）。しかし，都道府県と市町村を対等・協力の関係として位置づける以上，統制条例を許容すべきではない。そこで，地方分権一括法により，統制条例に関する規定は削除されることになった。

もっとも，統制条例が廃止されても，都道府県と市町村の条例が抵触する可能性はある。そこで，「市町村及び特別区は，当該都道府県の条例に違反してその事務を処理してはならない」（自治2条16項），「前項の規定に違反して行つた地方公共団体の行為は，これを無効とする」（同条17項）という規定は，地方分権一括法による改革においても廃止されず存続している[31]。

30）　地方自治研究機構『自治体における専門性確保に関する調査研究』（2012年3月）108頁以下参照。

31）　その意味については，斎藤・法的基層270頁参照。

## 3　都道府県知事の権限に属する事務の機関委任の廃止

機関委任事務とは，地方公共団体の機関に委任される国または他の地方公共団体の事務である。地方分権一括法によって，国の権限に属する事務の地方公共団体への機関委任の廃止と同時に都道府県知事の権限に属する事務の市町村長への機関委任も廃止されることになった。すなわち，現行の地方自治法153条2項は「普通地方公共団体の長は，その権限に属する事務の一部をその管理に属する行政庁に委任することができる」と定めているが，地方分権一括法による改正前の地方自治法旧153条2項は「都道府県知事は，その権限に属する事務の一部をその管理に属する行政庁又は市町村長に委任することができる」と定め，都道府県知事の権限に属する事務の市町村長への機関委任も規定していた。この市町村長への機関委任の制度も，都道府県と市町村を対等・協力の関係として位置づける理念にそぐわないとして廃止されることになったのである。

## 4　市町村職員による補助執行の廃止

地方分権一括法による改正前の地方自治法旧153条3項は「都道府県知事は，その権限に属する事務の一部を市町村の職員をして補助執行させることができる」と規定していた。市町村を都道府県の地方事務所のごとく取り扱うこの規定は，1889年の府県制80条にその起源を有するが，都道府県と市町村を対等・協力の関係と位置づける以上，存続を許されるべきものではない。この規定も，地方分権一括法により廃止された。

## 5　条例による事務処理の特例制度

都道府県知事の権限に属する事務の市町村長への機関委任，都道府県知事の権限に属する事務の市町村職員による補助執行の制度は廃止されたが，都道府県から市町村へ地域の実情に応じた事務の移譲を推進し，住民に身近な地方公共団体において事務処理が行われるようにすることは望ましい。そこで，地方分権一括法により改正された地方自治法は，新たに「条例による事務処理の特例制度」を設けた。これは，都道府県知事の権限に属する事務（法定受託事務・自治事務の双方を含む）の一部について，都道府県条例の定めるところにより，市町村が事務処理を行うこととする制度である。この場合においては，当該市町村が処理することとされた事務は，当該市町村の長が管理し，執行することになる（自治252条の17の2第1項）。地方自治法では，「都道府県知事の権限に属する事務」についてのみ条例による事務処理の特例を定めているため，都道府県教育委員会の権限に属する事務の一部を，条例の定めるところにより，市町村が処理することとし，当該市町村の教育委員会が当該事務を管理執行することができるとする特例が定められている（教育行政55条1項）。

都道府県が市町村の意向を無視して一方的に条例で市町村に事務を行わせることを認めれば，両者を対等・協力の関係として位置づけることはできなくなる[32)]。そこで，この事務処理の特例条例を制定し，または改廃する場合には，都道府県知事は，あらかじめ，その権限に属する事務の一部を処理し，または処理することとなる市町村の長に協議しなければならないこととしている（同条2項）。なお，1999年4月1日時点で市町村長に委任されている事務については，地方分権一括法附則10条2項により協議を要しないこととされている。

「条例による事務処理の特例制度」については，かかる条例の制定を市町村の側から求める制度がないことが問題として指摘されていた。そこで，2004年の地方自治法の改正で，市町村の長は，その議会の議決を経て，都道府県知事に対し，その権限に属する事務の一部を当該市町村が処理することとするよう要請することができることとされた（自治252条の17の2第3項）。そして，市町村の長による要請があったときは，都道府県知事は速やかに，当該市町村の長と協議しなければならないこととされた（同条4項）。

第32次地方制度調査会答申（2020年6月26日）は，市町村が都道府県の事務の移譲を受ける際，住民の利便性の向上，都道府県・市町村の経営資源の効率的な活用のため，併せて，近隣市町村の区域に係る事務の移譲を受ける取組が見られることを指摘し，近隣市町村の合意があり，かつ，関連する事務について市町村間の広域連携により事務を処理するための安定的な関係が構築されている場合

---

32）　市町村が事務処理を拒否できるかについては，亘理格「条例による事務処理の特例」小早川＝小幡編・自治・分権89頁，田村・分権改革253頁以下参照。成田監修・ポイント86頁，小林裕彦「条例による事務処理特例制度の改善の方向性」地方自治789号（2013年）7頁は，同意必要説をとる。

には，市町村から都道府県に対して，近隣市町村に係る都道府県の事務の移譲を要請できるようにする仕組みを法制度として設けることが考えられるとしている。

***Column*　岡山県における「選択的分権」**

2013年3月に公表された岡山県の「市町村への事務・権限移譲推進方針」は，市町村の要望を重視した「選択的分権」を進めるものとして注目される。同指針では，①特定分野に関連する複数の事務・権限を県がパッケージ化して提示し，個々の市町村の要望に応じ，一括して移譲する方式（パッケージ方式），②対象とする特定の事務・権限を県が提示し，その中から地域の実情や事務処理の効率化等を勘案して，個々の市町村が選択する事務を個別に移譲する方式（メニュー方式），③「全市町村」，「指定都市」，「中核市」，「市（指定都市および中核市を除く）」，「町村」の区分に応じ，県が提示した事務・権限を一律に移譲する方式（一律移譲方式）を用いることとし，①②の場合は，希望する市町村と個別に，③の場合は，県市長会，県町村会を窓口に，それぞれ協議・調整を進めることとしている。さらに，市町村の自主的・主体的な判断を尊重した事務・権限の移譲を進める観点から，市町村は，県に対し，別表「移譲候補事務・権限一覧」に掲げるもの以外の事務・権限の移譲を提案することができるものとしている。

「条例による事務処理の特例制度」に基づく事務処理の特例条例が定めるところにより，都道府県知事の権限に属する事務の一部を市町村が処理する場合においては，当該条例の定めるところにより市町村が処理することとされた事務について規定する法令，条例または規則中，都道府県に関する規定は，当該事務の範囲内において，当該市町村に関する規定として，当該市町村に適用があるものとされる（自治252条の17の3第1項）。そして，市町村に適用があるものとされる法令の規定により国の行政機関が市町村に対して行うものとなる助言等，資料の提出の要求等または是正の要求等は，都道府県知事を通じて行うことができるものとされ（同条2項），市町村に適用があるものとされる法令の規定により市町村が国の行政機関と行うこととなる協議は，都道府県知事を通じて行うものとし，当該法令の規定により国の行政機関が市町村に対して行うものとなる許認可等を求めて市町村が行う申請等は，都道府県知事を経由して行うものとされている（同条3項）。

市町村の自治事務の処理について，各大臣は，都道府県の執行機関に対し，是正の要求をするよう指示することができる（自治245条の5第2項）。しかし，都道府県知事は，「条例による事務処理の特例制度」により市町村が処理することとされた事務のうち，自治事務の処理が法令の規定に違反していると認めるとき，または著しく適正を欠き，かつ，明らかに公益を害していると認めるときは，地方自治法245条の5第2項に規定する各大臣の指示がない場合であっても，当該市町村に対して，当該自治事務の処理について違反の是正または改善のため必要な措置を講ずべきことを求めることができる（同252条の17の4第1項）。これは，もともと都道府県の事務を都道府県の判断により市町村の処理にゆだねたのであるから，各大臣の指示がなくても都道府県独自の判断で是正を要求できるとすることに合理性があるからである。「条例による事務処理の特例制度」により市町村が処理することとされた事務のうち，法定受託事務にかかる代執行については，都道府県知事ではなく，各大臣が手続を行うこととされている（同条2項）。

法定受託事務にかかる都道府県知事その他の都道府県の執行機関の処分およびその不作為については，本来，当該処分にかかる事務を規定する法律またはこれに基づく政令を所管する各大臣の審査の機会を国民に保障し，かつ，それにより当該事務の施行についての統一を図ることが企図されている（自治255条の2第1項1号）。しかし，「条例による事務処理の特例制度」の適用により処分権者が市町村長になると，都道府県知事に対する審査請求となり（同項2号），各大臣の審査の機会を喪失することになり，「条例による事務処理の特例制度」を適用しない都道府県との間に不均衡が生ずることになるし，また，法定受託事務についての審査請求を通じて，事務処理の統一を図ろうという地方自治法255条の2の趣旨にも合致しなくなる。そこで，かかる事態を避けるために，各大臣への再審査請求が認められている（同252条の17の4第4項）。

**_Column_　墓地経営許可に係る事務処理の特例**

条例による墓地経営許可に係る事務処理の特例に基づく事務処理の適法性が争われた事案として，さいたま地判平成21・12・16判例自治343号33頁（確定）がある。墓地，埋葬等に関する法律（平成23年法律第105号による改正前のもの）10条1項は，墓地経営許可権限を都道府県知事，政令指定都市または中核市の市長に与えていたところ，本件では，条例による事務処理の特例に基づきA県から墓地経営の許可権限を与えられていた一般市Bの市長が，墓地経営許可申請に対する不許可処分を行った。同判決は，その取消訴訟に係るものである。A県は，同法施行条例で墓地経営許可基準を定めていたところ，B市の同法施行条例においては，A県の条例にはない許可要件が付加されていた。それは，宗教法人の場合には，B市内に1年以上の事務所を有することという要件（以下「在市要件」という）であり，不許可処分の理由は，この在市要件を満たさないこと等であった。本件訴訟では，(i)A県からB市に条例による事務処理の特例に基づき墓地経営許可事務を移譲できるか否か，(ii)B市が条例で独自の許可要件を定めることは可能か，(iii)在市要件は適法か，(iv)在市要件については，住民の宗教的感情に適合し公衆衛生その他公共の福祉の見地から支障がないと認められる場合には，この限りでないとするただし書があるが，このただし書の該当性等が争われた。

同判決は，(i)について，地域に密接な地方公共団体である市町村に，墓地等の経営の許可または不許可の権限を与えて，地域の風俗習慣，宗教的感情，地理的条件等に即した許可または不許可処分を行うことができるよう，同処分の権限を移譲することは，同法の趣旨に反しないとした。(ii)については，条例による事務処理の特例に基づき墓地経営許可事務を移譲された市町村は，地域の実情に応じた許可基準を定めることができ，それが都道府県の基準と異なりうることは当然予定されているとする。(iii)については，在市要件により，的確な審査を行うことが可能になり，同法の趣旨に反し著しく不合理とはいえないとする。(iv)についても，B市が定めるただし書該当の要件に合致しないとする。なお，2011年改正（平成23年法律第105号）により，市および特別区一般に墓地の経営許可権限が付与されることになった（同法2条5項）。同法10条の許可事務が，条例による事務処理の特例により町村に移譲される可能性は現在も存在し，本判決の射程は，その場合にも及ぶと考えられる。

平成16年法律第98号による改正前の旅券法21条の4のように，地方自治法の条例による事務処理の特例に係る規定を適用しないと明文で定めていた例があるが，明文の規定がなくても，いかなる場合に条例による事務処理特例を行うことができないかについては，検討を深める必要がある[33)]。

2018年4月1日現在，合計230法律（まちづくり分野49法律，福祉・保健分野46法律，環境・衛生分野40法律，産業分野49法律，生活・安全分野21法律，その他

33)　この問題について精緻な検討を行うものとして，但田翔「条例による事務処理の特例に関する考察――移譲事務の種類及び範囲を中心に」自治総研507号（2021年）55頁以下がある。条例による事務処理の特例については，亘理格「条例による事務処理の特例」小早川＝小幡編・自治・分権87頁以下，板垣・現代的課題204頁以下，山口道昭「市町村関係における都道府県の法的定位(1)(2・完)――沖縄県県民投票と事務処理の特例制度から考える」自治研究95巻8号（2019年）3頁，95巻9号（2019年）3頁，柿本剛「事務処理の特例制度による市町村経由事務の整理について」地方自治628号（2000年）99頁以下，澤俊晴「条例による事務処理の特例制度と権限移譲（#01）（#02）（#03）」自治体法務NAVI29号（2009年）46頁以下，30号（2009年）32頁以下，31号（2009年）48頁以下等も参照。

分野25法律）について，条例による事務処理特例制度が活用されている。2008年5月28日にまとめられた地方分権改革推進委員会の第1次勧告においては，条例による事務処理制度を活用することにより，都道府県から市町村への積極的な権限移譲を進めることが期待され，そのためには，都道府県と市町村との協議の場を設けるなど，都道府県と市町村とが恒常的に協議・意見交換を行っていくことが重要であることが指摘されている。2010年6月22日に閣議決定された地域主権戦略大綱においても，「条例による事務処理特例制度の活用状況等も踏まえ，基礎自治体への法令による一層の権限移譲について検討を行う」こととされている。その後，累次の地方分権一括法により，基礎自治体への権限移譲が進みつつある（→5章III ***3***）。

# 第3章　特別地方公共団体

**Point**

1）1943年，東京府と東京市が合体し，府県の性格と基礎的自治体の性格を併有する東京都となり，旧東京市に置かれていた区は都の内部団体になった。1946年の東京都制の改革により，区の自治権は大幅に拡充され，区長は住民公選制となり，区の課税権，起債権，条例制定権が承認された。そして，1947年の地方自治法改正により，東京都の区は特別地方公共団体として位置づけられることになった。

2）戦後，都区間の紛争が多発し，特別区の存する区域における一体的な行政の遂行が困難であること等を理由として，区長選任に都知事の意向を反映させるため，1952年の地方自治法改正により区長公選制が廃止され，特別区の議会が都知事の同意を得て区長を選任することになった。

3）区長公選制の廃止後，区長準公選条例制定運動等を背景として，1974年の地方自治法改正で，区長公選制が復活した。

4）1998年の地方自治法改正で，同法に都と区の役割分担に関する規定が設けられ，特別区は，基礎的な地方公共団体として位置づけられたといえる。

5）都知事は，特別区に対し，都と特別区および特別区相互間の調整上，特別区の事務の処理について，その処理の基準を示す等，必要な助言または勧告をすることができる。また，都は，都と特別区および特別区相互間の財源の均衡化を図り，ならびに特別区の行政の自主的かつ計画的な運営を確保するため，条例で特別区財政調整交付金を交付する。さらに，都および特別区の事務処理について，都と特別区および特別区相互間の連絡調整を図るため，都および特別区をもって都区協議会を設けることとされている。

6）2012年に「大都市地域における特別区の設置に関する法律」が成立し，道府県においても，所定の実体的・手続的要件を満たせば，特別区を設置することが可能になった。

7）地方公共団体の組合とは，地方公共団体がその全部または一部を共同処理するために設ける組合であり，一部事務組合，広域連合がある。

8）一部事務組合は，都道府県，市町村および特別区が，その事務（役場事務を除く）の一部を共同処理するために設ける組合である。

9）複合的一部事務組合は，一部事務組合の一種であり，市町村および特別区が設置しうる。事務の種類が同一でなくても，相互に関連するものであれば組合を設立することが認められる点に特色がある。

10）普通地方公共団体および特別区は，広域連合を設けることができる。広域連合は，国や都道府県からの権限移譲の受皿としての性格を持つ点，住民の参加権が法定されており，広域連合の議会の議員および長については，充て職は認められず，直接選挙または間接選挙によることとしている点に特色がある。

11）財産区とは，市町村および特別区の一部で，財産または公の施設の管理および処分をする権能が認められた特別地方公共団体である。近代的地方制度導入前の自然村の慣行を尊重するとともに，入会山林等を有する村が，合併に際して，旧村村民に当該山林等の排他的利用を認めることによって，町村合併を促進することを意図して導入された。

12）1991年の地方自治法改正で，市町村内の一定の区域に住所を有する者の地縁に基づいて形成された団体（地縁による団体）が，地域的な共同活動のための不動産または不動産に関する権利等を保有するため，市町村長の認可を受けたときは，その規約の定める目的の範囲内において，法人格を付与されることになった。

13）市町村合併特例法は，合併特例区を特別地方公共団体としているが，合併特例区は5年以内の時限設置としなければならない。

---

# I 特別区

## *1* 歴　史

### (1) 東京府の区

初めに，特別区の歴史を概観しておくこととする。1868年，東京府が誕生し，1871年，廃藩置県により新しい東京府が設置され，現在の区部を統轄することになった。1878年，郡区町村編制法により，自治区の性格を持つ15の区（および6郡）が，東京府に置かれることとなった。区には区会が置かれ，任命制であったが区長も置かれた。1889年5月1日，市制・町村制が施行され，15区を基礎とした東京市が設立された。東京市，京都市，大阪市には市制特例（「市制中東京市京都市大阪市ニ特例ヲ設クルノ件」）が適用され，府知事が市長の職を兼ねることになった。そして，基礎的な自治体であった東京市の15区は，区会・区有財産を有するものの，区長は市参事会が選任することとされ，東京市の下部機関として位置づけられることになった。

その後，東京市民の自治権拡張運動が展開され，10年に及ぶ反対運動が実り，市制特例が廃止され，1898年10月1日，東京市が完全市制に移行し，東京市長は公選（ただし市会による間接公選）となった（10月1日が都民の日とされたのはこのためである）。区長は，市長の任命にかかる市の吏員とされ，区の課税権・起債権・自主立法権は認められず，主として，その財産および営造物に関する事務の処理について，独立の法人格が認められるにとどまったのである。しかし，1911年の市制改正および市制第六条ノ指定ニ関スル件により，区が法人格を持つことが明記された。1932年には，従前の東京市に隣接する5郡82町村を合併し，新たに20区が設けられ，合計35区の大東京市が誕生した。

### (2) 東 京 都 制

1943年，第81回帝国議会において，戦争遂行のために，府市並立の弊害を解消し，府と市が一体となった強力な帝都行政を確立するため，東京府と東京市を合体し，府県の性格と基礎的自治体の性格を併有する東京都とすることになった。1896年の政府の「東京都制案」以来の懸案でありながら，衆議院および東京市の反対で実現しなかった東京都制がようやく実現することになったのである。そして，国選官吏（親任官）である都長官が官吏である区長を任命することとなり，区会議員は公選であったものの，区の自治権は制限され，都は区の事務に関し，条例・規則を制定することができることとなり，区は都の内部団体となった。しかし，政府案においては，区会議長は官吏たる区長をもって充てることとされていたが，帝国議会における修正によって，区会議員の中から区会議長を選出することになった。

### (3) 占領期の改革

1946年9月の東京都制の改革により，区の自治権が大幅に拡充された。すなわち，区長は住民公選制となり（政府案では区会の意見を聴いて都長官が任命することとされていたが，衆議院の修正で公選制となった），区の課税権・起債権・条例制定権が承認された。1947年3月，35区が22区に統合された（同年8月に板橋区から練馬区が分離して，現在の23区になる）。

1947年5月3日施行の地方自治法により，東京都の区は特別地方公共団体としての特別区として位置づけられることになった（自治281条1項）。地方自治法または政令で特別の定めをするものを除くほか，市に関する規定は特別区にこれを適用することとされており（同283条1項），特別区は市に準ずることになった。東京都は府と市の機能を併有していたため，市の事務も行っていたが，従前都が行っていた市の事務は，なお都に残ることになり（同附則2条），その結果，市町村が行う一般廃棄物の処理事務等も，比較的最近まで都の事務とされていたのである。そして，特別区は，「法律又はこれに基づく政令により都が処理することとされているものを除き」，地域における事務ならびにその他の事務で法律またはこれに基づく政令により市が処理することとされるものおよび法律またはこれに基づく政令により特別区が処理することとされるものを処理するのである（同281条2項）。

### (4) 区長公選制の廃止と復活

#### (a) 区長公選制の廃止

戦後，都区間の紛争が多発し，特別区の存する区域における一体的な行政の遂行が困難であること等を理由として，1952年，地方自治法改正[1]により区長公選制が廃止され，区長の選任に都知事の意向を反映させるため，特別区の議会が都知事の同意を得て区長を選任することとなった[2]。また，特別区が処理する事務について列記主義がとられ，都区財政調整制度が整備され，特別区を都の内部団体化する動きが進められた。1964年の地方自治法改正では，都から特別区への権限移譲が行われ，また，都区連絡協議会の制度が設けられたが，特別区の基本的性格に変更はなかった[3]。

---

1) 詳しくは，森祐二郎「都区制度の変遷」地方自治471号（1987年）91頁以下参照。
2) 政府案では，都知事が特別区の議会の同意を得て区長を選任することとされていたが，衆議院で修正された。区長任命制の運用状況については，中島忠能「特別区制の改革についての覚書（その7・完）」自治研究52巻2号（1976年）72頁以下参照。
3) 詳しくは，塩見清仁「特別区の性格をめぐる一考察(1)」地方自治548号（1993年）115頁以下参照。

***Column*　区長準公選条例**

1967年，練馬区において，区長に対する不信任決議が可決され，区長が議会を解散したが，選挙で区長派が減少したため，区長は辞職し，その後，議会の党派的対立で区長が選任できず，403日間も区長不在の時代が続いた。そのため，住民投票の結果を尊重して区議会が区長を選任することとする区長準公選条例制定運動が盛り上がることになった[4]。1970年には，東京都行財政担当専門委員の助言である「特別区，市町村制度および都の区域をこえる広域行政のあり方」において，区長を公選すべき旨が提言された。1971年には，中野区議会が，区長準公選条例を可決したが，再議請求がなされ，条例制定派は再議決で3分の2の多数の賛成を得られる見込みがなかったため，継続審査とした。1972年には，品川区議会が区長準公選条例を可決した。ここでも，再議請求がなされたが，議会は3分の2以上の多数で再議決をしたため，初の区長準公選条例が制定され，同年11月に区長準公選投票が行われた（品川区長準公選条例の適法性が住民訴訟で争われた事案において，東京高判昭和50・9・18行集26巻9号1008頁［百選A9］は，本条例が，議会による区長選任権の行使の参考に供するため，区議会に付与された調査権の裁量の範囲内において地域住民の意向を調査しようとするものであり，代表民主制を否定するものではないから適法と判示した）。同年10月には，練馬区で区長準公選条例が制定され，同月，第15次地方制度調査会が，「特別区制度の改革に関する答申」において区長公選制を採用すべき旨の提言をしている。翌11月に大田区が，1974年3月には北区が区長準公選条例を制定した。

#### (b)　区長公選制の復活

1974年5月には，区長公選制を復活する地方自治法改正が全会一致で成立し，都からの配属職員制度が廃止され，特別区の職員として引き継がれた。また，特別区の事務は，列記主義から概括主義に変更されることになった[5]。1975年に保健所事務が特別区に移管されている。

### (5)　基礎的自治体としての位置づけ

#### (a)　都区協議会の報告書

> 1981年の特別区による「特例市」構想に刺激を受けて，1984年，東京都の都制度調査会も，「新しい都市制度のあり方」において，特別区の基礎的自治体化を是

4)　区長準公選条例の問題については，橋本公亘「特別区長の選任制度(上)」自治研究49巻2号（1973年）16頁以下参照。

5)　1974年の特別区に関する地方自治法改正について詳しくは，砂子田隆「特別区制度の改正について」自治研究50巻8号（1974年）9頁以下参照。

認した。1986年，都区協議会（→4(3)参照）が，「都区制度改革の基本方向」をまとめている。そこにおいては，①特別区を大都市行政区域における基礎的自治体として位置づけ，普通地方公共団体とすること，②新しい都は，府県事務のほか，上下水道・消防・都市交通・港湾等の大都市事務を処理することとし，改革後の特別区は，現行の特別区の事務のほか，現行の都の事務のうち，都市計画に関する事務，一般廃棄物の収集・運搬，浄化槽の維持管理等の24の事務を都から移管を受けて実施すること，③現行の都と区の財政調整制度の垂直調整は廃止し，新たに基礎的自治体間の財政調整を行うこと，④新しい基礎的自治体の呼称を住民の意向等を踏まえて，その性格にふさわしいものにすることが提言されている。しかし，それを実現するためには，地方自治法を始めとして，約20の法律改正が必要であり，都区協議会における合意のみで，直ちに実施可能なわけではなかった。そのため，特別区の基礎的自治体化には，なお時間を要したのである。

#### (b) 第22次地方制度調査会答申

1990年，第22次地方制度調査会は「都区制度の改革に関する答申」を提出し，特別区を基礎的自治体として位置づけることを提言した[6]。これを受けて，1994年9月に都区間で「都区制度改革に関するまとめ（協議案）」[7]が合意され，一般廃棄物処理を特別区の事務とすること等についても両者間で意見の一致をみた。

#### (c) 1998年の地方自治法改正

そして，1998年の地方自治法の改正で，同法に都と特別区の役割分担の原則の規定が設けられた。すなわち，「都は，特別区の存する区域において，特別区を包括する広域の地方公共団体として，第2条第5項において都道府県が処理するものとされている事務及び特別区に関する連絡調整に関する事務のほか，同条第3項において市町村が処理するものとされている事務のうち，人口が高度に集中する大都市地域における行政の一体性及び統一性の確保の観点から当該区域を通じて都が一体的に処理することが必要であると認められる事務を処理するものとする」（自治281条の2第1項），「特別区は，基礎的な地方公共団体として，前項において特別区の存する区域を通じて都が一体的に処理するものとされているものを除き，一般的に，第2条第3項において市町村が処理するものとされてい

6) その内容について詳しくは，佐藤竺「東京都特別区の自治権拡充と都区関係」成蹊法学33号（1991年）21頁以下参照。
7) 詳しくは，村松明典「都及び特別区による『都区制度改革に関するまとめ（協議案)』について」地方自治569号（1995年）67頁以下参照。

る事務を処理するものとする」（同条2項）とされている。大都市地域における行政の一体性および統一性の確保の観点から当該区域を通じて都が一体的に処理することが必要であると認められる事務は，個別法またはそれに基づく政令で定められている（都計87条の3，水道49条，消組26条～28条，地税734条～737条，交付税21条，公選266条参照）。そして，「都及び特別区は，その事務を処理するに当たつては，相互に競合しないようにしなければならない」（同条3項）。また，都が条例で特別区の事務について特別区相互間の調整上必要な規定を設けることができるとする都区調整条例制度は廃止されることになった。これによって，特別区は，基礎的な地方公共団体として位置づけられたといえる。そのため，特別区を特別地方公共団体とする実益は失われたとする指摘もみられる[8)]。

**(d)　都区のあり方検討委員会**

都と特別区は2006年に「都区のあり方検討委員会」を設置し，移管業務について協議を行い，53項目について区に移管する方向で検討することに合意したが，実現したのは，児童相談所の設置業務等一部にとどまった。

***Column*　千代田市構想・世田谷指定都市構想**

2001年に公表された「千代田区第3次基本構想――千代田新世紀構想」においては，地方分権一括法施行後も，特別区は一般市が有している固有の課税権が一部都に留保され，また事務処理権能を制約されているので，千代田市となることを目指すとしている。

世田谷区においても，区長が指定都市化を目指す旨，発言したことがある。「大阪都構想」では，指定都市や一般市を廃止して特別区を設置する方向が目指されたが，東京都の特別区の間では，課税権限や事務処理権能が制約された特別区から指定都市や一般市に移行することを望む逆の動きがあることは興味深い。

## *2*　憲法上の位置づけ

特別区が憲法上の地方公共団体といえるかについては議論があり，この点が訴訟で争われたこともある。この事件当時，特別区の区長は議会が都知事の同意を得て選任することになっていたところ（自治旧281条の2第1項），渋谷区議会議

8)　塩野・行政法Ⅲ 170頁。

員が，区長の選任に関して金銭の提供・収受をし，贈収賄罪で起訴された。東京地判昭和37・2・26下刑集4巻1＝2号157頁は，憲法93条2項は，「地方公共団体の長……は，その地方公共団体の住民が，直接これを選挙する」と定めており，特別区は，ここにいう地方公共団体に該当するから，区長を議会が知事の同意を得て選任する規定は違憲であり，したがって，渋谷区議会議員は，区長を選任する職務権限を有しないとして，無罪判決を下した。これに対して，検察側の跳躍上告を受けて，前章（→2章I *2*(1)）で述べた最大判昭和38・3・27刑集17巻2号121頁［百選1］は，憲法上の地方公共団体としての実体を備えた団体である以上，その実体を無視して，憲法で保障した地方自治の権能を法律をもって奪うことは許されないものと解すると述べているが，東京都の特別区は，いまだ市町村のごとき完全な自治体としての地位を有していたことはなく，そうした機能を果たしたこともなかったと指摘し，特別区の実体がこのようなものである以上，特別区は，その長の公選制が法律によって認められていた時期があったとはいえ，憲法制定当時においても，また，区長公選制が廃止された1952年8月の地方自治法改正当時においても，憲法93条2項の地方公共団体と認めることはできないと判示している。

## *3*　機　　関

特別区には区長のほか，議会が置かれる。2011年の通常国会における地方自治法改正により，議員定数の上限規制が撤廃された。

## *4*　都と特別区および特別区相互間の調整

### (1)　助言・勧告

都知事は，特別区に対し，都と特別区および特別区相互の間の調整上，特別区の事務の処理について，その処理の基準を示す等必要な助言または勧告をすることができる（自治281条の6）。

### (2) 特別区財政調整交付金

都は，都および特別区ならびに特別区相互の間の財源の均衡化を図り，ならびに特別区の行政の自主的かつ計画的な運営を確保するため，政令で定めるところにより，条例で，特別区財政調整交付金を交付するものとされている（自治282条1項）。この制度は，1953年に法定化されている。「都と特別区及び特別区相互間の財政調整に関する条例」5条1項においては，基準財政需要額が基準財政収入額を上回る特別区に対しては都が普通交付金を支給することとしている（基準財政需要額が基準財政収入額を下回る特別区が都に納める納付金は，1998年の地方自治法改正を受けて廃止されている）。

### (3) 都区協議会

都および特別区の事務処理について，都と特別区および特別区相互の間の連絡調整を図るため，都および特別区をもって都区協議会を設けることとされている（自治282条の2第1項）。特別区財政調整交付金条例を制定する場合においては，都知事は，あらかじめ都区協議会の意見を聴かなければならない（同条2項）。第30次地方制度調査会答申では，都区協議会について，現行の自治紛争処理委員による調停に加え，新しい裁定等の仕組みを設けることの必要性について検討すべきとしている。

## *5* 大都市における特別区の設置

### (1) 目　　的

2012年の通常国会において，「大都市地域における特別区の設置に関する法律」（以下「特別区設置法」という）が制定された[9]。同法は，①道府県の区域内において関係市町村を廃止し，特別区を設けるための手続，②特別区と道府県の

---

9）同法については，金井利之「大都市地域特別区法の諸性格」地方議会人43巻6号（2012年）22頁，植田昌也「大都市地域における特別区の設置に関する法律について」地方自治780号（2012年）37頁，岩崎忠「大都市地域特別区設置法の制定過程と論点」自治総研38巻10号（2012年）29頁，小松由季「道府県における特別区設置に係る手続の創設──大都市地域特別区設置法」立法と調査334号（2012年）17頁参照。

事務の分担ならびに税源の配分および財政の調整に関する意見の申出にかかる措置，について定めることにより，地域の実情に応じた大都市制度の特例を設けることを目的とする（1条）。東京都内の市町村の全部または一部による特別区の設置は，当該市町村が議会の議決を経て申請し，都知事が都議会の議決を経てこれを定めるが，都知事は，あらかじめ総務大臣と協議し，その同意を得なければならないこととされている（自治281条の4第2項・5項・8項・9項）。特別区設置法においては，以下のような独自の手続を定めている。

### ⑵ 人口要件

特別区を設置する特例が認められるのは，人口200万以上の政令指定都市または一の政令指定都市および当該政令指定都市に隣接する同一道府県の区域内の一以上の市町村（当該市町村が政令指定都市である場合にあっては，当該政令指定都市に隣接する同一道府県の区域内のものを含む）であって，その総人口が200万以上のものである（特別区設置2条1項）。上記の地域内において，総務大臣は，同法の定めるところにより，道府県の区域内において，関係市町村を廃止し，特別区の設置を行うことができることとされた（同3条）。

### ⑶ 特別区設置協定書の作成

特別区の設置を申請しようとする関係市町村および関係道府県は，特別区設置協定書の作成その他特別区の設置に関する協議を行う特別区設置協議会を置く（特別区設置4条1項）。特別区設置協議会の会長および委員は，規約の定めるところにより，関係市町村もしくは関係道府県の議会の議員もしくは長その他の職員または学識経験を有する者の中から，これを選任する（同条2項）。特別区設置協定書は，①特別区の設置の日，②特別区の名称および区域，③特別区の設置に伴う財産処分に関する事項，④特別区の議会の議員の定数，⑤特別区とこれを包括する道府県の事務の分担に関する事項，⑥特別区とこれを包括する道府県の税源の配分および財政の調整に関する事項，⑦関係市町村および関係道府県の職員の移管に関する事項，⑧以上に掲げるもののほか，特別区の設置に関し必要な事項について作成する（同5条1項）。関係市町村の長および関係道府県の知事は，特別区設置協議会が特別区設置協定書に上記⑤および⑥に掲げる事項のうち政府が法制上の措置その他の措置を講ずる必要があるものを記載しようとするときは，共同して，あらかじめ総務大臣に協議しなければならない（同条2項）。この協議の申出があったときは，総務大臣ならびに関係市町村の長および関係道府県の知事は，誠実に協議を行うとともに，速やかに当該協議が調うよう努めなければならない（同条3項）。特別区設置協議会は，特別区設置協定書を作成しようとするときは，あらかじめ，その内容について総務大臣に報告する義務を負う（同条4項）。総務大臣は，この報告を受けたときは，遅滞なく，当該特別区設置協定書の内容について検討し，特別区設置協議会ならびに関係市町村の長および関係道府県の知事に意見を述べるものとされている（同条5項）。特別区設置協議会は，特別区設置協定書を作成したときは，これをすべての関係市町村の長および関係道府県の知事に送付しなければならない（同条6項）。

### (4)　特別区設置協定書についての議会の承認

関係市町村の長および関係道府県の知事は，特別区設置協定書の送付を受けたときは，総務大臣の意見を添えて，当該特別区設置協定書を速やかにそれぞれの議会に付議して，その承認を求めなければならない（特別区設置6条1項）。関係市町村の長および関係道府県の知事は，議会の審議の結果を，速やかに，特別区設置協議会ならびに他の関係市町村の長および関係道府県の知事に通知しなければならない（同条2項）。特別区設置協議会は，すべての関係市町村の長および関係道府県の知事から当該関係市町村および関係道府県の議会が特別区設置協定書を承認した旨の通知を受けたときは，直ちに，すべての関係市町村の長および関係道府県の知事から当該通知を受けた日（基準日）を関係市町村の選挙管理委員会および総務大臣に通知するとともに，当該特別区設置協定書を公表しなければならない（同条3項）。

### (5)　関係市町村における選挙人の投票

当該通知を受けた関係市町村の選挙管理委員会は，基準日から60日以内に，特別区の設置について選挙人の投票に付さなければならない（特別区設置7条1項）。関係市町村の選挙管理委員会は，当該投票に際し，当該関係市町村の議会の議員から申出があったときは，当該投票に関する当該議員の意見を公報に掲載し，選挙人に配布しなければならない（同条3項）。関係市町村の選挙管理委員会は，投票の結果が判明したときおよび投票の結果が確定したときは，直ちにこれをすべての関係市町村の長および関係都道府県の知事に通知するとともに，公表しなければならない（同条5項）。

### (6)　特別区の設置の申請

関係市町村および関係道府県は，すべての関係市町村の上記投票においてそれぞれその有効投票の総数の過半数の賛成があったときは，共同して，総務大臣に対し，特別区設置協定書を添えて特別区の設置を申請することができる（特別区設置8条1項本文・2項）。

### (7) 特別区の設置の処分

特別区の設置は，上記申請に基づき，総務大臣がこれを定めることができる（特別区設置9条1項）。特別区を設置する処分をしたときは，総務大臣は，直ちにその旨を告示するとともに，これを国の関係行政機関の長に通知しなければならない（同条2項）。当該処分は，告示によりその効力を生ずる（同条3項）。関係市町村は，上記告示があったときは，直ちに特別区設置協定書に定められた特別区の議会の議員の定数を告示しなければならない（同条4項）。政府は，特別区設置の申請があった場合において，特別区設置協定書の内容を踏まえて新たな措置を講ずる必要があると認めるときは，当該申請があった日から6か月を目途に必要な法制上の措置その他の措置を講ずるものとされている（同条6項）。

### (8) 特別区を包括する道府県に対する法令の適用

特別区を包括する道府県は，地方自治法その他の法令の規定の適用については，法律またはこれに基づく政令に特別の定めがあるものを除くほか，都とみなされる（特別区設置10条）。

### (9) 事務の分担等に関する意見の申出にかかる措置

一の道府県の区域内のすべての特別区および当該道府県は，共同して，特別区とこれを包括する道府県の事務の分担ならびに税源の配分および財政の調整のあり方に関し，政府に対し意見を申し出ることができる（特別区設置11条1項）。当該申出については，当該特別区および道府県の議会の議決を経なければならない（同条2項）。政府は，当該申出を受けた日から6か月を目途に当該意見を踏まえた新たな措置を講ずる必要の有無について判断し，必要があると認めるときは，当該意見の趣旨を尊重し，速やかに必要な法制上の措置その他の措置を講ずるものとされている（同条3項）。

**Column 大阪市特別区設置住民投票**

いわゆる「大阪都構想」を実現するため，「大都市地域における特別区の設置に関する法律」に基づき，大阪市を廃止して，同市内の24の行政区を5つの特別区に再編する案の是非を問う住民投票が，2015年5月17日に行われた。投票結果は，僅差で反対が賛成を上回り，「大阪都構想」を推進してきた橋下徹氏は，大阪市長の任期満了をもって政界引退を表明した。しかし，同年11月22日，大阪維新の会の松井一郎氏と吉村洋文氏がそれぞれ大阪府知事と大阪市長に当選し，大阪都構想実現に再挑戦することになった。そして，紆余曲折を経て，2020年6月19日，2025年に大阪市を「淀川」「北」「中央」「天王寺」の4つの特別区に再編（24の行政区は地域自治区として位置づけ）する内容の法定協議書案が法定協議会で賛成多数で可決された。同年7月28日，同制度案に対して，総務大臣から特段の意見はないという回答があり，同月31日，法定協議会で法定協議書が正式決定された。同年8月28日，大阪府議会で，同年9月3日，大阪市議会で特別区設置協定書が可決された。2020年11月1日に行われた2度目の住民投票で賛否が問われた大阪都構想案では，東京都の特別区が一般市並みの権限を有するのに対して，大阪府の特別区には中核市並みの権限を与えるとしていたこと，固定資産税や法人住民税にかかる都区間の財政調整制度により東京都の特別区に配分されるのは5割強にとどまるのに対して，大阪府の特別区には約8割を配分するとしていたこと等，権限・財源の両面で特別区に配慮した内容になっていた。しかし，2度目の住民投票においても，僅差で反対が賛成を上回り，同構想を推進してきた松井一郎氏は，大阪市長の任期満了をもって政界引退を表明した。

# Ⅱ　地方公共団体の組合

## *1*　総　　説

### (1)　種　　類

地方公共団体の組合とは，地方公共団体がその事務の全部または一部を共同処理するために設ける組合であり，一部事務組合，広域連合がある（自治284条1項）[10]。

10)　地方公共団体の組合制度の内容，課題等について精緻に分析したものとして，木村・広域連携87頁以下参照。

### (2) 住 民

地方公共団体の組合の構成員は関係地方公共団体であることから，地方公共団体の組合には住民の観念は存在しないとする説もあるが，地方公共団体の組合の事務は，直接に関係地方公共団体の住民の権利義務に影響を与えるものであり，住民の要素を捨象して考えることには疑問がある[11]。

### (3) 適用される規定

地方公共団体の組合については，法律またはこれに基づく政令に特別の定めがあるものを除くほか，都道府県の加入するものにあっては都道府県に関する規定，市および特別区の加入するもので都道府県の加入しないものにあっては市に関する規定，その他のものにあっては町村に関する規定を準用することとされている（自治292条）。

**_Column_ 地方共同法人**

地方公共団体の組合は，複数の地方公共団体が共同して設立する特別地方公共団体としての法人であるが，地方公共団体が共同出資して設立される法人であるものの，特別地方公共団体ではなく，地方共同法人と呼ばれる法人がある。特殊法人等整理合理化計画（2001年12月19日閣議決定）において，①地方公共団体の共通の利益となる事業等，その性格上地方公共団体が主体的に担うべき事業であって，国の政策実施機関に実施させるまでの必要性が認められないものの実施主体の選択肢の一つとして，当該特殊法人等を地方公共団体が主体となって運営する「地方共同法人」（仮称）とすることが考えられるとされ，②その法人格は，民商法または特別の法律に基づく法人とし，③国またはこれに準ずるものの出資は，制度上および実態上受けず，資本金が必要な場合には，関係地方公共団体が共同出資すること，④法人の役員は，自主的に選任されるものとすること，⑤法人内部に，必要に応じ，関係地方公共団体の代表者が参画する合議制の意思決定機関ないし審議機関を設けることが，特殊法人等の改革のために講ずべき措置の一つとして挙げられ，地方公共団体等の共同の利益となる事業を運営する特殊法人のうち，民営化になじまないものが，地方共同法人に移行することになった。地方共同法人への移行に当たり，出資は地方公共団体のみに限定され，国の関与は廃止または縮小されて経営の自主性が高められている。日本下水道事業団，地方公務員災害補償基金，地方競馬全国協会，地方公共団体金融機構が特殊法人から地方共同法人に移行したが，2014年4月1日に，地方公共団体情報システム

11） 塩野・行政法Ⅲ 171頁，遠藤文夫「地方公共団体の組合の住民の観念についての一疑問」札幌学院大学現代法研究所年報1996年号21頁以下。

機構[12]が住民基本台帳法に基づく指定情報処理機関であった財団法人地方自治情報センターを拡充改組した地方共同法人として設立された。さらに，2019年4月1日に，地方税共同機構が地方共同法人として設立された[13]。ただし，地方公共団体情報システム機構は，2021年の地方公共団体情報システム機構法改正（令和3年法律第37号）で，国および地方公共団体が共同して運営する組織になった[14]（同法1条）。

## *2*　一部事務組合

### (1)　事務の種類

一部事務組合は，プロイセンの制度をモデルにして町村制施行当時から導入されていた制度であり，現在の地方自治法の下では，都道府県，市町村および特別区が，その事務（役場事務を除く）の一部を共同処理するために設ける組合である。事務の種類別では環境衛生（ごみ処理・し尿処理・上水道等）が最も多い。防災（消防・水防等），厚生福祉（高齢者福祉・病院等），公平委員会，産業振興，教育，都市計画，国土保全，総合開発等，多様な事務に関して実例がみられる[15]。

### (2)　設立方法等

一部事務組合を設立するためには，協議により規約を定め，都道府県の加入するものにあっては総務大臣，その他のものにあっては都道府県知事の許可を得ることが必要である（自治284条2項）。一部事務組合を組織する地方公共団体の数を増減し，もしくは共同処理する事務を変更し，または一部事務組合の規約を変更しようとするときは，関係地方公共団体の協議によりこれを定め，都道府県の加入するも

12）　詳しくは，宇賀克也『番号法の逐条解説〔第2版〕』（有斐閣，2016年）28頁以下，49頁，宇賀・概説Ⅲ 330頁以下参照。

13）　地方税共同機構については，田中良斉「地方税共同機構の設立に向けて」地方税69巻9号（2018年）10頁以下，小西敦「地方税共同機構の現代的意義」地方税70巻4号（2019年）16頁以下，河野俊嗣「地方税共同機構の設立に当たって」同誌21頁以下，市川康雄「地方税共同機構に係る制度開設，電子化への取組　地方税共同機構の設立」同誌37頁以下，「eLTAXと地方税共同機構」自治実務セミナー（2019年）2頁以下等参照。また，地方共同法人全般については，宇賀・概説Ⅲ 329頁以下参照。

14）　詳しくは，宇賀克也『マイナンバー法の逐条解説』（有斐閣，2022年）30頁以下。

15）　一部事務組合の制度的特徴につき，新川達郎「地方公共団体の組合の機能に関する一試論」東北学院大学論集39号（1991年）4頁以下参照。

のにあっては総務大臣，その他のものにあっては都道府県知事の許可を受けなければならない（同286条1項）。なお，脱退について，全構成団体の議決が必要であったため，構成団体の意思を過度に拘束しているおそれもあることから，一部事務組合からの脱退の手続を簡素化する地方自治法改正が，2012年の通常国会で行われた。すなわち，構成団体は，その議会の議決を経て，脱退する日の2年前までに他のすべての構成団体に書面で予告することにより，一部事務組合から脱退することができるようになった（同286条の2第1項）。

### (3) 規　約

一部事務組合の規約に規定する事項は，①一部事務組合の名称，②一部事務組合を組織する地方公共団体，③一部事務組合の共同処理する事務，④一部事務組合の事務所の位置，⑤一部事務組合の議会の組織および議員の選挙の方法，⑥一部事務組合の執行機関の組織および選任の方法，⑦一部事務組合の経費の支弁の方法である（自治287条1項）。一部事務組合の議会の議員または管理者その他の職員は，当該一部事務組合を組織する地方公共団体の議会の議員または地方公共団体の長その他の職員と兼ねることができる（同条2項）。そのため，議員については，関係地方公共団体の議会において議員の中から選挙することが多い。一部事務組合には議会が必置とされているが，普通地方公共団体の議会と比較して活発とはいえない団体があり，また，住民の眼が届きにくいという弊害があることから，住民の意思の反映を図りつつ，簡素効率化を図るために，一部事務組合に議会を置くことに代えて，構成団体の議会がその機能を果たす組織形態を選択することを認める地方自治法改正が，2011年の通常国会で実現した。すなわち，一部事務組合（一部事務組合を構成団体とするものならびに後述する〔→(4)〕複合的一部事務組合および管理者に代えて理事会を置くものを除く）は，規約で定めるところにより，当該一部事務組合の議会を構成団体の議会をもって組織することができることとされた（同287条の2第1項）。かかる一部事務組合は，特例一部事務組合と呼ばれる（同条2項）。特例一部事務組合の議決は，すべての構成団体の議会の一致する議決によることが必要である（同条5項）。組合を代表する管理者については，関係地方公共団体のうち特定のものの長の職にある者をもって充てるとしたり，関係市町村の互選によるとすることが多い。

一部事務組合は任意設立が原則であるが，公益上必要がある場合においては，従前は，都道府県知事による強制設置制度が設けられていた。実際，恩給組合の設置が強制された例などがあるが，1969年4月1日に埼玉県市町村交通災害共済組合が強制設立された後，強制設置の例がなく，市町村自治の観点から，強制設置には疑問もあることもあり，この制度は廃止された。現在では，都道府県知事は，関係のある市町村および特別区に対して，一部事務組合を設けるべきことを勧告することができることとされている（同285条の2第1項）。

### ⑷ 複合的一部事務組合

一部事務組合の一種として，複合的一部事務組合がある。複合的一部事務組合は，市町村および特別区についてのみ認められるものであり，事務の種類が同一でなくても，相互に関連するものであれば，組合を設立することが認められる（自治285条）。例えば，A町の上水道事務とB町の下水道事務を共同処理する場合がその例である。複合的一部事務組合には，管理者に代えて，理事会を置くことができる（同287条の3第2項）。理事は，複合的一部事務組合を組織する市町村・特別区の長か，当該市町村・特別区の長がその議会の同意を得て当該市町村または特別区の職員のうちから指名する者のいずれかをもって充てる（同条3項）。2021年7月1日現在，172の複合的一部事務組合が存在する[16]。管理者に代えて理事会を置く複合的一部事務組合は，2021年7月1日現在45存在する。すべて長を理事としているが，群馬県の利根沼田学校組合が長および指名者を理事としている。また，複合的一部事務組合において，当該組合を構成する市町村または特別区の一部のみを対象とする事務に関して議決しようとする場合，当該事務と直接関係しない地方公共団体の議決権の比重を小さくする等，議決方法の特例を設けることもできる（同条1項）。議決方法の特例を設ける複合的一部事務組合は，2021年7月1日現在，119存在する。

***Column*** **市町村連合**

複合的一部事務組合の制度は，1974年の地方自治法の改正で導入されたものであり，旧自治省が繰り返しその導入を図ってきた市町村連合と実質的に変わらず，広域市町村圏構想の一環をなすものともいえる。すなわち，1963年の第9次地方制度調査会答申（「行政事務配分に関する答申」）は，市町村連合を提言したが，これは，「地方自治体のEEC方式」といわれるように，市町村の行政区域は変更することなく，その機能のみを統一しようとするものであった。野党は，市町村連合は市町村の自治を侵すのではないか，さらに，府県廃止，道州制実現への布石ではないかと警戒し，そのため，市町村連合導入を図る法案は審議未了，廃案となったのである。しかし，複合的一部事務組合制度を導入する1974年の地方自治法改正案は，特別区の区長公選制

16） 複合的一部事務組合の実例につき，山本順一「複合事務組合制度の理念と現実」早稲田政治公法研究10号（1981年）212頁以下参照。

と抱き合わせになっており，この法案を通さないと，翌年春の統一地方選挙で特別区の区長選挙を行うことができないという事情があったため，ついに一部修正の上，可決・成立することになった。

### (5) 特例一部事務組合

2012年の地方自治法改正により，一部事務組合は，規約で定めるところにより，当該一部事務組合の議会を構成団体の議会をもって組織することができることになった。これが特例一部事務組合である。ただし，一部事務組合を構成団体とするもの，複合的一部事務組合，管理者に代えて理事会を置くものは，特例一部事務組合となることはできない（自治287条の2第1項）。

### (6) 一部事務組合の数

一部事務組合の全体の設立件数は，ここ30年ほど減少傾向にある。このことは，一部事務組合が複合化により，統合・集約化される傾向があること，既存の一部事務組合の事務が広域連合に引き継がれる場合があること，および市町村合併の進展に伴う構成団体の減少による解散等が原因となっていると思われる。2021年7月1日現在で，1409団体存在する。2021年7月1日現在，一部事務組合の大半（1374組合）は，市町村のみが設置主体であり，構成団体が2団体のものが501組合（約35.6%），3団体のものが342組合（約24.3%），4団体のものが183組合（約13.0%）であり，7割超は，構成団体が4団体以下である。

***Column*** **全部事務組合・役場事務組合**

町村は，特別の必要がある場合においては，その事務の全部を共同処理するため，その協議により規約を定め，都道府県知事の許可を得て，全部事務組合を設けることができた。この場合においては，全部事務組合内の各町村の議会および執行機関は，全部事務組合の成立と同時に消滅することとされていたが，1959年10月1日以降，全く活用されていなかった。

町村は，特別の必要がある場合においては，役場事務を共同処理するため，その協議により規約を定め，都道府県知事の許可を得て，役場事務組合を設けることができた。この場合において，役場事務組合内各町村の執行機関の権限に属する事項がなくなったときは，その執行機関は，役場事務組合の成立と同時に消滅することとされていた。役場事務組合は，全部事務組合と同様，小規模の町村の合併の予備段階としての設置が想定されていたが，まれに災害時等に暫定的に設置された例はあるものの，ほとんど活用されず，1959年10月1日以降，全く利用されていなかった。そのため，2011年の通常国会における地方自治法改正により，全部事務組合・役場事務組合の制度は廃止された。

## 3 広域連合

### (1) 経　緯

1989年12月20日，臨時行政改革推進審議会（第2次行革審）が「国と地方の関係等に関する答申」を提出し，地方行政主体の整備・多様化，広域行政への対応として地域中核都市・都道府県連合・市町村連合の制度化を提言した。そして，第23次地方制度調査会は，1993年4月19日に，「広域連合及び中核市に関する答申」を出し，広域連合の制度化を提言している。これを受けて，1994年の地方自治法改正で，廃棄物処理・環境汚染対策等，広域的処理が望ましい分野における事務の共同処理方式として，広域連合制度が導入されることになった。2021年7月1日現在で116存在する[17]。2021年7月1日現在，構成団体が3団体のものが17（約14.7%），10～19団体のものが15（約12.9%），20～29団体のものが14（約12.1%），30～39団体のものが13（約11.2%）である。広域連合で最多のものは，都道府県内のすべての市区町村で構成する後期高齢者医療広域連合で47存在する。一部事務組合と比較して，広域連合は，構成団体が多い傾向が窺われる。

### (2) 設立方法

普通地方公共団体および特別区は，その協議により規約を定め，都道府県の加入するものにあっては総務大臣，その他のものにあっては都道府県知事の許可を得て，広域連合を設けることができる（自治284条3項）。総務大臣は，この許可をしようとするときは，国の関係行政機関の長に協議しなければならない（同条

17）広域連合のあるべき姿，その活用策については，長野県の広域連合の実証分析を通じて提言する小原ほか編・平成大合併が有益である。

4項)。公益上必要がある場合において，都道府県知事が，関係のある市町村および特別区に対して広域連合の設置を勧告できることは，一部事務組合の場合と同様である（同285条の2第1項)。広域連合の設立が法律で義務づけられることもある。後期高齢者医療広域連合がその例である（高齢者の医療の確保に関する法律48条)。広域連合内の地方公共団体につきその執行機関の権限に属する事項がなくなったときは，その執行機関は広域連合の成立と同時に消滅する（自治284条2項)。

### (3) 国・都道府県からの権限移譲の受皿

広域連合の特色の1つとして，国からの権限移譲の受皿になることを予定されていることが挙げられる。すなわち，国は，その行政機関の長の権限に属する事務のうち広域連合の事務に関連するものを，別に法律またはこれに基づく政令の定めるところにより，当該広域連合が処理するとすることができるとされているのである（自治291条の2第1項)。さらに，都道府県の加入する広域連合の長は，その議会の議決を経て，国の行政機関の長に対し，当該広域連合の事務に密接に関連する国の行政機関の長の権限に属する事務の一部を当該広域連合が処理することとするよう要請することができる（同条4項)。

広域連合はまた，都道府県からの権限移譲の受皿としての性格も有する。すなわち，都道府県は，その執行機関の権限に属する事務のうち都道府県の加入しない広域連合の事務に関連するものを，条例の定めるところにより，当該広域連合が処理することとすることができる（同条2項)。そして，都道府県の加入しない広域連合の長は，その議会の議決を経て，都道府県に対し，当該広域連合の事務に密接に関連する都道府県の事務の一部を当該広域連合が処理することとするよう要請することができる（同条5項)。そのため，広域連合は，単なる事務の共同処理方式であるにとどまらず，強固な権限を持つ広域的な行政団体への発展を志向した制度とみられるという指摘もある[18)]。

### (4) 広 域 計 画

| 広域連合は，当該広域連合が設けられたのち，速やかに，その議会の議決を経て，

18) 原田・法としくみ44頁。

広域計画を作成しなければならない（自治291条の7第1項）。そして，広域連合および当該広域連合を組織する地方公共団体は，広域計画に基づいて，その事務を処理するようにしなければならない（同条4項）。

### ⑸ 協議会

広域連合は，広域計画に定める事項を一体的かつ円滑に推進するため，広域連合の条例で，必要な協議を行うための協議会を置くことができる（自治291条の8第1項）。この協議会は，広域連合の長および国の地方行政機関の長，都道府県知事（当該広域連合を組織する地方公共団体である都道府県の知事を除く），広域連合の区域内の公共的団体等の代表者または学識経験者のうちから広域連合の長が任命する者をもって組織する（同条2項）。

### ⑹ 住民の参加権

広域連合の特色として，住民の参加権が法定されていることも挙げられる。すなわち，広域連合の議会の議員は，政令で特別の定めをするものを除くほか，広域連合の規約で定めるところにより，広域連合の選挙人（広域連合を組織する普通地方公共団体または特別区の議会の議員および長の選挙権を有する者で当該広域連合の区域内に住所を有するもの）が投票により，または広域連合を組織する地方公共団体の議会においてこれを選挙し（自治291条の5第1項），広域連合の長は，政令で特別の定めをするものを除くほか，広域連合の規約で定めるところにより，広域連合の選挙人が投票により，または広域連合を組織する地方公共団体の長が投票により，これを選挙することとされている（同条2項）。すなわち，広域連合の議会の議員および長については，充て職（特定の職にある者を自動的に他の特定の職に就かせること）は認められず，直接選挙または間接選挙によることとしているのである。また，条例の制定・改廃，事務の監査，長・議員の解職請求，および規約の変更の直接請求についての規定も設けられている（同291条の6）。なお，権限移譲の受皿として地方分権の推進に大きな役割を果たすことが期待される広域連合の独任制の長への権限集中に対する懸念が示されることもあるため，広域連合の長に代えて，執行機関として合議制の理事会を置くことを可能とする地方自治法改正が，2012年通常国会で実現した（同291条の13・287条の3第2

項)。理事会制の採用により，構成団体の多様な意見が反映しやすくなることが期待されている。

### (7) 実　例

都道府県が加入している広域連合の例として，「彩の国さいたま人づくり広域連合」(1999 年 5 月 14 日設置) がある。これは，埼玉県と県内の全市町村が加入しており，構成団体の職員の人材開発，交流および確保に関する事務を取り扱っている。また，「隠岐広域連合」(1999 年 9 月 1 日設置) は，島根県と 3 町 1 村が加入しており，病院の設置管理運営，介護保険および救急医療対策事業を行っている。2007 年には，全都道府県において，域内のすべての市町村が加入する後期高齢者医療広域連合が設置されている。2008 年 1 月設立の静岡地方税滞納整理機構は，県および県内全市町村を構成団体とする広域連合である。

***Column*　関西広域連合**

関西の経済界と関西を中心とする地方公共団体から構成されている関西広域機構は，2008 年 7 月 30 日，国からの権限移譲の受皿となる関西広域連合（仮称）を設置し，広域防災対策，広域観光・産業政策，救急医療の連携，環境対策，交通・物流基盤の一元管理・整備等に取り組むことについて，基本的に合意し，早期設置を目指すこととした。そして，2010 年 12 月 1 日に，総務大臣が関西広域連合の設立を許可した。これは道州制移行を視野に入れた動きとして注目されている。

### (8) 情報公開

「行政機関の保有する情報の公開に関する法律」は，地方公共団体に，この法律の趣旨にのっとり，その保有する情報の公開に関し必要な施策を策定し，およびこれを実施するよう努めなければならないと定めている (25 条) が，ここでいう「地方公共団体」には，特別地方公共団体も含まれる[19]。特に，一部事務組合や広域連合の中には，病院・廃棄物処理等，住民生活と密接にかかわる事務を行うものが少なくない。また，普通地方公共団体と比較して，住民の監視が及びにくいという問題がある。したがって，情報公開条例を制定するとともに，積極的な情報提供が必要である。2017 年 10 月 1 日現在，一部事務組合および広域連合 1573 団体中，情報公開条例を有するものが 878 団体であり，情報公開条例制

---

19)　宇賀・情報公開法逐条解説 220 頁。

定率は約56％である。総務省による情報公開条例の制定状況調査は，かつては，普通地方公共団体と特別区を対象として行われてきたが，最近は，一部事務組合や広域連合も対象とし，結果を公表している。このことは，情報公開条例制定へのインセンティブを付与することになり，歓迎される。

### *Column*　特定広域連合

2012年4月27日の地域主権戦略会議において了承された「国の出先機関の事務・権限のブロック単位での移譲に係る特例制度（基本構成案）」では，出先機関の事務・権限の移譲の受け皿となる広域実施体制は，特定広域連合ならびに北海道および沖縄県（以下「特定広域連合等」という）とされている。特定広域連合とは，広域連合であって，これを組織する都道府県の区域を合わせた区域が移譲対象出先機関の管轄区域（当該管轄区域に含まれないとすることについて相当の合理性が認められる区域を除く）を包括するものをいう。特定広域連合には長を置くが，構成団体の長との兼職を妨げないとされている。また，特定広域連合を組織する地方公共団体の長を構成員とする会議を置くことができ，会議を設置したときは，特定広域連合の長は，施策に関する重要事項を決定し，または変更しようとする場合においては，あらかじめ会議の意見を聴き，その意見を尊重しなければならないとされている。そして，特定広域連合の長の下，日常の業務執行を管理する専任の移譲事務等管理者（仮称）を移譲対象出先機関ごとに置くこととされている。特定広域連合は，包括外部監査契約（→7章Ⅱ ***10***(6)）の締結を必須とされている。

移譲対象出先機関単位ですべての事務等を移譲することを基本とし，経済産業局，地方整備局および地方環境事務所の事務等の移譲を受けようとする具体的意思を有する関西，九州両地域および経済産業局の事務等の移譲を受けようとする具体的意思を有する四国の意向を踏まえ，経済産業局，地方整備局および地方環境事務所の事務等が当面の移譲対象候補とされている。

移譲事務等は原則として法定受託事務とされ，国と地方の対等・協力の関係を前提とした上で，国による関与（協議，同意，許可・認可・承認，指示等）を必要に応じて柔軟に設けることとされており，さらに，移譲事務等にかかる法律の所管大臣の並行権限行使（→9章Ⅴ ***7***）も必要に応じて柔軟に活用することとされている。特定広域連合等は，あらかじめ，関係地方公共団体の意見を聴いた上，毎年度事業計画を策定し，移譲事務等にかかる法律の所管大臣の同意を得なければならず，国民の生命，身体，財産の保護のため緊急に事務等の的確な処理を確保する必要があると認めるときは，移譲事務等にかかる法律の所管大臣が，移譲事務等の処理に関し，特定広域連合等の長に対し必要な指示を行うことができるよう，個別法令において所要の手当を講ずることとされ，災害対策基本法に基づく緊急災害対策本部が設置された場合等には，移譲対象出先機関を所管していた大臣は，特定広域連合等の長に対し，防災に関する事務または業務に協力するよう指示することができ，緊急災害対策本部の設置に至らない場合等においても，移譲対象出先機関を所管していた大臣は，特定広域連合等の長に対し，同様の協力を要請することができることとされている。

国は，出先機関の事務等の特定広域連合等への移譲に関する基本方針を閣議決定により定め，特定広域連合等は，基本方針に即して，あらかじめ，関係地方公共団体の意見を聴いた上，特定広域連合等の議会の議決を経て，移譲を受ける事務等の実施計画を作成し，内閣総理大臣の認定を申請することができ，内閣総理大臣は，計画が基本方針に適合すると認めるときは，計画の認定をするが，この場合において，内閣総理大臣は，あらかじめ，関係行政機関の長の同意を得なければならないとされている。内閣総理大臣の認定を受けたときは，事務等の移譲のための措置が適用され，移譲対象出先機関の事務等を特定広域連合等の長が行うことになる。

以上の方針に沿って，2012 年 11 月 15 日，「国の特定地方行政機関の事務等の移譲に関する法律案」および「国の出先機関の事務・権限のブロック単位での移譲について」が閣議決定されたが，法案の提出前に衆議院が解散され，法案提出には至らなかった。同年 12 月の政権交代に伴い，全国市長会等の消極論，大災害時における対応についての懸念も踏まえて，慎重に検討されることとなった。

# Ⅲ 財産区

## *1* 意　義

財産区とは，市町村および特別区の一部で，財産または公の施設（→8 章Ⅰ ***5***）の管理および処分をする権能を認められた特別地方公共団体である。法律またはこれに基づく政令に特別の定めがあるものを除くほか，①市町村および特別区の一部で財産を有しもしくは公の施設を設けているもの（既存のもの），または②市町村および特別区の廃置分合・境界変更の場合におけるこの法律もしくはこれに基づく政令の定める財産処分に関する協議に基づき，市町村および特別区の一部が財産を有しもしくは公の施設を設けるものとなるもの（新設のもの）の，双方の場合がある（自治 294 条 1 項）（財産区に該当するかが争点になった事案として，最判昭和 32・3・8 民集 11 巻 3 号 502 頁［百選〔3 版〕A1］参照）。特別地方公共団体といっても，もっぱら当該財産または公の施設の管理および処分の権能のみを持つ点に特色がある。

この制度は，1888年制定の市制・町村制の時代から存在した（ただし，「財産区」という名称は市制・町村制にはなく，実定法上は，1948年施行の地方自治法で初めて用いられている）。それは，近代的地方制度導入前の伝統的な自然村（村落共同体）の慣行を尊重するとともに，入会山林等を有する村が，合併に際して，旧村住民に当該山林等の排他的利用を認めることによって，町村合併を促進することを意図していた[20]。山林を財産区とする例が多いが，山林以外でも，牧野・公会堂・温泉・用水路等が財産区となる例がある。財産区は，2021年4月1日現在で，429市町村に3940存在する。

***Column*　旧慣使用**

地方自治法は，市町村の住民がその居住する市町村の公有財産を旧来の慣行により使用する権利を有する場合，当該住民の慣行上の権利を保護するため，旧慣を尊重することとしている（自治238条の6第1項前段）。そして，その旧慣を変更し，または廃止しようとするときは，市町村議会の議決を経なければならない（同項後段）。ただし，地方公共団体は旧慣による公有財産の使用につき使用料を徴収することができる（同226条）。当該公有財産を新たに使用しようとする者があるときは，市町村長は，議会の議決を経て，これを許可することができるが（同238条の6第2項），使用の許可を受けた者から加入金を徴収することができる（同226条）。旧慣使用の対象となる財産は市町村が所有するものであるので，この制度は財産区制度とは異なる。また，旧慣使用の権利は，市町村の住民であることを要件としているので，入会権とは性質を異にする。

## *2*　議会または総会

財産区には独自の執行機関は置かれず，財産区の財産または公の施設の管理および処分は，当該市区町村の議会および執行機関が行うが，財産区の収入および支出については会計を分別しなければならない（自治294条3項）。財産区の利害と当該市区町村の利害が対立するため，当該市区町村に意思決定をゆだねることが適当でない場合等，必要があると認めるときは，都道府県知事は，財産区議会（総会）設置条例を提案し，当該市区町村の議会が当該条例を制定することによって，財産区の議会または総会を設置することができる（同295条）[21]。財産区の議会または総

20）　財産区制度の沿革については，加藤富子「財産区の諸問題」雄川一郎＝塩野宏＝園部逸夫『現代行政法大系(8)』（有斐閣，1984年）293頁以下参照。

会が設置されると，財産区に関し市町村または特別区の議会の議決すべき事項は，財産区の議会または総会により議決されることになる。財産区の議会または総会の構成員の定数，任期，選挙権，被選挙権および選挙人名簿に関する事項は，財産区議会（総会）設置条例に規定しなければならない（同296条1項）。

## 3 財産区管理会

財産区に議会または総会が設置されていない場合には，市町村および特別区は，条例で財産区に財産区管理会を置くことができる（自治296条の2第1項本文・4項）。ただし，市町村および特別区の廃置分合または境界変更の場合において，この法律またはこれに基づく政令の定める財産処分に関する協議により財産区を設けるときは，その協議により当該財産区に財産区管理会を置くことができる（同条1項ただし書）。財産区管理会は，財産区管理委員7人以内をもって組織する（同条2項）。財産区管理委員は非常勤とし，その任期は4年とされている（同条3項）。

市町村長および特別区の区長は，財産区の財産または公の施設の管理および処分または廃止で条例または協議で定める重要なものについては，財産区管理会の同意を得なければならない（同296条の3第1項）。また，市町村長および特別区の区長は，財産区の財産または公の施設の管理に関する事務の全部または一部を財産区管理会の同意を得て，財産区管理会または財産区管理委員に委任することができる（同条2項）。その他，財産区管理委員の選任，財産区管理会の運営その他財産区管理会に関し必要な事項は，条例で定める（同296条の4第1項本文）。

## 4 財産区の運営

財産区は，その財産または公の施設の管理および処分または廃止については，その住民の福祉を増進するとともに，財産区と財産区のある市町村または特別区の利害対立により一体性を損なうことのないように努めなければならない（自治296条の5第1項）。

なお，大阪地判平成19・12・27判タ1270号293頁は，財産区の財産または公の施設の管理および処分または廃止については，地方公共団体の財産または公の施設の管理および処分または廃止に関する規定によることとされ（自治294条1項），住民監査請求（同242条），住民訴訟（同242条の2）に関する規定も，財産の管理に関

21）なお，村上武則「財産区議会設置条例の法的問題について」阪大法学49巻1号（1999年）55頁参照。財産区と権利能力なき社団の判断基準について，白井皓喜「大字と財産区」雄川一郎先生献呈論集『行政法の諸問題(上)』（有斐閣，1990年）260頁以下。

する規定として，財産区にそのまま適用されるものと解されるから，財産区の所在する市町村または特別区の住民も，財産区財産についての住民訴訟の原告適格を有すると判示し，財産区財産についての住民訴訟の原告適格を有するのは当該財産区の住民に限られるべきという被告の主張を退けている。

## 5 知事の権限

都道府県知事は，必要があると認めるときは，財産区の事務の処理について，当該財産区のある市町村・特別区の長に報告もしくは資料の提出を求め，または監査することができる（自治296条の6第1項）。また，財産区の事務に関し，市町村・特別区の長・議会，財産区の議会・総会または財産区管理会の相互の間に紛争があるときは，都道府県知事は，当事者の申請に基づきまたは職権により，これを裁定することができる（同条2項）。

## 6 地縁による団体

特別地方公共団体ではないが，財産区と機能的に若干類似する「地縁による団体」について，ここで説明しておくこととする。これは，1991年の地方自治法改正で導入されたもので，町または字の区域その他市町村内の一定の区域に住所を有する者の地縁に基づいて形成された団体（「地縁による団体」）が，地域的な共同活動のため市町村長の認可を受けたときは，その規約に定める目的の範囲内において，法人格を付与され，権利・義務の帰属主体になることができるものである（自治260条の2第1項）。この認可は，「地縁による団体」のうち以下に掲げる要件に該当するものについて，その団体の代表者が総務省令で定めるところにより行う申請に基づいて行われる。その要件とは，①その区域の住民相互の連絡，環境の整備，集会施設の維持管理等良好な地域社会の維持および形成に資する地域的な共同活動を行うことを目的とし，現にその活動を行っていると認められること，②その区域が，住民にとって客観的に明らかなものとして定められていること，③その区域に住所を有するすべての個人は，構成員となることができるものとし，その相当数の者が現に構成員となっていること，④規約を定めていることである（同条2項）。認可地縁団体は，正当な理由がない限り，その区域に住所を有する個人の加入を拒んではならず（同条7項），民主的な運営の下に自主的に活動するものとし，構成員に対して不当な差別的取扱いをしてはならない（同条8項）。2018年4月1日現在で，5万1030団体が認可されている[22]。しかし，認可地縁団体へ所有権を移転する登記をしようとしても，認可地縁団体が所有する不動産の登記名義人が多数にのぼり相続登記がされていない場合には登記義務者が判明せず，移転登記に支障を来す例が稀でなかった。そこで，2014年の地方自治法改正により，①認可地縁団体が所有する不動産である，②表題部所有者または所有権の登記名義人のすべてが当該認可地縁団体の構成員またはかつて当該認可地縁団体の構成員であった者である，③当該認可地縁団体によって，10年以上所有の意思をもって平穏かつ公然と占有されている，④当該不動産の表題部所有者もしくは所有権の登記名義人またはこれらの相続人（以下「登記関係者」という）の全部または一部の所在が知れない場合であることのいずれの要件も満たすときには，当該認可地縁団体が当該認可地縁団体を登記名義人とする当該不動産の所有権の保存または移転の登記をしようとするときは，当該認可地縁団体は，当該不動産にかかる公告を求める旨を市町村長に申請することができることとされた（自治260条の46第1項)。市町村長は，当該申請を相当と認めるときは，「当該申請を行つた認可地縁団体が……不動産の所有権の保存又は移転の登記をすることについて異議のある当該不動産の登記関係者又は当該不動産の所有権を有することを疎明する者……は，当該市町村長に対し異議を述べるべき旨」公告する（同条2項)。そして，当該公告にかかる登記関係者等が所定の期間内に異議を述べなかったときは，当該不動産の所有権の保存または移転の登記をすることについて当該公告にかかる登記関係者の承諾があったものとみなされることになる（同条3項)。

第32次地方制度調査会答申（2020年6月26日）は，認可地縁団体制度について，民間非営利部門を社会経済システムの中に積極的に位置づけるという公益法人制度改革の趣旨や，近年，地域の住民が主体となった組織により，地域課題の解決に向けて幅広い取組を持続的に行っている事例が広がっていることを踏まえ，簡便な法人制度としての意義を維持しつつ，不動産等を保有する予定の有無にかかわらず，地域的な共同活動を行うための法人制度として再構築することが適当であること，その際，個々の活動実態に応じ，必要に応じて，事業運営の透明性や適正性の確保を図る観点から，監事を選任し，業務の執行の状況を監査することや，一般社団法

22） 1992年7月1日現在の調査結果に関するものとして，計倉浩寿「地縁による団体の認可状況等調査の結果について」地方自治548号（1993年）35頁以下，1996年8月1日現在の調査結果に関するものとして，篠宮正巳「『地縁による団体の認可事務の状況等に関する調査結果』について」地方自治591号（1997年)52頁以下，2002年11月1日現在の調査結果に関するものとして，望月博「『地縁による団体の認可事務の状況等に関する調査結果』について」地方自治675号（2004年）54頁以下，2008年4月1日現在の調査結果に関するものとして，福田厳「地縁による団体の認可事務の状況等に関する調査結果について」地方自治737号（2009年）116頁以下，2013年4月1日現在の調査結果に関するものとして，三輪隆太「『地縁による団体の認可事務の状況等に関する調査結果』について」住民行政の窓402号（2014年）31頁以下，2018年4月1日現在の調査結果に関するものとして，美馬拡人「『地縁による団体の認可事務の状況等に関する調査結果』について」住民行政の窓468号（2019年）45頁以下参照。

人等と同様の計算書類等を作成することが考えられることを指摘している。

2022年の地方自治法改正により，認可地縁団体は，総会の決議により同一市町村内の他の認可地縁団体と合併することが可能になった（自治260条の38・260条の39）。

### *Column*　自治会・町内会

「地縁による団体」として念頭に置かれているのは，自治会・町内会等の地域的な共同活動を行っている団体[23)]である。2018年4月1日現在で，29万6800団体存在する。自治会・町内会については，1940年，内務省訓令17号（部落会町内会等整備要領）で国策協力機関として組織化され，1943年，市制・町村制の改正により，市町村長の認可を得た場合には，団体名義で財産を保有することができる旨の規定が設けられた。しかし，戦時体制において大政翼賛会の末端機構として位置づけられたこともあり，1947年，ポツダム政令15号により自治会・町内会は解散し，団体名義の財産の処分が義務づけられた。1952年，サンフランシスコ講和条約が発効し，ポツダム政令15号は廃止されることになったが，自治会・町内会等は，一般に権利能力なき社団であり（最判昭和42・10・19民集21巻8号2078頁［百選A2］）権利能力がないため，保有不動産を団体名義で登記できず，代表者名義等で登記していたため，代表者の死亡等によるトラブルが全国的に少なからず発生していた（前掲最判昭和42・10・19，神戸地判平成10・6・8判タ1066号256頁［百選A3］等参照。これらの判決は，当該住民団体を権利能力なき社団と解している）。したがって，かかるトラブルを防止するために，「地縁による団体」に法人格を付与することとしたのである。

なお，自治会の意思決定につき，一般に会則で会長にゆだねられる業務執行の範囲は通常の事務に限定され，会員の権利義務に重大な影響を及ぼす事項は多数決原理の働く役員会または総会の決議にゆだねられており，会長が役員会の承認を得るべき事項について単独で行った意思決定は無効になる（前掲神戸地判平成10・6・8）。総会で多数決で決議された場合であっても，当該決議が無効になる場合がある。すなわち，総会決議に基づく増額会費名目の募金および寄付金の徴収は，会員の生活上不可欠な存在である地縁団体により，個々の会員の意思とは関係なく一律に，事実上の強制をもってなされるものであり，会員の思想，信条の自由を侵害し，公序良俗に反して無効である（大阪高判平成19・8・24判時1992号72頁［百選6］）。また，自治会は強制加入団体ではなく，その規約において会員の退会を制限する規定を設けていない場合には，会員は，いつでも自治会に対する一方的意思表示により退会することが可能である（最判平成17・4・26判時1897号10頁［百選5］）。市から委嘱を受けた自治委員または自治区長として，自治区内の世帯や住民を把握して市に報告したり，市報を自治区

---

23）その歴史について詳しくは，鳥越皓之『地域自治会の研究』（ミネルヴァ書房，1994年）参照。

の住民に配布する職務を行っていたりした者から，市報を配布しない等のいやがらせ受けた原告が，これらの自治委員および自治区長は市の特別職の非常勤公務員であるとして，市に対して国家賠償法1条1項の規定に基づき損害賠償請求をした事案で，大分地中津支判令和3・5・25判例自治488号52頁は，自治委員および自治区長は市の事務を受託しているのであって地方公務員に当たらず，強制的権限を有さず，市の指揮監督も受けないので，国家賠償法上の公務員にも当たらないとして，市の国家賠償責任を否定した。

「地縁による団体」は，財産区とは異なり，行政組織として設けられたのではない（自治260条の2第6項はこのことを確認する。ただし，自治会長が非常勤特別職の行政協力員として委嘱されていることは稀でない〔さいたま地判平成24・2・29判例集不登載，東京高判平成24・7・26判例集不登載の事案参照〕）。したがって，「地縁による団体」は，特別地方公共団体としては位置づけられていない。また，「地縁による団体」は，特定の政党のために利用してはならない旨の規定も設けられている（同条9項）。もっとも，「地縁による団体」は，地方自治の原点としての積極的意味を持ちうるものであることも指摘しておく必要があろう[24]。

***Column* 地方開発事業団**

地方開発事業団とは，開発事業を総合的に実施するのに適合した組織・財務体制を具備した団体が必要であるという認識に基づき，1963年の地方自治法改正で導入されたものである。普通地方公共団体が，一定の地域の総合的な開発計画に基づく①住宅，工業用水道，道路，港湾，水道，下水道，公園緑地その他政令で定める施設の建設（災害復旧を含む），②上記①の施設の用に供する土地，工場用地その他の用地の取得または造成，③土地区画整理事業にかかる工事で，当該地方公共団体の事務に属するものを総合的に実施するため，他の普通地方公共団体と共同して，これらの事業の実施を委託すべき団体として設置することとされていた。

普通地方公共団体は，地方開発事業団を設けようとするときは，その議会の議決を経てする協議により規約を定め，都道府県または都道府県および市町村が設けようとする場合にあっては総務大臣，その他の場合にあっては都道府県知事の認可を受けなければならないこととされていた。

地方開発事業団の組織上の特色は，理事制を採用していた点にある。すなわち，地方開発事業団には，理事長および理事からなる理事会を置くこととされており，①地

24) 中川剛「地縁による団体」法教165号（1994年）51頁。「地縁による団体」については，寺田達史「自治会・町内会等地縁による団体の権利義務」松本英昭編『別巻改正地方自治法』（ぎょうせい，1993年）247頁以下も参照。また，コミュニティの地方行政上の課題について，遠藤文夫『地方行政論』（良書普及会，1988年）93頁以下参照。

方開発事業団規則の制定，②事業計画に対する意見の申出，③毎事業年度の予算および決算，④事業にかかる住宅または土地の処分，⑤そのほか地方開発事業団の事務に関する重要事項で地方開発事業団規則で定めるものについては，理事会の議を経なければならないこととされていた。理事会は，議決機関と執行機関を兼ねる性格を有し，理事長は，地方開発事業団を代表し，その事務を総理することとされていた。

財務上の特色としては，予算の繰越し，会計事務の理事長への集中等により，機動的・弾力的運営を可能にしていた点が指摘できる。

地方開発事業団はもともと数が少なく，しかも，近時，減少してきていた。2010年7月1日当時，青森県新産業都市建設事業団が存在するのみであった。地方開発事業団に期待されていた機能は，地方公社（地方公共団体が出資等を行って設立した法人）が果たしてきたといえる。地方開発事業団が少なかった理由は，実施できる事業が法律で限定されていること，受託団体であるので委託がないと活動できないこと，事業実施団体であり管理権能がないので，事業が終了すれば解散することになること，他の普通地方公共団体と共同して設立するものであり単独では設立できないこと等の制約によると考えられる。そのため，2011年の通常国会における地方自治法改正により，地方開発事業団の制度は廃止された（この改正法施行の際，現に設けられている地方開発事業団については，なお従前の例によることとされている）。

# Ⅳ　合併特例区

市町村合併特例法は，合併特例区（→2章Ⅱ***3***(3)参照）を特別地方公共団体としている（市町村合併特27条）。合併特例区の長は，合併市町村の長が選任する特別職であり，公選制は採用されていない（同33条1項・7項）。また，議会は置かれず，合併特例区内に住所を有する，合併市町村の議会議員の被選挙権を有する者のうちから合併市町村の長が選任した者により構成される合併特例区協議会が置かれるが，これは諮問機関にとどまる（同36条1項・2項・38条）。合併特例区は5年以内の時限設置としなければならず（同31条2項），さらに，市町村合併特例法は限時法であり，合併特例区が恒久的制度として予定されているわけではない点も，他の特別地方公共団体と大きく異なる。

# 第4章 広域連携の仕組み

**Point**

1) 2014年の地方自治法改正により，新たな広域連携の仕組みとして，連携協約制度が導入された。この制度は，普通地方公共団体が，他の普通地方公共団体との協議により，連携して事務を処理するに当たっての基本的な方針および役割分担を定める連携協約を締結し，当該連携協約に基づいて，それぞれが分担すべき役割を果たすため必要な措置をとる義務を双務的に負う仕組みである。
2) 普通地方公共団体は，①事務の一部の共同管理・執行，②事務の管理・執行についての連絡調整，③広域にわたる総合的な計画の共同作成のため，協議により規約を定め，普通地方公共団体の協議会を設けることができる。
3) 普通地方公共団体は，協議により規約を定め，共同して，議会事務局もしくはその内部組織，執行機関である委員会もしくは委員，附属機関，保健所・警察署その他の個別出先機関，執行機関である長の内部組織，執行機関である委員会もしくは委員の事務局もしくはその内部組織，普通地方公共団体の議会，長，委員会もしくは委員の事務を補助する職員または専門委員を置くことができる。
4) 普通地方公共団体は，協議により規約を定め，普通地方公共団体の事務の一部を，他の普通地方公共団体に委託して，当該他の普通地方公共団体の長または同種の委員会もしくは委員をして管理し，および執行させることができる。
5) 事務の委託の場合には，当該事務の処理権限は委託した団体には残らず，受託した団体の事務になり，受託した団体の条例，規則等が適用される。
6) 普通地方公共団体は，他の普通地方公共団体の求めに応じて，協議により規約を定め，当該他の普通地方公共団体の事務の一部を，当該他の普通地方公共団体または当該他の普通地方公共団体の長もしくは同種の委員会もしくは委員の名において管理し，執行すること（事務の代替執行）ができる。
7) 事務の代替執行の場合には，事務の委託と異なり，代替執行を求めた普通地方公共団体に事務処理権限が残り，代替執行を求めた普通地方公共団体の条例，規則等に従い事務が執行される。
8) 普通地方公共団体の長または委員会もしくは委員は，法律に特別の定めがあるものを除くほか，当該普通地方公共団体の事務の処理のため特別の必要があると認めるときは，他の普通地方公共団体の長または委員会もしくは委員に対し，当該普通地方公共団体の職員の派遣を求めることができる。

9) 三大都市圏では，水平的，相互補完的，双務的な広域連携，地方圏では連携中枢都市圏，定住自立圏による広域連携を進めることとされているが，連携中枢都市等からかなりの距離があり，市町村間の広域連携が困難な地域では，都道府県との連携も選択肢とすることとされている。

## I　別法人を設立しない広域連携

「平成の大合併」が一段落し，今後しばらくは，市町村合併の推進によるのではなく，広域連携による地方公共団体の機能の補完が重要になると考えられる。地域主権戦略大綱（2010年6月22日閣議決定）においては，「市町村や都道府県相互の自発的な連携や広域連合等の具体的な取組を前提として，地域主権改革を推進する中で，こうした連携等の形成に対する支援の在り方を検討していく」としていた。また，第30次地方制度調査会答申においては，自主的な市町村合併に対して，引き続き必要な支援措置を講じていくことが重要であるとしながら，今後短期間で市町村合併が大幅に進捗するような状況にあるとは言いがたいので，今後の基礎自治体の行政サービス提供体制については，自主的な市町村合併や市町村間の広域連携，都道府県による補完などの多様な手法の中でそれぞれの市町村が最も適したものを自ら選択できるようにしていくことが必要であると指摘されている。地方公共団体の組合は，複数の地方公共団体が別法人を設立して広域連携を行う仕組みであるが，別法人を設立することなく，複数の地方公共団体が連携して事務を共同処理する簡便な仕組みも存在し，2014年の地方自治法改正で，新たな仕組みも導入されている[1)]。本章では，別法人を設立しない簡便な広域連携の仕組みについて解説する[2)]。

# II 連携協約

## 1 締結手続

2014年の地方自治法改正で，新たな広域連携の仕組みとして，連携協約制度が導入された。この制度は，普通地方公共団体Aが，Aおよび他の普通地方公共団体Bの区域におけるAおよびBの事務の処理に当たってのBとの連携を図るため，協議により，AおよびBが連携して事務を処理するに当たっての基本的な方針および役割分担を定める協約（連携協約）をBと締結することができることとするものである（自治252条の2第1項）。普通地方公共団体は，連携協約を締結したときは，その旨および当該連携協約を告示するとともに，都道府県が締結したものにあっては総務大臣，その他のものにあっては都道府県知事に届け出なければならない（同条2項）。この協議については，関係普通地方公共団体の議会の議決を経なければならない（同条3項）。公益上必要がある場合においては，都道府県が締結するものについては総務大臣，その他のものについては都道府県知事は，関係のある普通地方公共団体に対し，連携協約を締結すべきことを勧告することができる（同条5項）。

第32次地方制度調査会答申（2020年6月26日）は，市町村間の広域連携によっては行政サービスの提供体制の確保が困難である場合に，市町村から都道府県

1） 広域連携を法人を設立して行う法人型と契約を締結する仕組みによる契約型に分類し，法人型の典型事例であるフランスの法制度，契約型の典型事例であるアメリカの法制度について分析し，わが国との比較を行うものとして，木村俊介『グローバル化時代の広域連携――仏米の広域制度からの示唆』（第一法規，2017年）164頁以下参照。

2） わが国における広域連携制度の展開については，横道清孝「これからの広域連携のあり方を考える」日本都市センター『基礎自治体の広域連携に関する調査研究報告書――転換期の広域行政・広域連携』（日本都市センター，2011年）3頁，同「時代に対応した広域連携のあり方について」都市とガバナンス20号（2013年）10頁。市町村の広域連携における日仏比較については，同「市町村の広域連携における日仏比較」都市とガバナンス16号（2011年）44頁，木村・広域連携430頁以下参照。

に対して，連携協約に基づく役割分担の協議を要請できるようにする仕組みを法制度として設けることも考えられると指摘している。

## 2 内　容

連携協約の内容について，地方自治法は，「連携して事務を処理するに当たつての基本的な方針及び役割分担」と抽象的に定めるにとどまる。これは，地域の実情に応じた柔軟な連携が可能になるように，配慮したためである。連携協約の内容として具体的に想定されるのは，各団体が処理する事務の内容，費用負担，協議の手続，事務処理状況の報告の方法・頻度，連携協約の変更・廃止の手続等である[3)]。

## 3 効　果

連携協約を締結した双方の普通地方公共団体は，当該連携協約に基づいて，当該連携協約を締結した他の普通地方公共団体と連携して事務を処理するに当たって，それぞれが分担すべき役割を果たすため必要な措置をとるようにしなければならない（自治252条の2第6項）。「必要な措置」とは，条例・規則の制定の場合もあれば，事務の委託，事務の代替執行等の規約を定めることである場合もあれば，民法上の請負契約の締結である場合もある。

## 4 利　用

連携協約は，都道府県間，市町村間，都道府県・市町村間のように，いかなる普通地方公共団体間でも利用可能であり，A県とB県内の町，A県のC市とB県のD村の間で連携協約を締結することもできる。2021年7月1日現在で403

3)　当該圏域全体のまちづくり等が協約の内容となれば，住民参加の規定も盛り込まれるべきと指摘するものとして，駒林良則「広域連携」髙木＝宇賀編・争点217頁参照。

件の連携協約が締結されているが，そのうち309件は連携中枢都市圏の形成にかかるものであり，約76.7%を占める。連携協約の締結に基づく連携中枢都市圏は34圏域になる。次いで多いのが，消費生活相談に関する連携協約が40件（約9.9%），児童福祉に関する連携協約が29件（約7.7%）である。消防の広域化を目的とするはしご自動車の共同運用に関する連携協約も数件報告されている。

### *5* 紛争解決の仕組み

連携協約を締結した普通地方公共団体間で連携協約にかかる紛争が生ずる可能性は皆無ではないが，それにより，行政サービスの円滑な提供に支障が生ずる事態を回避する必要がある。そこで，地方自治法は，連携協約にかかる紛争を迅速に解決する仕組みを設けている。

すなわち，連携協約を締結した普通地方公共団体相互の間に連携協約にかかる紛争があるときは，当事者である普通地方公共団体は，都道府県が当事者となる紛争にあっては総務大臣，その他の紛争にあっては都道府県知事に対し，文書により，自治紛争処理委員による当該紛争を処理するための方策の提示を求める旨の申請をすることができることとされている（自治252条の2第7項）。

総務大臣または都道府県知事は，普通地方公共団体から自治紛争処理委員による連携協約にかかる紛争を処理するための方策（以下「処理方策」という）の提示を求める旨の申請があったときは，自治紛争処理委員を任命し，処理方策を定めさせなければならない（自治251条の3の2第1項）。自治紛争処理委員は，処理方策を定めたときは，これを当事者である普通地方公共団体に提示するとともに，その旨および当該処理方策を総務大臣または都道府県知事に通知し，かつ，これらを公表しなければならない（同条3項）。自治紛争処理委員は，処理方策を定めるため必要があると認めるときは，当事者および関係人の出頭および陳述を求め，または当事者および関係人ならびに紛争にかかる事件に関係のある者に対し，処理方策を定めるため必要な記録の提出を求めることができる（同条4項）。処理方策の提示を受けたときは，当事者である普通地方公共団体は，これを尊重して必要な措置をとるようにしなければならない（同条6項）。自治紛争処理委員による調停の場合には，紛争当事者が調停案を受諾しなければ，紛争は解決しないのに対し，連携協約にかかる紛争における自治紛争処理委員による処理方策の提示の場合，当事者である普通地方公共団体は，尊重義務を負うことになる[4)]。

## Ⅲ　普通地方公共団体の協議会

普通地方公共団体は，①普通地方公共団体の事務の一部を共同して管理および執行するため，もしくは，②普通地方公共団体の事務の管理および執行について連絡調整を図るため，または，③広域にわたる総合的な計画を共同して作成するため，協議により規約を定め，普通地方公共団体の協議会を設けることができる（自治252条の2の2第1項)。この協議会には法人格はない。2021年7月1日現在で，211存在する。最も多いのは消防事務に関するもので48件（約22.7%）である。

***Column*　地方行政連絡会議**

1965年，地方行政連絡会議法が制定され，地方行政連絡会議が設置されている。これは，地方公共団体が，国の地方行政機関と連絡協調を保ちつつ，その相互間の連絡協同を図ることにより，地方における広域にわたる行政の総合的な実施および円滑な処理を促進することを目的とするものである（同法1条)。地方行政連絡会議は，全国の9ブロックにそれぞれ1つ置かれ（同法2条・別表)，国の地方行政機関の長，都道府県知事，指定都市の長，関係のある公共的団体の機関の長または関係のある地方公共団体の機関の連合組織の代表者で連絡会議において委嘱するものにより構成される（同法4条1項)。会議において協議がととのった事項については，会議の構成員は，その協議の結果を尊重してそれぞれの担任する事務を処理する努力義務を負う（同法5条)。

なお，国の地方行政機関が地方公共団体の総合行政を妨げたり地方公共団体に財政的負担をもたらすおそれがあることから，国の地方行政機関は，原則として国会の承認[5)]を経なければ設けることができず，その設置および運営に要する経費は，国において負担しなければならないとされている（自治156条4項・5項)[6)]。

---

4)　連携協約について，斎藤誠「連携協約制度の導入と自治体の課題」市政63巻12号（2014年）18頁以下，勢一智子「地方イニシアティブの機能条件――地方による地方のための地方制度改革に向けて」地方自治808号（2015年）8頁以下，木村・広域連携35頁以下，105頁以下，寺田雅一＝浦上哲朗「地方自治法の一部を改正する法律について(上)」地方自治801号（2014年）35頁以下参照。

普通地方公共団体は，協議会を設けたときは，その旨および規約を告示するとともに，都道府県の加入するものにあっては総務大臣，その他のものにあっては都道府県知事に届け出なければならない（自治 252 条の 2 の 2 第 2 項）。規約を定める協議については，議会の議決を経なければならないが，普通地方公共団体の事務の管理および執行について連絡調整を図るため普通地方公共団体の協議会（連絡調整協議会）を設ける場合は，この限りでない（同条 3 項）。公益上必要がある場合においては，都道府県の加入するものについては総務大臣，その他のものについては都道府県知事は，関係のある普通地方公共団体に対し，普通地方公共団体の協議会を設けるべきことを勧告することができる（同条 4 項）。普通地方公共団体の協議会が広域にわたる総合的な計画を作成したときは，関係普通地方公共団体は，当該計画に基づいて，その事務を処理するようにしなければならない（同条 5 項）。普通地方公共団体の協議会は，必要があると認めるときは，関係のある公の機関の長に対し，資料の提出，意見の開陳，説明その他必要な協力を求めることができる（同条 6 項）。普通地方公共団体は，普通地方公共団体の協議会を設ける普通地方公共団体の数を増減し，もしくは協議会の規約を変更し，または協議会を廃止しようとするときは，協議会を設置するときと同じ手続を経なければならないのが原則である（同 252 条の 6）。

**_Column_ 事実上の協議会**

広域避難が必要となるような大規模水害については，対策についても関係地方公共団体が連携して取り組む必要があり，荒川からの浸水被害にかかる避難対策を江東 5 区が一体的に講ずるために，墨田区，江東区，足立区，葛飾区，江戸川区は，2015 年 10 月に江東 5 区大規模水害対策協議会を設置し，同協議会は，2016 年 8 月，江東 5 区大規模水害避難等対応方針をとりまとめた。また，濃尾平野ゼロメートル地帯に設置された東海ネーデルランド高潮・洪水地域協議会は，岐阜県，愛知県，三重県，名古屋市等の地方公共団体も構成員になっているが，中部地方整備局，中部運輸局等

5) 詳しくは，打田武彦「地方自治法第 156 条第 6 項関係解説――国の地方行政機関の設置に関する国会承認について」地方自治 601 号（1997 年）85 頁，小西敦「地方機関国会承認規定（地方自治法 156 条 4 項及び 5 項）はどのような機能を果たしたか(1)～(3・完)」自治研究 91 巻 12 号（2015 年）76 頁，92 巻 1 号 69 頁，3 号 39 頁（2016 年）参照。

6) 二重行政を解消し，地方分権を進める観点から，地方支分部局の地方移管が，長年議論されてきた。これについて，宇賀・概説Ⅲ 240 頁以下，田中孝男「地方支分部局の地方移管」髙木＝宇賀編・争点 220 頁以下参照。

の国の行政機関，日本放送協会（名古屋放送局），NTT ドコモ東海等の放送通信会社等も構成員となっている。これらは，地方自治法上の協議会ではない。このような事実上の協議会が多数設置されている[7]。

しかし，2012年の通常国会における地方自治法改正により，協議会を設ける普通地方公共団体は，その議会の議決を経て，脱退する日の2年前までに他のすべての関係普通地方公共団体に書面で予告をすることにより，協議会から脱退することができるようになった（同252条の6の2第1項）。

**Column　協議会からの離脱と損害賠償責任**

協議会からの離脱に起因する損害賠償責任の有無が争点になったのが，横浜地判平成23・12・8判時2156号91頁［判例集202］の事案である。1998年3月の神奈川県ごみ処理広域化計画の策定を受けて，同年7月に横須賀三浦ブロックごみ処理広域化協議会が設立されて以来，4市1町による調査検討作業が積み重ねられ，2003年12月には，横須賀三浦ブロックごみ処理広域化基本構想（素案）が策定され，4市1町によるごみ処理の基本的な方向性は定められた。その後，広域処理に関する方法論の違いから，4市1町体制が2市1町と2市の2グループに分かれたものの，横須賀市，三浦市，葉山町の2市1町は，4市1町体制時代に策定された上記素案や検討状況を踏まえてごみ処理広域化を進めていくこととし，2006年2月に横須賀・三浦・葉山地域循環型社会形成推進協議会を設立した。本件協議会規約は，その事業を「ごみ処理の広域化に関する事務」とし，ごみの広域処理を行うことを既定の方針とした上で，2007年3月には基本計画案が策定され，これによって，2市1町によるごみ広域処理の骨格となる具体的内容が定められた。そして，2市1町は，本件基本計画案を了承した上で，ごみ処理広域化に関する組織として一部事務組合を設立する旨の覚書（本件覚書）をも作成していた。ところが，葉山町は，いわゆる「ゼロ・ウェイスト政策」を掲げた町長が当選したというという一事をもってそれまでの方針を変更し，町議会等でごみ処理広域化の見直しを表明し，横須賀市・三浦市との間で何ら実質的な協議を行うことなく，2008年5月に，2市1町によるごみ処理広域化から一方的に離脱を表明した。これを受けて，2市1町は，同年5月31日付けで本件協議会を解散した。

同判決は，遅くとも本件基本計画案が策定された2007年3月には，2市1町によって一部事務組合の形によるごみの広域処理を行う旨の法的拘束力のある合意が成立

7)　事実上の協議会の問題について論ずるものとして，原野翹「事実上の協議会と法治主義」同『現代行政法と地方自治』（法律文化社，1999年）131頁以下参照。なお，地方自治の分野に限らず，多様な協議会について法的分析を行うものとして，洞澤秀雄「協議会に関する法的考察——公私協働，行政計画の視点から(1)(2・完)」南山法学41巻2号1頁以下，41巻3=4号125頁以下（2018年）参照。

したものというべきであり，それに先立つ2006年2月（本件協議会の設立）の時点においても，2市1町が，それぞれ，もはやごみ処理の広域化は既定の方針となったと信頼することが当然といえるような関係が成立していたものといえるから，各市町は，ごみ処理の広域化実現に向けて誠実に取り組むべき信義則上の義務を負うに至ったというべきであるとする。そして，葉山町の上記対応は，法的拘束力のある合意に基づく義務に違反し（債務不履行），あるいは信義則上の義務に違反したもの（不法行為）と評価されてもやむをえないと判示し，本件協議会経費の損害賠償請求を一部認容している。

## Ⅳ　機関等の共同設置

第29次地方制度調査会答申においては，「機関等の共同設置については，現行の機関及び職員の共同設置に加え，効率的な行政運営や小規模市町村の事務の補完を可能とするため，内部組織，事務局及び行政機関についても共同設置が進められるよう，制度改正を含めた検討を行うことが適当である」と勧告されていた。これを受けて，2009年7月より総務省の「地方公共団体における事務の共同処理の改革に関する研究会」で検討が行われ，同年12月に報告書が公表されている。

こうした検討の成果に基づき，2011年の通常国会における地方自治法改正により，普通地方公共団体は，協議により規約を定めて，議会の事務局もしくはその内部組織（議会事務局調査課等），行政機関（保健所等），普通地方公共団体の長の内部組織（税務課・会計課等），委員会もしくは委員の事務局（監査事務局等）もしくはその内部組織または普通地方公共団体の議会の事務を補助する職員を置くことができることとされた。2016年4月に，岡山県の備前市と瀬戸内市が，全国で初めて，監査委員事務局を共同設置している。

その結果，現在では，普通地方公共団体は，協議により規約を定め，共同して，議会事務局もしくはその内部組織，執行機関としての委員会もしくは委員，執行機関の附属機関，保健所・警察署その他の行政機関，首長部局の内部組織，委員会もしくは委員の事務局もしくはその内部組織，普通地方公共団体の議会，長，委員会もしくは委員の事務を補助する職員，専門委員または監査専門委員を置くことができる（自治252条の7第1項本文）。2021年7月1日現在，450の共同設置例が存在する。近年，共同設置数が急増しているのは，介護保険に関する事務の増加と関係している。機関等の共同設置数の上位は，介護区分認定審査事務に関するもの（127件。約28.2％），公平委員会事務に関するもの（110件。約24.4%），障害区分認定審査事務に関するもの（107件。約23.8%）である。

普通地方公共団体が共同設置する委員会の委員で，普通地方公共団体の議会が選挙すべきものの選任については，①規約で定める普通地方公共団体の議会が選挙すること，②関係普通地方公共団体の長が協議により定めた共通の候補者について，すべての関係普通地方公共団体の議会が選挙すること，のいずれの方法によるかを規約で定めなければならない（同252条の9第1項)。

また，2012年の通常国会における地方自治法改正により，機関等を共同設置する普通地方公共団体も，その議会の議決を経て，脱退する日の2年前までに他のすべての関係普通地方公共団体に書面で予告をすることにより，共同設置から脱退することができるようになった（同252条の7の2第1項)。

***Column*　統一情報公開審査会・統一個人情報保護審査会**

地方自治法の定める機関の共同設置ではないが，複数の地方公共団体が附属機関の委員を共通にし，事務局機能を統一している例が，情報公開審査会，個人情報保護審査会等でみられる。例えば，長崎県市町村行政振興協議会は，統一情報公開審査会支援事業，統一個人情報保護審査会支援事業を行っている。すなわち，市町がそれぞれの情報公開条例，個人情報保護条例に基づき設置する情報公開審査会，個人情報保護審査会の委員の選任，審査会の運営等について長崎県市町村行政振興協議会が協力し，委員については，地区ごと（県南地区，県北地区）に統一的な選任が行われている。

## V　事務の委託

「条例による事務処理の特例制度」とは別に，普通地方公共団体が協議により規約を定めて，普通地方公共団体の事務の一部を，他の普通地方公共団体に委託して，当該他の普通地方公共団体の長または同種の委員会もしくは委員をして管理・執行させる制度（自治252条の14第1項）は，地方分権一括法の成立前から存在した。この制度は，地方分権一括法により廃止されることなく存続している。委託した事務を変更し，またはその事務の委託を廃止しようとするときも，関係普通地方公共団体は，協議してこれを行わなければならない（同条2項）。事務の委託の場合，双方が合意に達することが前提となる。都道府県から市町村に委託する場合に限らず，市町村が都道府県に委託することもありうる。このように双方向の制度である点で，「条例による事務処理の特例制度」と異なる[8)]。地方公共団体間の事務の共同処理の方式としては，これが最も多く，2021年7月1日現在，6752件存在する。事務の種類別では，住民票の写し等の交付に関する事務が1368件で全体の20.3％と最多であり，以下，公平委員会に関する事務が1166件（17.3％），競艇に関する事務が861件（12.8％）の順となっている。

事務の委託の規約には，①委託する普通地方公共団体および委託を受ける普通地方公共団体，②委託事務の範囲および委託事務の管理・執行の方法，③委託事務に要する経費の支弁の方法，④そのほか，委託事務に関して必要な事項について規定を設けなければならない（同252条の15)。普通地方公共団体の事務を，他の普通地方公共団体に委託して，当該他の普通地方公共団体の長または同種の委員会もしくは委員をして管理および執行させる場合においては，当該事務の管理および執行に関する法令中，委託した普通地方公共団体またはその執行機関に適用すべき規定は，当該委託された事務の範囲内において，その事務の委託を受けた普通地方公共団体またはその執行機関について適用され，別に規約で定めるものを除くほか，事務の委託を受けた普通地方公共団体の当該委託された事務の管理および執行に関する条例，規則またはその機関の定める規程は，委託した普通地方公共団体の条例，規則またはその機関の定める規程としての効力を有する（同252条の16)。

地方自治法上の事務の委託は，民法上の委託とは異なり，管理執行権限が受託者に移り，委託者は管理執行権限を喪失する。そのため，地方自治法上の事務の委託制度を用いることを躊躇し，地方公共団体間であっても，民法上の委託契約により，ごみ焼却等を委託している事例がある。第29次地方制度調査会答申においては，「事務の委託については，基本的には事務権限が委託団体から受託団体に移動する仕組みとなっているため，事務を委託しようとする団体が制度の活

8) もっとも，「条例による事務処理の特例制度」もそのようなものとして構成する立法政策はありうる。塩野・行政法Ⅲ 280頁。

用に躊躇するとの指摘もある。このため，委託団体が事務処理の状況を把握し，受託団体に対して意見を提出しやすくなるよう，制度改正を含めた検討を行うことが適当である」と勧告されている。

**Column　大阪府市一元化条例による事務の委託**

大阪都構想が住民投票で再度否決されたことを受けて，大阪維新の会は，府市の二重行政を解消するためとして，成長戦略や広域的で成長の重要な基盤になる都市計画に係る大阪市の事務を大阪府に委託する内容の条例の制定を目指し，2021年3月24日に大阪府議会で「大阪府及び大阪市における一体的な行政運営の推進に関する条例」が，同月26日に大阪市議会で「大阪市及び大阪府における一体的な行政運営の推進に関する条例」が可決され，同年4月1日から施行された。大阪府と大阪市が共同設置する副首都推進本部会議（本部長は知事，副本部長は市長）において成長戦略および都市計画について協議を行い，大阪府に委託する事務については規約を定め，大阪府と大阪市の双方の議会で議決を得なければならない。政令指定都市の重要な権限を道府県に委託する全国初の条例である。道府県の権限を可能な限り政令指定都市に移管する地方分権の流れに逆行するという批判がある一方，効率的な行政運営を志向するものとして評価する意見もある。

# Ⅵ　事務の代替執行

このような事務の委託制度の持つ問題にかんがみ，2014年の地方自治法改正により新たに設けられたのが，事務の代替執行の制度である。すなわち，普通地方公共団体は，他の普通地方公共団体の求めに応じて，協議により規約を定め，当該他の普通地方公共団体の事務の一部を，当該他の普通地方公共団体または当該他の普通地方公共団体の長もしくは同種の委員会もしくは委員の名において管理し，執行すること（事務の代替執行）ができることとされた（自治252条の16の2第1項）。代替執行をする事務（代替執行事務）を変更し，または事務の代替執行を廃止しようとするときも，関係普通地方公共団体は，同様に，協議してこれを行わなければならない（同条2項）。協議により規約を定めるに当たっては，関係地方公共団体の議会が議決し，規約を定めた場合には，その旨および規約を告示するとともに，都道府県が定めた規約は総務大臣に，その他のものにあっては都道府県知事に届け出る必要がある（同条3項・252条の2の2第2項）。

事務の代替執行に関する規約には，①事務の代替執行をする普通地方公共団体およびその相手方となる普通地方公共団体，②代替執行事務の範囲ならびに代替執行事務の管理および執行の方法，③代替執行事務に要する経費の支弁の方法，④前記①から③に掲げるもののほか，事務の代替執行に関し必要な事項を定めなければならない（自治252条の16の3）。

この事務の代替執行により，普通地方公共団体Aが他の普通地方公共団体BまたはBの執行機関の名において管理し，執行した事務の管理および執行は，Bの執行機関が管理し，執行したものとしての効力を有する（自治252条の16の4）。事務の委託と異なり，事務の代替執行の場合，当該事務の処理権限は，事務の代替執行の求めを行った地方公共団体に残るのである。したがって，BはAによる代替執行の状況について把握し，住民に説明する責務を負うことになるので，規約において，Aから定期的に報告を求めたりすることを定めておくべきであろう。この制度は市町村間でも用いうるが，近隣市町村との広域連携が困難な市町村が，都道府県に事務の代替執行を求める場合にも用いうる。市町村から都道府県への事務の委託の場合には，市町村が事務の処理権限を喪失することになるが，都道府県による市町村の事務の代替執行の場合には，市町村は事務の処理権限を失わず，当該市町村の条例・規則等に基づき事務が執行されることになる[9)]。2021年7月1日現在で，事務の代替執行が行われたのは3件である。簡易水道，公害防止，上水道に関する事務が各1件である。

## Ⅶ　職員の派遣

普通地方公共団体の長または委員会もしくは委員は，法律に特別の定めがあるものを除くほか，当該普通地方公共団体の事務の処理のため特別の必要があると

9)　都道府県が市町村の事務を代替執行する場合には，市町村の主要な事務を対象にすることについて慎重な議論が必要であるとするものとして，市川喜崇「都道府県による市町村の『補完』を考える」都市とガバナンス20巻（2013年）27頁以下参照。

認めるときは，他の普通地方公共団体の長または委員会もしくは委員に対し，当該普通地方公共団体の職員の派遣を求めることができる（自治252条の17第1項)。求めに応じて派遣される職員は，派遣を受けた普通地方公共団体の職員の身分をあわせ有することとなるものとし，その給料，手当（退職手当を除く）および旅費は，当該職員の派遣を受けた普通地方公共団体の負担とし，退職手当および退職年金または退職一時金は，当該職員の派遣をした普通地方公共団体の負担とするのが原則である。ただし，当該派遣が長期間にわたることその他の特別の事情があるときは，当該職員の派遣を求める普通地方公共団体およびその求めに応じて当該職員の派遣をしようとする普通地方公共団体の長または委員会もしくは委員の協議により，当該派遣の趣旨に照らして必要な範囲内において，当該職員の派遣を求める普通地方公共団体が当該職員の退職手当の全部または一部を負担することとすることができる（同条2項)。普通地方公共団体の委員会または委員が，職員の派遣を求め，もしくはその求めに応じて職員を派遣しようとするときは，あらかじめ，当該普通地方公共団体の長に協議しなければならない（同条3項)。派遣された職員の身分取扱いに関しては，当該職員の派遣をした普通地方公共団体の職員に関する法令の規定の適用があるのが原則であるが，当該法令の趣旨に反しない範囲内で政令で特別の定めをすることができる（同条4項)。

## Ⅷ　広域連携による基礎自治体の行政サービス提供体制

### *1*　第30次および第31次の地方制度調査会答申の構想

以上，個別の広域連携の仕組みを概観してきたが，次に，基礎自治体の行政サービス提供体制を広域連携により補完するための第30次および第31次の地方制度調査会答申の構想についてみることとする。

## 2　三大都市圏

三大都市圏においては，規模・能力は一定以上あるが昼夜間人口比率が1未満の都市が圏域内に数多く存在するため，基礎自治体が提供すべき行政サービス等について，核となる都市と近隣市町村との間の「コンパクト化とネットワーク化」を進める地方圏での方策をそのまま応用することは適切ではないとされている。そして，各都市が異なる行政サービスや公共施設の整備等に関して，水平的・相互補完的，双務的に適切な役割分担を行うことが有用であり，そのような水平的役割分担の取組みを促進するために連携協約に基づく連携を推進すべきとされている。

## 3　連携中枢都市圏

三大都市圏以外の地方圏においては，連携中枢都市（政令指定都市，中核市であって昼夜間人口比率おおむね1以上の都市）が近隣市町村と連携協約を締結し，圏域全体の多様な資源・企業・人材を動員して，経済成長を牽引し，圏域全体に対する高次の都市機能を集積・強化してグローバルな人材が集まる環境を構築し，近隣市町村の住民のニーズにも対応した圏域全体の生活関連機能サービスを向上させることが構想されている。総務省は，2014年8月25日に「地方中枢拠点都市圏構想推進要綱」を制定したが，2015年1月28日の改正で「連携中枢都市圏構想推進要綱」という名称に変更された。2022年4月1日現在，連携中枢都市宣言を行った市が39，連携中枢都市と関係市町村間で連携協約が締結され，都市圏ビジョンが公表された例が37ある。圏域を構成する市町村数（連携中枢都市を含む）は延べ数で362になる。

## 4　定住自立圏

連携中枢都市を核とする圏域以外で定住自立圏施策の対象となりうる地域においては，その取組みを一層促進することが必要であるとされている。

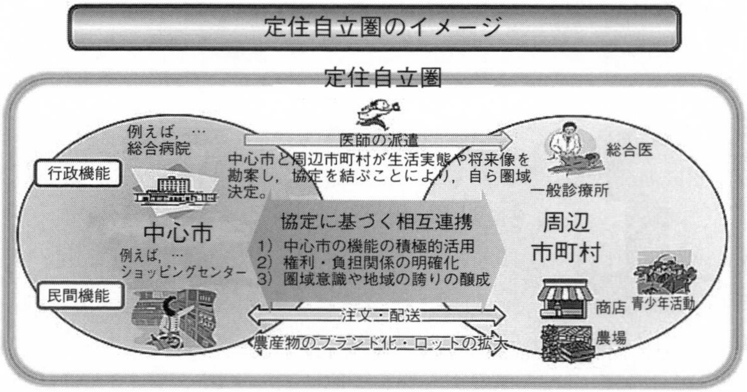


（総務省ホームページより）

**定住自立圏の仕組み**　2008年5月に総務省の「定住自立圏構想研究会報告書」が公表された。そこにおいては，平成の市町村合併の進展に伴い，機能的合併を主な目的としていた従前の広域市町村圏等の施策はその役割を終えつつあり，これに代わる新たな仕組みとして，定住自立圏構想を進める必要があることが指摘されている（「広域行政圏計画策定要綱」〔平成12年3月31日自治振第53号〕は，2009年3月31日をもって廃止）。

***Column*　広域行政圏**

旧自治省は，1970年4月に，広域市町村圏振興整備措置要綱を地方公共団体に示し，広域市町村圏構想を完全に実施に移した。広域市町村圏とは，その地域の市町村が共同して広域市町村圏計画を策定し，それを実施することによって，地域の住民が広く都市的な生活環境の下で生活できるようにするとともに，豊かで明るい地域社会を建設することを目的としていた。この要綱によると，圏域設定の基準は，①圏域人口がおおむね10万以上であり，②住民の日常生活の通常の需要がその中でほぼ充足されるような都市と農山漁村地域を一体とした圏域であること，③中心市街地があること等であった。2008年4月1日当時，334の広域市町村圏が指定されていた。広域市町村圏の内訳は，広域連合31，一部事務組合158，協議会86であった。

さらに，大都市周辺地域については，1977年8月の大都市周辺地域振興整備措置要綱で，①人口規模がおおむね40万以上であること，②地理的歴史的または行政的に一体として圏域を形成するものであること，③一体的な将来像を描き，その達成のため必要な都市的行政課題を有していること，の要件に該当する地域を大都市周辺地域広域行政圏として指定することとしていた。2008年4月1日当時，25圏域が指定されていた。その行政機構は，いずれも協議会であった。1991年3月から，広域市町村圏と大都市周辺地域広域行政圏の両者を「広域行政圏」と総称することとしていた[10)]。

定住自立圏構想とは，人口減少・少子高齢化社会において，すべての市町村がフルセットの生活機能を整備することは困難になったという認識の下，中心市と周辺市町村が圏域を形成し，中心市が圏域全体の暮らしに必要な都市機能を集約的に整備し，周辺地域と連携・交流することにより，定住自立圏を構築しようとするものである。従前の広域行政圏施策のように，都道府県知事が関係市町村や国と協議して設定するのではなく，中心市と周辺市町村が協定を結ぶという分権的仕組みである点に特色がある。

これを受けて，「経済財政改革の基本方針2008」（2008年6月27日閣議決定）においては，定住自立圏構想の実現に向けて，地方都市と周辺地域を含む圏域ごとに生活に必要な機能を確保し人口の流出を食い止める方策を各府省が連携して講ずることとされ，2009年度に向けては，定住自立圏構想や広域地方計画等の地域間連携の仕組みの下で，地域活性化の戦略を展開すること，2008年度から地方公共団体と意見交換しながら具体的な圏域形成を進めるとともに，各府省が連携して支援措置等を講ずることとされている。また，2008年7月4日に，総務省に「地域力創造本部～定住自立圏構想推進のために～」が設置された。同年10月28日には，「定住自立圏構想の推進に関する懇談会」も発足している。

2008年12月には，「定住自立圏構想推進要綱」（平成20年12月26日付け総行応第39号総務事務次官通知）が定められた。それによれば，原則として人口5万以上，昼夜間人口比率1以上の市が，中心市と連携する意思を有する関係市町村の意向に配慮しつつ，地域全体のマネジメント等において中心的な役割を果たす意思を「中心市宣言」により示し，中心市と周辺市町村が1対1で人口定住のた

10）　広域行政圏の歴史について，横道清孝「日本における新しい広域行政施策」『アップ・ツー・デートな自治関係の動きに関する資料 No.6』（自治体国際化協会＝政策研究大学院大学比較地方自治研究センター，2010年）7頁以下，同「広域行政の新展開に向けて」公営企業40巻12号（2009年）2頁，木村・広域連携89頁以下参照。

めに必要な生活機能を確保するため役割分担し連携していくことを明示した定住自立圏形成協定を議会の議決を経て定めることとなる。さらに中心市は，定住自立圏形成協定の締結により形成された定住自立圏全体を対象として，当該定住自立圏の将来像や定住自立圏形成協定に基づき推進する具体的取組みを記載した定住自立圏共生ビジョンを，圏域共生ビジョン懇談会（中心市が開催するもので，医療・福祉等の各分野の代表者や病院等都市集積が生じている施設等の関係者等により構成される）における検討を経て策定し公表することとされている。

2021年4月1日現在，中心市宣言を行った市の数が140，定住自立圏形成協定の締結または定住自立圏形成方針の策定により形成された定住自立圏の数が129，定住自立圏共生ビジョンを策定した宣言中心市の数が127にのぼっている[11)]。

## *5*　市町村と都道府県の連携

連携中枢都市や定住自立圏の中心市等の一定以上の人口規模のある都市から相当の距離があるような地域については，基礎自治体間の広域連携だけによって課題を解決することは難しいものと考えられるので，このような地域において基礎自治体が提供すべき行政サービス等に関して，都道府県が地域の実情に応じて補完的な役割をより柔軟に果たすことも必要であるとされている。広域連携が困難な市町村が，専門性が要求される業務等について，都道府県との連携協約に基づき，事務の代替執行を都道府県に求めること等が考えられる[12)]。

**Column　外部資源の活用**

第31次地方制度調査会答申における広域連携の基本的方針は，第30次地方制度調

11）　定住自立圏については，木村・広域連携98頁以下，山崎重孝「『定住自立圏構想』について(1)～(6・完)」自治研究85巻5号3頁，7号69頁，9号64頁，12号72頁（2009年），86巻8号87頁，9号64頁（2010年），辻琢也「人口減少社会における定住自立圏構想の現況と課題」地域開発609号（2015年）35頁，大杉覚「定住自立圏における連携と補完」都市とガバナンス20号（2013年）18頁，阿部昌樹「自治体間連携と住民自治――定住自立圏を手がかりに」市政研究174号（2012年）38頁，村上博「定住自立圏構想の現況と課題」季刊自治と分権42号（2011年）51頁，下仲宏卓「定住自立圏構想について」地方自治729号（2008年）92頁以下参照。

査会答申のそれと軌を一にしているが，新たに外部資源の活用による行政サービスの提供を提言したことが注目される。すなわち，人口減少社会において資源が限られる中，既存の地方公共団体間の事務の共同処理の仕組みの他に，市町村業務について効率的に処理する方策として，外部資源を活用し，かつ，共同で行える仕組みを充実するという選択肢を示している。具体的には，地方独立行政法人の活用が念頭に置かれている。これは，窓口業務のように，公権力の行使を含む業務については一連の事務を一括して民間委託することが困難なため，地方独立行政法人に公権力の行使を含めた包括的な業務委託を行うことを可能とすることが念頭に置かれており，2017 年の地方独立行政法人法の改正により，申請等関係事務処理法人制度が導入された。

12）　基礎自治体の広域連携については，兼子仁「基礎自治体の広域連携について――地域自治を拡充する方策」自治研究 90 巻 1 号(2014 年）3 頁以下，村上博「基礎自治体の行政サービスと自治体間連携，都道府県の役割」西村＝廣田・自治体間連携 141 頁以下，宇賀克也「2014 年地方自治法改正の意義と課題」自治実務セミナー 630 号（2014 年）4 頁以下，勢一智子「地方自治法 2014 年改正」法教 413 号（2015 年）45 頁も参照。

# 第5章 地方公共団体の事務

**Point**

1) 普通地方公共団体は，地域における事務およびその他の事務で法律またはこれに基づく政令により処理することとされるものを処理する。

2) 地方分権一括法による改正前の地方自治法において重要であったのは，団体事務（自治事務）と機関委任事務の区別であった。機関委任事務とは，国，他の地方公共団体，地方公共団体以外の公共団体の事務であって地方公共団体の機関に委任されたものである。

3) 国の機関委任事務制度は，地方公共団体の機関を主務大臣の下級行政機関として位置づけ，後者の指揮監督に服させるので，国と地方公共団体を上下・主従の関係に置き，また，国の縦割行政を地方公共団体にも投影し，地方公共団体が地域の実情に応じた総合行政を行うことを妨げる面があった。

4) 地方分権一括法による地方自治法改正で機関委任事務制度は廃止された。

5) 機関委任事務制度の廃止により，国の機関委任事務の中には廃止されたもの，国の直接執行とされたものもあったが，大半は地方公共団体の処理する事務となった。

6) 地方公共団体の事務についての従前の3分類は廃止され，自治事務と法定受託事務に区分されることとなった。

7) 自治事務とは，地方公共団体が処理する事務のうち，法定受託事務以外のものをいう。

8) 自治事務も法定受託事務もいずれも地方公共団体の事務であるから，両者の区別の法的意味は，事務の帰属主体を決する基準としてではなく，主として，国の地方公共団体に対する関与，または都道府県の市町村に対する関与の手法が異なる点にある。

9) 法定受託事務にかかる処分または不作為に不服のある者については地方自治法で審査請求の特例が定められており，都道府県の機関の処分または不作為については各大臣，市町村の機関の処分または不作為については都道府県知事等が審査庁となる裁定的関与が認められている。

10) 行政主体が担当すべき事務を国と地方公共団体，さらに地方公共団体の中で都道府県，市町村，特別区等にいかに配分するかの理論を政策的事務配分論という。

11）1949 年のシャウプ勧告に含まれるシャウプ 3 原則とは，①国，都道府県，市町村の事務は明確に区別し，1 つの団体のレベル（国，都道府県，市町村）には特定の事務が排他的に割り当てられるべきとする行政責任明確化の原則，②各事務は，それを能率的に遂行するために，能力・財源等の面で準備の整っている団体に割り当てるべきとする能率の原則，③市町村が適切に遂行できる事務は，国または都道府県には割り当てず，市町村に優先的に割り当てるべきであり，市町村の次に優先されるのは都道府県であり，国は地方公共団体では有効に処理できない事務のみを引き受けるべきとする地方公共団体優先および市町村優先の原則である。

12）地方自治法は，地方公共団体は，住民の福祉の増進を図ることを基本として，地域における行政を自主的かつ総合的に実施する役割を広く担い，国においては国際社会における国家としての存立にかかわる事務，全国的に統一して定めることが望ましい国民の諸活動もしくは地方自治に関する基本的な準則に関する事務または全国的な規模でもしくは全国的な視点に立って行わなければならない施策および事業の実施その他の国が本来果たすべき役割を重点的に担い，住民に身近な行政はできる限り地方公共団体にゆだねることを基本として，地方公共団体との間で適切に役割を分担するという役割分担の原則を定めている。

# I　地方自治法の規定

地方自治法 2 条 2 項は，「普通地方公共団体は，地域における事務及びその他の事務で法律又はこれに基づく政令により処理することとされるものを処理する」と定めている。ここで「地域における事務」とは，一定の地域と住民を構成要素とする法人としての普通地方公共団体が，一定の区域内において包括的に行政機能を担う統治団体であり，統治作用としての事務一般を広く処理しうることを明らかにしたものである。「地域における事務」には，「法律又はこれに基づく政令により処理することとされる」という限定はなく，条例・規則・要綱等に基づくものも含む。

***Column*　指定確認検査機関**

1998年の建築基準法改正で導入された指定確認検査機関が行う建築確認事務が，当該指定確認検査機関自体の事務なのか，それとも当該確認にかかる建築物について確認する権限を有する建築主事の置かれた地方公共団体の事務なのかが争われている。指定確認検査機関が行った建築確認取消訴訟の訴えの利益が消滅したため，行政事件訴訟法21条1項（「裁判所は，取消訴訟の目的たる請求を当該処分又は裁決に係る事務の帰属する国又は公共団体に対する損害賠償その他の請求に変更することが相当であると認めるときは，……訴えの変更を許すことができる」）の規定に基づき地方公共団体に対する国家賠償請求に変更することが可能かが争われた事件において，最決平成17・6・24判時1904号69頁［百選67］［判例集66］は，「指定確認検査機関による確認に関する事務は，建築主事による確認に関する事務の場合と同様に，地方公共団体の事務であり，その事務の帰属する行政主体は，当該確認に係る建築物について確認をする権限を有する建築主事が置かれた地方公共団体であると解するのが相当である」とし，訴えの変更を認めた。また，横浜地判平成17・11・30判例自治277号31頁は，指定確認検査機関の確認処分の違法を理由とする国家賠償請求が横浜市を被告として提起された事案において，同様の理由で，横浜市は，指定確認検査機関による建築確認処分にかかる事務の違法それ自体を理由として，国家賠償法1条1項の「公共団体」として賠償責任を負うと判示している。しかし，東京高判平成21・3・25判例集不登載は，東京都が，国土交通大臣が指定した指定確認検査機関に対して包括的監督権限も指定の取消権限も有しない上，何らかの予算上の権限も有していると認めるに足りる証拠もなく，東京都が当該指定確認検査機関を具体的・実質的に指揮・監督する立場にないし，東京都が当該指定確認検査機関に対して建築確認検査事務を委任しているとみる余地もないので，当該指定確認検査機関の行う建築確認検査事務にかかる行為が，国家賠償法1条1項の規定の適用に関して東京都の公権力の行使であるとはいえず，指定確認検査機関自身の公権力の行使であると解すべきと述べているのが注目される。横浜地判平成24・1・31判時2146号91頁も，指定確認検査機関は，行政とは独立して公権力の行使である建築確認業務を行っているのであって，指定確認検査機関の行った建築確認に瑕疵がある場合には，その国家賠償法上の責任は指定確認検査機関自身が負うものと解するのが相当であるとし，地方公共団体は，特定行政庁が監督権限の行使を懈怠した場合に国家賠償法上の責任を負うことがあるにとどまるとする。

「その他の事務で法律又はこれに基づく政令により処理することとされるものを処理する」とは，「地域における事務」とはいえない事務であっても，普通地方公共団体が国家の統治機構の一端を担うものとして行うことが必要になる事務があることを前提としている。立法過程で具体的に念頭に置かれていたのは，「北方領土問題等の解決の促進のための特別措置に関する法律」11条1項に基づいて，北方領土に本籍を有する者にかかる戸籍事務を根室市が処理している例や，外国の政府機関・国際機関等に国際協力の目的で職員を派遣する例である[1]。

なお，地方自治法2条2項は，地方公共団体が「地域における事務」以外の事務を国や他の地方公共団体との協議に基づいて処理することを禁止するものではない。

# Ⅱ　地方公共団体の事務の分類

地方公共団体の事務の分類は，地方分権一括法により大きく変化した。はじめに，同法による地方自治法改正前の分類について説明しておくこととする。

## *1*　従前の地方公共団体の事務

### (1)　地方分権一括法による改正前の３分類

1999年の地方分権一括法による地方自治法改正前，地方公共団体の機関は，国または他の地方公共団体その他の公共団体の機関として，いわゆる機関委任事務を多数行っていたが，この場合には，当該事務は，委任した国または他の地方公共団体その他の公共団体の事務であり，当該事務を実際に行う地方公共団体のものではなかった。もとより，地方公共団体は，機関委任事務のみを行っていたわけではない。当該地方公共団体自身の事務も行っていた。それが，団体事務または自治事務と呼ばれるものであった。

この団体事務（自治事務）は，地方分権一括法による改正前の地方自治法旧2条2項において，公共事務（固有事務），（団体）委任事務，行政事務に分類されていた。この分類は，ドイツ法の影響を受けつつ，それとは異なる独自性を持つものであった。

1)　成田・分権改革101頁。

### (2) 公共事務（固有事務）

公共事務（固有事務）とは，市制・町村制の時代から市町村に認められていた事務であり，地方公共団体の本来の目的に属する事務と，この本来の目的に属する事務を行うための前提となる団体の組織・財政に関する事務であり，両者を併せて，戦前からドイツ法の eigene Angelegenheiten を訳して「固有事務」という言い方がされていた。地方公共団体の本来の目的に属する事務とは，直接に住民の福祉を増進するために行われる事務であり，上下水道・ガス・電気・鉄道・バス・印鑑登録等のサービスの提供，公園の造成・維持管理に関する事務のような非権力的なサービス事務である[2)]。

公共事務（固有事務）の中心をなすのは，地方自治法244条の「公の施設」に関するものである。かつては，「営造物」という言葉が用いられていたが，1963年の改正で「公の施設」という表現に変わっている。

### (3) （団体）委任事務

地方公共団体が国または他の公共団体からの委任に基づいて行う事務のことである[3)]。やはり，市制・町村制の時代から存在した事務類型である。地方公共団体の機関に委任された場合（機関委任事務）とは異なり，国や他の公共団体の事務が地方公共団体に委任された場合においては，委任された事務は委任を受けた地方公共団体の事務となった。

団体委任される事務の種類には制限はなく，給付行政としての性格を持つものであっても，保健所の設置等は，（団体）委任事務と解されていた。また，印鑑登録証明は，市町村の公共事務（固有事務）とされていたのに対して，住民票の写しの交付は，住民基本台帳法に基づく市町村の（団体）委任事務と解されていた（他方，戸籍事務は国の機関委任事務であった）。

### (4) 行政事務

行政事務とは，「行政を執行する権能」を地方公共団体に認めた日本国憲法94条の下で，初めて認められた権力的事務である。戦前のわが国では，地方公共団体は権力的事務を行う権限は原則として有しないという地方公共団体公共事業団体観が支配的であった[4)]。権力的事務は国の事務とされ，地方で行われる警察等の権力的

---

2)　詳しくは，塩野・地方公共団体11頁参照。

3)　ドイツにおける委任事務（Auftragsangelegenheiten）概念について，村上弘「機関委任事務」法教165号（1994年）42頁。

事務は国の機関であった府県知事が行っていた。

このように，戦前，官選知事が行っていた権力的事務は，当初の地方自治法では，住民の公選による都道府県知事に包括的に機関委任されており，地方公共団体の事務とはされていなかった。しかし，1947年の地方自治法の第1次改正で，権力的事務の包括的機関委任は廃止され，機関委任は個別に行わなければならないこととされた。さらに，機関委任がなくても，地方公共団体に独自に権力的事務を執行する権能を認めることとし，地方自治法2条2項が改正され，「その区域内におけるその他の行政事務で国の事務に属しないもの」が追加されたのである。こうした沿革から，この「行政事務」は，権力的事務と解されてきた[5]。

地方自治法の第1次改正で，地方公共団体が一般的に権力的事務を行うことを認められたことは，地方公共団体公共事業団体観から脱皮し，地方公共団体が統治団体化したことを意味する。権力的事務が国から地方公共団体に大幅に移譲されたこととも関連して，1947年，「内務省及び内務省の機構に関する勅令等を廃止する法律」により内務省が解体された。

### (5)　従前の3事務区分の意義

以上の3分類には実益がないという意見が一般的であった。まず，公共事務（固有事務）と（団体）委任事務の区別については，戦前は，（団体）委任事務については，国がその経費の全部または一部を負担することとされており，この点で公共事務（固有事務）と区別する実益があるとする見方があった。また，ドイツでは，市町村の公共事務（固有事務）についての自治監督[6]は合法性の監督に制限され，（団体）委任事務については合目的性の監督も可能とされる点に両事務の区別の大きな意義があり，戦前のわが国についても，かかる区別が存在したとする学説もある[7]。

しかし，戦後は，地方公共団体の団体事務（自治事務）を監督する場合，事務の種類によって差異を設けることはしなかった。もっとも，地方分権一括法による改

---

4)　戦前，国は，市町村が，事業に付随することなく，区域における生活に関する公民の一般の利益を維持増進することを目的として公権力の行使に当たる行為をする権限をほとんど付与しなかったと指摘するものとして，仲野武志「国及び公共団体の概念」稲葉馨先生・亘理格先生古稀記念『行政法理論の基層と先端』（信山社，2022年）74頁参照。

5)「行政事務」の性格については，（団体）委任事務の一種とする見方と憲法の自治権保障のための権限付与機能に根拠づけられるとする見方があるが，後者が妥当であろう。

6)　宮崎良夫「自治監督」法教165号（1994年）45頁。

7)　他方，かかる区別の存在を否定する学説もある。詳細については，塩野・地方公共団体168頁。

正前の地方自治法旧232条2項では，機関委任事務と並んで（団体）委任事務についても，国はそのために要する経費の財源につき必要な措置を講じなければならないと定めていたので，この点で，公共事務（固有事務）と（団体）委任事務の区別に意味があったようにもみえた。しかし，実際には，地方自治法旧232条2項は，死文化していたといえる。なぜならば，地方財政法9条以下で，国と地方の財政上の負担割合について規定が置かれているが，そこでは，事務の種類とは関係なく両者の利害関係の程度によって決定する方針がとられているからである。

さらに，公共事務（固有事務）が住民の福祉増進を目的とする事務といっても，何がそれに当たるかは不明確であった。かつて，地方自治法旧別表第1・第2は，（団体）委任事務のリストであるという有力説もあったが，旧別表第1・第2は，都道府県，市町村が処理することを義務づけられている事務，すなわち必要事務（この対になる概念が随意事務である）のリストであり，（団体）委任事務のリストではないという説が通説であった。

公共事務（固有事務）であるからといって，法律で規制できないわけではなく，現に伝統的に公共事務（固有事務）と解されてきた事務についても，水道供給（水道法），下水道供給（下水道法），廃棄物処理（廃棄物の処理及び清掃に関する法律）等，法的規制がなされている（印鑑登録事務のように，法律が制定されておらず，条例にゆだねられている例もある）。他方，（団体）委任可能な事務は，公共事務（固有事務）以外のものであれば，規制行政であれ給付行政であれ認められるとされてきたが，給付行政であって公共事務（固有事務）に該当しないものが何かは不明瞭であり，公共事務（固有事務）と（団体）委任事務を截然と区別することはできなかった。もっとも，理論的レベルにおいて，公共事務（固有事務）という観念を否定することが，国家に対する地方の防壁を除くという意味を持ちうる面もある[8)]。

それでは，行政事務というカテゴリーを設けることに意味はあったのであろうか。地方自治法旧14条2項は，「普通地方公共団体は，行政事務の処理に関しては，法令に特別の定があるものを除く外，条例でこれを定めなければならない」と規定していた。しかし，これは，住民の権利を制限したり住民に義務を課したりする事務を行う場合には法律・条例の根拠を要するという侵害留保の原則に基づくものであって，あえて「行政事務」という範疇を設ける必要はなかったといえる。また，地方自治法旧14条3項は，「都道府県は，市町村の行政事務に関し，法令に特別の定があるものを除く外，条例で必要な規定を設けることができる」という統制条例の規定を設けていたので，これとの関係で「行政事務」という範疇を設けることに意味があったともいえる。しかし，実際には，統制条例はほとんど皆無であった。

結局，団体事務（自治事務）の3分類は，異なる基準を混在させており，解釈論上の道具概念としての機能にも乏しく，地方公共団体の事務についての歴史的経緯

8)　小早川光郎「地方分権改革」公法62号（2000年）173頁。

を認識させる以上の意味はほとんどなかったといえる[9]。

## 2　機関委任事務制度

### (1)　機関委任事務制度の意味

地方分権一括法による改正前の地方自治法の下で重要であったのは，団体事務（自治事務）の３分類ではなく，団体事務（自治事務）と機関委任事務の区分であった。団体事務（自治事務）は，必要事務であれ，法令で実施が義務づけられていない随意事務であれ，地方公共団体自身の事務であるから，法令に違反しない限り条例を制定することができ，国の関与は，技術的助言または勧告（自治旧245条）という非権力的なものを原則とし，これらは，地方公共団体を法的に拘束するものではなかった（実際には，団体事務〔自治事務〕に関しても，国から多数の通知が出され，事実上，地方公共団体を拘束することが多かった）。

機関委任事務制度は戦前から存在したが，戦後もこの制度が温存されることになった。機関委任事務には，国の事務（旅券交付等）を委任するもののほか，他の地方公共団体の事務（他の地方公共団体の税の徴収等），地方公共団体以外の公共団体の事務（土地区画整理組合の組合員に対する市町村長による滞納処分等）を委任するものもあり，長に委任するもの（開発許可等）のほか，委員会・委員に委任するもの（教育委員会の就学義務に関する事務等）もあった。その正当化根拠は，国の施策を実施するための出先機関を全国に設ける必要がなく効率的であること，地方公共団体の機関に国の事務を行わせることによって，民意が反映されやすくなることに求められた。

### (2)　機関委任事務制度の問題点

公選の地方公共団体の長も，国の機関委任事務を行う限りにおいて，国の機関とされ，主務大臣の下級行政機関として位置づけられることになるとされたため，代行するためには職務執行命令訴訟[10]を経る必要があるという制約はあるものの，かねてより地方自治を侵害するという批判が強かった[11]。

9)　中川剛「固有事務・委任事務・行政事務」法教165号（1994年）40頁。

すなわち，住民の公選による長も国の機関となる場合には，主務大臣の指揮監督に従わなければならないので，地方公共団体の代表としての立場を貫徹することができず，機関委任事務の指揮監督を通じて，国の縦割行政が地方公共団体にも投影され，地方公共団体の地域の実情に応じた総合行政を妨げる要因になっていたのである。

機関委任事務は都道府県の機関が行う事務の約7～8割，市町村の機関が行う事務の約3～4割を占めるといわれ[12]，機関委任事務は量的にも相当大きな比重を占めていた（自治旧別表第3・第4に列挙されていた項目数のみでも561に及んでいた）。そのため，違憲状態にあるという評価も存在した[13]。

**Column　集権・分権と融合・分離**

国の事務と分類される行政事務が多いほど集権型，地方公共団体の事務と分類される行政事務が多いほど分権型，国の事務の執行も地方公共団体の執行機関が国の機関として行うなど，国と地方公共団体の役割分担が不明確な形態を融合型，国の事務は国の行政組織に属する機関が直接に執行し，地方公共団体の事務は地方公共団体の執行機関が直接に執行するというように，国と地方公共団体の役割分担が明確に区分されている形態を分離型と称することがある。この分類によると，国の機関委任事務が多かった地方分権改革前のわが国は，集権融合型であったことになる[14]。

10）　和田英夫＝藤巻秀夫「戦後における中央・地方関係の変遷と課題」都市問題79巻1号（1988年）3頁以下，浜川清「職務執行命令訴訟と主務大臣」法学志林94巻1号（1996年）3頁以下，桜井昭平「職務執行命令訴訟制度について」亜細亜法学20巻1＝2号（1986年）147頁以下，間田穆「職務執行命令訴訟制度と戦後地方自治制度改革」愛知法経論集120＝121号（1989年）121頁，宇賀克也「職務執行命令訴訟制度の比較法的考察」新藤宗幸編『自治体の政府間関係』（学陽書房，1989年）23頁以下，斎藤誠「職務執行命令訴訟」法教165号（1994年）53頁，奥村文男「職務執行命令訴訟に関する一考察」憲法論叢5号（1998年）97頁以下。

11）　機関委任事務の法的問題点につき，塩野・地方公共団体190頁以下，阿部ほか編・大系⑵161頁以下（芝池義一執筆）等参照。

12）　この事実認識には批判もある。鳥飼顕「機関委任事務に関するいくつかの『通念』への疑問」都市問題88巻7号（1997年）56頁以下。

13）　原田・法としくみ61頁，兼子・行政法249頁。稲葉馨「内閣・国家行政組織制度」公法59号（1997年）170頁も違憲の重大な疑義が生ずると指摘している。

14）　西尾勝『地方分権改革』（東京大学出版会，2007年）9頁以下参照。

### (3) 機関委任事務の整理合理化

1982年の第2臨調第3次答申は，機関委任事務について，必要性の乏しくなっているものを廃止・縮小し，地方公共団体の事務として同化・定着しているものを地方移管する等の整理合理化を積極的に進め，2年間に全体として1割程度の整理合理化を図るべきことを提言した。1986年に出された第20次地方制度調査会答申（「機関委任事務等に係る当面の措置についての答申」）も，機関委任事務の整理合理化を提言している（この年，施設入所措置の団体事務〔自治事務〕化等が実現した）[15]。

さらに，従前は，機関委任事務について，地方議会は，説明を要求し意見を述べることのみが認められるにとどまっていたが，同答申は，機関委任事務にかかる議会の検閲・検査権，監査請求権を認めるとともに，機関委任事務を監査委員の監査の対象とすべきこと等を提言した。そして，1991年の地方自治法改正で，政令で定めるものを除く機関委任事務にも，地方議会が書類等の検閲と事務の管理等の検査，監査の請求をなしうることとされ（自治旧98条），監査委員の監査も認められ（同旧199条2項），さらに，機関委任事務の執行を怠った長に対する内閣総理大臣の罷免制度も廃止され，機関委任事務と団体事務（自治事務）の区別は相対化への一歩を進めた[16]。

しかし，機関委任事務に対しては委員会の調査・審査権や議会の100条調査権はなく，委任条例の場合を除き条例制定権も及ばず，したがって，住民による条例制定請求の対象ともならないものと解されていた。もっとも，機関委任事務にかかる文書であっても，情報公開条例の対象文書となると解されたが，これは，機関委任事務にかかる文書の管理自体は団体事務（自治事務）であるという理解に基づくものであり，機関委任事務自体は地方公共団体の事務ではないから，国等の機関としての長が規則を制定することはできても（自治15条1項），条例制定権の射程外であるという原則を否定するものではなかった。地方自治法旧228条1項が，手数料について，団体事務（自治事務）の場合は条例で，機関委任事務の場合は規則で定めることとしていたのは，そのような考えに基づいていた。ただし，機関委任事務の遂行が地方公共団体の財政支出をもたらす限り，地方議会は予算統制というかた

---

15） 鎌田英幸「地方公共団体の執行機関が国の機関として行う事務の整理及び合理化に関する法律」法令解説資料総覧62号（1987年）30頁，山本啓「自治体福祉行政の展開と展望――機関委任事務から団体委任事務への転換」法学新報100巻11＝12号（1994年）307頁。

16） 成田頼明「待望されていた地方自治法の大幅改正」ジュリ982号（1991年）10頁，新藤宗幸「地方自治法の改正」ジュリ982号（1991年）17頁，辻山幸宣「機関委任事務概念の変容と新たな展開」新藤宗幸編『自治体の政府間関係』（学陽書房，1989年）3頁以下，岩崎忠夫「地方自治法の一部を改正する法律の概要について」ジュリ982号（1991年）24頁。

ちで関与することは可能であった。

### (4) 機関委任事務制度の廃止

#### (a) 地方分権一括法による制度の廃止

政府全体に占める地方公共団体の仕事量自体は決して少ないとはいえず，地方公共団体の自己決定権という面で中央集権型行政システムの弊害が顕著であった状況にかんがみ，国と地方公共団体の関係を抜本的に見直し，両者を上下・主従の関係から対等・協力の関係を基本とするシステムに転換させることを目指す地方分権改革において，権限移譲よりも機関委任事務制度の廃止が重要な課題となった。そして，地方分権一括法による地方自治法改正で，機関委任事務に関する規定は削除されることになった。地方分権一括法の最大の眼目は，機関委任事務制度の廃止であったということもできる[17]。

#### (b) 地方自治法等の改正

具体的には，国の機関委任事務にかかる主務大臣・都道府県知事の指揮監督権に関する旧150条，市町村が処理する国または都道府県の機関委任事務にかかる都道府県知事の取消・停止権に関する旧151条1項，普通地方公共団体の長に対する職務執行命令を定める旧151条の2，機関委任事務にかかる議会の説明要求権に関する旧99条1項，機関委任事務を掲げる旧別表第3・第4およびその根拠規定である旧148条2項（都道府県知事が行う機関委任事務）・3項（市町村長が行う機関委任事務），旧180条の8第2項（教育委員会が行う機関委任事務），旧180条の9第3項（都道府県公安委員会が行う機関委任事務），旧186条3項（選挙管理委員会が行う機関委任事務），旧202条の2第6項（地方労働委員会または農業委員会が行う機関委任事務）が削除されることになった。

また，同一の条文の中に，普通地方公共団体の事務と機関委任事務の双方が規定されている場合，後者の部分を削除する改正が行われた。例えば，旧148条1項

---

17）機関委任事務制度の廃止につき，成田・道程129頁以下，芝池義一「機関委任事務制度の廃止」ジュリ1110号（1997年）33頁以下，栗本雅和「歴史的視点よりみた機関委任事務の廃止と法定受託事務の創設について(上)」南山法学23巻4号（2000年）25頁以下，鈴木庸夫「機関委任事務の廃止と政府間手続」ジュリ1090号（1996年）53頁以下，人見剛「機関委任事務制度」法教209号（1998年）10頁以下，山下淳「機関委任事務の廃止と新しい事務区分」都市問題91巻4号（2000年）15頁以下，大橋洋一「機関委任事務の廃止と権限委譲の推進」ジュリ1127号（1998年）63頁以下，礒崎初仁「機関委任事務の廃止と自治体実務の可能性」季刊自治体学研究72号（1997年）36頁以下，山口・自治体実務81頁以下等参照。

（「普通地方公共団体の長は，当該普通地方公共団体の事務及び法律又はこれに基く政令によりその権限に属する国，他の地方公共団体その他公共団体の事務を管理し及びこれを執行する」）は，普通地方公共団体の長が有する管理執行権の規定であるが，当該普通地方公共団体の事務のみならず機関委任事務をも対象とした規定になっていたので，機関委任事務に関する部分を削除し，「普通地方公共団体の長は，当該普通地方公共団体の事務を管理し及びこれを執行する」と改正された。

さらに，機関委任事務に関する国家行政組織法旧15条（主任の大臣の権限），旧16条（地方公共団体の長による内閣総理大臣に対する申出）も，地方分権一括法により削除され，機関委任事務制度を前提としていた地方事務官制度も廃止された。

#### (c)　廃止後の対処

機関委任事務の中には，事務自体が廃止されたもの（11件），国の直接執行とされたもの（20件）もあった。しかし，1998年の地方分権推進計画においては，「機関委任事務制度の廃止に伴い，地方公共団体の処理する事務を自治事務と法定受託事務とに再構成する」とされており，大半は自治事務（都市計画決定，農業振興地域の指定，飲食店営業許可，病院・薬局開設許可等398件）と法定受託事務（国政選挙，旅券交付，国の指定統計等257件）に分類された。

## *3*　自治事務と法定受託事務

### (1)　従前の３事務区分の廃止

地方分権推進計画においては，機関委任事務制度の廃止に伴い，地方自治法における事務区分に関する規定を見直すこととされており，これを受けて，普通地方公共団体の一般的な権能を定める旧２条２項（「普通地方公共団体は，その公共事務及び法律又はこれに基く政令により普通地方公共団体に属するものの外，その区域内におけるその他の行政事務で国の事務に属しないものを処理する」）の３事務区分（公共事務〔固有事務〕，〔団体〕委任事務，行政事務）を廃止し，前（→*1*）に述べたような規定に改正された。

### (2)　事務の例示の廃止

また，旧２条３項の事務の例示も廃止されることになった。旧２条３項の事務の例示の中には，18号（「法律の定めるところにより，建築物の構造，設備，敷地及び周密度，空地地区，住居，商業，工業その他住民の業態に基く地域等に関し制限を設けること」)・19号(「法律の定めるところにより，地方公共の目的のために動産及び不動産を使用又は収用すること」)のように，法律の先占領域を包括的に認めたようにも読める規定があり，解釈は分かれていたものの，土地利用等に関する条例制定を萎縮させる効果を持っていたので，例示規定が削除されたことは適切であった。

### (3)　自治事務と法定受託事務の意味

批判の多かった団体事務（自治事務）の3区分および機関委任事務制度が地方分権一括法により廃止されたが，それらに代わって，地方公共団体の事務は従前とは全く異なる観点から自治事務と法定受託事務に再編成されることになった[18]。

自治事務とは，「地方公共団体が処理する事務のうち，法定受託事務以外のものをいう」（自治2条8項）と控除方式で定義されているにすぎないから，法定受託事務の定義が重要になる。地方自治法2条9項における法定受託事務の定義は，地方分権推進計画における法定受託事務の定義に沿ったものであるが，それに法制的観点からの修正が加えられている。すなわち，同項1号は，「法律又はこれに基づく政令により都道府県，市町村又は特別区が処理することとされる事務のうち，国が本来果たすべき役割に係るものであつて，国においてその適正な処理を特に確保する必要があるものとして法律又はこれに基づく政令に特に定めるもの（以下「第1号法定受託事務」という。)」と，同項2号は，「法律又はこれに基づく政令により市町村又は特別区が処理することとされる事務のうち，都道府県が本来果たすべき役割に係るものであつて，都道府県においてその適正な処理を特に確保する必要があるものとして法律又はこれに基づく政令に特に定めるもの（以下「第2号法定受託事務」という。)」と定義している[19]。戸籍事務のように，事務全体が包括的に法定受託事務とされている場合もあれば，旅券事務の

18)　両事務の意義につき，兼子仁「新地方自治法における解釈問題」ジュリ1181号（2000年）40頁，芝池義一「地方公共団体の事務」論叢148巻5=6号（2001年）59頁，村上順「自治体の事務処理と国の関与」芝池＝小早川＝宇賀編・争点〔3版〕162頁参照。

19)　法定受託事務の定義の妥当性について，小泉祐一郎「自治体の事務の区分と条例」鈴木庸夫先生古稀記念『自治体政策法務の理論と課題別実践』（第一法規，2017年）229頁以下。

ように，旅券申請の受理・交付等，事務の一部が個別的に法定受託事務とされている場合もある。

自治事務はもとより，法定受託事務も，地方公共団体の事務である。法定受託事務という名称にもかかわらず，国の事務が委託の結果，地方公共団体の事務になったと観念されるわけではない（第1号法定受託事務の場合。この点で従前の〔団体〕委任事務と異なる）。地方自治法2条2項の「地域における事務」であっても，自治事務に限られているわけではなく，法定受託事務も含まれる。

### (4)　区別の意義

自治事務も法定受託事務もいずれも地方公共団体の事務であるから，両者の区別の法的意味は，事務の帰属主体を決する基準としてではなく，主として，国の地方公共団体に対する関与，または都道府県の市町村に対する関与の手法が異なる点にある[20)]。すなわち，自治事務については，地方公共団体の自主的判断をより尊重し国等の関与を制限するが，法定受託事務については，国または都道府県にとってその適正な処理を確保する必要性が高いため，より強力な関与の仕組みを設けているのである。この点について詳しくは後述（→9章）するが，以下，行政上の不服申立てについて説明しておくこととする。

### (5)　法定受託事務にかかる審査請求

**_Column_　旧行政不服審査法の下における法定受託事務にかかる不服申立て**

2014年に全部改正される前の行政不服審査法（以下「旧行政不服審査法」という）5条1項1号は，処分庁に上級行政庁があるとき（処分庁が主任の大臣または宮内庁長官もしくは外局もしくはこれに置かれる庁の長であるときを除く）には，審査請求をすることができるとしていた。一般に，都道府県知事が国の機関委任事務について行った処分については主務大臣が上級行政庁となり，これに対して審査請求をすることができ，市町村長が都道府県の機関委任事務について行った処分については，都道府県知事が上級行政庁となり，これに対して審査請求をすることができた。しかし，法定受託事務の場合，各大臣が都道府県知事の上級行政庁になったり，都道府県知事が市町村長の上級行政庁になったりするわけではないので，旧行政不服審査法5条1項1号に基

20）　その他の相違について，山下淳「自治事務と法定受託事務」法教209号（1998年）12頁以下。

づく審査請求はできないことになる。したがって，法定受託事務にかかる処分について審査請求を可能にするためには，法律に審査請求をすることができる旨の特別の規定を置くことが必要になる（旧行審5条1項2号）。

地方分権推進委員会第1次勧告は，法定受託事務については，法令を所管する立場または法令の適正な執行を確保する責務を負う立場にある者による審査の機会を確保するという趣旨から，地方自治法または行政不服審査法に審査請求の規定を置くことを勧告し，地方分権推進計画は，法定受託事務にかかる処分について不服のある者は，地方自治法の規定に基づき，国家行政組織法5条に規定する内閣総理大臣もしくは各省大臣または都道府県知事その他の執行機関に対して，行政不服審査法における審査請求をすることができると定めている（他方，自治事務にかかる処分について不服のある者は，個別法に特別の定めがある場合を除き，国の行政機関に対する審査請求をすることはできない）。

これを受けて，平成26年法律第69号による改正前の地方自治法255条の2は，「他の法律に特別の定めがある場合を除くほか，法定受託事務に係る処分又は不作為に不服のある者は，次の各号に掲げる区分に応じ，当該各号に定める者に対して，行政不服審査法による審査請求をすることができる」とし，1号「都道府県知事その他の都道府県の執行機関の処分又は不作為　当該処分又は不作為に係る事務を規定する法律又はこれに基づく政令を所管する各大臣」，2号「市町村長その他の市町村の執行機関（教育委員会及び選挙管理委員会を除く。）の処分又は不作為　都道府県知事」，3号「市町村教育委員会の処分又は不作為　都道府県教育委員会」，4号「市町村選挙管理委員会の処分又は不作為　都道府県選挙管理委員会」と規定していた。

旧行政不服審査法6条によれば，処分庁に上級行政庁がない場合において，当該処分についての審査請求をすることができるときは，法律に特別の定めがある場合を除くほか，異議申立てをすることができないとされており，法定受託事務にかかる審査請求については，異議申立てを認める特別の規定はなかったので，処分に対する行政上の不服申立てについては，審査請求のみを行うことができた。他方，不作為についての不服申立ての場合においては，旧行政不服審査法7条により，異議申立てと審査請求の選択が認められていたので，法定受託事務であっても，異議申立てを選択することが可能であった。

2014年に全部改正された行政不服審査法においては，不服申立類型が基本的に審査請求に一元化され，処分庁等（処分をした行政庁または不作為にかかる行政庁）に上級行政庁がない場合には，当該処分庁等に審査請求をすることが原則となったので（4条1号），地方公共団体の執行機関が行った処分または不作為については，原則どおりであれば，当該執行機関への審査請求になるはずであるが，法律に特別の定めがある場合には例外が認められ（同条柱書），「行政不服審査法の施行に伴う関係法律の整備等に関する法律」（平成26年法律第69号）により改正された地方自治法255条の2第1項においても，法定受託事務にかかる処分について判断の全国的な統一性の確保・事務の適正処理の確保の観点から裁定的関与を維持する意義が認められ，①都道府県知事その他の都道府県の執行機関の処分については，当該処分にかかる事務を規定する法律またはこれに基づく政令を所管する各大臣，②市町村長その他の市町村の執行機関（教育委員会および選挙管理委員会を除く）の処分については都道府県知事，③市町村教育委員会の処分については都道府県教育委員会，④市町村選挙管理委員会の処分については都道府県選挙管理委員会，に審査請求をすることとされている[21]。不作為についての審査請求がこれらの機関に対してなされた場合には，審査庁は不作為庁の上級行政庁でも不作為庁でもないので，不作為が違法または不当である場合，その旨を宣言するにとどめ，一定の処分をするように命じたり，自ら行ったりすることはできない（行審49条3項）。なお，不作為についての審査請求は，他の法律に特別の定めがある場合を除くほか，当該各号に定める者に代えて，当該不作為にかかる執行機関に対してすることもできることとされた（自治255条の2第1項柱書）。この場合には，不作為庁は，不作為が違法または不当であることを宣言するにとどめず，一定の処分をすべきものと認めるときは，当該処分をすることができる（行審49条3項2号）。

### (6)　地方分権推進計画における法定受託事務の判断基準

地方分権推進計画には，法定受託事務とする判断基準として，①国家の統治の基本に密接な関連を有する事務，②根幹的部分を国が直接執行している事務で一定のもの（国が設置した公物の管理および国立公園の管理ならびに国定公園内における指定等に関する事務，広域にわたり重要な役割を果たす治山・治水および天然資源の適正管理に関する事務，環境保全のために国が設定した環境の基準および規制の基準を補完する事務，信用秩序に重大な影響を及ぼす金融機関等の監督等に関する事務，医薬品等の製造の規制に関する事務，麻薬等の取締りに関する事務），③全国単一の制度

---

21）　都道府県の執行機関が行う法定受託事務について国の機関への審査請求が認められることが，機関委任事務制度を全廃することに各省庁が同意した大きな理由の一つであったことにつき，藤田・行政組織法261頁参照。

または全国一律の基準により行う給付金の支給等に関する事務で一定のもの（生存にかかわるナショナル・ミニマムを確保するため，全国一律に公平・平等に行う給付金の支給等に関する事務，全国単一の制度として，国が拠出を求め運営する保険および給付金の支給等に関する事務，国が行う国家補償給付等に関する事務），④広域にわたり国民に健康被害が生じることを防止するために行う伝染病のまん延防止や医薬品等の流通の取締りに関する事務，⑤精神障害者等に対する本人の同意によらない入院措置に関する事務，⑥国が行う災害救助に関する事務，⑦国が直接執行する事務の前提となる手続の一部のみを地方公共団体が処理することとされている事務で，当該事務のみでは行政目的を達しえないもの，⑧国際協定等との関連に加え，制度全体にわたる見直しが近く予定されている事務，が挙げられており，新設される地方公共団体の事務を区分する際の判断基準としても参考にされることになろう。

もっとも，この判断基準が一人歩きして，法定受託事務を拡大する方向で利用されることには問題がある[22)]。衆議院の修正で設けられた地方分権一括法附則においては，法定受託事務について，できる限り新たに設けることのないようにすること，地方分権を推進する観点から検討を加え，適宜，適切な見直しを行うこととされている[23)]。

### (7)　法定受託事務の一覧性確保

**地方分権推進委員会の要望**　地方分権推進委員会は，1998年5月29日，「地方分権推進計画の決定に当たって」というメッセージを発表しているが，その中で，「法定受託事務について，その全体の姿及び毎年度の推移が明らかとなるよう適切な措置を講じていただきたい」と要望していた。この要望を受けて，地方自治法2条10項は，「この法律又はこれに基づく政令に規定するもののほか，法律に定める法定受託事務は第1号法定受託事務にあつては別表第1の上欄に掲げる法律についてそれぞれ同表の下欄に，第2号法定受託事務にあつては別表第2の上欄に掲げる法律についてそれぞれ同表の下欄に掲げるとおりであり，政令に定める法定受託事務はこの法律に基づく政令に示すとおりである」と規定している。

---

22)　磯部力「国と自治体の新たな役割分担の原則」西尾編著・分権と自治94頁。

23)　すでに見直しを行う時期に至っているとするとするものとして，出石稔「自治体の事務処理と国の関与」髙木＝宇賀編・争点211頁参照。

このように，別表第1および別表第2は，それぞれ第1号法定受託事務および第2号法定受託事務を掲げるものに改められ，政令で定める法定受託事務は地方自治法施行令において列挙され，法定受託事務の一覧性を確保するための措置が講じられている。

### ⑻　自治事務と法定受託事務の区別の困難性

法定受託事務の一覧性を確保する措置が講じられているにもかかわらず，実際には，ある事務が自治事務か法定受託事務かが明確ではなく，この点が争われることがある。宗教法人法25条4項は，宗教法人に対し当該宗教法人の事務所に備えられた所定の書類の写しを所轄庁に提出することを義務づけており，この書類の提出を受ける事務は（第1号）法定受託事務として明記されているが（宗法87条の2，自治別表第1），提出された書類の管理に関して定めたと解される宗教法人法25条5項（「所轄庁は，前項の規定により提出された書類を取り扱う場合においては，宗教法人の宗教上の特性及び慣習を尊重し，信教の自由を妨げることがないように特に留意しなければならない」）については法定受託事務として規定されていないため，提出された書類の都道府県知事による管理が法定受託事務か否かが訴訟で争われた事案がある。鳥取地判平成18・2・7判時1983号73頁は，提出された書類の都道府県知事による管理は自治事務であるが法定受託事務である書類の提出を受ける事務と密接に関連した事務と解したのに対し，控訴審の広島高松江支判平成18・10・11高民59巻4号1頁［百選18］は，宗教法人法25条4項は，その文言解釈からも，書類の提出を受ける事務にとどまらず，提出された書類の管理についても規定したものと解釈する余地があるところ，同項の事務が法定受託事務であると規定されていることとの整合性，宗教法人法が宗教法人およびその関係者の信教の自由が害されないように配慮しており，提出された書類の管理についても，かかる配慮から全国一律の基準に基づいて処理するのが合理的かつ妥当であると考えられることからすれば，提出された書類を管理する事務は法定受託事務であると解するのが相当であると判示している（最決平成19・2・22判例集不登載は上告棄却，上告不受理）。

**Column　全額補助の自治事務**

「定額給付金」や「子育て応援特別手当」のように，法律に根拠規範を有せず予算措置のみで国が全額補助する自治事務があり，補助金等にかかる予算の執行の適正化に関する法律の規制規範を背景に強力な統制が可能であることから，補助金交付を通じて実質的に法定受託事務と同様の関与が行われているという指摘もなされている[24)]。

# Ⅲ　政策的事務配分論

## *1*　シャウプ3原則

行政主体が担当すべき事務を国と地方公共団体，さらに，地方公共団体の中で都道府県・市町村・特別区等にいかに配分するかの理論を政策的事務配分論という。この点に関して有名なのが，シャウプ3原則である。シャウプ3原則とは，1949年に，日本の税制および行政機構の調査のために来日したシャウプ使節団が，わが国の地方自治を発展させるため，地方公共団体の事務に関して行った勧告に含まれる以下のような3原則である。ただし，シャウプ使節団は，これらの原則を実際に適用するについては困難が伴い，多くの場合，事務を截然と区別することは賢明でなく可能でもないことを認めていたことにも留意する必要があろう。

### ⑴　行政責任明確化の原則

#### ⒜　一元的配分方式

行政責任明確化の原則とは，国，都道府県，市町村の事務は明確に区別し，1つの団体のレベル（国，都道府県，市町村）には特定の事務が排他的に割り当てられるべきであるとする原則である。すなわち，シャウプ使節団は，1つの種類の事務は，国，都道府県または市町村のいずれかに専属的に割り当てられるべきであるという「一元的配分方式」を望ましいと考えていたと思われる。そして，当

---

24)　碓井光明「法定受託事務に係る若干の問題――事務の実質ないし運用実態の法的検討」明治大学法科大学院論集12号（2013年）109頁以下参照。

該事務を配分された団体は，当該事務を遂行し，かつ，一般財源で賄うことについて全責任を負うべきであるとした。「一元的配分方式」は，特定の事務の企画から実施までを同一の主体が担う垂直的な統合[25]により，地方公共団体の自主性を確保することを重視したものといえる。

**(b)　多層的配分方式**

一元的配分方式に対する概念が，「多層的配分方式」である。これは，1つの種類の事務が，国，都道府県，市町村の複数の団体のレベルに割り当てられる方式である。例えば，Aという事務が国によっても都道府県によっても行われ，Bという事務が都道府県によっても市町村によっても行われるというような配分方式である。

わが国では，多層的配分方式がとられることが少なくなかった。その理由としては，全国規模で行う必要のある国の事務を出先機関で処理することにより国の行政機構が肥大化することを阻止するために地方公共団体の事務とする必要があったこと，事務の遂行に際して，国，都道府県，市町村の協力関係が必要であるという機能分担論[26]が，新中央集権化が進行しつつあった1950年代後半から影響力を持ったこと，国が立案した政策を地方公共団体で総合的に実施することに合理性が認められること等が挙げられる[27]。

1963年12月27日の第9次地方制度調査会答申（「行政事務再配分に関する答申」）は，「国は中央政府として，地方公共団体は地方政府として，国民福祉の増進という共通の目的に向ってそれぞれの機能を分担し，相協力して行政の処理にあたらなければならないものである。すなわち，現代国家における両者の基本的関係は，それぞれ機能と責任を分かちつつ，1つの目的に向って協力する協同関係でなければならない」と述べ，機能分担論を採用することを鮮明にしている。

25）　小泉祐一郎「国・地方の事務配分論を再考する」都市問題111巻9号72頁は，かかる垂直的な統合を「一貫型の総合」と称し，これに対し，特定の事務と関連または類似する事務とを同一の主体が担う水平的な統合を「一括型の総合」と称している。

26）　鴨野幸雄「機能分担論と事務再配分論」都市問題75巻12号（1984年）44頁以下，晴山一穂「中央・地方関係と機能分担論」都市問題79巻1号（1988年）45頁，山下淳「事務配分・機能分担」法教165号（1994年）43頁。

27）　塩野・法治主義392頁。

ただし，この答申は，事務配分の基準自体に関しては，シャウプ勧告の考え方を踏襲していた。したがって，国が強力な統制を維持したまま地方公共団体に事務を委譲する機関委任事務制度には批判的な立場を示した。

#### (2)　能率の原則

それぞれの事務は，それを能率的に遂行するために，能力・財源等の面で準備の整っている団体に割り当てるべきとする原則である。すなわち，ある問題について，市町村が最も住民に身近な団体として，当該事務を効率的に遂行することができ，そのための財源も有しているのであれば，当該事務は市町村に割り当てるべきことになる。

#### (3)　地方公共団体優先および市町村優先の原則

地方自治のため，市町村が適切に遂行できる事務は，国または都道府県には割り当てず，市町村に優先的に割り当てるべきとする原則である。市町村の次に優先されるのは都道府県であり，国は地方公共団体では有効に処理できない事務のみを引き受けるべきことになる。市町村優先の原則を貫徹するためには，市町村の行財政能力を向上させる必要がある。シャウプ使節団が市町村合併を勧告したのも，このような考えによっていた。

ヨーロッパ地方自治憲章，世界地方自治宣言にも，公的責務は，一般に市民に最も身近な自治体によって優先的に行われるべきであるとする補完性原理が規定されているが[28]，これを団体自治，住民自治と並ぶ「地方自治の本旨」の第3の要素として位置づける見解もある[29]。

28)　大石眞「二元代表制下の統治機構をめぐる諸問題」初宿正典先生古稀祝賀『比較憲法学の現状と展望』（成文堂，2018年）277頁，廣田全男「ヨーロッパ地方自治憲章から世界地方自治憲章草案へ」杉原泰雄先生古稀記念『21世紀の立憲主義』（勁草書房，2000年）619頁以下，同訳「ヨーロッパ地方自治憲章」都市問題81巻8号（1990年）109頁以下，廣田全男＝糠塚康江「『ヨーロッパ地方自治憲章』『世界地方自治宣言』の意義」法時66巻12号（1994年）42頁以下。

29)　廣田全男「事務配分論の再検討」公法62号（2000年）188頁。補完性原理の正当化根拠については，大津浩「憲法規範としての補完性原理の可能性」公法81号（2019年）214頁以下，渋谷秀樹＝高橋滋「地方自治」宇賀ほか編・対話242頁（渋谷秀樹発言）参照。

## 2　神 戸 勧 告

シャウプ勧告に基づく行政事務の再配分を検討するために，政府は，「地方行政調査委員会議」を設置した。この会議は，委員長の神戸正雄氏（京都帝国大学法科大学長，同大学経済学部長，関西大学学長，京都市長，全国市長会会長等を歴任）の名をとって，神戸委員会と呼ばれた。この委員会の勧告（神戸勧告）が 1950 年（第 1 次）と 1951 年（第 2 次）に出されているが，政策的事務配分については，基本的にシャウプ勧告に沿ったものであり，これをより具体化したものといえる。神戸勧告においては，シャウプ 3 原則の上位の理念として機能分担論が位置づけられているが，機関委任事務は例外的にのみ認められるべきという立場をとった。しかし，中央省庁の強い抵抗にあい，また，GHQ の占領政策が転換したこと等もあいまって，この勧告に基づく事務配分は，実現することはなかった。

## 3　基礎的自治体への権限移譲

2008 年 5 月 28 日の地方分権改革推進委員会の第 1 次勧告（「生活者の視点に立つ『地方政府』の確立」）は，基礎的自治体への権限移譲を行うべき事務を具体的に示していたが，2010 年 6 月 22 日に閣議決定された地域主権戦略大綱においても，住民に最も身近な行政主体である基礎的自治体に事務事業を優先的に配分し，基礎的自治体が行政の自主的かつ総合的な実施の役割を担えるようにすることが必要不可欠であるとし，都道府県と市町村の間の事務配分を「補完性の原則」に基づいて見直しを行い，可能な限り多くの行政事務を住民に最も身近な基礎的自治体が広く担うこととするとしている。そして，「第 1 次勧告に掲げられた事務について，内閣を挙げて検討を行い，権限移譲等を行う事務について結論を得た（68 項目，251 条項)。今後，別紙 2 に掲げる事務に関し必要な法制上その他の措置を講じることとし，法律の改正により措置すべき事務については，所要の一括法案等を平成 23 年の通常国会に提出する」とされている。そして，2011 年 8 月 26 日に，いわゆる第 2 次一括法が制定され，都道府県の権限の基礎自治体への権限移譲のために 47 法律が一括して改正された。また，2013 年 6 月 7 日に制定された第3次一括法においても，都道府県から市町村への権限移譲が行われている。

第29次地方制度調査会答申においては，「将来にわたってこのような小規模市町村の事務処理体制を整備していくためには，市町村合併による行財政基盤の強化，また，周辺市町村との様々な形態の活用による広域連携の方法に加え，なお，これらによっては必要な行政サービスを安定的に提供することが困難と考えられる小規模市町村があればその選択により，法令上義務づけられた事務の一部を都道府県が代わって処理することも考えられる。しかしながら，こうした方策については，様々な論点や是非についての考え方があり，また，地域の実情も多様であること等から，関係者と十分な意見調整を図りつつ，多角的に検討がなされる必要がある」と述べ，市町村事務の都道府県による代行の仕組みについても言及している。第30次地方制度調査会答申においては，前述したように（→4章Ⅷ *5*），基礎自治体間の広域連携により課題を解決することが困難な地方圏において，都道府県による補完の必要性がより明確に提言されているが，同時に，事務の代替執行という新たな広域連携の仕組みを導入することにより，市町村に事務処理権限を残したまま，都道府県が市町村の事務を代替執行することを可能とし，事務配分における市町村優先の原則に配慮しつつ，市町村間による広域連携が困難な地方圏における基礎的行政サービス提供のサステイナビリティの確保を意図していた。

2013年12月20日の閣議決定「事務・権限の移譲等に関する見直し方針について」においては，地方分権改革推進委員会の勧告のうち，残された課題である国から地方公共団体への事務・権限の移譲等を推進すること，第30次地方制度調査会答申で示された都道府県から指定都市への事務・権限の移譲等を推進することとされ，これを受けて，2014年5月28日に可決・成立した「地域の自主体及び自立性を高めるための改革の推進を図るための関係法律の整備に関する法律」（第4次一括法）により，国から地方公共団体への事務・権限の移譲と，第30次地方制度調査会方針で示された都道府県から指定都市への事務・権限移譲が進むこととなった。国から地方公共団体へ権限移譲をするために43法律、都道府県から政令指定都市へ権限移譲をするために25法律が改正された。

**_Column_ 「手挙げ方式」**

第4次一括法で特に注目されるのは，自家用有償旅客運送の登録，監査等の国（地方運輸局）の事務・権限を，希望する市町村に移譲することを基本としつつ，希望しない市町村の区域については，希望する都道府県にも移譲することとしている点である。「手挙げ方式」と呼ばれるこの方式が，市町村優先の原則に配慮しつつも，希望しない市町村にまで一律に移譲することを避け，都道府県への移譲の可能性を認めている点は，今後，国から地方公共団体への事務・権限の移譲のあり方を考えるに当たり参考になると思われる。

2015年6月19日に成立した「地域の自主性及び自立性を高めるための改革の推進を図るための関係法律の整備に関する法律」（第5次一括法）では，国から地方公共団体へ権限移譲をするために7法律，都道府県から政令指定都市等へ権限移譲をするために5法律が改正された。2016年5月13日に成立した「地域の自主性及び自立性を高めるための改革の推進を図るための関係法律の整備に関する法律」（第6次一括法）では，国から地方公共団体へ権限移譲をするために2法律，都道府県から政令指定都市等へ権限移譲をするために2法律が改正された。また，第6次一括法では，新たに地方公共団体等に権限を付与する法改正も行われたほか，地方版ハローワークを創設し，地方公共団体が国のハローワークを活用する枠組みが創設されたことが注目される[30)]。2019年5月31日に可決・成立した「地域の自主性及び自立性を高めるための改革の推進を図るための関係法律の整備に関する法律」（第9次一括法）では，都道府県から中核市に権限を移譲するために1法律，2020年6月3日に可決・成立した「地域の自主性及び自立性を高めるための改革の推進を図るための関係法律の整備に関する法律」（第10次一括法）および2022年5月13日に可決・成立した「地域の自主性及び自立性を高めるための改革の推進を図るための関係法律の整備に関する法律」（第12次一括法）では，都道府県から指定都市に権限を移譲するために1法律が改正された。

30)　関口龍海「第6次地方分権一括法について――新たな雇用対策の仕組みの創設など地方公共団体への事務・権限の移譲，義務付け・枠付けの見直し等」時法2011号（2016年）4頁以下。

# Ⅳ　地方分権改革

## 1　国と地方の関係の見直し

国政において行政改革が重要課題となると，国の役割を限定すべきという意見が広範な支持を得るようになり，1989年の第2次行革審答申（「国と地方の関係等に関する答申」），1993年の第3次行革審最終答申，同年の衆参両院による「地方分権の推進に関する決議」，1994年の第24次地方制度調査会答申（「地方分権の推進に関する答申」），同年の「地方分権の推進に関する大綱方針」の閣議決定等で，地方分権型行政システムへの転換が提言されるに至った。また，地方6団体からも，「地方分権の推進に関する意見書」（1994年）において，国の所掌事務を具体的に限定する提言がなされた。そしてついに，1995年には地方分権推進法が成立し（2001年に失効），同法に基づき設置された地方分権推進委員会の勧告を受けて第1次地方分権改革が行われた。2006年には，地方分権改革推進法が成立し（2010年失効），同法に基づき設置された地方分権改革推進委員会の勧告を受けて，第2次地方分権改革が行われている。地方分権改革推進委員会の勧告のかなりの部分は，「国と地方の協議の場に関する法律」，「地域の自主性及び自立性を高めるための改革の推進を図るための関係法律の整備に関する法律」（第1次一括法は2011年4月28日制定，第2次一括法は同年8月26日制定）等により実現された。民主党を中心とした連立政権の下では，地域主権戦略会議が地域主権改革の企画立案組織としての役割を担い，2010年6月22日に閣議決定された地域主権戦略大綱に基づく地域主権改革が進められた。政権交代により，再び自公政権が誕生し，2013年3月8日，地方分権改革推進本部が設置され，同本部決定を基礎にした第3次一括法が同年6月7日，第4次一括法が2014年5月28日，第5次一括法が2015年6月19日，第6次一括法が2016年5月13日，第7次一括法が2017年4月19日，第8次一括法が2018年6月19日，第9次一括法が2019年5月31日，第10次一括法が2020年6月3日，第11次一括法が2021年5月19日，第12次一括法が2022年5月13日に制定された。

## *2* 国と地方公共団体との役割分担の原則

第1次地方分権改革の成果である地方分権推進計画においては，「国と地方公共団体との役割分担の原則」について，地方分権推進法4条を踏まえて，地方公共団体は，地域における行政を自主的かつ総合的に広く担うこと，国は，①国際社会における国家としての存立にかかわる事務，②全国的に統一して定めることが望ましい国民の諸活動または地方自治に関する基本的な準則に関する事務，③全国的規模・視点で行われなければならない施策および事業（ナショナル・ミニマムの維持・達成，全国的規模・視点からの根幹的社会資本整備等にかかる基本的な事項に限る）などを重点的に担うこととされている。①は外交・防衛等であり，②は労働基準法の労働条件の最低基準等である。

これに基づいて，地方自治法が改正され，同法1条の2第1項において，「地方公共団体は，住民の福祉の増進を図ることを基本として，地域における行政を自主的かつ総合的に実施する役割を広く担うものとする」ことを明記し，地方公共団体の自己決定権とその反面としての自己責任の拡充を宣言している。

同条2項は，「国においては国際社会における国家としての存立にかかわる事務，全国的に統一して定めることが望ましい国民の諸活動若しくは地方自治に関する基本的な準則に関する事務又は全国的な規模で若しくは全国的な視点に立つて行わなければならない施策及び事業の実施その他の国が本来果たすべき役割を重点的に担い，住民に身近な行政はできる限り地方公共団体にゆだねることを基本として，地方公共団体との間で適切に役割を分担するとともに，地方公共団体に関する制度の策定及び施策の実施に当たつて，地方公共団体の自主性及び自立性が十分に発揮されるようにしなければならない」と規定している。

この規定は，国にのみ帰属する事務，地方公共団体のみに帰属する事務を截然と区別し固定することまで意図したものではない。地方分権推進委員会の基本戦略は，国の関与を制限する「分権融合論」であり[31)]，明確な一元的配分方式を実現することを主眼としていたわけではないのである。したがって，この規定

31） 西尾・分権改革107頁。

は，国による配慮原則として位置づけられている。しかし，国の役割を事項的に明確に限定するものではないものの，国の役割を限定する指針としての性格を有するものであり，国は，新たに国の事務を創設しようとする場合には，なぜそれが国の事務であるべきかについて説明責務を負うといえよう。また，「国と地方公共団体との役割分担の原則」を「地方自治の本旨」の内容として組み込み，憲法上の位置づけを与えることも提唱されている[32]。

なお，地方公共団体が処理することができない国の専属的事務を例示した地方自治法旧2条10項も削除されたので，これらの事務についても，引き続き国の事務とすることが適当か否かについて，「国と地方公共団体との役割分担の原則」に照らして，改めて検討してみるべきであろう[33]。

***Column*　犯罪捜査の事務の帰属**

ある事務が国の事務か地方公共団体の事務かが必ずしも明確でなく，争われることがある。都道府県警察の警察官の犯罪捜査が都道府県の事務か否かについて，学説，下級審裁判例とも必ずしも一致していなかったが，最判昭和54・7・10民集33巻5号481頁は，都道府県警察の警察官が犯罪捜査を行うことは，検察官が自ら行う犯罪捜査の補助にかかるものであるときのような例外的な場合を除いて，当該都道府県の公権力の行使であると判示した。なお，1999年の地方分権一括法附則159条により，検察官の捜査を補助する都道府県警察の事務も地方公共団体の事務とされた。

## *3*　地方公共団体の事務に関する国の役割等

地方分権推進計画における「地方公共団体の事務に関する国の役割等」についての記述を基礎にして，地方自治法2条11項は国が地方公共団体に関する立法を行う際の配慮事項について，同条12項は地方公共団体に関する法令の規定の解釈・運用原則について，同条13項は自治事務の処理に関する国の配慮事項について規定している。

すなわち，同条11項は，「地方公共団体に関する法令の規定は，地方自治の本

32）　小早川・前掲注8）170頁。
33）　鈴木庸夫「地方公共団体の役割及び事務」小早川＝小幡編・自治・分権63頁以下。

旨に基づき，かつ，国と地方公共団体との適切な役割分担を踏まえたものでなければならない」とし，同条12項は，「地方公共団体に関する法令の規定は，地方自治の本旨に基づいて，かつ，国と地方公共団体との適切な役割分担を踏まえて，これを解釈し，及び運用するようにしなければならない。この場合において，特別地方公共団体に関する法令の規定は，この法律に定める特別地方公共団体の特性にも照応するように，これを解釈し，及び運用しなければならない」と規定している。

「地方自治の本旨」に基づく解釈・運用と，特別地方公共団体の特性に照応する解釈・運用については，地方分権一括法による改正前の地方自治法旧2条12項にも規定されていたので，「国と地方公共団体との適切な役割分担を踏まえて」の部分が追加されたことになる。ここでいう「適切な役割分担」は，地方自治法1条の2を前提としたものといえよう。ここでいう「法令」は法律に限らず，政令・府省令等の命令も含むから，国会のみならず，行政機関も，命令制定に際して，「地方自治の本旨」，国と地方公共団体との適切な役割分担に配慮しなければならない。解釈しなければならない主体は明示されていないが，行政機関のみならず，司法機関も含むと解すべきであろう。

地方自治法2条13項は，「法律又はこれに基づく政令により地方公共団体が処理することとされる事務が自治事務である場合においては，国は，地方公共団体が地域の特性に応じて当該事務を処理することができるよう特に配慮しなければならない」と定めている。これは，自治事務についての国の立法上の原則を示したものである。

この点について，地方分権推進委員会第1次勧告においては，国が自治事務について基準等を定める場合，全国一律の基準が不可欠で条例の制定の余地がない場合を除き，地方公共団体がそれぞれの地域の特性に対応できるよう，法律またはこれに基づく政令により直接条例に委任し，または条例で基準等の付加・緩和，複数の基準からの選択等ができるように配慮しなければならないとし，自治事務については条例で定めることを原則とすることとしていた。それと比較して，地方自治法2条13項は抽象的な表現にとどまっているが，地方分権推進委員会第1次勧告の趣旨を踏まえて，自治事務に関する立法を行うに際して，可能な限り，条例による弾力化を可能にするように配慮すべきである[34]。

第2次地方分権改革の成果として，2009年12月15日に閣議決定された地方分権改革推進計画においては，地方分権改革推進委員会の第3次勧告を尊重し，地方公共団体から要望のあった事項を中心に，「1　施設・公物設置管理の基準の見直し」「2　協議，同意，許可・認可・承認の見直し」「3　計画等の策定およびその手続の見直し」「4　その他の義務付け・枠付けの見直し」に掲げる事項について必要な法制上その他の措置を講ずるものとされている。「1　施設・公物設置管理の基準の見直し」において，施設・公物設置管理の基準を条例に委任する場合における条例制定に関する国の基準の類型は，第3次勧告に沿って，①従うべき基準，②標準，③参酌すべき基準の3つとすることとされている。そして，義務付け・枠付けの見直しを行い，条例制定権の拡大を企図した「地域の自主性及び自立性を高めるための改革の推進を図るための関係法律の整備に関する法律」においても，義務付け・枠付けの見直し後の条例制定については，上記の3類型によることが前提とされている（→6章V ***4***⑾）。

第5次一括法以後の特色として，地方公共団体等からの提案募集方式による事務・権限の移譲が行われていることが挙げられる[35)36)]。

34）　開発許可を素材として自治事務に対する法令の制約について分析したものとして，櫻井敬子「自治事務に対する法令の制約について」自治研究77巻5号（2001年）62頁以下参照。

35）　一連の地方分権改革を総括し，新たな改革方策を提示するものとして，小泉祐一郎『国と自治体の分担・相互関係――分権改革の検証と今後の方策』（敬文堂，2016年），同「国・地方の事務配分論を再考する」都市問題111巻9号69頁以下参照。

36）　国の関与の縮減が国の地方公共団体に対する財政面での責任の縮減に直結するわけではないことについては，井川博「自治体施策に対する国の責任と財源保障㊤㊦――ナショナル・ミニマム，『通常の生活水準』の確保と地方交付税」自治研究82巻10号15頁以下，11号49頁（2006年），同「ナショナル・ミニマム，国の関与（統制）と自治体の財源保障――『住民が必要とする事務』の保障」地方自治697号（2005年）15頁参照。

# 第6章 地方公共団体の権能

**Point**

1) 自主組織権とは，地方公共団体がその組織について自ら決定する権能のことである。
2) 日本国憲法 93 条 2 項は，議決機関である議会とは独立に執行機関の長が直接に住民の選挙で選ばれ，それぞれが住民に対して直接に責任を負う首長制を採用したものと一般に解されている。
3) 比較法的にみると，首長制を一律に採用していることが，わが国の普通地方公共団体の組織法制の特色といえる。
4) 必置規制とは，国が，地方公共団体に対し，地方公共団体の行政機関もしくは施設，特別の資格もしくは職名を有する職員または附属機関を設置しなければならないものとすることをいう。
5) 自主行政権とは，地方公共団体が自ら行う行政事務の範囲を定め，その事務を遂行する権能をいう。
6) 通説は，日本国憲法は，国に司法権を専属させており，地方公共団体には司法権は与えられていないと解しているが，反対説もある。
7) 自主財政権という言葉は，地方公共団体が必要とする財源が国や他の地方公共団体に依存することなく自主財源により賄われることのみならず，地方公共団体の課税や起債等について国や他の地方公共団体による規制を受けずに自律的に決定しうることをも含む。
8) 今日の通説は，憲法は，地方税について，租税条例主義を採用していると解しているが，通説も，国が法律によって地方公共団体の課税権の枠組みを定めることは肯定している。
9) 地方税には，一般経費に充てることを目的とする普通税と特定経費に充てることを目的とする目的税がある。また，都道府県税と市町村税の区別がある。
10) 国が交付するが国庫補助負担金と異なり使途が限定されていない一般財源が地方交付税であり，地方公共団体間の財政力の不均衡を解消するための財政調整の仕組みである。
11) 国庫補助負担金には，大別して，国庫負担金と国庫補助金がある。前者は，国と地方公共団体の双方が利害関係を有する事務について，国が共同責任者として経費を分担するものである。後者は，国がその施策を行うため特別の必要があると認めるとき（奨励的補助金），または地方公共団体の財政上特別の必要があると認めるとき（財政援助補助金）に国が地方公共団体に交付するものである。

12）財政健全化のための透明なルールに基づく早期是正措置を講じ，それが功を奏さなかった場合に再生手続に入るという 2 段階の手続を定めた「地方公共団体の財政の健全化に関する法律」が 2007 年に制定された。

13）日本国憲法 94 条は，地方公共団体が，法律の範囲内で条例を制定することを認めているが，これは，法律の委任に基づく委任条例にとどまらず，法律に反しない限り，法律の委任なしに自主条例（固有条例）を制定することが可能であることを意味している。

14）徳島市公安条例事件大法廷判決は，条例が国の法令に違反するかどうかは，両者の対象事項と規定文言を対比するのみでなく，それぞれの趣旨，目的，内容および効果を比較し，両者の間に矛盾抵触があるかどうかによってこれを決しなければならないとし，特定事項について規律する国の法令と条例が併存する場合でも，条例が法令とは別の目的に基づく規律を意味するものであり，その適用によって法令の規定の意図する目的と効果を何ら阻害することがないときは，当該条例は違法とはいえないとする。また，国の法令と条例が同一の目的に出たものであっても，国の法令が必ずしもその規定によって全国的に一律に同一内容の規制を施す趣旨ではなく，それぞれの地方公共団体において，その地方の実情に応じて別段の規制を施すことを容認する趣旨であると解されるときは，国の法令と条例との間に何らの矛盾抵触はなく，条例が国の法令に違反する問題は生じえないと判示している。

15）普通地方公共団体の長は，法令に違反しない限りにおいて，その権限に属する事務に関し，規則を制定することができる。また，普通地方公共団体の委員会は，法律の定めるところにより，法令または普通地方公共団体の条例もしくは規則に違反しない限りにおいて，その権限に属する事務に関し，規則その他の規程を定めることができる。

16）地方公共団体が国の立法・行政に関して，自己の意見を表明する等の方法により，国政に参加する権能を国政参加権という。

# I 自主組織権

## *1* 日本国憲法の規定

自主組織権とは，地方公共団体がその組織について自ら決定する権能のことである。自治組織権ともいう（最判平成23・12・15民集65巻9号3393頁［百選81］の横田尤孝裁判官補足意見においては，「自治組織権」という言葉が使われている）。地方公共団体がその組織について定めることは，大日本帝国憲法の下では固有事務の一種と解されていた。

日本国憲法92条は，「地方公共団体の組織及び運営に関する事項は，地方自治の本旨に基いて，法律でこれを定める」と規定し，93条は，「地方公共団体には，法律の定めるところにより，その議事機関として議会を設置する」（1項），「地方公共団体の長，その議会の議員及び法律の定めるその他の吏員は，その地方公共団体の住民が，直接これを選挙する」（2項）と定めている。この規定は，議決機関である議会とは独立に執行機関の長が直接に住民の選挙で選ばれ，それぞれが住民に対して直接に責任を負う首長制[1)]ないし二元代表制を採用したものと一般に解されており，地方自治法においても，そのことを前提として，普通地方公共団体に議会と長を置く規定を設けている（自治89条・139条）。

もっとも，この点について全く異論がないわけではない。地方公共団体の長と議会を別の機関としてではなく合体して設置することを日本国憲法は禁じていないという説も存在する[2)]。首長制は，議院内閣制との対比で大統領制といわれることもあるが，後述するように（→7章I *2*(3)(d)，*3*(3)(d)(イ)），地方自治法は議院内閣制的要素も付加しており，アメリカの大統領制とは相当異なるものになっている。

---

1) 宇賀克也「首長制」法教165号（1994年）29頁以下参照。

2) 自治総合センター『シティ・マネジャー――日本に導入する場合の問題点』（自治総合センター，1984年）62頁（西尾勝発言）参照。また，今村都南雄『行政の理法』（三嶺書房，1988年）196頁も参照。

2010年6月22日閣議決定の地域主権戦略大綱は，地方公共団体の基本構造について，「現行制度は長と議会の間に均衡と抑制の取れた関係を保つ仕組みとして機能し，定着してきたが，地域主権改革の理念に照らし，法律で定める基本的な枠組みの中で選択肢を用意し，地域住民が自らの判断と責任によって地方公共団体の基本構造を選択する仕組みについて検討を進める」「地方公共団体の基本構造について，憲法がどのような組織形態を許容しているかについては様々な解釈があり得るが，伝統的な解釈に沿った二元代表制を前提としつつ，地方自治法が一律に定める現行制度とは異なるどのような組織形態があり得るかを検討していく」と述べている。二元代表制の枠の中で，自主組織権を拡充する方針が示されていることが注目される。

## *2* 比較法的特色

日本国憲法92条を受けて，地方自治法は，地方公共団体について，かなり詳細な組織規範を設けている。例えば，執行機関については，委員会または委員を置く場合には，法律の根拠が必要とされている（138条の4第1項）。このように法律で地方公共団体の組織を細部にわたって規律することは，自主組織権の観点からは問題ではないかという指摘は，かねてよりなされている。また，日本国憲法93条の一般的解釈を前提とすれば，憲法上の地方公共団体については，一律に首長制の採用が義務づけられていることになるが，このような画一的規制に対しては，やはり，自主組織権の観点から疑問が提起されている。もっとも，現行憲法の解釈論として，長の権限を大幅に副市町村長に委任する等，自治体組織の多様化のための工夫の余地が残されていることも看過すべきではない[3]。

**ドイツにおける自主組織権**　ドイツの場合，連邦の憲法には自治体の組織についての定めはなく，各ラント（州）の立法にゆだねられているため，かつては，ラントによって，市町村の組織は一律ではなく，議会が市町村長（議長と兼任）を選任し，議会が選任する行政の専門家である支配人が行政を執行する北ドイツ評議会型（ニーダーザクセン州），住民が議員と市町村長（議長と兼任）を選挙で選び，市町村

3） 塩野・行政法Ⅲ 188頁，日本都市センター『自治体組織の多様化――長・議会・補助機関の現状と課題』（日本都市センター，2004年）58頁（渋谷秀樹執筆）。

長が行政を執行する南ドイツ評議会型（ノルトライン・ヴェストファーレン州，バーデン・ヴュルテンベルク州，バイエルン州，ラインラント・プファルツ州），議会または公選による参事会（市町村長と参事からなる）が行政を執行する参事会型（シュレスヴィヒ・ホルシュタイン州，ヘッセン州），議会が選任した市町村長（議長と兼任）が議会が選任した副長の補佐のもと行政を執行する首長型（ザールラント州）の類型があった4)。しかし，1990年代の自治体組織改革の結果，基本的に南ドイツ評議会型に統一されることになった。もっとも，議長と市町村長の兼任制をとる州（7州）と並立制をとる州（5州）に分かれており，参事会制をとる州（ヘッセン州）も残っているなど，多様性が完全に失われたわけではない5)。

**アメリカにおける自主組織権**　アメリカの場合には，同一の州の中においても，市町村の組織は一律ではないのが一般である。最も多い市町村組織の類型は，行政府の実質的な長が公選ではなく議会によって選出されるシティ・マネージャー（city manager）制度であり，2019年9月現在において，約40%を占めている（国際都市／カウンティ経営協会の調査による。ただし，人口2500未満の自治体は調査対象外であり，また，組織形態が不明の自治体は分母に含まれていない。後述する首長＝議会制の統計についても同じ）。これは，議会が選任した専門家であるシティ・マネージャーが行政を執行するが，シティ・マネージャーは議会の意のままに仕え，議会は何時においてもシティ・マネージャーを解任しうるとする議会＝支配人制（council-manager plan）である。この制度の下においても首長は存在し，公選の場合もあれば，公選ではなく議員の中から選出されることもあるが，いずれにせよ，儀式をつかさどったりする象徴的な役割を果たすにすぎない。議会＝支配人制の下における議会とシティ・マネージャーの関係は，企業の取締役会とその選出した代表取締役社長の関係に似ている6)。

次いで多いのが日本と同様に議会の議員と行政府の長がともに公選による首長＝議会制（mayor-council plan）で，2019年9月現在において，約38%を占めている。この中にも，議会との関係で首長の権限が弱い弱首長制と，首長の権限が強い強首長制の区別がある。議会優位の弱首長制の場合，議会が一定の行政官の人事権を有したり，首長以外の執行機関の職員の一部が公選であったり，首長の指揮監督権が及ばない行政委員会が多数設置されたり，首長に法案拒否権がなく，任期も短い（通常2年）等の特色がある。これに対して，首長優位の強首長制の場合，首長が基

4)　塩野・地方公共団体225頁以下，木佐茂男『豊かさを生む地方自治』（日本評論社，1996年）30頁以下，東京都議会局『統一ドイツの地方自治事情』（東京都議会局調査部国際課，1995年）30頁以下参照。

5)　人見・分権改革313頁以下。ドイツの組織高権との比較を通じて，自主組織権について精緻な分析を行うものとして，駒林良則「自治組織権に関する一考察」行政法研究32号（2020年）37頁以下。

6)　宇賀・アメリカ行政法236頁。

本的に執行機関の職員の人事権を握り，行政委員会の数も少なく，首長は条例案拒否権を有し，任期は通常4年であるという特色がある[7)]。公選の議員からなる委員会が立法機関であると同時に各委員が執行部の特定部門の長になる委員会型[8)]も約12%存在する。

アメリカの場合，州憲法や州法により，自治体が，その機構，所掌事務等について，自ら憲章（チャーター）を定めることが認められている場合がある。このような制度は，1875年，ミズーリ州憲法で初めて認められ，セントルイス市で初めて実施されたものである。かかる自主的な憲章をホーム・ルール憲章と呼び，ホーム・ルール憲章に基づいて行われる自治体運営をホーム・ルールという[9)]。わが国には，このようなホーム・ルールは存在しない。

***Column*　シティ・マネージャー**

シティ・マネージャー制度は，1908年，ヴァージニア州スタントン市で，市政改革運動の所産として，条例により，市の専門的な経営者の広範な権限と責任を規定したことを嚆矢とすると一般に解されている。そして，1912年に，サウスカロライナ州のサムター市が，議会＝支配人型政府の基本原理を定めた最初の憲章（チャーター）を採択している。この制度は，アメリカで普及したのみならず，カナダ，オーストラリア，オランダ，ニュージーランド，イギリス，ドイツにおいても，類似のシステムが採用されるに至った。アメリカでは，インフラ整備が不十分であった時代には，都市工学の専門家がシティ・マネージャーになることが多かったが，インフラ整備が一応の水準に達してからは，行政学の修士号取得者がシティ・マネージャーになることが多くなっている。

**イギリスの自主組織権**　イギリスでは，住民が直接選挙で選んだ議会の内部に設置された常任委員会が執行機関となる制度を採用していたが，2002年から各地方公共団体は，①議会が首長を選任する方式，②住民が直接，首長を選挙で選任する方式のいずれかを選択することも可能になった。

**日本における検討**　わが国においては，1979年の第17次地方制度調査会答申（「新しい社会経済情勢に即応した今後の地方行財政制度のあり方についての答申」）が市町村の組織・機構の多様化について検討するように要請したことを受けて，自治省の外郭団体である自治総合センターが，アメリカのシティ・マネージャーを中心とした

7)　金子善次郎『米国連邦制度』（良書普及会，1977年）67頁以下参照。
8)　理事会型ともいう。小滝・アメリカ245頁以下。
9)　ホーム・ルール憲章制定手続やその内容については，小滝・アメリカ267頁以下，南川諦弘「ホーム・ルール・シティ」阿部ほか編・大系(1)301頁以下，栗本雅和「home rule（ホーム・ルール）」法教165号（1994年）33頁以下，金子・前掲注7)61頁以下参照。

比較法的検討を行っているほか[10)]，2003年の第27次地方制度調査会中間報告（「今後の地方自治制度のあり方についての中間報告」）は，基礎的自治体に置くことができる地域自治組織（仮称）について，行政区的タイプ（法人格を有しないもの）と特別地方公共団体タイプ（法人格を有するもの）のいずれかの選択を認めることを提言していた（ただし，最終報告では，一般制度としては行政区的タイプを採用すべきとされ，これを受けて2004年に地域自治区の制度が設けられた。→2章II *3*(3))。埼玉県志木市，大阪府大阪狭山市からは，地方自治特区構想の提案がなされた（2003年）。そして，2003年，日本都市センターにおいて，自治体組織の多様化に関する研究会が設置され，アメリカのシティ・マネージャー制度との比較も交えた検討が行われた[11)]。

***Column* 地方創生人材支援制度**

2014年，政府は，地方創生人材支援制度を開始した。これは，地方創生に積極的に取り組む市町村を支援するために，地方創生に意欲と能力のある国家公務員，大学教員や民間の人材を首長の補佐役として一定期間（常勤職は原則2年間，非常勤特別職は原則1～2年間）派遣するものである。派遣人材は，国家公務員の場合は募集され，それ以外の場合は公募される。派遣された者は，常勤一般職の場合，副市町村長その他の幹部職員となり，非常勤特別職の場合は顧問，参与等となる。この制度のもとで派遣される職員は，首長の補佐役であり，実質的に行政の最高責任者となるアメリカのシティ・マネジャーとは性質を異にする。

## *3* 必置規制

### (1) 意　味

地方分権推進法5条は，必置規制を「国が，地方公共団体に対し，地方公共団体の行政機関若しくは施設，特別の資格若しくは職名を有する職員又は附属機関を設置しなければならないものとすることをいう」と定義していた。ここでいう「行政機関」とは，地方自治法156条1項にいう「行政機関」を意味する。地方自治法156条1項は，「普通地方公共団体の長は，前条第1項に定めるものを除くほか，法律又は条例で定めるところにより，保健所，警察署その他の行政機関を設けるものとする」と定めている。「前条第1項に定めるもの」とは，支庁，

10) 自治総合センター『シティ・マネジャー――諸外国における理論と実態』（自治総合センター，1983年），同・前掲注2)。
11) 日本都市センター・前掲注3)。

地方事務所，支所，出張所であり，長の権限に属する事務を分掌する総合的出先機関である。これに対して，地方自治法156条1項の「行政機関」は，保健所・警察署等のように，特定の事務のみを分掌するものである。行政機関で必置規制の対象とされたものについては，地方自治法旧別表第5に列記されていた（自治旧156条4項）。地方分権推進法5条にいう「附属機関」とは，地方自治法138条の4第3項が定める審査会・審議会・調査会等である。必置規制の対象とされていたものは，地方自治法旧別表第7に列記されていた（旧202条の3第4項）。地方分権推進法5条にいう「施設」とは，地方公共団体が設置する相談所等の組織で地方自治法上の「行政機関」「附属機関」に該当しないものをいう。地方分権推進法5条にいう「特別の資格若しくは職名を有する職員」については，地方自治法旧別表第6に列記されていた（旧173条の2）[12]。

### (2)　緩和の提言

必置規制については，1984年の第1次行革審地方行革推進小委員会答申（「地方公共団体に対する国の関与・必置規制の整理合理化」）を受けて，1985年，「地方公共団体の事務に係る国の関与等の整理，合理化等に関する法律」で整理合理化が行われ[13]，1989年の第2次行革審答申（「国と地方の関係等に関する答申」），1994年の第24次地方制度調査会答申（「地方分権の推進に関する答申」）等においても，緩和が提言されてきた。また，地方分権推進委員会の第2次勧告も，必置規制の見直しを提言した。その骨子は，以下のとおりである。

#### (a)　自主組織権の確立

自主組織権は，日本国憲法が保障する地方自治の本旨に含まれる団体自治に由来するものであり，日本国憲法92条に規定されているとおり，自主組織権を必置規制により国が制限することは，法律またはこれに基づく政令の定める場合に限定されなければならない[14]。

---

12）　社会福祉行政における必置規制について，塩野・地方公共団体173頁以下参照。
13）　伊藤孝雄「地方公共団体に対する国の関与・必置規制等の整理合理化」時法1263号（1985年）5頁以下。
14）　この観点からの必置規制の見直しの重要性を指摘するものとして，白藤博行「必置規制」法教209号（1998年）18頁参照。

#### (b)　機関委任事務制度の廃止

従前は，国の機関委任事務を処理するために必置規制が行われることが多く，国の機関としての組織や職員であるがゆえに，必置規制が正当化される面があった。しかし，機関委任事務制度が廃止される以上，自治事務であれ法定受託事務であれ，地方公共団体の事務については，機関委任事務の処理に関する包括的指揮監督権の行使として実施されてきた通達による必置規制は，その根拠を喪失することになる。

#### (c)　行政の総合化

必置規制は，一般的に，行政の専門化・高度化に対応して，対象とする行政の専門性の確保，水準の維持を目的として設けられているが，その副作用として，縦割行政の弊害を招いている。行政の専門性の確保，水準の維持を確保する必要がある場合においても，住民のニーズに即応した柔軟性，総合性を確保するように配慮しなければならない。

#### (d)　定員管理（行政の効率化）

必置規制は，地方公共団体が効率的な行政体制を整備し，適切な職員の配置・転換等を図る上で障害となっていることから，行政改革の推進の観点からも，その廃止・緩和が求められてきた。可能な限り簡素で効率的な行政体制の整備を図る観点からも，必置規制を行う場合には他に代替手段がない等の特別の事情がある場合に限るべきである。このことは，地方公共団体がより一層，地域の実情に即して簡素で効率的な行政を自主的に展開できるようになるという意味で，行政の効率化にも大きく資するといえる。

#### (e)　規制緩和

民間と共通して講じられている必置規制については，民間と共通する規制緩和の問題として検討されるべきである。

### (3)　地方分権改革による改正の内容

#### (a)　基本的な考え方

地方分権推進委員会は，必置規制が自主組織権への国による制約であることから，従前，省令・告示・通達等を規制根拠としていた必置規制については，その見直しを行い，必置規制として存置することが必要不可欠なものに限って，法律またはこれに基づく政令に根拠を置くこととし，その他の省令・告示・通達等に基づく必置規制は廃止すること，これに伴い，従前，通達等により示されてきた職員の職名・資格・配置基準等についても，今後，国がこれを地方公共団体に示す場合においては，「技術的助言」としての趣旨に沿って，項目および内容を見直し，あくまで標準的な考え方，ガイドラインを示すにとどまる性格のものであることを明確にすべきであることを提言した（地方分権推進委員会第2次勧告第3章Ⅰ 4(1)）。

法律またはこれに基づく政令に根拠を有する必置規制については，地方分権推進委員会第2次勧告および地方分権推進計画に従って，以下のような方針に基づき，廃止・縮減を行う個別法改正が実施され，地方自治法旧別表第5（行政機関の必置規制），旧別表第6（職員の必置規制），旧別表第7（附属機関の必置規制）は削除された。そして，具体的には，以下のような改正が行われた。

### (b)　職員に関する必置規制

地方分権推進委員会は，職員の資格，職名および職員配置基準の緩和・弾力化について53件の勧告を行っている。

①法令上一般人に対する特別の強制権限が付与されている職員の必置規制　一般人の利益を擁護するために，当該権限を行使する者を明確にする必要があるが，警察官および消防職員を除き，必置規制を最小限にとどめる趣旨から，職の設置の必置規制は廃止し，当該職員がその権限を行使する際の特別の名称に関する規制として存置することとされた。任命権者は，当該名称で事務を処理する職員を任命するという形に改め，特別の名称に関する規制であることを明らかにするため，規定の仕方を「○○員を置く」と定めるのではなく，「○○員を命じる」と規定するように改められた（地方分権推進計画第3〔必置規制の見直しと国の地方出先機関の在り方〕1(1)ア(ア)）。例えば，麻薬及び向精神薬取締法54条2項は，「都道府県知事は，都道府県の職員のうちから，……麻薬取締員を命ずるものとする」と規定された。

②ある特定の職員に一定の資格を義務づけるもの　職員が職務を適切に執行するためにどのような知識，能力，経験が必要とされるかは，本来，任命権者が，職務の内容・性格・専門性等に応じ，個々に判断すべき性質のものであり，資格に関する規制として法令により一定の資格を義務づけるのは，その職務について，①民間共通の資格（医師・獣医師・司書・学芸員等）が必要とされる場合と，②地方公共団体の職員のみにかかる資格であっても，法律または条例に根拠を有する試験による資格（改良普及員等）が必要とされる場合の2つの場合に限定することとされた[15]。職員が，職務に関する一定の学歴・経験年数を有することや一定の講習を受けることは望ましいことであるが，このような基準は，本来任命権者において判断されるべき職員の基本的能力や習熟度を示すものであることから，職に就くため

の資格として全国的に一律の義務付けを行うことは，国民の生命・健康・安全にかかわる，法令で定める専門的な講習を除き適当でなく，これを存置する場合にもガイドラインで対応することとされた。例えば，麻薬取締員にかかる資格規制（2年以上麻薬取締りに従事したか，または法律もしくは薬事の履修者であること等）は廃止された。資格に関する規制を存置する場合，資格に関する規制であることを明らかにするため，「○○の資格を有する職員を置く」ではなく，「△△に関する事務に従事する職員は，○○の資格を有しなければならない」と規定することとした（地方分権推進計画第3〔同前〕1(1)ア(イ))。

③行政機関の職員に一定の資格を義務づけるもの　行政機関の長が当該行政機関の処理する事務について一定の専門的知識を有することは望ましいが，一定の資格を有することを法令で義務づけると，組織が専門分化し，他の行政分野と統合した総合的な行政組織を設け行政の総合化を図ることが妨げられるおそれがある。そのため，行政機関の長の資格規制については，義務付けを廃止して望ましい基準とするか，または，一定の条件下で例外を認めること等により規制を緩和することとされた（地方分権推進計画第3〔同前〕1(1)ア(ウ))。例えば，図書館法では，国庫補助を受ける公立図書館の館長に司書資格を義務づけていたが，この規制は廃止された。

④職員の専任規制　専任とすることが必要な職務であるか否かは，本来，職員の適正配置等の観点から任命権者が判断すべきものである。職員が当該職務に専念しなければならず，他の職務に従事できないという専任規制は，職員の効率的な配置や行政の総合的運営を阻害するため，職員の本務に支障がない限り，他の業務に従事できるように規制が緩和された（地方分権推進計画第3〔同前〕1(1)ア(エ))。例えば，社会福祉法に基づく福祉に関する事務所の指導監督所員についての専任規制が撤廃されている。

⑤職員の配置基準規制　法令で定められた事務を処理するために配置する職員数は，任命権者が事務の実態に即して適正に決定すべきものであるため，職員の定数に関する規制は，警察および学校教育に関する規制を除き，廃止することとなった。また，全国的見地から一定の行政水準を維持するために望ましい目標を示す場合であっても，標準的かつ弾力的なものにとどめることとされた（地方分権推進計画第3〔同前〕1(1)ア(オ))。例えば，福祉に関する事務所の現業職員については，最低配置数が法定されていたが，標準配置数に変更された（社福16条）。

⑥その他　そのほか，職員に関する必置規制の廃止例として公営住宅法が定めていた公営住宅監理員が，職員にかかる名称規制の廃止例として児童福祉法に基づく児童福祉司がある。他方，婦人相談員（売春35条）等，一定の職務を行うのに必

15)　必置規制の緩和の動きを踏まえつつ，職員の専門性と人事運用について論じたものとして，藤田由紀子「職員の専門性と資格職」松下圭一＝西尾勝＝新藤宗幸編『自治体の構想4　機構』（岩波書店，2002年）189頁以下参照。

要な熱意と識見を有する民間人を当該職務に委嘱する場合には，当該職名にかかる規制は存置することとされた（地方分権推進計画第3〔同前〕1(1)ア(カ))。

### (c) 行政機関・組織・施設に関する必置規制

地方分権推進委員会は，行政機関・施設の設置形態の弾力化について，保健所と福祉事務所の統合等の10件の勧告を行っている。

①特定の業務を処理するための行政機関の必置規制　特定の業務を処理するために行政機関等の設置についての規制が必要とされる場合であっても，住民サービスの提供体制の一元化・総合化と職員配置の効率化を促進するためには，地方公共団体が，その実情に応じて関連する業務を担う行政機関等を統合することもできるように，可能な限り，その規制の弾力化を図る必要がある。そこで，法令で名称が定められていることが自主的な組織編成の障害となることがないように，法令における組織の名称は，「○○に関する事務所」，「○○のための施設」等と規定することを原則とすることになった（地方分権推進計画第3〔同前〕1(1)イ(ア))。

②行政機関の設置単位規制　各地方公共団体が，各地域の多様な行政需要に応じつつ，各地域の地理的条件や社会的経済的条件の下で最適なサービスの供給体制を組織することができるよう，行政機関等の設置単位についての一律の規制は廃止され，必要がある場合には，技術的助言として標準的なものを示すことにとどめることとされた（地方分権推進計画第3〔同前〕1(1)イ(イ))。例えば，福祉に関する事務所の配置基準については，かつては，条例で福祉地区を設け，その福祉地区ごとに福祉に関する事務所を設置することとされていたが，法律による基準設定が廃止された。

③行政機関の施設・設備に関する規制　法令で定める細部にわたる規制は大幅に簡素化された（地方分権推進計画第3〔同前〕1(1)イ(ウ))。例えば，病害虫防除所（植物防疫法32条）の「位置及び施設」の基準を廃止し，必要最小限の事項に限り政令で規定した。

***Column*　新たな必置規制**

新たな必置規制がなされることも皆無ではない。2009年の通常国会で成立した消費者安全法は，消費生活センターの設置について，都道府県に義務づけ（10条1項），市町村には努力義務を課している（同条2項）。これは，地方公共団体における消費生活センターの役割が重視されたためである。また，2014年の通常国会で全部改正された行政不服審査法は，国の行政不服審査会に対応する組織を地方公共団体にも条例（機関の共同設置の場合には規約）で設置することを義務づけた（81条)。これは，かかる諮問機関の設置が，行政不服審査法による救済の実効性の観点から重要と考えられたためである。

### (d) 審議会等の附属機関に対する必置規制

地方分権推進委員会は，公民館運営審議会，漁港管理会の任意設置化等の各種運営機関の設置の緩和・弾力化を16件，勧告している。

①組織・名称　審議会等の統合により総合的な政策決定を可能とするように，法令における組織・名称を「○○に関する審議会」とすることを原則とすることになった（地方分権推進計画第3〔同前〕1(1)ウ(ア)）。例えば，環境基本法は，従前，「都道府県環境審議会」という名称を使用していたが，「環境の保全に関し学識経験のある者を含む者で構成される審議会」（環境基43条1項）という名称に変更されることになった。また，土地収用法25条の2第2項は，都道府県知事は，事業の認定に関する処分を行おうとするときは，あらかじめ，同法34条の7第1項の審議会その他の合議制機関の意見を聴かなければならないとしており，34条の7第1項は，都道府県に，この法律の規定により，その権限に属する事項を調査審議するため，審議会その他の合議制の機関を置くこととし，同条2項では，審議会等の組織および運営に関して必要な事項は，都道府県の条例で定めることとしている。公益社団法人及び公益財団法人の認定等に関する法律50条1項も，「都道府県に，この法律によりその権限に属させられた事項を処理するため，審議会その他の合議制の機関（以下単に「合議制の機関」という。）を置く」と規定し，同条2項は，「合議制の機関の組織及び運営に関し必要な事項は，政令で定める基準に従い，都道府県の条例で定める」としている（行審81条1項も参照）。

②適正な行政手続を保障するために必要な規制　住民の権利義務に密接にかかわる事項に関し審査・審議を行う審議会等および斡旋・調停・仲裁等の準司法的な機能を担う審議会等の設置を義務づけることは，適正な行政手続を保障するために必要な規制であり，存置することとされた（地方分権推進計画第3〔同前〕1(1)ウ(イ)）。

③委員の構成等　委員の構成・数・任期・選任手続等については，原則として，地方公共団体が条例で定めることとし，法律またはこれに基づく政令で規制を行う場合にも，審議会等における審議の公正性，専門性を確保するために必要最小限度にとどめることとされた（地方分権推進計画第3〔同前〕1(1)ウ(ウ)）。

### (e) 議員定数

地方分権一括法による改正前の地方自治法においては，議員定数が法定されており，地方公共団体は条例でこれを減少することができる（減数条例）こととされていた（自治旧90条・91条）。議員定数の法定に対しては，自主組織権を侵害するという批判が存在した。1982年の第2臨調第3次答申（「行政改革に関する第3次答申（基本答申）」）においても，「地方議会の法定定数については，各地方公共団体における減数条例の制定状況を勘案し，地方自治の本旨と議会の機能に留意しつつ，その見直しを検討する」ことが提言されていた。そこで，地方分権推進計画においては，議員定数について，減数条例の制定状況を勘案しつつ，その上限の基準を大括りにするなどの見直しを行うとともに，議員定数を各団体の条例で定めるという方向で制度改正を行うこととされた。これを受けて，地方分権一括法により改正された地方自治法90条1項・91条1項は，それぞれ，都道府県，市町村の議会の議員の定数は，条例で定めることを明記している。

実際には，財政難のため，法定の上限より少ない議員数を定める条例の制定が増加しており，2007年の統一地方選挙時において法定上限と同数の議員定数を定めていた都道府県は和歌山県のみであった。そのため，上限法定制は，むしろ定数を高止まりさせる原因となっているという批判もあり，第29次地方制度調査会は，議会制度の自由度を高めるため，定数の決定は各地方公共団体の自主的な判断にゆだねることとし，法定上限を撤廃すべきであると勧告した。これを受けて，2011年の通常国会における地方自治法改正により，地方公共団体の議会の議員の定数については，人口段階別の上限数にかかる制限を廃止することとされた。

**(f)　常任委員会数**

従前は，普通地方公共団体の議会は，条例で，都にあっては12以内，道および人口250万以上の府県ならびに人口100万以上の市にあっては8以内，人口100万以上250万未満の府県および人口30万以上100万未満の市にあっては6以内，人口100万未満の府県および人口30万未満の市ならびに町村にあっては4以内の常任委員会を置くことができるとされ，常任委員会数の上限も法定されていた（自治旧109条1項）。2000年の地方自治法改正により，この上限の法定制度は廃止されることになった。

**(g)　附属機関の設置規制**

必置規制とは逆のかたちで地方公共団体の自主組織権を侵害しているのが，政令の定めるところにより，国が地方公共団体の執行機関に附属機関を置くことを禁ずることができるとする地方自治法138条の4第3項ただし書である。執行機関に附属機関を置くことが妥当か否かは，各地方公共団体の判断にゆだねられるべきであり，国が一律に禁止する合理的理由はないと思われる。

**Column 公安委員会の附属機関**

地方自治法138条の4第3項ただし書の規定に基づき，地方自治法施行令旧121条の4で公安委員会が指定されていた。そして，昭和33年新潟県総務部長宛自治省行政課長回答を字義どおり解釈すると，公安委員会については，他の執行機関に置かれた附属機関に諮問することも許されないことになり，都道府県公安委員会の不開示決定等に対して不服申立てがなされた場合，知事の諮問機関である情報公開審査会に諮問することもできなくなるという問題があった[16]。幸い，地方自治法施行令旧121条の4の規定は削除されたため，この問題は当面解決されたことになる。より根本的には，地方自治法138条の4第3項ただし書の規定の削除が検討されることを期待したい。

## *4* 地方事務官制度の廃止

地方事務官とは，特定の国家事務（機関委任事務）に従事するために都道府県に置かれていた国家公務員の職の官名である（厳密には，その他地方技官，雇員，傭人も含まれる）。戦前，国の地方出先機関としての性格を有していた都道府県が戦後完全自治体になるに伴い，都道府県に勤務していた官吏の身分も公吏に変更されたが，1947年の地方自治法において，例外的に一部の事務（健康保険法・厚生年金保険法・船員保険法・国民年金法，職業安定法，雇用保険法等の施行に関する事務）については，地方公共団体の事務処理能力への懸念，職員の処遇に関する意見の不一致等から，妥協の産物として，当分の間，官吏の身分を持つものとされた（自治旧附則8条，自治施規程旧69条）。

地方事務官は，都道府県職員であるから，都道府県知事が指揮監督権を有するが，その身分は国家公務員であり，人事予算権は主務大臣が有するという変則的制度であり，行政責任の所在を不明確にするのみならず，定員の決定，社会保険事務所の配置等についての決定権限は主務大臣にあるため，都道府県の組織の統一性を損ない，自主組織権を害する面を有していた。旧運輸省関係の地方事務官制度は1984年の法改正を受け翌年に廃止されたが[17]，旧厚生省，旧労働省関係の地方事務官制度が，「当分の間」とされながら半世紀以上にわたって続いてきたのは，この制度を廃止した場合，当該事務を国の直接執行事務とすべきか都道府県の事務とすべきか，地方事務官であった者を国家公務員とすべきか地方公務員とすべきかについ

16） 宇賀・行政手続・情報公開191頁参照。
17） 足利香聖「陸運関係の地方事務官制度の廃止」時法1238号（1985年）22頁以下参照。

てのコンセンサスを得ることが困難であったからである。

1997年の地方分権推進委員会の第3次勧告[18]を受けて，地方分権一括法により，長年の懸案であった地方事務官制度は廃止された。当該事務は国の直接執行事務とされ，社会保険事務所も，国の地方支分部局（行組9条）に改組されることになった（2010年1月，特殊法人である日本年金機構の発足に伴い，社会保険事務所は，日本年金機構の年金事務所に組織変更された）。

***Column*　地方警務官**

都道府県警察の職員のうち，警視正以上の警察官は現在でも国家公務員としての身分を有する。これは，地方警務官と呼ばれる。地方警務官については，国家公安委員会が都道府県公安委員会の同意を得て任免することとされており（警55条3項），東京都の警察組織である警視庁のトップの警視総監の場合には，さらに内閣総理大臣の承認も必要である（同49条1項）。

# Ⅱ　自主行政権

## *1*　国法による規制

自主行政権とは，地方公共団体が自ら行う行政事務の範囲を定め，その事務を遂行する権能のことをいう。戦前，市町村がサービス提供団体として位置づけられていたこと，戦後は地方公共団体が統治団体として，住民の権利を制限したり住民に義務を課したりすることができることとされたこと，その場合，侵害留保の原則により，条例の根拠が必要になる（自治14条2項）ことはすでに述べた（→5章Ⅱ *1*(5)）。地方公共団体の事務についても，国法による規制が及び，その限りで自主行政権が制限を受けることになる。

18）　地方分権推進委員会の勧告を契機とする地方事務官制度の廃止については，遠藤文夫「地方事務官制度の廃止と事務の整理」ジュリ1127号（1998年）72頁以下，山田洋「地方事務官」法教209号（1998年）20頁以下，同「地方事務官の廃止」都市問題91巻4号（2000年）53頁以下，牛島仁「地方事務官制度の廃止」小早川＝小幡編・自治・分権141頁以下参照。

## 2 経済活動

**戦前の議論**　地方公共団体が経済活動を行うことができるかについては，戦前，議論が分かれていた。美濃部達吉博士は，「公共の利益を目的とせず単に営利のみを目的とする事業は，これを経営することを得ないものと認めねばならぬ。勿論地方団体の収入は団体の公共の目的の為めに必要であるから，其の収入を得ることは間接には公共の利益を目的とするものであり，それが為めに法律は市町村に基本財産を維持する義務を負はしめて居るのであるが，単に財産を管理することと営利事業を経営することとは其の性質を異にし，財産を管理することは公共事務たるを失はないとしても，単に営利の為めにのみ事業を経営することは，法律の所謂公共事務に該当するものとは認め難い。収益財産の管理の如き法律の明かに承認して居るものを除いては，公共事務とは直接に公共の利益を目的とする事務のみを意味し，収入を得ることに依つて間接に公共の目的を達する事務は，含まれないものと解するのが正当と信ずる」[19]と述べていたが，これに反対する説もあり，学説は分かれていた。

戦後のわが国においては，地方公共団体が経済活動を行うことができるとする立場が実務上とられてきた。地方分権一括法による改正前の地方自治法旧2条3項は，地方公共団体の事務を例示していたが，その中に，「上水道その他の給水事業，下水道事業，電気事業，ガス事業，軌道事業，自動車運送事業，船舶その他の運送事業その他企業を経営すること」（3号），「森林，牧野，土地，市場，漁場，共同作業場の経営その他公共の福祉を増進するために適当と認められる収益事業を行うこと」（11号）が明記されていた。現行法である地方公営企業法は，地方公共団体が企業活動を行うことができることを前提として，地方公共団体が経営する企業のうち，水道事業（簡易水道事業を除く），工業用水道事業，軌道事業，自動車運送事業，鉄道事業，電気事業，ガス事業（典型7事業）および病院事業（一部適用）等について，その組織，財務およびこれに従事する職員の身分取扱いその他企業の経営の根本基準等を定めたものである。実際に地方公共団体が行う企業活動は，地方公営企業法で明示された企業活動に限定されず，多様なものがある。北海道池田町のワイン製造は有名であるが，その他，CATV，書店，

19)　美濃部達吉『日本行政法上巻』（有斐閣，1936年）592頁以下。

特産物販売所，ホテル，宴会場，レストラン，ゴルフ場その他のスポーツ施設，温泉等が公営で行われている例がある（さらに，地方公共団体が出資する第三セクター等を通じた間接的経済活動の例も多い）。

***Column*　ネーミングライツ**

公共施設についても私企業にネーミングライツ（命名権）を付与し，地方公共団体が対価を取得する動きが，地方公共団体の財政難を背景として広がりをみせている。横浜市が横浜国際総合競技場のネーミングライツを日産自動車株式会社に付与し「日産スタジアム」と命名されたのがその例である[20]。過大な箱モノ投資で市税収入の7倍近い約1400億円の地方債残高を抱え早期健全化団体となった泉佐野市は，市の名称自体をネーミングライツの対象とすることを検討したが，事態は進展していない。市の名称を変更するには，あらかじめ都道府県知事と協議しなければならないし（自治3条4項），条例で定めなければならないため（同条3項），実現は容易でないと思われるが，私企業の名称を冠した市名とすることについて，住民の意見を聴取する手続の整備が必要なように思われる。ネーミングライツの売却に際して地方公共団体名を入れることを条件としたものとして，「楽天生命パーク宮城」がある。

このような地方公共団体の収益事業が民間の収益事業を圧迫する場合には，疑問が提起されることになる[21]。地方公共団体が経済活動を行う場合には，地方公共団体も事業者として，独占禁止法の規定の適用を受けることは学説・判例（最判平成元・12・14民集43巻12号2078頁［百選60］）ともに認めるところである。なお，地方公共団体が収益事業を行うことができるといっても，マージャン店，パチンコ店のような風俗営業を経営することは社会通念に照らしても許容されないであろう[22]。

---

20)　小林明夫「公共施設へのネーミングライツの設定と地方自治法制――行政財産使用許可制度との関係を中心として」自治研究87巻9号（2011年）66頁以下参照。

21)　この点，ドイツやフランスでは公的部門の経済活動について，明文の規定または判例により法的限界が設定されている。詳しくは，地方公営企業の範囲に関する研究会編『地方公営企業の範囲に関する研究』（地方自治協会，1978年）87頁以下（成田頼明，磯部力執筆）参照。

22)　地方公共団体の経済活動については，磯部力「行政主体の経済活動」公法44号（1982年）237頁以下，同「地方公共団体と収益事業」成田編・争点〔新版〕120頁以下，斎藤誠「地方公共団体の経済活動への関与――その許容性と限界」阿部泰隆先生古稀記念『行政法学の未来に向けて』（有斐閣，2012年）175頁以下参照。上記斎藤論文は，地方公共団体自身が行う経済活動のみならず，地方公共団体が他の主体の経済活動を補助する場合を含めて，その許容性と限界について考察している。

**Column　公営競技**

地方公共団体は，競馬，競輪，自動車レース，競艇という公営競技を行っている（地方競馬全国協会，JKA（旧日本自転車振興会）は選手の登録等，公営競技の管理に関する事務を行ってはいるが，公営競技の実施主体は地方公共団体である。日本財団（旧日本船舶振興会）は，公営競技の管理も行っておらず，地方公共団体が行った競艇の収益金を配分する事業のみを行っている。これに対して，日本中央競馬会は，自ら公営競技を実施している）。賭博行為，富くじ販売行為が刑法で禁止されているにもかかわらず，違法性を阻却して公営競技を実施することを地方公共団体に認めているのは，公営競技それ自体に公共性を認めているからではなく，公営競技による収益金を関連産業の振興等のために公正に配分することに公共性を見出しているからである。同様に，当せん金付証票法は，都道府県，指定都市，戦災による財政上の特別の必要を勘案して総務大臣が指定する市に，総務大臣の許可を得て，当せん金付証票（いわゆる宝くじ）の発売を認めている（同4条1項）。

このように，直接的には利潤を追求する活動であっても，その収益を公共性のある活動に公正に配分するのであれば，地方公共団体がこれを行うことを認める見解が実務上有力である一方，利潤追求を主目的とした地方公共団体の経済活動には疑問が提起されている[23]。法的問題は別として，倫理的な観点からも，公営競技の是非が議論の対象となることがある。かつて美濃部亮吉東京都知事が都営の公営競技を廃止したが，近年になって，お台場カジノ構想，大阪カジノ構想や後楽園競輪復活構想が提唱される等，公営競技の是非が政治的な論点になることは稀でない。2016年の第192回臨時国会において，「特定複合観光施設区域の整備の推進に関する法律」が制定され，特定複合観光施設内にカジノ施設を設けることとされているが，このカジノ施設は，カジノ管理委員会の許可を受けた民間事業者により設置することとされている点で，従前の公営競技とは，その性質を大きく異にする。また，2018年の第196回通常国会で特定複合観光施設区域整備法（IR整備法）が可決・成立している。

## *3*　行政通則法と自主行政権

行政不服審査法は，地方公共団体の条例・規則に基づく処分にも適用されるが（一律適用型），行政手続法は，処分・届出については，根拠法規が法律または法律に基づく命令であるときには行政手続法の規定を適用し，地方公共団体の条例・規則に基づく処分・届出については地方公共団体の措置にゆだねるという根

23）　塩野・行政法III 191頁参照。

拠法規区分主義を採用し，行政指導，命令等を定める行為については，地方公共団体の機関が行うものは地方公共団体の措置にゆだねるという組織区分型を採用した[24]。「情報通信技術を活用した行政の推進等に関する法律」（デジタル行政推進法）も，法律または法律に基づく命令に根拠を有する手続のみを対象とする根拠法規区分主義を採用し，条例・規則に基づく手続については，地方公共団体が自主的にデジタル手続推進条例を制定することを期待している[25]。「特定非常災害の被害者の権利利益の保全等を図るための特別措置に関する法律」も，①法令に基づく行政庁の処分により付与された権利その他の利益の存続期間，②法令に基づき何らかの利益を付与する処分その他の行為を当該行為にかかる権限を有する行政機関に求めることができる権利の存続期間，のみを対象にして，満了日の延長にかかる特例を定めている。民間事業者等が行う書面の保存等における情報通信の技術の利用に関する法律（e-文書法）も根拠法規区分主義を採用している。また,「行政機関の保有する情報の公開に関する法律」,「公文書等の管理に関する法律」,「行政機関の保有する個人情報の保護に関する法律」ともに，地方公共団体が保有する文書，個人情報は対象外とし，地方公共団体の自主行政権（および自主立法権）にゆだねている。

比較法的にみると，行政手続，情報公開，個人情報保護について，地方公共団体の自主行政権（および自主立法権）を認めず，国法ですべて規定する例が少なくない。この面では，わが国は，自主行政権（および自主立法権）を尊重しているともいえる。しかし，行政過程における処分にかかる手続のうち，事後手続については行政不服審査法が一律適用方式を採用し，事前手続については行政手続法が根拠法規区分主義を採用している点をどう評価するかという問題はある[26]。

24）　宇賀・自治体行政手続2頁以下，宇賀・行政手続三法解説75頁以下，宇賀克也「行政通則法における地方公共団体の位置付け」『自治論文集――地方自治法施行70周年記念』（総務省，2018年）131頁以下参照。

25）　宇賀・オンライン化88頁以下参照。デジタル手続推進条例については，宇賀・行政手続・情報化300頁以下，宇賀・行政手続三法解説207頁以下，宇賀克也＝長谷部恭男編『情報法』（有斐閣，2012年）129頁以下参照。

26）　旧行政不服審査法の下でこのことがもたらしていた問題につき，宇賀・自治体行政手続15頁参照。

# Ⅲ　自主司法権

通説は，日本国憲法は，国に司法権を専属させており，地方公共団体には司法権は与えられていないと解しているが，反対説もある[27)]。地方分権一括法による改正前の地方自治法旧2条10項は，国の排他的事務を列挙していた。その中に，司法に関する事務（1号）も明記されていた。しかし，地方自治法旧2条10項については，以前から，地方公共団体が処理できない事務をこのように概括的に列挙できるかについて疑問が提起されてきたこと等もあり，地方分権一括法による地方自治法改正で削除されたのである。したがって，地方公共団体が司法権を行使しうるかは，もっぱら憲法解釈にゆだねられることになる。近年では，地方公共団体の事務に関する紛争処理のため，司法的機能を持った第三者機関を地方公共団体の組織として設置するという提言もなされている[28)]。

# Ⅳ　自主財政権

## *1*　地方分権改革と自主財政権

1999年に地方分権一括法により実現した地方分権改革は，機関委任事務制度の廃止等，大きな成果を収め，わが国の地方自治の歴史に残る大改革であったことは疑いない。もっとも，そこにおいては，国の関与の縮減が最大のテーマであ

---

27)　中川剛「地方自治体の司法権」自治研究54巻1号（1978年）71頁以下，手島孝『地方復権の思想』（西日本新聞社，1973年）69～70頁，同『憲法学の開拓線』（三省堂，1985年）269頁，鴨野幸雄「憲法学における『地方政府』論の可能性」金沢法学29巻1＝2号（1987年）443～446頁，大場民男「自治体裁判所と司法改革」法苑129号（2002年）11頁参照。

28)　PHP総合研究所『地方公共団体における司法的機能の拡充』（PHP総合研究所，2000年）。これについて論ずるものとして，木佐茂男編『地方分権と司法分権』（日本評論社，2001年）183頁以下（宮脇淳執筆）参照。

ったため，地方公共団体が処理する事務の総量が大幅に増加したというわけでは必ずしもない。そのこともあり，地方公共団体の自主財政権の拡充は，上記の地方分権改革において，大きな比重を占めていたわけではないが，以下に述べるように，自主財政権拡充のために，いくつかの重要な改革が行われている。

なお，自主財政権という言葉は，必ずしも一義的に用いられているわけではないが，本書においては，地方公共団体が必要とする財源が国や他の地方公共団体に依存することなく自主財源により賄われることのみならず，地方公共団体の課税や起債等について国や他の地方公共団体による規制を受けずに自律的に決定しうることをも含む意味で用いることとする[29]。

## 2　地方税

### (1)　憲法上の課税権

地方公共団体固有の課税権が日本国憲法上認められているかについては議論がある。日本国憲法30条は，「国民は，法律の定めるところにより，納税の義務を負ふ」と定め，84条は，「あらたに租税を課し，又は現行の租税を変更するには，法律又は法律の定める条件によることを必要とする」と規定しているが，ここでいう「法律」に条例が含まれるか，そもそもこの規定は地方税も念頭に置いたものであるかについては意見が分かれているのである[30]。

今日の通説は，憲法は，地方税については，租税条例主義を採用していると解している[31]。その理由は，日本国憲法94条は，「地方公共団体は，その財産を管理し，事務を処理し，及び行政を執行する権能を有し，法律の範囲内で条例を制定することができる」と定めているが，「行政を執行する権能」に課税権も含まれると解されること，租税法律主義の眼目は「代表なくして課税なし」という

29）　自主財政権の意味については，碓井光明「自主財政権」法教165号（1994年）36頁参照。

30）　学説の詳細については，碓井光明『地方税の法理論と実際』（弘文堂，1986年）74頁参照。

31）　金子宏『租税法〔第23版〕』（弘文堂，2019年）98頁以下。北野弘久『税法学原論〔第6版〕』（青林書院，2007年）101頁以下，碓井・要説97頁以下参照。

課税権に対する民主的統制にあるから，住民代表からなる議会が制定した条例を根拠とする課税は許容されることである。最判平成25・3・21民集67巻3号438頁も，「普通地方公共団体は，地方自治の不可欠の要素として，その区域内における個人または法人に対して国とは別途に課税権の主体となることが憲法上予定されているものと解される」と判示している。秋田地判昭和54・4・27行集30巻4号891頁，仙台高秋田支判昭和57・7・23行集33巻7号1616頁も，憲法上，地方公共団体は条例に基づく課税権を有するという解釈をとっている。しかし，通説も，国が法律によって，地方公共団体の課税権の枠組みを定めることは肯定している。

### ⑵ 地方税法

地方税法は，「地方団体は，その地方税の税目，課税客体，課税標準，税率その他賦課徴収について定をするには，当該地方団体の条例によらなければならない」（地税3条1項）と規定するが，他方において，「地方団体は，この法律の定めるところによつて，地方税を賦課徴収することができる」（同2条）と規定しており，地方税法が，地方公共団体の課税権の根拠となる授権法であるかのようにも読める。日本国憲法94条が地方公共団体の固有の課税権を認めているとする通説の立場に立つと，地方税法が合憲であることを前提とする限り，地方税法が地方公共団体の課税権の根拠となるとする解釈をとることはできない。地方税法は，課税権の根拠を与える法律ではなく，地方税の枠組みを定めた枠組法ないし準則法であり，地方公共団体が定める地方税条例により住民の納税義務が具体化すると解するべきであろう。もっとも，実際には，地方税法による枠組みはなお相当に厳しい。

地方税法の枠組法としての性格が端的に表れているのが，標準税率と超過課税の制度である。地方公共団体が課税する場合に通常よるべき税率で，財政上の特別の必要があると認める場合には，これによることを要しない税率を標準税率という（同1条1項5号）。法人住民税（同51条1項・312条2項），法人事業税（同72条の24の7第7項），固定資産税（同350条2項）のように，地方公共団体が，一定の範囲内において，法定の標準税率以外の税率により課税することが認められている場合がある。標準税率を超える税率で課税することを超過課税という。

1970年代に高度経済成長の終焉に伴う税収不足を補うため，多数の地方公共団体が大企業に超過課税を実施してきた。しかし，中小法人の税負担を据え置くことが平等原則に反しないか，法人所得の計算において事業税が控除されることに伴い法人税が減少し，そのことが地方交付税の総額を減少させ財政力の弱い地方公共団体にしわ寄せが及ぶことをどう評価するか等の議論を惹起することになった。

地方税法による枠組みを立法により緩和するため，2012年度税制改正で，地域決定型地方税制特例措置（わがまち特例）として，固定資産税の課税標準の特例措置2件について，地方公共団体が課税標準の軽減の程度を法律で定める上限・下限の範囲内で条例により決定できることとされた。

**_Column_　大牟田市電気ガス税国家賠償請求訴訟**

地方公共団体が憲法上，固有の課税権を有するかという問題が争われた著名な事案が，大牟田市電気ガス税国家賠償請求訴訟である。これは，地方税法において市町村税である電気ガス税（当時）を政策的配慮から非課税扱いしたため得べかりし収入を失ったとして大牟田市が国を被告として損害賠償請求をした事案である。福岡地判昭和55・6・5判時966号3頁［百選3］は，「地方公共団体がその住民に対し，国から一応独立の統治権を有するものである以上，事務の遂行を実効あらしめるためには，その財政運営についてのいわゆる自主財政権ひいては財源確保の手段としての課税権もこれを憲法は認めているものというべきである。憲法はその94条で地方公共団体の自治権を具体化して定めているが，そこにいう『行政の執行』には租税の賦課，徴収をも含むものと解される。……地方公共団体の課税権を全く否定し又はこれに準ずる内容の法律は違憲無効たるを免れない」と述べ，地方公共団体が憲法上固有の課税権を有することを肯定している。

しかし，「憲法上地方公共団体に認められる課税権は，地方公共団体とされるもの一般に対し抽象的に認められた租税の賦課，徴収の機能であって，憲法は特定の地方公共団体に具体的税目についての課税権を認めたものではない。税源をどこに求めるか，ある税目を国税とするか地方税とするか，地方税とした場合に市町村税とするか都道府県税とするか，課税客体，課税標準，税率等の内容をいかに定めるか等については，憲法自体から結論を導き出すことはできず，その具体化は法律（ないしそれ以下の法令）の規定に待たざるをえない」として，国会の広範な立法裁量を承認している。

### (3) 地方税の種類

地方税には，一般経費に充てることを目的とする普通税と特定経費に充てることを目的とする目的税がある（地税4条1項・5条1項）。また，都道府県税と市町村税の区別がある。都道府県税には，都道府県民税，事業税，地方消費税，不動産取得税，都道府県たばこ税，ゴルフ場利用税，軽油引取税，自動車税，鉱区税等（同4条2項・734条1項）が，市町村税には，市町村民税，固定資産税，軽自動車税，市町村たばこ税，鉱産税，特別土地保有税等がある（同5条2項）。

***Column*　国有資産等所在市町村交付金**

市町村は，国ならびに都道府県，市町村，特別区，これらの組合，財産区および合併特例区に対しては，固定資産税を課すことができない（地税348条1項）。しかし，国または地方公共団体は，毎年度，前年の3月31日現在において所有する固定資産で民間が所有するものと類似する所定の固定資産に該当するものについて，当該固定資産所在の市町村に対して，国有資産等所在市町村交付金を交付するものとされている（国有資産等所在市町村交付金法2条1項）。交付金額は，交付金算定基準額（固定資産の価格）の1.4％の額とされている（同法3条1項・2項）。

### (4) 標準税率・制限税率

地方税の税率は固定制をとらず各地方公共団体が条例で上下できるよう標準税率制をとることが多い。しかし，主要な地方税については，最高税率を法定することが少なくない。この最高税率を制限税率という。

1997年7月8日の地方分権推進委員会第2次勧告に基づき，標準税率を採用しない場合における国への事前届出制と個人市町村民税の制限税率の廃止が，1998年税制改正により実現された。

***Column*　目的税の普通税化の指摘**

都市計画税は，都市計画事業または土地区画整理事業に必要な費用に充てるために，都市計画区域内の一定の土地および家屋に課される目的税である。制限税率が0.3％とされている点は固定資産税と異なるが，納税義務者，課税標準は固定資産税と共通しており，目的税とはいえ使途が必ずしも明らかとはいえず，固定資産税と一体化して普通税化しているとの指摘もある。

### (5) 法定外普通税

**地方分権一括法による改正前**　地方税法は，法定外普通税を認めている（地税4条3項・5条3項・734条6項）。地方分権一括法による改正前は，法定外普通税の新設・変更には，自治大臣（当時）の許可を受けなければならないこととされていた。この場合，大蔵大臣（当時）は自治大臣の通知を受け，これに対して異議を申し出ることができるとされていた。そして，許可の積極要件として，当該地方公共団体にその税収入を確保できる税源があること，その税収入を必要とする当該地方公共団体の財政需要があることが明らかであることが定められ，他方において，国の経済政策に照らして適当でないこと等の事由が存在すると認めるときには許可することができないという消極要件が定められていた（地税旧259～261条・669～671条）。この許可は講学上の認可であり，許可なくして法定外普通税を定める条例は無効であるとするのが実務の解釈であった。京都地判昭和59・3・30行集35巻3号353頁［判例集193］も，京都市古都保存協力税条例の無効確認訴訟は，同税の新設についての自治大臣の許可がない段階では不適法と判示している。しかし，単なる訓示規定または届出制の規定と解する説もあった[32)]。

地方分権一括法による地方税法改正で，この許可制は，総務大臣の同意を要する協議制（地税259条1項・669条1項）に改められ，許可の積極要件は協議事項から外され，許可の消極要件のみが協議対象になることになった。総務大臣は，協議の申出を受けた場合においては，その旨を財務大臣に通知しなければならず（同260条1項・670条1項），通知を受けた財務大臣は，その協議の申出にかかる法定外普通税の新設または変更について異議があるときは，総務大臣に対してその旨を申し出ることができる（同260条2項・670条2項）。総務大臣は，①国税または他の地方税と課税標準を同じくし，かつ，住民の負担が著しく過重となること，②地方団体間における物の流通に重大な障害を与えること，③以上のほか，国の経済施策に照らして適当でないこと，のいずれかに該当すると認める場合を除き，同意しなければならない（同261条・671条）。

この同意を要する協議制と従前の許可制との相違がどこにあるのかについては議論がある。総務大臣の同意が得られない限り法定外普通税の新設・変更ができないのであれば，許可制と変わらないとも考えられるからである。実務上は，この同意を効力要件と解しているが[33)]，この同意を要する協議制を，法定外普通

32）北野・前掲注31）42頁参照。

税の新設・変更のための効力要件ではなく，手続要件として理解すべきとする主張もみられる。すなわち，誠実に協議しても協議が調わない場合，国地方係争処理委員会に対して審査の申出を行い（自治250条の13第3項），同委員会から同意すべき旨の勧告がされたにもかかわらず総務大臣が同意しないような場合には，地方公共団体は，同意なしに法定外普通税の新設・変更を行うことができるとする主張である[34]。

***Column*　神奈川県臨時特例企業税事件**

最判平成25・3・21民集67巻3号438頁［百選32］は，神奈川県臨時特例企業税条例に基づき法定外普通税である臨時特例企業税を課された会社が，本件条例は法人事業税の課税標準である所得の金額の計算につき欠損金の繰越控除を定めた地方税法の規定に違反し，違法，無効であるなどと主張して，主位的に，同社が納付した2003年度分および2004年度分の臨時特例企業税，過少申告加算金および延滞金に相当する金額の誤納金としての還付ならびにその還付加算金の支払を，予備的に，神奈川県川崎県税事務所長が同社に対してした上記各年度分の臨時特例企業税の更正処分および過少申告加算金の決定の取消しならびに上記金額の過納金としての還付およびその還付加算金の支払を求めた事案である。

最高裁は，憲法は，普通地方公共団体の課税権の具体的内容について規定しておらず，普通地方公共団体の組織および運営に関する事項は法律でこれを定めるものとし（92条），普通地方公共団体は法律の範囲内で条例を制定することができるものとしていること（94条），さらに，租税の賦課については国民の税負担全体の程度や国と地方の間ないし普通地方公共団体相互間の財源の配分等の観点からの調整が必要であることに照らせば，普通地方公共団体が課することができる租税の税目，課税客体，課税標準，税率その他の事項については，憲法上，租税法律主義（84条）の原則の下で，法律において地方自治の本旨を踏まえてその準則を定めることが予定されており，これらの事項について法律において準則が定められた場合には，普通地方公共団体の課税権は，これに従ってその範囲内で行使されなければならないと指摘している。そして，本件条例は，地方税法の定める欠損金の繰越控除の適用を一部遮断することをその趣旨，目的とするもので，臨時特例企業税の課税によって各事業年度の所得の金額の計算につき欠損金の繰越控除を実質的に一部排除する効果を生ずる内容のものであり，各事業年度間の所得の金額と欠損金額の平準化を図り法人の税負担をできるだけ均等化して公平な課税を行うという趣旨，目的から欠損金の繰越控除の必要的な適用

33）　松本・詳解244頁，市町村税務研究会編『市町村諸税逐条解説』（地方財務協会，2000年）220頁。
34）　櫻井敬子『財政の法学的研究』（有斐閣，2001年）248頁参照。

を定める同法の規定との関係において，その趣旨，目的に反し，その効果を阻害する内容のものであって，法人事業税に関する同法の強行規定と矛盾抵触するものとしてこれに違反し，違法，無効であると判示している。

なお，総務大臣が同意したことは，同意を拒否する要件に該当しないと判断したにとどまり，当該税が適法であると判断したことになるわけでは必ずしもない[35)]。前掲最判平成25・3・21の第1審である横浜地判平成20・3・19判例自治306号29頁も，法定外税の新設または変更にかかる総務大臣との同意を要する協議は，異なる行政主体間において経済施策等の整合性を確保するという行政目的の下に行われるものであって，当該法定外税の適法性を審査する性質のものではないから，総務大臣の同意を得た法定外税を定める条例が違法とされることはありうるという立場をとっている（実際，本判例は，神奈川県臨時特例企業税条例は違法無効としている）。上告審の前掲最判平成25・3・21における金築誠志裁判官による補足意見においても，地方税法259条以下が定める総務大臣の同意制度は，不同意事由の内容や規定振りからして，少なくとも主として，政策的観点からのコントロールを意図しているものであることは疑いなく，仮に条例の法律適合性の審査をも含むとしても，法律適合性全般をカバーするものとは解しがたく，また，その審査結果が，司法による条例の法律適合性の判断に対して，何らの拘束力も有するものではないことはいうまでもないと指摘し，地方税法が，この不同意事由に該当する法定外税のみを，国家的利益を害するものとして許容しないこととしているとの見解は採用できないと述べられている。もっとも，国地方係争処理委員会の2001年7月24日の勧告で述べられているとおり，実際には，協議の場において，同意要件の存否以外に課税の仕組み等について話合いが行われることはあり，総務大臣が同意を与えた上で，政策的観点から意見を述べることはあるが，このことは，総務大臣に法定外税条例の適法性審査義務を課すことを意味するものでも，適法性審査権限が付与されていることを意味するものでも

35）人見・分権改革40頁以下も，同様の立場に立ち，国は課税条例が制定された後，その違法を理由とする是正の要求（自治245条の5）を行うことができるとする。また，総務大臣の同意なしの課税も，納税者との関係では有効であり，国は是正の要求を行うことが可能とする。

ない。

**Column　法定外普通税の実例**

2022年4月1日現在，法定外普通税として，石油価格調整税（沖縄県），核燃料税（福井県，愛媛県，佐賀県，島根県，静岡県，鹿児島県，宮城県，新潟県，北海道，石川県），核燃料等取扱税（茨城県），核燃料物質等取扱税（青森県），別荘等所有税（静岡県熱海市），歴史と文化の環境税（福岡県太宰府市），使用済核燃料税（鹿児島県薩摩川内市，愛媛県伊方町），狭小住戸集合住宅税（東京都豊島区），空港連絡橋利用税（大阪府泉佐野市）がある。横浜市の勝馬投票券発売税については2000年12月に条例が成立したが，国の経済施策に照らして適当でないとして総務大臣の同意がなされなかった[36]。これに対しては，国地方係争処理委員会に審査の申出がなされ，2001年7月24日，同委員会から，協議の再開が勧告された[37]。しかし，結局，協議がまとまらず，横浜市議会は，2004年2月15日，勝馬投票券発売税を新設する条例の廃止条例を可決し，同年3月5日，総務大臣に対して協議の取下げを正式に通知した。

### ⑹　法定外目的税

従前は，法定外目的税は認められていなかったが，1998年5月に閣議決定された地方分権推進計画は，「法定外目的税については，住民の受益と負担の関係が明確になり，また，課税の選択の幅を広げることにもつながることから，その創設を図る」こととし，これを受けて，地方分権一括法による地方税法改正で，法定外目的税が認められた（地税4条6項・5条7項・731条1項・735条2項）。法定外目的税の新設のためには，総務大臣に協議し，その同意を得なければならない（同731条2項）。総務大臣は財務大臣に協議の申出を受けたことを通知する義務を負うこと，財務大臣は総務大臣に対し異議を申し出ることができること，および総務大臣が同意を拒否できる理由は，法定外普通税の場合と共通である（同732条・733条）[38]。

**Column　法定外目的税の実例**

法定外目的税が認められたことにより，地方公共団体が法定外目的税の導入を積極的に検討するようになった。2022年4月1日現在で導入されているものとして，産

36）　碓井光明「地方財政に関する地方分権改革の検証」ジュリ1203号（2001年）86頁以下参照。

37）　判時1765号（2002年）26頁［百選123］。これについて，岡村忠生・判評524号（判時1791号）（2002年）5頁参照。

業廃棄物税（三重県，青森県，秋田県，岩手県，滋賀県，奈良県，京都府，宮城県，福岡県，佐賀県，長崎県，大分県，鹿児島県，山口県，熊本県，宮崎県，新潟県，沖縄県，山形県，福島県，愛知県），循環資源利用促進税（北海道），資源循環促進税（愛媛県），宿泊税（東京都，大阪府，福岡県，京都府京都市，石川県金沢市，北海道倶知安町，福岡県福岡市，福岡県北九州市），産業廃棄物処理税（岡山県），産業廃棄物埋立税（広島県），産業廃棄物処分場税（鳥取県），産業廃棄物減量税（島根県），乗鞍環境保全税（岐阜県），遊漁税（山梨県富士河口湖町），環境協力税（沖縄県伊是名村・伊平屋村・渡嘉敷村・座間味村），環境未来税（福岡県北九州市），使用済核燃料税（佐賀県玄海町），開発事業等緑化負担税（大阪府箕面市）がある。東京都豊島区の「放置自転車等対策推進税」は，鉄道事業者による駐輪場建設への多大な協力が見込まれるようになったため，2006年7月10日に廃止された。

### (7)　法定外税の規模

2020年度決算では，法定外普通税の税収額は全国の20件の合計で約477億円，法定外目的税の税収額は全国の44件の合計で約120億円，法定外税全体の税収が約597億円である。地方税収額全体に占める割合は，約0.15%にとどまっている。

### (8)　地方税の特色

租税の根拠論として，納税者の支払能力に応じて課されるべきとする応能負担原則と，行政主体が提供するサービスから受ける利益に応じて課されるべきとする応益負担原則の考え方があるが，地方税においては，住民税の均等割（地税23条1項1号・292条1項1号）のように，国税と比較して，応益負担原則の色彩が濃い[39]。東京都が銀行に対して外形標準課税[40]を導入したのは，銀行の収益よ

---

38）　法定外普通税・法定外目的税の消極要件との抵触可能性等を中心に法定外税の法的問題を精緻に分析したものとして，碓井光明「法定外税をめぐる諸問題(上)(下)」自治研究77巻1号17頁以下，2号3頁以下（2001年）参照。法定外税条例については，総務大臣の同意を得た後に公布するものと，公布後に総務大臣に同意を得るための協議を申し出るものがある。実例とその評価について，碓井光明「法定外税条例の公布時期・施行日の定め方をめぐる問題――総務大臣との事前協議・同意制度との関係において」明治大学法科大学院論集25号（2022年）45頁以下参照。

39）　もっとも，この点に関する国税と地方税の差異を強調することが必ずしも妥当でないことについては，木村琢麿『財政法理論の展開とその環境』（有斐閣，2004年）367頁参照。

りも行政サービスにより受ける利益に着目し，受益の程度を事業活動の規模により推定しようとする考えに基づいていた[41]。もっとも，東京都の銀行に対する外形標準課税処分に対しては，課税された銀行から訴訟が提起され，東京地判平成14・3・26判時1787号42頁，東京高判平成15・1・30判時1814号44頁［百選A1］ともに，外形標準課税条例は地方税法に反して無効であるとする判断が示されている[42]。

### (9)　分担金，使用料，加入金，手数料

地方自治法は，普通地方公共団体は，法律の定めるところにより，地方税を賦課徴収することができるとするほか（自治223条），分担金（同224条），使用料（同225条・226条），加入金（同226条），手数料（同227条）の徴収を認める規定を置いている。これが限定列挙であるとすると，地方公共団体が条例で違法に得た利益を吐き出させる課徴金を設けることはできないことになり，自主財政権の侵害にならないかが問われることになる。実際，かつて東京都が，2000年から2001年にかけてロードプライシング制度の導入の検討を行ったものの（国土交通省は，京都市，鎌倉市でロードプライシングの実証実験を行っている），渋滞緩和のために課す金銭的負担が地方自治法に列記された類型に該当するか定かでなく，条例でこのような金銭を徴収しうるかに疑問があることもあり，実現に至っていない。

**Column　分担金に関する最高裁判例**

水道事業給水条例で定める施設分担金が地方自治法224条の分担金であることを前提とした上で，同条例の解釈として，土地については，住宅地を造成しようとする者のみがその対象になると判示したのが，最判平成27・5・19判例自治397号50頁である。他方，最判平成29・9・14判時2359号3頁は，大阪府工業用水道事業供給条例，同条例施行規程の規定により工業用水道の使用を廃止した者が納付しなければならないとされる負担金について，次のように指摘した。本件廃止負担金は，使用者が

40）　ジュリ1181号（2000年）の特集参照。

41）　東京都の銀行税の応益負担原則の考え方に対する批判として，中里実『デフレ下の法人課税改革』（有斐閣，2003年）13頁以下参照。

42）　渕圭吾「東京都銀行税訴訟をめぐって」法教273号（2003年）41頁。なお，2003年度税制改正において，資本金1億円超の法人を対象とする外形標準課税制度が創設され，2004年度から実施された。

工業用水道の使用を廃止することによって料金収入が減少することから，他の使用者の負担を軽減し，当該事業の安定的な経営を図るため，使用を廃止した者の負担においてこれを補うことを目的として定められたと解される。また，その額についても，使用を廃止する水量を基準に算定することとして，廃止に伴い減少が見込まれる料金収入を反映するものとされている一方，廃止に至るまでの使用期間の長さを考慮していないなど，使用を廃止した者がそれまでに受けた利益の多寡等を反映する仕組みとはされていない。そして，以上のような本件廃止負担金の目的やその額の算定方法に照らせば，本件廃止負担金は，工業用水道の使用を廃止した者が，府の工業用水道事業やその設置する水道施設等からもたらされる利益を特に享受することを理由として，その受益の限度において徴収される性質のものであるということはできないので，地方自治法224条，228条1項にいう分担金に当たらないというべきであり，これに関する事項について条例で定めなければならないものということはできないと判示した。分担金，使用料，加入金および手数料に関する事項については，条例でこれを定めなければならないと規定されているが（自治228条1項前段），同判決は，それ以外の金銭を地方公共団体が徴収することを肯定しているように思われる。

分担金の中には，特定の少数の者の要望に基づいて事業が行われるものであって，当該者の行う事業を地方公共団体が助成する方式も選択できるような類型のものもあれば，個人の受益範囲が不明確であるものの財源を確保するために個人の意思に反しても強制的に負担金を課すものもある。後者の場合には，その実質は租税に近似するので，分担金賦課の根幹部分（対象事業，納付義務者，事業費総額に占める分担金総額の割合）は条例で定めるべきであり，首長に委任すべきではないと考えられる[43]。

**_Column_　エリアマネジメントと負担金**

都市再生特別措置法が定める都市利便増進協定（同法74条）は，商業地区の魅力を向上させるために「土地所有者等の相当部分」（同法75条1号）の合意により締結される協定であり，市町村長が認定すると，通常よりも高水準の公共施設の整備，道路占用許可の特例，補助金交付等の特典を享受することができる。他方，高水準の施設の整備，維持管理にかかる費用を協定地区内の地権者に賦課する場合，協定不参加者から費用を徴収する規定は都市再生特別措置法に置かれていないため，協定不参加者

43）　碓井光明「分担金条例の運用実態の検討――主として分担金条例主義の観点から」横浜法学30巻2号（2021年）154頁～159頁参照。また，負担金条例の実態と改善案について，佐々木晶二「地方公共団体が制定した負担金条例の実態と制度改善提案について」土地総合研究28巻4号（2020年）156頁以下参照。

は，エリアマネジメントから生ずる地区の価値向上の便益をフリーライドで享受することが可能になる。そこで，大阪市では大阪市エリアマネジメント活動促進条例（平成26年大阪市条例第24号）6条3項の規定に基づく大阪市うめきた先行開発地区エリアマネジメント活動事業分担金条例（平成27年大阪市条例第64号）を制定して分担金を徴収し，エリアマネジメント団体に交付している。倶知安町ニセコひらふ地区エリアマネジメント条例（平成26年倶知安町条例第24号）も制定されている。また，「地域再生法の一部を改正する法律」（平成30年法律第38号）により，地域再生エリアマネジメント負担金制度（地域再生法17条の7～17条の12）が導入された[44]。

## 3　地方交付税

### ⑴　意　　義

国が交付するものであるが，国庫補助負担金とは異なり使途が限定されていない地方公共団体の固有財源が地方交付税である。地方交付税法は，「国は，交付税の交付に当つては，地方自治の本旨を尊重し，条件をつけ，又はその使途を制限してはならない」（交付税3条2項）ことを明記している。地方公共団体の財源には使途が特定されていない一般財源と使途が特定された特定財源があるが，地方交付税は一般財源である。実際には，2020年度において，76の地方団体のみが地方交付税の不交付団体になっており（都道府県では，東京都以外のすべての道府県が地方交付税の交付団体になっている），地方交付税は，地方公共団体の一般財源として，きわめて重要な地位を占めている。

### ⑵　目　　的

地方交付税の目的は，「地方団体が自主的にその財産を管理し，事務を処理し，及び行政を執行する権能をそこなわずに，その財源の均衡化を図り，及び地方交付税の交付の基準の設定を通じて地方行政の計画的な運営を保障することによつて，地方自治の本旨の実現に資するとともに，地方団体の独立性を強化するこ

44）　大阪版BID（ビジネス改善地区）と地域再生法のBIDの比較について，田尾亮介「租税を使わない国家⑶――BIDとエリアマネジメント」東京都立大学法学会雑誌63巻1号（2022年）133～151頁およびそこで引用された文献参照。

と」（交付税1条）である。すなわち，地方交付税は，地方公共団体が一定の行政水準を維持しうるよう財源を保障し，かつ，地方公共団体間の財政力の不均衡を解消するための財政調整の仕組みである。

### (3) 財　源

地方交付税の財源は，所得税・法人税の収入額のそれぞれ100分の33.1，酒税の収入額の100分の50，消費税の収入額の100分の19.5，地方法人税の全額を充てることとされている（交付税6条1項）。

### (4) 交付税額

各地方公共団体に交付すべき普通交付税の額は，原則として当該地方公共団体の基準財政需要額（一般的行政水準を実現するために必要な経費）が基準財政収入額（地方税等による収入見込額）を超える額（財源不足額）である（交付税10条2項本文)。各地方公共団体について算定した財源不足額の合算額が普通交付税の総額を超える場合においては，特別の方式で普通交付税額を算定する（同条2項ただし書)。毎年度分として交付すべき普通交付税の総額（同6条の2第2項）が引き続き地方交付税法10条2項本文の規定によって各地方公共団体について算定した額の合算額と著しく異なることとなった場合においては，地方財政もしくは地方行政にかかる制度の改正または同法6条1項に定める率の変更を行うものとされている（同6条の3第2項)。ここでいう「引き続き」とは連続して3年以上，「著しく異なる」とは1割以上がめどとされている。2009年11月9日に出された地方分権改革推進委員会第4次勧告（「自治財政権の強化による『地方政府』の実現へ」）は，「毎年度引き続く巨額の地方財源不足に対し，抜本的な改革に踏み込むことなく，一定のルールを設定して国と地方でそれぞれ財源不足額を負担することとし……暫定措置で対処してきている。しかし，地方の財源不足が10年以上の長きにわたって続いており，もはや恒常化していることにかんがみれば，地方交付税法6条の3第2項の規定を踏まえ，このような異常な状態を少しでも緩和する一助として，この際，法定率を引き上げ，地方自治体の税財源基盤の安定化を図るとともに，地方自治体から見た予見可能性を高めることを検討すべきである」と提言しており，注目される。しかし，国家財政も危機的状況にある中で，同法6条1項の率を上げることについて，政治的合意を得ることは容易でない。

なお，地方分権一括法による地方交付税法の改正で，地方交付税の額の算定方法に関し，地方公共団体による総務大臣に対する意見申出制度が創設された（同17条の4第1項)。総務大臣は，意見の申出を受けたときは，誠実に処理するとともに，その処理の結果を地方財政審議会に意見を聴く際に報告しなければならない（同条2項)。

### (5) 地方財政規律の担保手段

地方公共団体が法令の規定に違背して著しく多額の経費を支出し，または確保すべき収入の徴収等を怠った場合においては，総務大臣は，地方財政審議会の意見を聴いて，当該地方公共団体に対して交付すべき地方交付税の額を減額し，またはすでに交付した地方交付税の額の一部の返還を命ずることができるから（ただし，減額し，または返還を命ずる地方交付税の額は，当該法令の規定に違背して支出し，または徴収等を怠った額を超えることはできない。地財26条)，地方交付税は，地方公共団体の財政規律を維持させるための担保手段としての一面も併有していることになる。

### (6) 地方交付税の功罪

地方交付税には，財政力の乏しい地方公共団体であっても，一定の行政水準を維持することを可能にしたという功績が認められる。ナショナル・ミニマム[45)]の達成のためには，地方交付税のような財政調整の仕組みは不可欠であったともいえよう。他方において，何を基準財政需要額に算入するかについて，実際には国の政策的判断の余地がかなりあり，法律に従った施策の実施のために地方公共団体が行う課税免除，不均一課税措置による減収額の基準財政収入額からの控除,

---

45)　ナショナル・ミニマムは，アウトカムを重視して国民の最低限の生活水準ととらえ，国と地方公共団体が協力して設定すべきであろう。井川博「自治体施策に対する国の責任と財源保障(上)――ナショナル・ミニマム，『通常の生活水準』の確保と地方交付税」自治研究82巻10号（2006年）8頁以下，同「ナショナル・ミニマム，国の関与（統制）と自治体の財源保障――『住民が必要とする事務』の保障」地方自治697号（2005年）8頁参照。

地方債の元利償還金の基準財政需要額への算入措置等により，事実上補助金化し国による地方公共団体の政策誘導の手段として用いられてきており，地方公共団体の自主性を損なってきた面があることは否めない。

しかも，関係行政機関は，その所管に関係がある地方行政につき，地方公共団体が法律またはこれに基づく政令により義務づけられた規模と内容とを備えることを怠っているために，その地方行政の水準を低下させていると認める場合においては，当該地方公共団体に対し，これを備えるべき旨の勧告をすることができ（交付税20条の2第1項），地方公共団体がこの勧告に従わなかった場合においては，関係行政機関は，総務大臣に対し，当該地方公共団体に交付すべき交付税の額の全部もしくは一部を減額し，またはすでに交付した交付税の全部もしくは一部を返還させることを請求することができ（同条3項），総務大臣は，この請求があったときは，当該地方公共団体の弁明を聴いた上，災害その他やむをえない事由があると認められる場合を除き，当該地方公共団体に対し交付すべき交付税の額の全部もしくは一部を減額し，または，すでに交付した交付税の全部もしくは一部を返還させなければならないとされているため（同条4項），その運用次第では，地方交付税は限りなく補助金に接近することになることが指摘されている[46]。

また，地方税等の自主財源が増加すると，（税収の一部は留保財源とすることとされ，自主財源を増加させるインセンティブが付与されているが）交付税額が減少するため，交付団体において自主財源を増加させるインセンティブが十分に働かないという問題もある[47]。さらに，地方公共団体が地方交付税に依存した結果，「入るを量って出ずるを制す」という財政の基本が軽視され，このことが安易な歳出増加を招く一因となったことも認めざるをえないであろう。もっとも，地方税額では全国あまねく保障されるべき住民の生活水準が確保できない地方公共団体が大多数を占め，地方公共団体間の財政力格差が大きい現状では，地方交付税制度による財源保障は，なおきわめて重要である。したがって，当面は地方交付税制度の財源保障機能および財源調整機能を損なわないかたちで，客観性を向上

46）　碓井・自治体財政64頁以下参照。

47）　田尾亮介「財政法学から見た地方公共団体――地方財政計画・補助金を端緒に考える」法時91巻12号（2019年）42頁参照。

させる等の改善を図っていくべきであろう48)。

## *4*　地方譲与税

地方公共団体の特別の行政需要を満たすために，国税として徴収した租税を地方公共団体に譲与するものを地方譲与税または単に譲与税という。個別の各法律によって定められ，現在は，地方揮発油譲与税（地方揮発油譲与税法１条），特別とん譲与税（特別とん譲与税法１条１項），自動車重量譲与税（自動車重量譲与税法１条），航空機燃料譲与税（航空機燃料譲与税法１条１項），石油ガス譲与税（石油ガス譲与税法１条）がある（消費譲与税は，1997 年，地方消費税〔地税 72 条の 77 以下〕が設けられたため廃止されている。また，地方道路譲与税は，道路特定財源制度の廃止に伴い，2009 年 4 月 1 日，地方揮発油譲与税に改名されている）。地方揮発油譲与税は地方揮発油税の全額を都道府県および市町村に，特別とん譲与税は特別とん税の全額を開港所在市町村に，自動車重量譲与税は自動車重量税の３分の１（当分の間 1000 分の 407）を市町村に，航空機燃料譲与税は航空機燃料税の 13 分の 2（2011 年度から 2019 年度は 9 分の 2）を空港関係都道府県・市町村に，石油ガス譲与税は石油ガス税の２分の１を都道府県および政令指定都市に，地方法人特別譲与税は，地方法人特別税の全額を都道府県に譲与するものである。航空機燃料譲与税を除き使途が特定されていない（航空機燃料譲与税は，騒音による障害防止・空港対策に使途を限定）。なお，2019 年度から導入された森林環境譲与税は，2024 年から課税される森林環境税の全額を，間伐などを実施する市町村やそれを支援する都道府県に譲与するものである（森林環境税による税収が入る前は，地方交付税および譲与税特別会計からの借入を原資とする）。

***Column*　地方特例交付金**

国の制度の変更等により，地方公共団体の負担が増加したり，減収が生じた場合等に，地方交付税の交付団体であるか否かを問わず特例的に交付されるのが，地方特例交付金である。1999 年に制定された「地方特例交付金等の地方財政の特別措置に関する法律」により導入された制度である。これは，同年実施の恒久的な減税が，地方公共団体の財政収入に与える影響が大きいため，地方税の代替的性格を有する財源として位置づけられているが，当分の間の措置とされている。

48)　ナショナル・ミニマム以外の事務を「通常の生活水準のための事務」と「住民の選択による事務」に二分し，前者については，国が地方公共団体に必要な財源を確保する責任を負うという注目すべき主張について，井川・前掲注 45）自治研究 82 巻 10 号 16 頁以下参照。

## *5* 地方債

### ⑴　意　義

地方自治法は，「普通地方公共団体は，別に法律で定める場合において，予算の定めるところにより，地方債を起こすことができる」（自治230条1項）と規定している。地方債の起債の目的，限度額，起債の方法，利率および償還の方法は，予算で定め（同条2項），議会の議決を得なければならない（同96条1項2号）。なお，広義の地方債の中には歳出予算内の支出をするための一時借入金も含まれる。一時借入金とは，会計年度内の収入と支出のタイムラグから生ずる一時的な資金不足を解消するための短期の借入れで，借入れの最高額は，予算で定めなければならず，その会計年度の歳入をもって償還しなければならない（同235条の3)。地方自治法，地方財政法が定める地方債は，次年度以後の収入で償還する条件で負担する債務を念頭に置いており，一時借入金を含まない狭義の地方債である。本書においても，狭義の地方債について論ずることとする。

### ⑵　許可制の時代

地方自治法制定当時，普通地方公共団体に起債を認めるに当たって，地方債を起こし，起債の方法，利率および償還の方法を変更しようとするときは，当分の間，政令で定めるところにより，自治大臣（当時）または都道府県知事の許可を受けなければならないとされた（自治旧250条）[49)]。この許可は，講学上の認可であり，許可なしに地方債を発行しても無効であると一般に解されていた。

許可制がとられたのは，国の財政投融資計画，地方債計画に基づいて資金の総合的な調整が行われているほか，地方公共団体による起債の濫発を防ぎ，個々の地方公共団体の財政の健全性および地方債全体の信用を維持する必要があると考えられたからである。「当分の間」という文言が入れられたことからうかがえるように，国の後見的監督を不要とするほど地方公共団体が自立性や信用を高めた

49)　地方債許可制の立法過程については，小西・地方財政改革238頁以下，加藤一明「地方債の許可制度について」足立忠夫＝福井英雄＝加藤一明＝村松岐夫＝福島徳寿郎編『現代政治と地方自治』（有信堂，1975年）204頁以下参照。

場合には，かかる規制は撤廃されるべきものという認識は存在したのであるが，この「当分の間」が半世紀以上続くことになった。

この起債許可制については，地方単独事業よりも国庫支出金対象事業が優先され，また，地方交付税ともセットになることにより，国による地方公共団体の施策の誘導手段とされ，地方公共団体の自主性を阻害しているという批判が強く，また，その合憲性自体が議論の対象とされてきた[50)]。かつて美濃部亮吉東京都知事が，起債許可制違憲訴訟を提起しようとしたが，議会の同意が得られず，断念したことがある（1977年）[51)]。ただし，1992年以後は，一件審査方式から枠配分方式に転換したため，許可制が地方債の発行を困難にしているとは必ずしもいえなくなった[52)]。

***Column*** **一件審査方式と枠配分方式**

一件審査方式とは，自治大臣（当時）が団体ごとおよび事業ごとに許可予定額を決定する方式である。これに対し，枠配分方式とは，都道府県および指定都市分については，各団体が配分された枠内において各事業別の起債充当額を決定して自治大臣に報告することにより，当該額が許可予定額とされ，市（指定都市を除く）町村分については，自治大臣が都道府県ごとに枠を設けて配分し，都道府県知事が，当該枠の範囲内において，各市町村の許可予定額を決定する方式である。

### (3)　地方分権改革による許可制の廃止

地方公共団体が自己責任原則に基づいて行政を運営するという地方分権の精神に照らして，地方債の許可制は過剰な関与であって，地方公共団体の自律的な財政運営を阻害しているマイナス面が強く意識されることになる。そこで，地方分権一括法による地方自治法および地方財政法の改正により，地方債の許可制は原則として廃止されることになった。

---

50)　国家的金融政策上の必要性を有するという理由によってのみ合憲性を維持できるとする意見として，塩野・地方公共団体119頁参照。

51)　この経緯につき詳しくは，高寄昇三『現代地方債論』（勁草書房，1988年）137頁以下参照。

52)　持田信樹「地方税財源」法教209号（1998年）25頁。

### ⑷ 協議制への移行

もっとも，地方公共団体の裁量で全く自由に起債できることとすると，地方財政の健全性の確保が困難になるおそれがあるのみならず，地方債制度全体の信用が失われるおそれもないわけではないこと，全国的観点からの資金配分の調整や交付税措置との調整を図る必要があることを理由として，協議制がとられることになった。地方公共団体は，地方債を起こし，起債方法・利率・償還方法を変更しようとする場合は，政令で定めるところにより，起債目的・限度額・起債方法・資金・利率・償還方法等を明らかにして総務大臣または都道府県知事に協議しなければならない（地財5条の3第1項・2項）。ただし，軽微な場合その他の総務省令で定める場合には協議を要しない（同条1項ただし書）。この総務省令として，「地方債に関する省令」が定められており，市町村等が都道府県から借り入れる場合，借入額を減額する場合，利率を引き下げる場合，繰上償還を行う場合等に協議不要としている（同令1条）。総務大臣は，毎年度，総務大臣または都道府県知事が行う協議における同意の基準を定め，同意する地方債の予定額の総額その他政令で定める事項に関する書類を作成し，公表するものとされている（地財5条の3第10項）。

地方分権一括法による改正前は，許可のない起債は，ヤミ起債として違法扱いされていたが，地方分権一括法による改正により，総務大臣または都道府県知事との協議において同意が得られなくても，起債は可能になった。この場合，地方公共団体の長は，あらかじめ議会に報告しなければならない（同条9項本文）。総務大臣または都道府県知事の同意のない地方債は，政府資金等の公的資金の借入対象外となり，元利償還に要する費用が地方交付税法7条2号の定める地方団体の歳出総額見込額である地方財政計画の歳出見込額にも算入されないので，地方交付税の算定において不利になる（地財5条の3第7項・8項）。総務大臣または都道府県知事との協議自体を経ることなく起債することは違法である。

### ⑸ 移行の時期

地方分権一括法による地方財政法改正の施行期日は，2000年4月1日とされたが，2005年度までの間は，従来どおり地方債発行の許可制を維持することとされた（地財旧33条の7)。これは，1998年5月の地方分権推進計画（第4「国庫補助負担金の整理合理化と地方税財源の充実確保」4(3)イ）において，「少なくとも財政構造改革期間中においては，国及び地方の財政赤字の縮小のため財政健全化目標が設定され，地方公共団体の歳出の抑制が求められていることに鑑み，許可制度を維持することとする」とされたことによる。ここでいう「財政構造改革期間」とは，1997年制定の「財政構造改革の推進に関する特別措置法」（財革法）が定めるもので，2005年度までに財政赤字の対国内総生産比を100分の3以下とすることを目標としている。しかし，この法律は，1998年，「財政構造改革の推進に関する特別措置法の停止に関する法律」により，原則として，別に法律で定める日までの間，その施行を停止されている。したがって，上記の地方分権推進計画の考え方も，その基礎を失ったのではないかとも思われる。しかし，政府は，財革法の凍結によってもなお厳しい現下の地方財政の状況等にかんがみ，2005年度までに財政構造改革を達成するとの基本的な方向は堅持されているとの立場をとり，さらに，直ちに地方債発行の許可制を原則廃止とすると市場の信用を失うおそれがあると考え，2005年度まで許可制を維持するという方針は変更しなかったのである。2006年度以降は，地方債発行の許可制原則は廃止されている。

### (6) 例外的に許可制がとられる場合

先に述べたように（→(4)），地方分権改革により地方公共団体の起債は原則協議制に移行することになったが，地方財政の健全性および地方債制度の信用の維持確保を図るため，一定の要件に該当する団体については，起債に当たり，総務大臣または都道府県知事の許可を要することとされている（地財5条の4)。これは，従前，法令上起債が禁止されているものおよび許可方針上許可しないとされているものについては，協議制は不適当であると考えられたからである。具体的には，許可を要するのは，赤字団体，赤字公営企業，地方債の元利償還金の支払を遅延している団体等である。この許可の性質について，講学上の認可とみることは困難とする説がある53)。

### (7) 地方公共団体の財政の健全化に関する法律に基づく起債制限

従前は，地方財政再建促進特別措置法により，歳入欠陥を生じた団体で政令で定めるものは，地方債を財源とすることが認められる場合を列挙した地方財政法

53） 碓井・自治体財政87頁参照。

5条ただし書の規定にかかわらず，財政再建を行う場合でなければ，地方債をもって同法5条5号に掲げる経費の財源（公共施設または公用施設の建設事業費および公共用もしくは公用に供する土地またはその代替地としてあらかじめ取得する土地の購入費の財源）とすることができないとされていた（地財再建旧23条1項）。2007年に成立した「地方公共団体の財政の健全化に関する法律」（2009年4月1日全面施行。以下「地方公共団体財政健全化法」という）により，地方財政再建促進特別措置法は廃止されたが（附則3条），地方公共団体財政健全化法13条1項は，財政再生団体および財政再生計画を定めていない地方公共団体であって再生判断比率のいずれかが財政再生基準以上である地方公共団体は，地方債を起こし，または起債の方法，利率もしくは償還の方法を変更しようとする場合は，政令で定めるところにより，総務大臣の許可を受けなければならないとし，この場合においては，地方財政法5条の3第1項の規定による協議を要しないとしている。

### (8)　届出制の一部導入

2011年の通常国会で成立した第2次一括法による義務付け・枠付けの緩和の一環として，一定の場合には起債について総務大臣または都道府県知事との協議が不要とされた。すなわち，実質公債費比率が政令で定める数値未満である地方公共団体であって，当該地方公共団体が起こす当該年度の地方債のうち協議・届出をしたもの，および許可を得たものの合計額が政令で定める協議不要基準額を超えないもの（協議不要対象団体）は，公的資金以外の資金をもって起債する場合は，協議不要とされた（地財5条の3第3項）。ただし，協議不要対象団体は，あらかじめ，地方債の起債の目的，限度額，起債の方法，資金，利率，償還の方法その他政令で定める事項を（軽微な場合その他の総務省令で定める場合を除き）総務大臣または都道府県知事に届け出なければならない（同条6項）。この改正により，財政状態が健全な地方公共団体が民間資金で起債する場合の規制が緩和された。

### (9)　国の監督の要否

地方公共団体の中には，国の後見的監督の下で，同意または許可を得ることによって地方債の信用が高まるという理由で，後見的監督を望むものもある。しかし，国自身が財政規律を失い，天文学的な財政赤字を抱える中で，地方公共団体の自治能力への不信から後見的監督を続けることに疑問を提起し，地方公共団体の自己規律，住民監視の強化によって地方債の発行の節度を維持していくべきという批判もある[54]。実際，東海道新幹線栗東駅新設工事にかかる起債行為が地方財政法に反し違法であるとして，住民が起債行為の差止めを求めた事案（栗東市起債差止訴訟）において，大津地判平成18・9・25判時1987号12頁は，差止めを認め，控訴審の大阪高判平成19・3・1判時1987号3頁は控訴を棄却し，最決平成19・10・19判例集不登載は上告を棄却している。

## *6* 国庫補助負担金

### (1) 国庫補助負担金の種類

国庫補助負担金には，大別して，国庫負担金（地財10条〜10条の3）と国庫補助金（同16条）がある。国庫補助負担金は特定財源である。国庫負担金は，国と地方公共団体の双方が利害関係を有する事務について，国が共同責任者として経費を分担するものである。義務教育職員の給与，生活保護等の普通国庫負担金（同10条），道路・河川等にかかる重要な土木施設の新設・改修等の建設事業国庫負担金（同10条の2），災害救助事業・災害復旧事業等の災害事業負担金（同10条の3）がある。国庫負担金の経費の種目，算定基準および負担割合は，法律または政令で定めなければならない（同11条）。負担割合が政令でも定めうるとされていること，法律で定める場合も，国の意思が強く反映しがちであることについては批判がある[55]。もっぱら国の利害に関係ある事務を行うために要する経費（国会議員の選挙，国民年金に要する経費等）については，地方公共団体は負担する義務を負わない（同10条の4）。この場合の国庫支出金を国庫委託金という。

国会議員の選挙費用として，国から交付された金額を超える支出分を地方公共団体が負担することが，旧地方財政再建促進特別措置法24条2項で禁止された地方公共団体の国に対する負担金に当たるかが争われた事件において，最判昭和

54） 原田・法としくみ213頁。
55） 晴山一穂「負担金・補助金」法教165号（1994年）37頁以下参照。

62・10・30判時1264号59頁［百選〔3版〕71］は，「国会議員の選挙等の執行経費の基準に関する法律」が定める経費の基準が著しく不合理であって，到底経費の全額の国庫負担を定めたものといえないのであれば格別，そうでない限り，当該経費の基準額以上の経費の支出をもって，直ちに旧地方財政再建促進特別措置法24条2項違反にはならないと判示している。また，市立病院が財団に対して行った寄付が，実質的には国に対する寄付として，旧地方財政再建特別措置法24条2項に違反する疑いは払拭できないが，寄付を無効とする十分な理由はないから，不当利得返還請求は認められないとしたものとして，仙台高判平成19・4・20判タ1284号199頁がある。

地方財政再建促進特別措置法廃止後も，地方公共団体は国等への寄付金，法律または政令の規定に基づかない負担金その他これらに類するものの支出を原則として禁止されていたが（旧地財健全化附則5条），2011年の通常国会で成立した第2次一括法により，「地方公共団体の財政の健全化に関する法律」附則5条の規定が廃止され，上記寄付についての法的制限はなくなった。しかし，事実上の強制が行われる懸念も払拭できないことから，改正規定が施行される2011年11月30日の前日に「地方公共団体からの国等に対する寄附金等の取扱いについて」が閣議決定され，「各府省においては，国と地方の財政規律を確保する観点から，地方公共団体との関係において，『官公庁に対する寄附金等の抑制について』（昭和23年1月30日閣議決定）を引き続き遵守するとともに，地方財政法（昭和23年法律第109号）第4条の5で禁止されている割当的寄附金等はもとより，それと誤解を受けるような以下の行為は行わないこと」とし，「(1) 寄附金等の支出をしない場合における不利益な取扱い及びその示唆」，「(2) 第三者を通じた寄附金等の要求又は勧誘」，「(3) (1)及び(2)のほか地方公共団体の寄附金等に関する自発的な意思決定に影響を及ぼすような行為」を行わないように指示している。そして，各府省において，地方公共団体から自発的な寄付金等の支出があった場合には，寄付金等の金額，経緯および内容の公表に努めること，担当大臣が独立行政法人，国立大学法人等に対し上記に準ずるよう要請することを求めている。

なお，地方自治法は，法律またはこれに基づく政令により普通地方公共団体に対し事務の処理を義務づける場合においては，国は，そのために要する経費の財源につき必要な措置を講じなければならないと定めている（自治232条2項）[56]。

この場合，国により義務づけられた事務は，自治事務であるか法定受託事務であるかを問わない。また，特に新たな義務付けを行う場合について，地方財政法13条1項は，①地方公共団体または②その経費を地方公共団体が負担する国の機関が，法律または政令に基づいて新たな事務を行う義務を負う場合においては，国は，そのために要する財源について必要な措置を講じなければならないと規定している。これらの規定における「必要な措置」とは，国庫負担金に限られず，地方税財源の拡充，起債への同意，地方交付税の基準財政需要額への算入（地財11条の2）等による措置も含まれると解される。

他方，地方財政法16条は，「国は，その施策を行うため特別の必要があると認めるとき又は地方公共団体の財政上特別の必要があると認めるときに限り，当該地方公共団体に対して，補助金を交付することができる」と定めている。「その施策を行うため特別の必要があると認めるとき」，すなわち，特定の施策を奨励するために交付されるのが奨励的補助金（政策的補助金ともいう），「地方公共団体の財政上特別の必要があると認めるとき」に交付されるのが財政援助補助金である。

国庫負担金と国庫補助金は地方財政法上は明確に区別されているが，その交付手続については，「補助金等に係る予算の執行の適正化に関する法律」（以下「補助金適正化法」という）において，「補助金等」として同一の手続規範に服している。国庫負担金・国庫補助金・国庫委託金を併せて国庫支出金という。

補助金適正化法2条2項は，「補助事業等」とは，「補助金等の交付の対象となる事務又は事業をいう」と定義し，同条4項は，「間接補助金等」とは「国以外の者が相当の反対給付を受けないで交付する給付金で，補助金等を直接又は間接にその財源の全部又は一部とし，かつ，当該補助金等の交付の目的に従つて交付

56） アメリカにおいて，連邦政府が財源措置なしに州・自治体に事務の執行を義務づけることへの批判を受けて制定された「無財源マンデイト改革法」につき，宇賀・アメリカ行政法22頁以下，小滝敏之「米国における財源未措置強制事務改革法と政府間関係の転換(1)」地方財政34巻6号（1995年）128頁以下，村上芳夫「アメリカの無財源マンデイトをめぐる政府間関係」都市問題研究49巻4号（1997年）130頁以下，中村虎彰「アメリカの政府間規制と連邦強制事務」季刊行政管理研究77号（1997年）33頁以下，柴田直子「アメリカ合衆国における地方政府の法的位置づけに関する一考察（3・完）」自治研究78巻5号（2002年）72頁以下参照。

するもの」（1号），「利子補給金又は利子の軽減を目的とする前号の給付金の交付を受ける者が，その交付の目的に従い，利子を軽減して融通する資金」（2号）と定義している。国が都道府県に補助金を支給し，都道府県がそれを財源にして市町村に補助金を支給することは稀でないが，この場合，都道府県は「補助事業者等」（同条3項），市町村は「間接補助事業者等」（同条6項）となる。市町村が，さらに，間接補助金等を財源として，企業等を助成する場合，当該企業等も「間接補助事業者等」になる。国は，補助事業者等に対してのみ，状況報告義務を課し（同法12条），補助事業等遂行等命令（同法13条）を行うことができることとし，間接補助事業者等に対しては，原則として直接的な規制権限を有しないが，立入検査等の規定（同法23条1項）は，例外的に，間接補助事業者等に対しても直接適用される。国が企業等を助成したい場合，国から企業等に補助金を直接交付するのではなく，地方公共団体を通じて企業等に交付され，企業等は間接補助事業者等となることが多い。

**Column　補助事業者等から間接補助事業者等への返納請求**

国から補助金の交付を受けた栃木県が，それを同県補助金等交付規則5条の規定に基づき宇都宮市に対して交付し，さらに，同市が同市補助金等交付規則4条の規定に基づきA社に交付し，A社は間接補助金を主要な財源として堆肥化施設を設置した。しかし，A社の経営が行き詰まり，同社の堆肥化施設について担保不動産競売手続開始決定がされた。そこで，A社は同市補助金等交付規則20条の規定に基づき同市に財産処分を申請し，同市は同県補助金等交付規則24条の規定に基づき同県に財産処分を申請し，同県は補助金適正化法22条の規定に基づくものとして国に財産処分を申請した。国は国庫補助金相当額の納付を条件として同県の申請を承認し，同県は同県補助金相当額の納付を条件として同市の申請を承認し，同市は同市補助金相当額の納付を条件としてA社の申請を承認した。国が同県に対して国庫補助金相当額の返納を求めたところ，同県はこれに応じて同額の金員を国に返納したが，同市は同県からの同県補助金相当額の返納の求めに応じなかった。そこで，同県が同市に対して，同県補助金相当額の返納を請求する訴訟を提起した。

宇都宮地判平成27・3・4判例自治413号28頁は，同県補助金等交付規則24条は，補助事業者等が補助事業等により取得した財産の処分について制限を課すものであり，間接補助事業者等が間接補助事業等により取得した財産の処分について直接に規律するものではなく，また，同県補助金等交付規則において，補助金等は同県が主体となって交付するものであり，間接補助金等は国および同県以外の者が主体となって交付するものであるから，補助金等と間接補助金等は，上位，下位の関係にある用語でなく，それぞれ独立した概念を規定する用語であるので，補助事業者等と間接補助事業者等も，それぞれ独立した概念を規定する用語であるとする。そして，同県補助金等交付規則は，間接補助事業者等が間接補助事業等により取得した財産の処分について制限を課すか否かについて直接に規律しておらず，むしろ，補助事業者等が間接補助金等の交付に当たってどのように規律するかに委ねているものと考えられるとする。したがって，同県補助金等交付規則24条は，間接補助事業者等であるA社には適用されない上，類推適用もされないと判示した。その控訴審の東京高判平成27・7・15判例自治413号23頁も同様の立場に立ち，控訴を棄却した（最決平成28・4・15判例集未登載は上告不受理。別件の住民訴訟で，宇都宮地判平成28・3・23判例自治413号35頁，東京高判平成29・1・26判例自治431号24頁以下〔最決平成29・6・27判例集未登載は上告棄却兼上告不受理〕も同様の見解をとっている）。

なお，栃木県は，補助金等に係る予算の執行の適正化に関する法律22条の規定に基づき，担保権実行に係る承認申請を関東農政局長に対して行い，関東農政局長は，国庫補助金相当額を納付することを条件（以下「本件附款」という）として承認（以下「本件承認」という）しているところ，同県は，同条の規定は間接補助事業者が行う財産処分には適用されず，本件承認は法令上の根拠を欠き，本件附款も無効であるとして，同県が国に納付した国庫補助金相当額について不当利得返還請求を行った。最判平成3・3・2民集75巻3号317頁は，同法22条の規定に基づく本件承認を同法7条3項の規定による条件に基づいてなされたものとして適法と解し（違法行為の転換），請求を認めなかった。

### (2)　地方分権推進委員会勧告等

#### (a)　国庫補助負担金の弊害

1997年の地方分権推進委員会第2次勧告は，国庫補助負担金の弊害として，①国と地方公共団体の責任の所在を不明確としやすいこと，②国庫補助負担金の交付を通じた各省庁の関与が，地方公共団体の地域の知恵や創意を生かした自主的な行財政運営を阻害しがちであること，③国庫補助負担金の細部にわたる補助条件や煩雑な交付手続等が行政の簡素・効率化や財政資金の効率的な使用を妨げる要因になっていることを指摘している。

地方公共団体の自主財源が不十分な中にあって，国庫補助負担金は，地方公共団体の任意性を前提とした誘導手段というよりも，必要不可欠な財源保障としての意味を持つ場合が少なくなく[57]，それだけに一層，国庫補助負担金の交付を

---

57）　櫻井・前掲注34）242頁参照。

通じた各府省の関与が，自主財政権にとり深刻な問題として受け止められているのである。さらに，補助事業の地方公共団体負担部分が地方交付税により補塡される場合，地方公共団体が，住民のニーズよりも，補助事業であるか否かを事務事業の選択に際して重視する傾向が一層強まることは否定できない。そして，国庫補助金が府省ごとに縦割りで交付されることが，地方公共団体の施策の総合性を阻害していることも稀ではないのである[58)]。

**(b)　改革の方向**

> 地方分権推進委員会第2次勧告は，①国庫補助負担金の整理合理化，②存続する国庫補助負担金の運用・関与の改革，③地方税財源の充実確保という3つの提言をしている。同勧告が提言した具体的な国庫補助負担金の整理合理化方策は，ⓐ不要な負担金・補助金の廃止，ⓑ一般財源化（地方税，地方交付税等），ⓒ国庫補助金についてのサンセット方式，スクラップ・アンド・ビルド原則の徹底，国庫負担金についての定期的見直し，ⓓ国庫補助金削減計画の策定，ⓔ縦割りの弊害を解消するために類似ないし同一の目的を有する国庫補助負担金について，地方公共団体の自主性の尊重・事務の簡素化の観点から統合・メニュー化の積極的推進，ⓕ補助金を受けた施設と他の施設との複合化が可能となるような運用の弾力化，ⓖ交付目的を達成するために必要な限度を超えて地方公共団体に制約を課すことがないように，補助条件等を補助目的の達成や運用の適正化等のために必要最小限とするような緩和，ⓗ社会経済情勢の変化により補助対象資産である施設にかかる行政需要が設置当時から変化したような場合において，地方公共団体が住民のニーズに応じて他の公共施設・公用施設への転用・有効活用が実施できるような制度・運用の大幅な弾力化・簡素化，ⓘ国庫補助負担金にかかる事務の執行の適正化・事務手続の簡素化，ⓙ長期にわたり実施中の国庫補助事業等の再評価，ⓚ国庫委託金や国庫負担金の対象となる事務事業を地方公共団体が実施した結果，地方公共団体の自己財源の持ち出しとなる超過負担等の実態調査の適時な実施である。

そして，国庫負担とすべき事務については，(ア)法定受託事務のうち，もっぱら国の利害に関係のあるもの，(イ)法定受託事務またはその実施内容，方法等の基本的枠組みが法律もしくはこれに基づく政令で定められている自治事務のうち，ナショナル・ミニマムの維持達成のためには運営につき国が進んで経費を負担する

58)　他方，国庫補助金の意義については，米原淳七郎「自主財政権の確立を目ざして」ひろば45巻4号（1992年）17頁以下参照。

必要があるもの，または全国的な規模・視点から国民経済に適合するように総合的に樹立された計画に従って実施しなければならない根幹的社会資本整備等にかかるもの，(ウ)災害救助事業・災害復旧事業を挙げている。これは，地方財政法の従前の国庫負担金を基本的に継承するものであるが，微妙に異なる点もある[59)]。

さらに，1998年6月制定の中央省庁等改革基本法46条2号は，国が個別に補助金等を交付する事業は，国の直轄事業に関連する事業，国家的な事業に関連する事業，先導的な施策にかかる事業，短期間に集中的に施行する必要がある事業等特に必要があるものに限定し，その他の事業に対する助成については，できる限り，個別の補助金等に代えて，適切な目的を付した統合的な補助金等を交付し，地方公共団体に裁量的に施行させることとする旨規定している。これを受けて，地方分権推進委員会の1998年11月の第5次勧告，1999年3月の第2次地方分権推進計画は，より具体的に補助事業の見直し，統合補助金のあり方等を提言している。

地方分権改革推進委員会が2008年5月28日にとりまとめた第1次勧告（その3章(2)）においては，国庫補助事業等の補助対象財産の処分（補助目的外への転用，譲渡，取壊し等）に対する制限をめぐっては，各府省における取扱いに不統一がみられたり，転用・譲渡等における用途や相手先が厳格に制限されていることへの地方公共団体からの改善要望が強いことが指摘され，社会経済情勢の変化や地域活性化の観点等を踏まえた地域の創意工夫に対応し，既存ストックを効率的に活用するためにも，財産処分に対する制限は，補助目的の達成や補助対象財産の適正な使用を確保する上で必要最小限にとどめるよう改め，手続も簡素化すべきことが提言されている。そして，具体的には，関係府省は，(i)おおむね10年経過後の財産処分については，原則，届出・報告等をもって国の承認があったものとみなすとともに，承認の際，用途や譲渡先等について差別的な取扱いをしないことおよび国庫納付を求めないこととすること（ただし，補助目的の達成や補助対象財産の適正な使用を確保する観点から，有償の譲渡・貸付けの場合には国庫納付を求めるなど，必要最小限の条件を付すことができること），(ii)おおむね10年経過前であっても，災害による財産の損壊等，補助事業者等の責に帰することのできない

59)　碓井光明「自治体財政と政府間関係」ジュリ1127号（1998年）79頁。

事由による財産処分や市町村合併，地域再生等の施策に伴う財産処分については(i)と同様とすること，が勧告され，関係府省は，地方分権改革推進計画の策定を待つことなく，この勧告を受けて速やかに上記の措置を実施することが求められている（第三セクターを含む民間事業者等の地方公共団体以外の者の補助対象財産についても，上記の趣旨を踏まえ，関係府省において適切に対処することが要望されている）。補助対象資産の処分にかかる上記勧告については，同年6月に地方分権改革推進本部が決定した「地方分権改革推進要綱（第1次)」において，地方分権改革推進計画の作成を待つことなく，速やかに実施することが明記された。

### (3) 基　金

補助金には，交付の相手方が当該年度内に使用することを予定するものと，基金を造成して複数年度にわたる継続的な事業に充てるものがある。普通地方公共団体は，条例の定めるところにより，特定の目的のために財産を維持し，資金を積み立て，または定額の資金を運用するための基金を設けることができるので（自治241条1項)，国の補助金等を地方公共団体の基金の原資として交付し，複数年度にわたり使用可能とすることで，国庫補助金の単年度使用原則に起因する非効率と無駄を避けることが期待できる[60)]。地方公共団体の基金への国の補助について法律で定めている例として，明日香村における歴史的風土の保存及び生活環境の整備等に関する特別措置法8条がある。

**Column　地方消費者行政活性化基金**

地方消費者行政活性化基金は，消費者行政強化に取り組む地方公共団体を支援するために都道府県に設けられるもので，国の地方消費者行政活性化交付金を原資としている。地方公共団体の創意工夫を支援するため，事業メニュー方式がとられ，消費生活相談機能整備・強化事業，消費生活相談員養成事業等の事業メニューの中から選択することが可能になっている。事業実施に当たっては，中期的な消費者行政活性化のための指針に基づき，計画的に推進することとされた[61)]。しかし，「経済財政運営と改革の基本方針2014」（2014年6月24日閣議決定）において，既存基金への積み増し

---

60）　もっとも，補助金を交付した時点の需要が減じた場合の余裕資金の国への返納の確保という問題がある。碓井光明『公的資金助成法精義』（信山社，2007年）25頁参照。

61）　宇賀克也「地方消費者行政」同『行政組織法の理論と実務』（有斐閣，2021年）162頁以下。

については，財政規律の観点から厳に抑制するとされたことを受けて，2014 年度補正予算から地方消費者行政推進交付金として単年度交付金化され，2018 年度からは地方消費者行政強化交付金に継承された。

財務省は，地方公共団体が基金を増加させているのは，地方財政計画に対する歳出が過大であるためであると主張し，経済財政諮問会議の民間議員からも地方公共団体の財政調整基金を適正水準に抑制すべきとの意見が出された。しかし，総務省は，基金は，人口減に伴う税収減や災害対策による財政需要への備えとして積み立てられているものであり，基金の増加を理由として地方財源を削減することは適当でないと反論していた。しかし，2020 年，新型コロナウイルス対策としての飲食店等への営業自粛，営業時間短縮への協力金の支払等で地方公共団体の基金は大幅に減少し，地方創生臨時交付金による地方公共団体への財政支援が不可欠となった。

### ⑷　超過負担問題

前述（→⑵(b)ⓚ）した超過負担がなぜ生じるかというと，国から支出される金額の算定基準が実情に即していないことがあるためである。例えば，建設事業の実施単価にしても，①国の基準単価が低いために生ずる単価差，②負担金の対象に加えられるべき項目が加えられていないために生ずる対象差，③必要な職員数や物品数を低く見積もっているために生ずる数量差，④事業の一部が負担金対象事業として認証されないために生ずる認証差が存在する。もとより，地方公共団体が必要以上に贅沢な施設を設置していないか査定する必要はあるが，国が過度に厳格な査定をすることにより，法令が定める国庫負担の割合を形骸化し，地方財政を圧迫することは，地方財政法２条２項（「国は，地方財政の自主的な且つ健全な運営を助長することに努め，いやしくもその自律性をそこない，又は地方公共団体に負担を転嫁するような施策を行つてはならない」）・18 条（「国の負担金，補助金等の地方公共団体に対する支出金（以下国の支出金という。）の額は，地方公共団体が当該国の支出金に係る事務を行うために必要で且つ充分な金額を基礎として，これを算定しなければならない」）にも違反する。超過負担問題の解消のために，地方公共団体の算定額を基準にするぐらいの大胆な転換が必要であるという意見[62]がみられるのも，この問題につき，地方公共団体が国に対して，不当に弱い立場に置かれてきたからであろう。中立的な査定機関を設けることも検討に値しよう。

***Column*　摂津訴訟**

この超過負担問題が訴訟で争われたのが摂津訴訟である。この事案は，摂津市が保育所設置に要した費用のうち超過負担分の支払を国に求めたものである。すなわち，摂津市は，1969年から1973年までの間に4箇所に保育所を設置し，約9273万円支出し，児童福祉法旧52条等により2分の1の国庫負担がされるものと見込んでいたが，実際には，厚生大臣（当時）は，2つの保育所のみを負担金の対象とし，しかも両者合計で負担金額を250万円とする著しく低い査定額を内示してきた。そこで摂津市は，内示額を申請して250万円の負担金の交付を受けたのち，実際に要した経費の2分の1と交付された負担金との差額の支払を求める訴訟を国に提起したのである。

第1審の東京地判昭和51・12・13行集27巻11＝12号1790頁［判例集129］は，児童福祉法52条等が定める国庫負担の義務は抽象的なものにとどまり，具体的な負担金請求権は，「補助金等に係る予算の執行の適正化に関する法律」に基づく交付決定によって生ずるから，交付決定を受けていない金額について請求することはできないと判示した。控訴審において，摂津市は，国が事前協議・内示制度という法に基づかない手続によって摂津市の実額申請を妨害したとして，予備的に国家賠償請求も行った。東京高判昭和55・7・28行集31巻7号1558頁［百選117］は，児童福祉法52条等は，国庫負担の割合を国の裁量にかからしめるものではなく，実額を基準として交付することを義務づけるものであると認定したが，交付決定を経ることなく当事者訴訟によって国に支払を求めることはできず，また，摂津市は消極的にせよ事前協議・内示の行政指導に従ったのであるから国が違法に摂津市の負担金交付申請権の行使を妨げたとはいえないとして，国家賠償請求も認めなかった。しかし，この訴訟が，超過負担の実態を明らかにし，この問題に対する社会の関心を高めたことの意義は大きかった。

### (5)　国直轄事業負担金

#### (a)　地方分権改革推進委員会の意見

超過負担は，地方公共団体の事業に対する国庫負担の問題であるが，国直轄事業に対する地方公共団体の負担も，2009年に大きな社会問題になった。そこで，地方分権改革推進委員会は，同年4月24日，「国直轄事業負担金に関する意見」を公表した。そこにおいては，関係府省において，①負担金の経費内訳とその積

62）　三木義一「国庫補助負担金」法教209号（1998年）23頁参照。

算根拠の地方公共団体への情報開示を徹底すること，②直轄事業の実施・変更に当たり，事業内容や事業費を含めて地方公共団体と事前に協議する仕組みを設けること等の具体的措置を含め，直ちに改善に向けた取組みを行うよう要請がなされている。また，維持管理費用は，維持管理に責任を負う者が負担することが原則でなければならないとし，維持管理費にかかる負担金について，廃止が勧告されている。整備費にかかる負担金については，国の直轄事業の範囲を国が責任を負うべき最小限のものに限定することを前提に，直轄事業における地方の受益と負担の観点および節度ある直轄事業の採択・実施の観点も考慮し検討を行い，改革を進めるべきであるとする。そして，負担金の見直しに当たっては，その対象範囲を含め，引き続き，全国知事会等と国土交通省等関係府省との意見交換など，国と地方が対等の立場に立って真摯に定期的に協議を行うことを求めている。併せて，都道府県が市町村に求める同種の負担金についても，情報提供や負担のあり方をめぐって同じ問題があることを指摘し，基礎的自治体優先の原則にも留意しつつ，都道府県と市町村の間において，緊密な協議が行われることを通じ，適切に対応されることを要請している。

**_Column_　河川国道事務所庁舎移転敷地取得費用の市による負担**

仙台市が国に支払った平成20年度の国直轄道路事業負担金に含まれる河川国道事務所庁舎移転敷地取得費用分は，国が地方公共団体に負担を求めることはできないものであるから，その支出は違法かつ無効であるとして，仙台市長が国に不当利得返還請求または国家賠償請求をすることの義務付けを求める住民訴訟が提起された。この支出が違法である理由として，原告は，地方財政法12条1項が，地方公共団体が処理する権限を有しない事務を行うために要する経費を，地方公共団体に負担させることを原則として禁止し，同条2項1号は，地方公共団体が処理する権限を有しない事務として，「国の機関の設置，維持及び運営に要する経費」を例示しているから，その例外を法令で定める場合には，地方公共団体に負担させる旨が明示されていなければならないが，かかる明文の規定がないこと，本件支出は，実質的には，国への割当的寄附であることを挙げた。仙台地判平成23・2・10判例集不登載は，本件負担金は，支出の目的，効果と地方公共団体に対して生じることが想定される受益との関連性ならびに費用負担の方法および金額の相当性等の見地からみて，その支出が不合理であるとは認められず，道路法50条1項・2項等の法令の根拠に基づくものということができるから，地方財政法12条1項に違反するものではなく，法令の根拠に基づく負担は「寄附」ではないので，同法4条の5にも違反しないと判示した。そして，仙台高判平成23・9・14判例集不登載は，控訴を棄却した。同種の訴訟において，仙台地判平成23・1・31判例集不登載（仙台高判平成23・9・8判例集不登載は控訴棄却），東京地判平成23・9・16訟月59巻5号1321頁（東京高判平成24・4・26訟月59巻5号1349頁は控訴棄却）も，原告の請求を棄却している。

#### (b)　維持管理負担金の廃止

民主党を中心とした連立政権下で直轄事業負担金制度等に関するワーキングチームが，「直轄事業負担金制度の廃止に向けた工程表（素案）」を作成し，2010年度は維持管理にかかる負担金制度を廃止（特定の事業にかかるものは2011年度に廃止）することとした。そして，2010年の通常国会において，「国の直轄事業に係る都道府県等の維持管理負担金の廃止等のための関係法律の整備に関する法律」が成立した。他方，整備費については，4省の大臣政務官ワーキンググループで検討し，2013年度までに結論を得ることとされていた。

## 7　地方公共団体の歳入構造

かつて「3割自治」という言葉があったが，2020年度決算額において，地方歳入総額に占める地方税の割合（全国計）は約31.4％である。地方交付税・地方譲与税・地方特例交付金の合計が約15.0％，国庫支出金が約28.8％，地方債が約9.4％を占めている。財政支出の比率では国が約44％，地方公共団体が約56％であるにもかかわらず，地方公共団体の自主財源が乏しく，地方交付税や国庫補助負担金に依存しなければ財政が成り立たない状態が一般化しているのである。地方分権改革推進委員会第4次勧告は，国と地方の税源配分を5：5とすることを今後の改革の当初目標とすることを提言している。

## 8　三位一体の改革

### (1)　改革の基本的考え方

わが国の地方財政制度の大きな問題は，地方公共団体の自主財源が乏しく，地方交付税，国庫補助負担金に依存する割合が高いため，受益と負担の乖離から，財政規律が保たれがたい点にある。この問題を解決するためには，国庫補助負担金を削減し，それにより生ずる国家財政の余剰と地方財政の窮乏を調整するため，国税の一部を地方税とし，地方公共団体の自主財源の拡充を図ることが必要になる。国庫補助負担金の削減と地方への税財源の移譲と並んで，地方交付税の改革も必要になり，この三者は，一体として行われる必要がある。

2003年6月6日に地方分権改革推進会議は，「三位一体の改革についての意見」において，改革の基本的考え方を示している。すなわち，地方の歳出・歳入両面での国による関与を縮減し，住民が行政サービスの受益と負担の関係を選択することが可能な地方財政制度の構築を改革の目標とし，そのために，地方公共団体における受益と負担の関係の明確化，地方歳出と地方税収の乖離のできる限りの縮小，国と地方の財政責任の明確化が必要であるとする。また，地方公共団体の自立性の向上，国および地方公共団体の財政の持続可能性の向上，地方公共団体の財政力格差への配慮を改革の基本的方向として挙げている。

### (2)　国庫補助負担金

このような基本的考え方の下に，国庫補助負担金については，国の関与を廃止・縮減し，地方公共団体の裁量を拡大するとともに，国と地方を通じたスリム化を実現するが，廃止される国庫補助負担金の対象事業で，引き続き地方公共団体が主体となって実施する必要があるものについては，地方に税源移譲することが必要であるとする。

### (3)　地方交付税

地方交付税については，将来にわたり持続可能な財政調整制度を構築するために，地方歳出の徹底的な見直しを行い，地方財政計画の規模の縮減を図り，地方交付税の総額を抑制すること，国の法令による義務付けや国庫補助負担金による関与の廃止・縮減の状況も勘案しつつ，国が地方の歳出を規定してそれを保障するという側面を極力少なくするとともに，税源移譲を含む税源配分の見直し等により地方税の充実が進むことを踏まえ，地方公共団体間の財政力格差を調整する機能を強く前面に出す方向で検討すること，地方分権がさらに進展した後の財政調整制度の将来像として，地方公共団体間の水平的財政調整制度があり，今後の地方行政体制の見直しも視野に入れ，国の関与の廃止・縮減の状況も見極めつつ，地方共同税（仮称）も含め専門的な検討が進められることを期待するとしている。

***Column*　地方共同税と地方共有税**

地方分権改革推進会議が「三位一体の改革についての意見」の中で述べた地方共同税（仮称）とは，地方交付税の法定率分を地方税として位置づけ，地方公共団体間の総意に基づいて水平的調整を行うことを内容とする。地方6団体が設置した新地方分権構想検討委員会が提言した地方共有税は，地方交付税の法定率分を一般会計ではなく，新設する特別会計に入れ，地方交付税が本来地方の財源であることを明確化しようとするものである。

### (4) 税源配分

税源移譲を含む税源配分の見直しについては，個人住民税を重視しその充実を図るとともに，課税自主権が活用されやすい制度改革が検討されるべきであるとし，地方消費税についても，安定的な基幹税目の1つとして，今後とも大きな役割を果たすことが期待されるとする。そして，国・地方の危機的な財政状況を踏まえれば，国・地方を通じた歳出の徹底的な見直しが必要であり，この努力を踏まえても，国税，地方税ともに増税を伴う制度改革が避けられないとするが，国と地方の税源配分についてもその役割分担に応じた見直しが行われるべきとする。

### (5) 地方債

地方債については，市場公募の促進，発行条件の決定方式の見直しを進めるとともに，地方債を市場が適切に評価するために公会計制度の整備が必要であるとし，新発地方債の元利償還に対する交付税措置は，合併特例債等の真にやむをえないものを除き，廃止・縮減の方向で検討すべきとする。

***Column*　骨太の方針**

2003年6月27日に閣議決定された「経済財政運営と構造改革に関する基本方針2003」（骨太の方針2003）は，三位一体の改革によって，地方財政における国庫補助負担金への依存の抑制を図り，地方の一般財源（地方税・地方譲与税・地方特例交付金・地方交付税）の割合を着実に引き上げるべきとした。そして，税源移譲等による地方税の充実確保，地方歳出の徹底した見直しによる交付税額の抑制等により，地方の一般財源に占める地方税の割合を着実に引き上げ，地方交付税への依存を低下させること，課税自主権の拡大を図ることにより，地方公共団体や住民の自立意識のさらなる向上を目指すこととした。より具体的には，「国庫補助負担金等整理合理化方針」に掲げる措置およびスケジュールに基づき，おおむね4兆円程度をめどに国庫補助負担金の廃止・縮減等の改革を行い，税源移譲に当たっては，補助金の性格等を勘案しつつ8割程度を目安として移譲するが，義務的な事業については徹底的な効率化を図った上でその所要の全額を移譲することとしていた。

そして，2004年6月4日に閣議決定された「経済財政運営と構造改革に関する基本方針2004」（骨太の方針2004）は，税源移譲はおおむね3兆円規模を目指すこととしていた。2005年6月21日に閣議決定された「経済財政運営と構造改革に関する基本方針2005」（骨太の方針2005）においては，地方債の信用維持のため財政状況の悪化している地方公共団体に対して早期是正のための措置を講じつつ，地方の自主性・

自己責任の強化を図ることとされた。

2006年7月7日に閣議決定された「経済財政運営と構造改革に関する基本方針2006」（骨太の方針2006）は，例えば人口20万人以上の市の半分などの目標を定めて，交付税に依存しない不交付団体の増加を目指すとし，また，総務大臣の諮問機関である「地方分権21世紀ビジョン懇談会」が同年7月3日に公表した報告書において提言した人口と面積を基本として算定する新型交付税[63]（2007年度に基準財政需要額の1割程度に導入された）は，以後3年間で5兆円規模を目指すこと，従来型の交付税（特別交付税を含む）についても，算定基準の簡素化・透明化を進めるべきこととされた。2007年6月19日に閣議決定された「経済財政改革の基本方針2007」（骨太の方針2007）においては，法人2税を中心に税源が偏在する地方公共団体間で財政力に格差があることを踏まえ，地方間の税源の偏在を是正する方策について検討し，その格差の縮小を目指すこととされた。2008年6月27日に閣議決定された「経済財政改革の基本方針2008」（骨太の方針2008）においては，地方再生対策の考え方に立った交付税配分の重点化を引き続き進め，地方交付税を財政の厳しい地域に重点的に配分することとされている。2009年6月23日に閣議決定された「経済財政改革の基本方針2009」（骨太の方針2009）においては，地方公共団体の安定的な財政運営に必要となる地方税，地方交付税等の一般財源の総額を確保することが明記された[64]。

第2次安倍政権下の骨太の方針の特色としては，①「ふるさと納税」の一層の拡充，② PPP／PFI の導入領域の大幅な拡大，③地方交付税において地域経済活性化の財政

---

63）　新型交付税のの意義と課題について，井川博「自治体施策に対する国の責任と財源保障(下)――ナショナル・ミニマム，『通常の生活水準』の確保と地方交付税」自治研究82巻11号（2006年）41頁以下参照。

64）　骨太の方針について詳しくは，椎川忍＝岡崎浩巳「地方分権推進という観点からの『三位一体の改革』に関する考察(上)」自治研究79巻9号（2003年）47頁以下，谷山治雄「『三位一体』改革批判と疑問――『骨太方針』第4弾によせて」税制研究46号（2004年）9頁以下，富山泰一「小泉政権における『骨太方針』とは何か」税制研究48号（2005年）61頁以下，二宮厚美「骨太方針06が描くポスト小泉構造改革路線」賃金と社会保障1423号（2006年）4頁以下，小山善一郎「新分権一括法の制定に期待――地方に厳しい骨太の方針2006」法令解説資料総覧295号（2006年）68頁以下，増田寛也「真の地方分権のための税財政改革とは」都市問題97巻5号（2006年）9頁以下，木村陽子「次の地方分権改革の戦略を提起する」都市問題97巻5号（2006年）24頁以下，柳川喜郎「必要なのは地方交付税の改革だ――骨太の方針に町村の声の反映を」都市問題97巻5号（2006年）19頁以下，神野直彦「『骨太の方針』を斬る」税研22巻2号（2006年）16頁以下，永山利和「『骨太の方針』批判――『“骨太方針”2006』（「経済財政運営と構造改革に関する基本方針2006」）批判」行財政研究63号（2006年）34頁以下，小山善一郎「都市と地方の税源偏在是正――骨太の方針2007」法令解説資料総覧306号（2007年）48頁以下，五十嵐仁「労働の規制緩和の現段階――『骨太の方針2008』の意味するもの」賃金と社会保障1472号（2008年）29頁以下参照。

需要を算定する「地域の元気創造事業費」の創設，④地域人材への投資等を通じた地方創生，⑤新地方公会計の導入促進等による自治体財政の更なる「可視化」の推進等が挙げられる。菅政権下の骨太の方針，岸田政権下の最初の骨太の方針では，新型コロナウイルス感染症対策として行われた国から地方への財政移転について，成果と課題の検証を進めるとともに，感染収束後，早期に地方財政の歳出構造を平時に戻すこととされた。

## 9　地域主権戦略大綱（平成22年6月22日閣議決定）

小泉政権は経済財政諮問会議を活用し，骨太の方針を定めて三位一体改革を進めてきたが，2005年に三位一体改革に一応の区切りがついた後も，自公政権の下で，骨太の方針の策定は継続されてきた。しかし，民主党を中心とした連立政権になってから，経済財政諮問会議は休眠状態となり，骨太の方針も作成されなくなった。地方分権改革の司令塔機能も，2010年3月31日に地方分権改革推進委員会がその活動を終えた後は，完全に地域主権戦略会議（2009年11月17日に閣議決定で設置）に移り，ここでの議論を踏まえて，2010年6月22日に地域主権戦略大綱が閣議決定された。

### (1)　地方税

地域主権戦略大綱においては，地方税については，「地方が自由に使える財源を拡充するという観点から国・地方間の税財源の配分の在り方を見直す。社会保障など地方行政を安定的に運営するための地方消費税の充実など，税源の偏在性が少なく，税収が安定的な地方税体系を構築する」とされた。

### (2)　地方交付税

地域主権戦略大綱においては，地方交付税については，「本来の役割である財源調整機能と財源保障機能が適切に発揮されるよう，地方税等と併せ地方の安定的な財政運営に必要となる一般財源の総額の適切な確保を図る」とされた。

### (3)　直轄事業負担金

地域主権戦略大綱においては，直轄事業負担金の問題は，国と地方の役割分担のあり方や今後の社会資本整備のあり方等，地域主権の実現に関する様々な課題と密接に関連するため，これとの整合性を確保しながら，関連する諸制度の取扱いを検討するとされた。

### (4) ひも付き補助金等の一括交付金化

地域主権戦略大綱においては，投資にかかるひも付き補助金・交付金等の一括交付金化は2011年度以降段階的に実施し，経常（サービス）にかかる補助金・交付金等の一括交付金化は2012年度以降段階的に実施することとされた。そして，これにあわせて，経常にかかる国庫負担金の取扱いについて検討することとされた。また，一括交付金化の対象となるものであっても，ゼロベースから真に国の政策目的の緊要性を判断し，限定的に特定補助金として許容する場合は，3～5年の期限を設定した上で，期限到来時に「廃止」または「一括交付金化」等を判断することとされた。

***Column*　地域自主戦略交付金**

ひも付き補助金ではなく，基本的に地方公共団体の裁量で自由に使用可能な一括交付金として，2011年度に創設された地域自主戦略交付金は，社会資本整備総合交付金・農山漁村地域整備交付金等の一部を内閣府に一括して予算計上し，各府省の所管に拘束されずに地方公共団体が自主的に選択した事業の実施計画を提出し，交付金を各府省に移し替えて交付する制度である。同年度は地域自主戦略交付金は沖縄振興自主戦略交付金（321億円）を含めて5120億円計上された。2012年度には，都道府県に加えて新たに政令指定都市も対象となり，総額も8329億円（うち沖縄分が1575億円）に拡大した。2011年の実績をみると，個々のひも付き補助金から地域自主戦略交付金に拠出された額と地方公共団体の選択に基づいて実際に配分された額との間に顕著な差異が認められるものがあり（例えば，学校施設設備改善については，拠出額が約27億円であったのに対し，配分額は約43億円であった），地方公共団体のニーズに応じた交付金の配分を行う「地域主権推進大綱」（2012年11月30日閣議決定）においては，その推進を図ることとされた。しかし，同年12月の政権交代により，2013年度予算案では，この制度は廃止された。

## *10*　地方創生関連交付金

地方創生のために第1段階として，2014年度補正予算で，地域活性化・地域住民生活等緊急支援交付金（地方創生先行型）が設けられた。これは他の地方公共団体の参考となる地方公共団体の先駆的事業に対し，国が交付金を交付することにより，「まち・ひと・しごと創生法」により地方公共団体が策定の努力義務を負う「地方版総合戦略」[65]に関する優良施策の実施を支援するものである。2015年度補正予算では，一億総活躍社会の実現に向けて緊急に実施すべき対策

（2015年11月26日一億総活躍国民会議決定）を踏まえ，緊急対応として，「地方版総合戦略」に位置づけられた先駆的な取組の円滑な実施を図ることを目的とする地方創生加速化交付金が設けられた。さらに，2016年度当初予算では，「まち・ひと・しごと創生交付金（地方創生推進交付金）」が設けられた。これは，「地方版総合戦略」に位置づけられ，地域再生法に基づく地域再生計画が内閣総理大臣の認定を受けた場合に，当該計画に記載された地方公共団体の自主的・主体的な取組で先導的なものを支援することを目的とする。これについては，「まち・ひと・しごと創生基本方針」（2015年6月30日閣議決定）において，従来の「縦割り」事業だけでは対応しきれない課題に取り組む地方を支援する観点から，地方公共団体による自主的・主体的な事業設計に合わせて，具体的な成果目標（KPI）とPDCAサイクルの確立の下で支援を行うこととされており，使途を狭く限定した個別補助金とも，効果検証を伴わない一括交付金とも異なる新たな補助金として制度設計されている[66]。

## *11*　財政支出に関する規律

### (1)　憲　　法

地方公共団体の財政支出についても，憲法89条（「公金その他の公の財産は，宗教上の組織若しくは団体の使用，便益若しくは維持のため，又は公の支配に属しない慈善，教育若しくは博愛の事業に対し，これを支出し，又はその利用に供してはならな

---

65）　都道府県版総合戦略を総計型，法定型，略記型，工夫型に分類して考察するものとして，小西敦「『地方創生』における都道府県の『戦略的』対応(1)（2・完）」自治研究97巻12号（2021年）58頁以下，98巻2号（2022年）19頁以下。同論文は，地方公共団体は，国の関係施策等を吟味し自己にとっての利害関係を検討した上で地方創生への取組の強弱を決定しているという仮説（同「地方創生に関する二つの『仮説』の提示」自治実務セミナー701号（2020年）66頁以下）を検証する意図を有するものである。地方版総合戦略に対する地方議会の「関与」について，議決型，審議型，意見交換型，推進参画型，無関与型，その他に分類して検討を行うものとして，同「地方版総合戦略に対する地方議会の『関与』」地方自治886号（2021年）2頁以下。同論文20頁によれば，都道府県では審議型，市区町村では意見交換型が多数を占めている。

66）　谷口健二郎「地方創生推進交付金・企業版ふるさと納税の創設と生涯活躍のまちの推進」時法2011号（2016年）31頁。

い」）の制約は当然及ぶ。

### (2) 地方自治法

地方自治法は，「普通地方公共団体は，その公益上必要がある場合においては，寄附又は補助をすることができる」（232条の2）と規定しているが，具体的な支出項目については，自主行政権の問題に帰着するため，自主財政権の問題としては論じられていない。

### (3) 財政援助制限法

「法人に対する政府の財政援助の制限に関する法律」（以下「財政援助制限法」という）3条は，政府または地方公共団体が，会社その他の法人の債務について保証契約をすることを原則として禁止し，財務大臣（地方公共団体のする保証契約にあっては総務大臣）の指定する会社その他の法人の債務についてのみ，例外的にこれを認めている。

同法は，戦前，特殊会社のための債務保証により国が膨大な負担を負ったことの反省から，1946年に，国庫負担の累積を防止するとともに，企業の自主的活動を促すために制定されたものである。しかし，実際には，第三セクターが金融機関から融資を受けるに当たり，地方公共団体が損失補償契約を締結することが多い。この損失補償契約が，財政援助制限法3条の規定に違反しないかが問題になる。同法が禁止する保証契約は，主債務との間に付従性・補充性があり，保証人は主債務と同一の責任を負い，主債務が無効であったり，取り消された場合には，保証人も責任を負わないことになる。これに対し，損失補償契約は，主債務との間に付従性・補充性はなく，債権者に損失が発生した場合に主債務から独立してその損失を補塡する性質の契約であるため，主債務が無効であったり，取り消された場合であっても，契約当事者は責任を免れないことになる。他方，損失補償契約の場合は，主債務が期限を経過して履行されないというだけでなく，執行不能や倒産等により現実に債権回収が望めない事態に至って発生した損失相当額を補塡するために債務を履行すべきことになるが，実際には，損失補償契約についても，一定期間内に履行されない場合に責任を負う旨の特約がなされることが多く，一般的に保証契約と同様の機能を持っている。また，損失補償契約に基づく債務を履行した場合において，当然に主債務者に対し求償したり，債権者に代位できるわけではない。以上みたとおり，損失補償契約は，保証契約よりも責任が過重になる面がある。

長野県南安曇郡三郷村および合併により同村を承継した安曇野市が第三セクターのために締結した損失補償契約が財政援助制限法3条の規定に違反するとして公金支出の差止めが求められた住民訴訟において，東京高判平成22・8・30判時2089号28頁は，保証契約よりも重い債務を負いうる損失補償契約に財政援助制限法3条の規制が及ばないと解するならば，地方公共団体が他の法人の債務を保証して不確定な債務を負うことを防止しその財政の健全化を図るという同条の趣旨が損なわれることは明らかであるとし，損失補償契約の中でも，その契約の内容が，主債務者に対する執行不能等，現実に回収が望めないことを要件とすることなく，一定期間の履行遅滞が発生したときには損失が発生したとして責任を負うという内容の場合には，同条の規定が類推適用され，その規制が及ぶと解するのが相当であるとする。そして，損失補償契約が財政援助制限法3条の趣旨に反する場合には，当該損失補償契約は原則として私法上も無効と解するほかないとし，本件各損失補償契約に基づく支出の差止めの請求を認容したため，金融機関に大きな衝撃を与えた。損失補償契約のゆえに優良債権であった融資が，同契約が無効となれば，不良債権化するおそれのあるものが多かったからである（ただし，地方公共団体が当該損失補償契約の無効を主張することが社会通念上著しく妥当性を欠くと評価される場合には，当該地方公共団体は当該金融機関に対し信義則上その無効を主張することができないと解される余地があるとする)。

しかし，上告審の最判平成23・10・27判時2133号3頁［百選64］は，判決の傍論においてであるが，地方公共団体が法人の事業に関して当該法人の債権者との間で締結した損失補償契約について，財政援助制限法3条の規定の類推適用によって直ちに違法，無効となる場合があると解することは，公法上の規制法規としての当該規定の性質，地方自治法等における保証と損失補償の法文上の区別を踏まえた当該規定の文言の文理，保証と損失補償を各別に規律の対象とする財政援助制限法および地方財政法など関係法律の立法または改正の経緯，地方自治の本旨に沿った議会による公益性の審査の意義および性格，同条ただし書所定の総務大臣の指定の要否を含む当該規定の適用範囲の明確性の要請等に照らすと，相当ではないというべきであるとする。そして，上記損失補償契約の適法性および有効性は，地方自治法232条の2の規定の趣旨等にかんがみ，当該契約の締結にかかる公益上の必要性に関する当該地方公共団体の執行機関の判断にその裁量権の範囲の逸脱またはその濫用があったか否かによって決せられるべきものと解するのが相当であると判示した。

これにより，地方公共団体が法人の事業に関して当該法人の債権者との間で締結した損失補償契約は財政制限援助法3条の規定に違反しないこと（ただし，損失補償契約とは名ばかりで保証契約そのものといえる場合には，財政援助制限法3条の規定が直接適用されよう），その適法性は，補助金の場合と同様，公益上の必要性に関する執行機関の判断に裁量権の逸脱・濫用があったか否かにより判断されることが，判例法上，確定したといえる。

***Column*　信楽高原鐵道事故求償訴訟**

地方公共団体が損失補償契約を締結したか否かが争点になったのが，信楽高原鐵道事故求償訴訟である。JR西日本は，JR西日本，第三セクターの信楽高原鐵道株式会社，滋賀県，甲賀市の四者協定において，県・市がJR西日本に対し，信楽高原鐵道株式会社の資力についての危険を引き受ける損失補償契約を締結したので，事故の被害者に対し損害賠償を支払ったJR西日本が信楽高原鐵道株式会社に対して有する求償債権について，県・市は損失補償を行う責任がある旨主張したが，大阪地判平成23・4・27判時2130号31頁は，かかる損失補償契約が締結されたことを否定した。

### (4)　地方財政法

地方財政法は，「地方公共団体の経費は，その目的を達成するための必要且つ最少の限度をこえて，これを支出してはならない」（地財4条1項）と定めている。

また，同法9条は，地方公共団体の事務を行うために要する経費については，当該地方公共団体が全額これを負担するという自己負担原則を定め，同法10条～10条の4にその例外としての国の負担について定めている。そして，国は，地方財政の自主的かつ健全な運営を助長することに努め，いやしくもその自律性を損ない，または地方公共団体に負担を転嫁するような施策を行ってはならず（同2条2項），国は，地方公共団体またはその住民に対し，直接であると間接であるとを問わず，寄附金を割り当てて強制的に徴収するようなことをしてはならない（同4条の5)。地方公共団体が処理する権限を有しない事務を行うために要する経費については，法律または政令で定めるものを除くほか，国は，地方公共団体に対し，その経費を負担させるような措置をしてはならない（同12条1項）。都道府県の行う土木その他の建設事業でその区域内の市町村を利するものについては，都道府県は，当該建設事業による受益の限度において，当該市町村に対し，当該建設事業に要する経費の一部を負担させることができるが（同27条1項），当該経費について市町村が負担すべき金額は，当該市町村の意見を聞き，当該都道府県の議会の議決を経て定めなければならない（同条2項）。都道府県がその事務を市町村に行わせる場合においては，都道府県は，当該市町村に対し，その事務の執行に要する経費の財源について必要な措置を講じなければならない（同28条1項）。

**_Column_　県費負担教職員の不法行為に起因する損害賠償費用の負担**

市町村立学校の教職員であるが給与は都道府県が負担する県費負担教職員の不法行為に起因する国家賠償請求訴訟が提起され，賠償額の全額を支払った福島県が郡山市に対して国家賠償法3条2項の規定に基づく求償を行った事案がある。最判平成21・10・23民集63巻8号1849頁［判例集Ⅱ 177］は，賠償額の全額を郡山市に求償することを認めた。同判決は，国家賠償法に基づき損害を賠償するための費用も国または公共団体の事務を行うために要する経費に含まれるから，上記経費の負担について定める法令は，賠償費用の負担についても定めていると解されるので，国家賠償法3条2項の規定に基づく求償についても，上記経費の負担について定める法令の規定に従うべきであり，法令上，上記損害を賠償するための費用をその事務を行うための経費として負担すべきものとされている者が，同項にいう内部関係でその損害を賠償する責任ある者に当たると解するのが相当であると判示する。そして，学校教育法5条は，学校の設置者は，法令に特別の定めのある場合を除いては，その学校の経費を負担する旨を，地方財政法9条は，地方公共団体の事務を行うために要する経費については，同条ただし書所定の経費を除いては，当該地方公共団体が全額これを負担する旨を，それぞれ規定しており，上記各規定によれば，市町村が設置する中学校の経費については，原則として，当該市町村がこれを負担すべきものとされていることを指摘する。他方，市町村立学校職員給与負担法1条は，市町村立の中学校の教諭その他同条所定の職員の給料その他の給与（非常勤の講師にあっては報酬等）は，都道府県の負担とする旨を規定するが，同法は，これ以外の費用の負担については定めるところがないことも指摘する。上記の認定を踏まえて，同判決は，市町村が設置する中学校の教諭がその職務を行うについて故意または過失によって違法に生徒に与えた損害を賠償するための費用は，地方財政法9条ただし書所定の経費には該当せず，他に，学校教育法5条にいう法令の特別の定めはないから，上記損害を賠償するための費用については，法令上，当該中学校を設置する市町村がその全額を負担すべきものとされているのであって，当該市町村が国家賠償法3条2項にいう内部関係でその損害を賠償する責任ある者として，上記損害を賠償した者からの求償に応ずべき義務を負うこととなると判示している。

そして，地方公共団体は，法令の規定に基づき経費の負担区分が定められている事務について，他の地方公共団体に対し，当該事務の処理に要する経費の負担を転嫁し，その他地方公共団体相互の間における経費の負担区分を乱すようなことをしてはならない（地財28条の2)。

***Column*　ミニパトカー事件と昆虫の森事件**

栃木県旧小川町が，栃木県警察本部にミニパトカーの配備を要請したが，財政上の理由で実現しなかったため，同町がミニパトカーを購入して，同地区の安全協会を通じて栃木県に寄付したことが地方財政法28条の2に違反するかが住民訴訟で争われた事案がある。都道府県警察に要する経費は，法律で国庫支弁とされた例外（警37条1項）を除き，当該都道府県が支弁することとされており（同条2項），警察用車両については国庫が支弁することとされているので（同条1項6号，警令2条6号），最判平成8・4・26判時1566号33頁［百選126］は，本件における町の支出は，地方財政法28条の2に違反すると判示している。

他方において，群馬県新里村が県立昆虫館用地として県が支出した用地取得費と取得事務費について任意に覚書を締結して支払ったことが地方財政法28条の2に違反するかが争点になった住民訴訟において，東京高判平成17・2・9判時1981号3頁は，地方財政法28条の2は，任意に寄付をすることについても規制の対象としているが，実質的にみて地方財政の健全性を害するおそれのないものは例外的に許容していると解すべきとし，本件の場合，地方財政法9条本文以外の個別法令により経費の負担区分が明示されている事務ではないこと（この点がミニパトカー事件と異なる）等の諸般の事情を考慮して，地方財政法28条の2に違反しないと判示している（最決平成19・5・23判例集不登載は上告棄却，上告不受理)。

## *12*　地方公共団体の財政の健全化に関する法律（地方公共団体財政健全化法）

### (1)　制定の経緯

総務大臣の下に開催された「地方分権21世紀ビジョン懇談会」が2006年7月3

日にとりまとめた報告書において，護送船団方式による国の地方公共団体に対する財政支援が地方公共団体の財政規律の緩みにつながってきたことが指摘され，いわゆる「再生型破綻法制」の検討に早期に着手し，3年以内に整備すべきこと，その際，透明なルールに基づく早期是正措置を講じ，それが功を奏さなかった場合に再生手続に入るという2段階の手続とすべきことが提言された。そして，「経済財政運営と構造改革に関する基本方針2006」(2006年7月7日閣議決定）において，再建法制等も適切に見直すこととされた。これを受けて，「新しい地方財政再生制度研究会」が開催され，同年12月8日に報告書がまとめられている。同報告書においては，地方財政再建促進特別措置法に基づく再建制度には，①各団体において，日常的に早期是正・再生という観点を置いた分かりやすい財政指標の開示がなされておらず，また，財政指標およびその算定基礎の客観性・正確性等を担保する手段が十分でないこと，②再建団体の基準しかなく，早期に是正していく機能がないため，本来早期に財政の健全化に取り組むことにより対処すべきであるにもかかわらず事態が深刻化し，結果的に長期間にわたる再建に陥ってしまい最終的に住民に過大な負担を求めることになりかねないこと，③実質収支（赤字）比率（フロー指標）のみを再建団体の基準に使用しているため，実質公債費比率等の指標が悪化した団体やストックベースの財政状況に課題がある団体が対象とならず，また，主として普通会計のみを対象とし，公営企業や地方公社等との関係が考慮されていないこと，④再建を促進するための仕組みが限定的であること，⑤公営企業における再建制度（準用再建）は，普通会計を中心とする再建制度とは全く独立した別立ての制度となっている上に，財政情報の開示が不十分であることや，事業の経営状況が住民負担に直結しやすい場合が多いこと，早期是正の制度がないこと，等の課題があることが指摘されている。

この報告書に基づいて，2007年の通常国会において，地方公共団体財政健全化法が制定されたことに伴い地方公営企業法7章に規定されていた地方公営企業の再建制度に関する規定が削除され，地方公共団体財政健全化法に一本化された。

### *Column*　財政健全化条例

地方公共団体においても，財政健全化のために条例を制定する動きがみられる。2007年に制定された岐阜県「多治見市の健全な財政に関する条例」は，財政運営の指針ならびに基本的な原則および制度を定めることにより，市民自治に基づく健全な財政に資することを目的とするものであり（1条），財政判断指標にかかる財政判断指数を議会に報告し公表すること（15条），財政向上目標，財政向上指針，財政健全基準を定め，議会に報告し公表すること（21条・22条・25条），中期財政計画における計画期間内の財政判断指数の見込みのうち1つ以上が財政健全基準を満たさなくなったときは財政警戒事態宣言を行い（26条），財政正常化計画を策定すること（27条），予算を踏まえた財政判断指数の見込みおよび決算における財政判断指数の実績のうち

1つ以上が財政健全基準を満たさなくなったときは，当該予算または決算の議会への提出に当たり，財政非常事態を宣言し（29条），財政再建計画を策定すること（30条）等を定めており注目される。2008年には福島県「本宮市自主的財政健全化に関する条例」，2011年には，富山県「滑川市健全な財政に関する条例」，大阪府財政運営基本条例，埼玉県「富士見市健全な財政運営に関する条例」，2012年には岐阜県「関市健全な財政運営に関する条例」，2014年には「横浜市将来にわたる責任ある財政運営の推進に関する条例」が制定されている[67)]。

### ⑵　健全化判断比率の公表等

地方公共団体財政健全化法においては，地方公共団体（普通地方公共団体と特別区）の長は，毎年度，前年度の決算の提出を受けた後，速やかに，健全化判断比率およびその算定の基礎となる事項を記載した書類を監査委員の審査に付し，その意見を付けて当該健全化判断比率を議会に報告し，かつ公表することを義務づけられている（地財健全化3条1項）。健全化判断比率とは，①実質赤字比率（当該地方公共団体の一般会計等〔一般会計および特別会計のうち普通会計に相当する会計。以下同じ〕における実質赤字額の標準財政規模〔前年度のもの。以下同じ〕に対する比率。同2条1号），②連結実質赤字比率（当該地方公共団体の普通会計に相当する会計に加え，公営企業や国民健康保険事業等の公営事業にかかる特別会計を包含した当該団体のすべての会計を対象とした実質赤字〔法適用企業については資金不足額〕の標準財政規模に対する比率。同条2号），③実質公債費比率（当該地方公共団体の一般会計等が負担する元利償還金および準元利償還金の標準財政規模に対する比率。同条3号），④将来負担比率（当該地方公共団体の一般会計等が将来負担すべき実質的な負債の標準財政規模に対する比率。同条4号）の4つの指標である。将来負担比率は，普通会計が直接に負担するものに限らず，公営企業，一部事務組合，広域連合，地方独立行政法人，地方公社，第三セクター等も含め，客観的に普通会計が負担する蓋然性の高いものは実質的な負債としてとらえている。

地方公共団体の長は，公表した健全化判断比率を，速やかに，都道府県および

67）　財政健全化条例について，小西砂千夫「財政健全化条例の意義と課題」ガバナンス156号（2014年）36頁以下参照。また，木村琢麿「財政均衡条項をめぐるフランスの動向――財政ガバナンス論の一断面」季刊行政管理研究149号（2015年）4頁以下参照。

| | 旧再建法 | 地方公共団体財政健全化法 |
|---|---|---|
| 財政健全化の仕組み | 財政再建団体の基準しかなく，早期是正を図る段階がない | 財政再生基準の前段階として早期健全化基準を設け，自主的な改善努力による財政の早期健全化を促す |
| 対象となる会計 | 一般会計を中心としており，公営企業や一部事務組合・第三セクターなどの経営状況は考慮されない | 公社や第三セクターの負債や赤字についても明らかにし，地方公共団体の財政の全体像を浮き彫りに |
| 財政状況を判断する方法 | 単年度の現金収支（フロー）の指標のみで，ストック（負債等）の財政状況に課題があっても対象とならない | 公社・三セク等を含めた実質的負債によるストック指標である「将来負担比率」を導入 |
| 情報開示 | 分かりやすい財政情報の開示や，財政情報の正確性を担保する手段が不十分 | 監査委員の審査・議会報告・住民への公表を義務化して，情報開示を徹底 |
| 公営企業の経営について | 早期是正の機能なし | 「資金不足比率」を用いた経営健全化の仕組みを設ける |

（総務省ホームページより）

政令指定都市の長にあっては総務大臣に対し，政令指定都市を除く市町村および特別区の長にあっては都道府県知事に対し報告しなければならず，この場合において，当該報告を受けた都道府県知事は，速やかに，当該健全化判断比率を総務大臣に報告しなければならない（地財健全化3条3項）。都道府県知事および総務大臣は，毎年度，報告をとりまとめ，その概要を公表するものとされている（同条4項・5項）。さらに，地方公共団体は，健全化判断比率の算定の基礎となる事項を記載した書類をその事務所に備えておかなければならない（同条6項）。包括外部監査対象団体（→7章Ⅱ ***10***(6)(a)）にあっては，包括外部監査人は，包括外部監査のため必要があると認めるときは，公表された健全化判断比率およびその算定の基礎となる事項を記載した書類について調査することができる（同条7項）。

### (3) 財政の早期健全化

#### (a) 財政健全化計画

地方公共団体は，健全化判断比率のいずれかが早期健全化基準以上である場合（財政再生基準以上である場合を除く）になると，イエローカードが出されることになり，財政の早期健全化のための施策が義務づけられることになる。具体的には，当該健全化判断比率を公表した年度の末日までに，当該年度を初年度とする財政健全化計画を定めなければならない（地財健全化4条1項）。財政健全化計画は，財政の状況が悪化した要因の分析の結果を踏まえ財政の早期健全化を図るために必要な最小限度の期間内に，実質赤字額がある場合にあっては一般会計等における歳入と歳出の均衡を実質的に回復することを，連結実質赤字比率，実質公債費比率または将来負担比率が早期健全化基準以上である場合にあってはそれぞれの比率を早期健全化基準未満とすることを目標として，①健全化判断比率が早期健全化基準以上となった要因の分析，②計画期間，③財政の早期健全化の基本方針，④実質赤字額がある場合にあっては，一般会計等における歳入と歳出との均衡を実質的に回復するための方策，⑤連結実質赤字比率，実質公債費比率または将来負担比率が早期健全化基準以上である場合にあっては，それぞれの比率を早期健全化基準未満とするための方策，⑥各年度ごとの④⑤にかかる歳入および歳出に関する計画，⑦各年度における健全化判断比率の見通し，⑧以上に掲げるもののほか，財政の早期健全化に必要な事項について定めるものとされている（同条2項）。

財政健全化計画は，地方公共団体の長が作成し，議会の議決を経て定めなければならない（地財健全化5条1項）。地方公共団体は，財政健全化計画を定めたときは，速やかに，これを公表するとともに，都道府県および政令指定都市にあっては総務大臣に，政令指定都市を除く市町村および特別区の長にあっては都道府県知事に当該財政健全化計画の実施状況を報告しなければならない。この場合において，当該報告を受けた都道府県知事は，速やかに，その要旨を総務大臣に報告しなければならない（同6条1項）。都道府県知事および総務大臣は，毎年度，報告をとりまとめ，その概要を公表するものとされている（同条2項・3項）。2017年度決算に基づき，健全化判断比率が早期健全化基準以上である団体は夕張市のみ（夕張市は後述する〔→(4)(a)〕財政再生基準以上）であった。

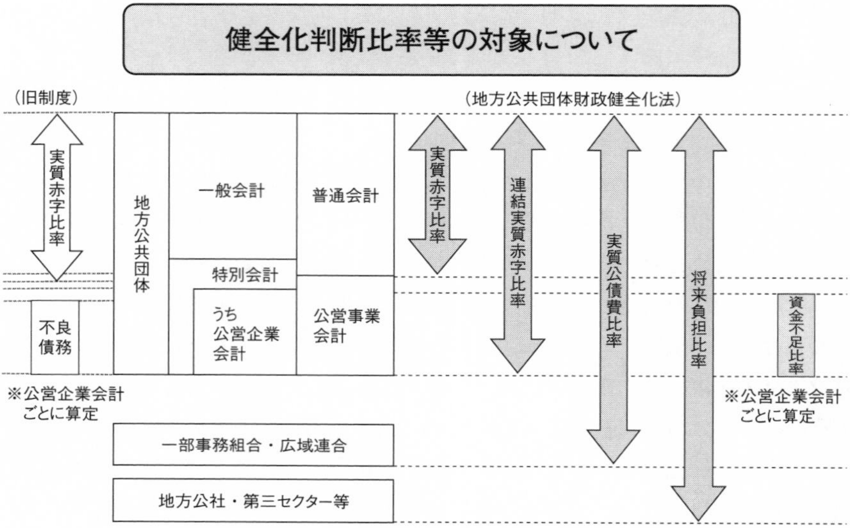

（総務省ホームページより）

(b)　**国等の勧告等**

早期是正スキームにおいては，地方公共団体の自主的な改善努力を促すこと等により財政の早期健全化を実現することが目指されており，ディスクロージャー等により可能な限り住民自治による取組みを行うことが基本とされている。そのため，国・都道府県による関与は，地方公共団体の自主的取組みを促すことに限定されている。具体的には，総務大臣または都道府県知事は，報告を受けた財政健全化団体の実施状況を踏まえ，当該財政健全化団体の財政の早期健全化が著しく困難であると認められるときは，当該財政健全化団体の長に対し，必要な勧告をすることができるとされているにとどまる（地財健全化7条1項）。この勧告は公表される（同条2項・3項）。財政健全化団体の長は，この勧告を受けたときは，速やかに，当該勧告の内容を当該財政健全化団体の議会に報告するとともに，監査委員（包括外部監査対象団体にあっては，監査委員および包括外部監査人）に通知しなければならない（同条4項）。

## ⑷　財政の再生

### ⒜　財政再生計画

実質赤字比率，連結実質赤字比率および実質公債比率（以下「再生判断比率」という）のいずれかが財政再生基準以上である地方公共団体に対しては，レッドカードが出され，国等の強力な関与が行われることになり，当該地方公共団体は，当該再生判断比率を公表した年度の末日までに，当該年度を初年度とする財政再生計画を策定することを義務づけられる（地財健全化8条1項）。再生判断比率が実質赤字比率，連結実質赤字比率および実質公債比率というフロー指標に限られ，将来負担比率というストック指標が含まれていないのは，財政再生団体に対して国等の強力な関与が行われるため，財政悪化が切迫したことを示すフロー指標を用いるべきであり，将来のフロー悪化の可能性を示すものの，それ自体で直ちに財政悪化の切迫性を示すとまではいえないストック指標を用いることは適切でないという判断による。なお，財政健全化団体が財政再生計画を定めるときは，当該財政健全化団体の財政健全化計画は，その効力を失う（同条2項）。財政再生計画の目標は，再生段階に該当しなくなることのみでなく，早期健全化段階の基準よりも改善すること等とされている（同条3項）。

財政再生計画においては，財政健全化計画と比較して，より具体的な方策の記載が義務づけられている。すなわち，事務および事業の見直し，組織の合理化その他の歳出削減を図るための措置に関する計画，当該年度以降の年度分の地方税その他の収入についてその徴収成績を通常の成績以上に高めるための計画，当該年度の前年度以前の分の地方税その他の収入で滞納にかかるものの徴収計画，使用料および手数料の額の変更，財産の処分その他の歳入の増加を図るための措置に関する計画，法定普通税について標準税率を超える税率で課し，または法定外普通税を課することによる地方税の増収計画（地財健全化8条3項4号），以上の計画およびそれに伴う歳入または歳出の増減額を含む各年度ごとの歳入および歳出に関する総合的な計画も定めなければならない（同項5号）。

財政再生計画は，財政健全化計画と同様，地方公共団体の長が作成し，議会の議決を経て定める（地財健全化9条1項）。地方公共団体は，財政再生計画について，総務大臣の同意を得ることを義務づけられているわけではないが，議会の議決を経て，総務大臣に協議し，その同意を求めることができる（同10条1項）。

2017年度決算に基づき，財政再生計画の策定が義務づけられたのは，北海道夕張市のみであった[68]。

**Column　デトロイト市の財政破綻**

アメリカでは，自治体が破産することは稀でなく，世界恐慌時の1934年に連邦破産法に自治体の破産手続について定める条項が置かれて以来，500を超える自治体が破産し，2008年のリーマンショック以後，14の自治体が相次いで破産している。最近では，2011年にアラバマ州ジェファーソン郡が40億ドルを超える負債を抱え破産し，2012年にはカリフォルニア州ストックトン市が，約7億ドルの負債を抱え破産している[69]。

2013年7月18日，アメリカの自動車産業の中心であるミシガン州デトロイト市は，連邦破産法に基づき，裁判所に破産を申請した。GMの本社が存在するデトロイト市は，輸入車との競争にさらされた自動車産業での工場の海外移転による失業の増加，治安の悪化等により，1950年には約180万を超えていた人口が約70万人に減少し，税収が大幅に減少する一方，市の退職者の年金や医療保険等の支出が嵩み，約185億ドルという莫大な債務を抱えるに至り，アメリカの自治体で過去最大の財政破綻となった。その後，2017年5月3日に米国自治領のプエルトリコが連邦地方裁判所に破産手続を申請したが，その債務総額は700億ドルを超えており，デトロイト市の債務総額の4倍に迫るものであった。

### (b)　地方債の起債制限

> 地方公共団体は，再生判断比率のいずれかが財政再生基準以上であり，かつ，財政再生計画に対する総務大臣の同意を得ていないときは，地方財政法その他の法律

68)　夕張市の財政破綻の経緯や再建への歩みを分析したものとして，光本伸江編『自治の重さ――夕張市政の検証』（敬文堂，2011年）が有益である。

69)　アメリカにおける自治体破綻法制については，今本啓介准教授の一連の業績がある。今本啓介「アメリカ合衆国における自治体破綻法制」租税法研究43号（2015年）25頁以下，同「アメリカ合衆国における自治体債務調整手続の現状と課題」税研32巻6号（2017年）27頁以下，同「アメリカ合衆国における自治体破綻法制の現状と課題(1)(2)――連邦倒産法第9章（チャプターナイン）の手続を中心に」新潟大学法政理論50巻1号177頁以下，51巻2号1頁以下（2018年），同「米国における財政破綻への対応としてのシティ等の解散」税研36巻5号（2021年）22頁以下参照。連邦倒産法第9章の手続の州への導入に関する議論については，同「アメリカにおける州の財政破綻と倒産能力――連邦倒産法第9章の手続の州への導入に関する議論について」新潟大学法政理論50巻3＝4号（2018年）281頁以下参照。アメリカでの議論を踏まえたわが国における自治体破産法制については，同「自治体破綻法制の今後の方向性――米国の議論を踏まえて」法時91巻12号（2019年）46頁以下参照。

の規定にかかわらず，地方債をもってその歳出の財源とすることができない。ただし，災害復旧事業費の財源とする場合その他の政令で定める場合においては，この限りでない（地財健全化11条）。

#### (c) 再生振替特例債

財政再生団体は，その財政再生計画につき総務大臣の同意を得ている場合に限り，収支不足額を地方債に切り替えることによって，当該収支不足額を財政再生計画の期間内に計画的に解消するため，地方財政法5条の規定にかかわらず，当該収支不足額の範囲内で地方債を起こすことができる（地財健全化12条1項）。この地方債（当該地方債の借換えのために要する経費の財源に充てるために起こす地方債を含む。以下「再生振替特例債」という）は，財政再生計画の計画期間内に償還しなければならない（同条2項）。国は，再生振替特例債については，法令の範囲内において，資金事情の許す限り，適切な配慮をするものとされている（同条3項）。

#### (d) 地方債の起債の許可

財政再生団体および財政再生計画を定めていない地方公共団体であって再生判断比率のいずれかが財政再生基準以上である地方公共団体の地方債の起債の許可制については，すでに述べたとおりである（→***5***(7)）。

#### (e) 財政再生団体にかかる通知等

総務大臣は，地方公共団体から財政再生計画の報告を受けたときは，速やかに，当該財政再生計画を定めた地方公共団体の名称を各省各庁の長に通知しなければならない（地財健全化14条1項）。各省各庁の長は，土木事業その他の政令で定める事業を財政再生団体に負担金を課して国が直轄で行おうとするときは，当該事業の実施に着手する前に，あらかじめ，当該事業にかかる経費の総額および当該財政再生団体の負担額を総務大臣に通知しなければならない（同条2項）。総務大臣は，この通知を受けた場合において，当該通知にかかる事項が財政再生計画に与える影響を勘案して必要と認めるときは，各省各庁の長に対し，意見を述べることができる（同条3項）。

#### (f) 財政再生計画の実施状況の報告等

財政再生団体の長は，毎年9月30日までに，前年度における決算との関係を明らかにした財政再生計画の実施状況を議会に報告し，かつ，これを公表するとともに，総務大臣に当該財政再生計画の実施状況を報告しなければならない（地財健全化18条1項）。

**(g) 財政再生計画の実施状況の調査等**

総務大臣は，必要に応じ，財政再生計画の実施状況について調査し，または報告を求めることができる（地財健全化19条）。

**(h) 国の勧告等**

総務大臣は，財政再生団体の財政の運営がその財政再生計画に適合していないと認められる場合その他財政再生団体の財政の再生が困難であると認められる場合においては，当該財政再生団体の長に対し，予算の変更，財政再生計画の変更その他必要な措置を講ずることを勧告することができる（地財健全化20条1項）。財政再生団体の長は，この勧告を受けたときは，速やかに，当該勧告の内容を当該財政再生団体の議会に報告するとともに，監査委員（包括外部監査対象団体である財政再生団体にあっては，監査委員および包括外部監査人）に通知しなければならない（同条2項）。また，勧告を受けた財政再生団体の長は，勧告に基づいてとった措置について，総務大臣に報告しなければならない（同条3項）。

**(5) 公営企業の経営の健全化**[70)]

**(a) 資金不足比率の公表等**

> 公営企業を経営する地方公共団体の長は，毎年度，当該公営企業の前年度の決算の提出を受けた後，速やかに，資金不足比率およびその算定の基礎となる事項を記載した書類を監査委員の審査に付し，その意見を付けて当該資金不足比率を議会に報告し，かつ公表することを義務づけられている（地財健全化22条1項）。

***Column*　地方公営企業**

広義では，地方公共団体が経営する企業一般を指すが，地方公営企業法では，地方公共団体が経営する企業のうち，①水道事業（簡易水道事業を除く），②工業用水道事業，③軌道事業，④自動車運送事業，⑤鉄道事業，⑥電気事業，⑦ガス事業（①～⑦に附帯する事業を含む）を意味する（同法2条1項）。地方公営企業を経営する地方公共団体には，地方公営企業を執行させるため，事業ごとに管理者を置くのが原則である（同法7条）。管理者は，予算を調製すること，地方公共団体の議会の議決を経るべき事件につきその議案を提出すること，決算を監査委員の審査および議会の認定に付すること，過料を科することを除き，地方公営企業の業務に関し当該地方公共団体を代

70)　地方公共団体財政健全化法による地方公営企業改革について，小西・地方財政改革272頁以下参照。

表する（同法8条1項）。地方公営企業の経理は，原則として事業ごとに特別会計を設けて行い（同法17条），一般会計または他の特別会計で負担するものを除き，当該地方公営企業の経営に伴う収入をもって充てなければならない（同法17条の2）。その経理は企業会計方式をとり（同法20条），地方債（同法22条・23条），予算（同法24条～26条），出納（同法27条・28条），監査（同法27条の2），一時借入金（同法29条），決算（同法30条），剰余金の処分等（同法32条），資産の取得，管理および処分（同法33条）等について特例が定められている。地方公営企業職員の労働関係については，地方公営企業等の労働関係に関する法律の定めるところによる（同法36条）。

#### (b) 経営健全化計画

地方公共団体は，公営企業の資金不足比率が政令で定める経営健全化基準以上である場合には，当該公営企業について，当該資金不足比率を公表した年度の末日までに，当該年度を初年度とする経営健全化計画を定めなければならない（地財健全化23条1項）。経営健全化計画の内容やその実効性担保の仕組みは，ほぼ財政健全化計画に準じたものになっている[71]。

2017年度決算に基づき，経営健全化基準以上の公営企業会計は11会計であった。

##### *Column* 地方公会計

地方公共団体の財政悪化の一因として，既存の公会計制度が財政状況の把握にとり不十分なものであることが挙げられる。また，地方分権が推進される中，地方公共団体への信頼を確保するためには，財政状況に関する情報の公表を徹底する必要がある。そこで，旧自治省は，「地方公共団体の総合的な財政分析に関する調査研究会」を設け，2000年3月，2001年3月に報告書が出され，貸借対照表や行政コスト計算書の作成が推奨された。2005年12月24日に「行政改革の重要方針」が閣議決定され，地方においても，資産・債務改革に積極的に取り組み，各地方公共団体の資産・債務

---

71） 地方公共団体財政健全化法については，小西・地方財政改革249頁以下，三橋一彦「地方公共団体の財政の健全化に関する法律」ジュリ1341号（2007年）61頁以下，同「地方公共団体の再建法制の抜本的見直し――地方財政の規律強化に向け，財政指標と早期健全化・再生制度を整備」時法1806号（2008年）6頁以下，香川正俊「地方自治体の財政改革とその現状――『地方公共団体の財政の健全化に関する法律』制定と『三位一体の改革』の見直しを中心に」熊本学園大学論集・総合科学14巻2号（2008年）69頁以下，遠藤宏一＝亀井孝文編著『現代自治体改革論』（勁草書房，2012年）169頁以下（堀尾博樹執筆）参照。同法の全面施行後10年間の効果を実証的に検討するものとして，赤井伸郎＝石川達哉『地方財政健全化法とガバナンスの経済学――制度本格施行後10年での実証的評価』（有斐閣，2019年）参照。

の実態把握，管理体制状況を総点検することとされた。このような中，東京都は，2006年4月から，従前の官庁会計（単式簿記，現金主義会計）に複式簿記，発生主義会計の考え方を導入した新公会計制度を施行している。また，2006年6月に制定された「簡素で効率的な政府を実現するための行政改革の推進に関する法律」62条2項において，政府は，地方公共団体に対し，企業会計の慣行を参考とした貸借対照表その他の財務書類の整備に関し必要な情報の提供，助言その他の協力を行うものとされた。これを受けて，総務省の「新地方公会計制度研究会」は，2006年5月に報告書を出している。同報告書では，地方公共団体に，貸借対照表，行政コスト計算書，資金収支計算書，純資産変動計算書の作成を求めている。同年8月には，「地方公共団体における行政改革の更なる推進のための指針」（総務事務次官通知）において，3年後ないし5年後までに，上記4表の整備または上記4表に必要な情報の開示が地方公共団体に要請された。さらに，2007年10月には，総務省の「新地方公会計制度実務研究会報告書」が公にされた。2008年11月には，全国知事会の公会計制度ワーキンググループが「今後の自治体における公会計制度のあり方について」をとりまとめている。大阪府，新潟県は2011年度から，町田市は2012年度から複式簿記・発生主義の考え方をとりいれた新公会計制度の運用を開始している。愛知県においても2013年度から新公会計制度が導入されている。2014年4月30日に，「今後の新地方公会計の推進に関する研究会報告書」が公表され，同報告書で，固定資産台帳の整備と複式簿記の導入を前提とした財務書類の作成に関する統一的な基準が示された。これを受けて，同年5月23日，総務大臣は，「今後の地方公会計の整備促進について」という通知を，各都道府県知事・各市区町村長宛てに発し，2015年1月23日付けで，「統一的な基準による地方公会計マニュアル」を公表している（2019年8月改訂）。そして，原則として2015年度から2017年度までの3年間ですべての地方公共団体において統一的な基準による財務書類等を作成するよう要請した[72]。

72）　公会計改革について，小西・地方財政改革288頁以下，田尾亮介「公会計——会計学・経済学・法学の交錯領域として」ファイナンシャル・レビュー103号（2011年）187頁以下，遠藤＝亀井編著・前掲注71）187頁以下（亀井執筆）参照。また，海外事例について，日本公認会計士協会編『公会計基準設定——海外事例研究と分析』（日本公認会計士協会，2013年）参照。

# V　自主立法権

## 1　戦前の条例

戦前は，条例という名称が国の法令について使用されることが少なくなかったが（集会条例等），地方公共団体の制定する規範としての条例は，1888 年の市制・町村制によって導入されることになった。すなわち，「市ノ事務及市住民ノ権利義務ニ関シ此法律中ニ明文ナク又ハ特例ヲ設クルコトヲ許セル事項ハ各市ニ於テ特ニ条例ヲ設ケテ之ヲ規定スルコトヲ得」（市制 10 条 1 項）とされたのである。しかし，憲法上の根拠を有するものではなく，また，市条例の制定・改正には内務大臣の許可が必要であり（同 121 条），実際に条例の対象としうる事項も組織事項等に限定されていた[73]。なお，市制・町村制は，市がその設置にかかる営造物に関して規則を設けることを認めていた（同 10 条 2 項）。この規則は，市長ではなく，市が定めるものとされていたことに留意が必要である。府県については，1929 年の府県制改正により，条例に関する規定が設けられたが，それ以前は，条例制定権の有無について議論があった。

## 2　委任条例と自主条例

地方公共団体は，法律の委任に基づく委任条例[74]を制定することがある。例えば，公衆浴場法 2 条 3 項は，公衆浴場の設置の場所の配置基準については，都道府県が条例で定めると規定し，屋外広告物法 3 条 1 項は，都道府県は，条例で定めるところにより，広告物の表示または広告物を掲出する物件の設置を禁止す

73）　斎藤誠「条例制定権の歴史的構造(3)」自治研究 66 巻 6 号（1990 年）109 頁，同「条例」法教 165 号（1994 年）31 頁参照。

74）「委任条例」ではなく「法律規定条例」という用語を使用すべきとする意見として，斎藤・法的基層 333 頁以下，同「条例制定権の限界」髙木＝宇賀編・争点 207 頁参照。正当な指摘であるが，委任条例という呼称がなお一般化しているため，本書では，委任条例という名称も用いている。建築基準法の委任に基づく施行条例で規定しうる事項の限界について精緻に分析したものとして，渋谷秀樹「条例制定権の限界」長谷部恭男編著『リーディングズ現代の憲法』（日本評論社，1995 年）200 頁以下参照。

ることができると規定している。また，消防法9条は，火災発生のおそれのある器具の取扱いそのほか火の使用に関し火災の予防のために必要な事項は，政令で定める基準に従い市町村条例で定めることとしている。旅館業法4条2項も，営業施設の衛生に必要な措置の基準については，都道府県が条例で定めることとしている。都市計画法58条1項の規定に基づく風致地区条例も委任条例である。条例への委任の場合には，住民代表議会が制定する法規範への委任であるため，委任の方法の具体性は，命令への委任とは異なった基準で判断されるべきであろう。

日本国憲法94条は，地方公共団体が，法律の範囲内で条例を制定することを認めている。「法律の範囲内で」[75]の文言について，法律が条例の所管事項を指定するという意味に解し，地方自治法をこの条例所管事項を指定する法律と解する学説も皆無ではないが，通説は，「法律の範囲内で」とは，法律に違反しない限りという意味に解し，地方公共団体は，委任条例にとどまらず，法律に反しない限り，法律の委任なしに自主条例（固有条例）を制定することが可能であるとする立場をとっている。この点に関して，私人の自由・財産を侵害する条例にも法律の留保が及ぶドイツと比較すると[76]，わが国は地方公共団体の自主立法権の範囲が広いということができる。ドイツにおいて，市町村の条例が私人の自由・財産を侵害する場合に州法の留保が及ぶのは，市町村に認められた自治は自治行政の性格を持つものであり，市町村議会も行政機関であるから，市町村議会が制定する条例も，行政による実質的意義の立法であるとする理論に基づくものである。したがって，わが国にそのまま適用されうる議論でないことはいうまでもない。もっとも，地方公共団体と住民の間に必要な距離を保障して個人を保護するというドイツの発想は，わが国においても示唆を受けるところがある[77]。

**Column　法定事務条例**

地方分権改革の進展に伴い，法律に基づく事務の基準，手続等を定める条例を法定事務条例と呼び，その中に①委任条例と②執行条例（法律の委任に基づかず，法律の執

75）「法律の範囲内」の意味について，原島・自治立法権12頁以下参照。

76）木佐茂男「プロイセン＝ドイツ地方自治法理論研究序説(1)」木佐・国際比較337頁，大橋洋一『現代行政の行為形式論』（弘文堂，1993年）353頁，斎藤・前掲注73)「(2)」自治研究66巻5号（1990年）108頁参照。

77）斎藤・法的基層195頁参照。

行に当たり地方公共団体の判断で必要な事項を定める条例）を区別する議論が有力になってきている。執行条例の規定を，(ア)法律の規定を詳細化する具体化規定，(イ)法律の基準より厳しい基準とする強化規定，(ウ)法律の規定を緩和する緩和規定，(エ)法律の対象範囲を拡張する拡張規定，(オ)法律の対象範囲を縮小する縮小規定に分類し，それぞれの適法性について，自治体政策法務論を中心に議論がなされている[78)]。

## *3* 自主条例の制定権の範囲

地方分権一括法による改正前は，地方公共団体の自主条例制定権は，自治事務（団体事務）についてのみ認められ，機関委任事務については認められないと一般に解されていた。地方分権一括法による改正により，地方自治法14条1項は，「普通地方公共団体は，法令に違反しない限りにおいて第2条第2項の事務に関し，条例を制定することができる」と規定することになった。地方自治法2条2項は，「普通地方公共団体は，地域における事務及びその他の事務で法律又はこれに基づく政令により処理することとされるものを処理する」と規定しているが，「地域における事務」は，自治事務のみならず，法定受託事務も含む。従前，機関委任事務であったものの相当部分が，自治事務または法定受託事務になったため，自主条例制定権の範囲は拡張したことになる。

もっとも，地方公共団体は，自己の地域内で行われる自治事務，法定受託事務であれば，自由に条例を制定できるわけではない。まず，条例が憲法に違反できないことは当然である。憲法81条が定める違憲立法審査権は条例にも及ぶことに異論はない（最大判昭和43・12・18刑集22巻13号1549頁，最判昭和62・3・3刑集41巻2号15頁［百選〔3版〕A 10］等参照）。

また，日本国憲法94条は，「法律の範囲内で」条例を制定できると定め，地方自治法14条1項は，「法令に違反しない限りにおいて」条例を制定できると規定しているため，法令に抵触する条例を制定することはできないことになる。「法律の範囲内で」と「法令に違反しない限りにおいて」は表現は異なるが，一般に両者は同旨と解されている。すなわち，法律の授権に基づいて制定された命令は法律の具体化と考えられるから，日本国憲法94条がいう「法律」は，その委任

78） 北村・分権改革25頁以下，礒崎・自治体政策法務226頁以下等参照。

に基づく命令を含むと解されているのである[79]。ただし，地方自治法14条1項の「法令」は，形式的意味での法律に限定して解すべきとする主張もなされている[80]。

自治事務であっても，国法による規律がなされることが多く，自治事務の拡張が当然には条例制定権の拡張につながらないという問題がある。この点につき，そもそも国法が介入できない「固有の自治事務」を観念する学説も有力であるが，「固有の自治事務」を否定する見解，何が「固有の自治事務」かを論証することが困難であるという批判等もあり，立法実務に影響を与えるには至っていない。

実務上も理論上も，条例が法令に抵触するか否かをいかに判断するかが重要であり，この点をめぐり，種々の議論がなされてきた[81]。

## *4*　法律と条例の関係

### (1)　古典的法律先占論

かつては，法律が明示的または黙示的に対象としている事項については，法律の明示的委任なしに同一目的の条例を制定しえないとする説（以下「古典的法律先占論」という）が通説であり，かつ，1960年代半ばまでは，先占領域が広く解されていた[82]。法律が明示的に先占している例としては，売春防止法附則4項において，「地方公共団体の条例の規定で，売春又は売春の相手方となる行為その他売春に関する行為を処罰する旨を定めているものは，第2章の規定の施行と同時に，その効力を失うものとする」と定めている例，行政代執行法1条が，行政上の義務履行確保の根拠規範について法律に留保し（同法2条との対比から1条の法律には条例を含まないと一般に解されている），条例による規制を否定している

79）　高田敏「条例論」雄川一郎＝塩野宏＝園部逸夫編『現代行政法大系(8)』（有斐閣，1984年）202頁参照。

80）　田村・分権改革221頁参照。

81）　条例制定裁量を多角的に分析したものとして，田中孝男「地方公共団体における条例制定の裁量」同『自治体法務の多元的統制――ガバナンスの構造転換を目指して』（第一法規，2015年）25頁以下が有益である。また，アメリカにおけるpreemptionの議論につき，塩野・地方公共団体258頁参照。

82）　法律が条例の後に制定されても法律が優先するので，「法律専占論」というべきとする意見もある。阿部・解釈学Ⅰ 288頁参照。

例がある（ただし，直接強制，執行罰，代執行という古典的な義務履行確保手段についてのみ法律の留保が及ぶと解されている）（→宇賀・概説Ⅰ 15章**2**(2)）。

古典的法律先占論をとると，国がある分野について法律を制定すると，同一事項について同一目的でより強力な規制をしていた条例が違法とされ，地方公共団体が地域の実情に応じた規制を行うことができなくなるという問題がある。しかし，1960年代後半から，公害問題が深刻となり，法律の規制では不十分なことから，公害防止条例で法律による規制よりも厳格な規制を定める例がみられるようになった。古典的法律先占論によれば，かかる条例は違法であり無効であることになるが，国の公害行政が後手後手に回り，地方公共団体が住民の生命健康を保護するためにやむなく先導的試行をしてきたにもかかわらず，硬直的な古典的法律先占論によりこれを違法とすることには批判が強まり，古典的法律先占論が動揺することになる。今日では，古典的法律先占論はほとんど支持を失っているといえよう。

### (2)　判例の立場

判例も，徳島市公安条例事件最高裁判決（最大判昭和50・9・10刑集29巻8号489頁［百選31］［判例集18］）において，古典的法律先占論を否定している。この事件は，道路・広場等の公共の用に供される場所における集会や示威行進を公安委員会への届出制または許可制により規制する公安条例が，道路交通法に抵触するかが問題になったものである。最高裁は，法律と条例で規制対象が重複していても，法律と異なる目的で条例で規制することは可能であると判示した。すなわち，「条例が国の法令に違反するかどうかは，両者の対象事項と規定文言を対比するのみでなく，それぞれの趣旨，目的，内容及び効果を比較し，両者の間に矛盾牴触があるかどうかによつてこれを決しなければならない」とし，特定事項について規律する国の法令と条例が併存する場合でも，条例が法令とは別の目的に基づく規律を意図するものであり，その適用によって法令の規定の意図する目的と効果を何ら阻害することがないときは，当該条例は違法とはいえないとする立場を明確にしたのである。

ただし，同判決は，道路交通法と徳島市公安条例は，規制目的が異なると解したわけでは必ずしもない。道路交通法は道路交通秩序の維持を目的とし，徳島市公安条例では道路交通秩序の維持のみならず広く地方公共の安寧と秩序の維持を目的とする旨規定されているが，地方公共の安寧と秩序の維持は，道路交通法の目的である道路交通秩序の維持を含むのであり，道路交通秩序の維持という点では目的を共通にするとみることができるから，同判決は，同一の目的による規制が重複していることは否定していない。

しかし，同判決は，国の法令と条例が同一の目的に出たものであっても，国の法令が必ずしもその規定によって全国的に一律に同一内容の規制を施す趣旨ではなく，それぞれの普通地方公共団体において，その地方の実情に応じて別段の規制を施すことを容認する趣旨であると解されるときは，国の法令と条例との間には何らの矛盾抵触はなく，条例が国の法令に違反する問題は生じえないと判示している。そして，道路交通法自体が，道路の特別使用行為等の要許可行為を都道府県公安委員会の裁量にゆだねて全国一律に規制するのを避けていること（77条1項4号）に照らして，同法は，道路交通秩序維持のための条例による規制を否定していないと判示しているのである。

徳島市公安条例事件最高裁判決の定式によると，国の法令と条例の目的が相違する場合には，条例の適用によって国の法令の意図する目的と効果を阻害しない限り，条例による規制は国の法令に違反しないことになる。その例として，狂犬病予防法による規制と飼犬取締条例による規制の関係がある。狂犬病予防法は，狂犬病予防という公衆衛生目的から狂犬病の発生した区域内のすべての犬につき，知事の命令により係留を義務づけているが，飼犬取締条例は，住民や来訪者への危害防止という観点から犬の係留を義務づけており，両者には規制対象が重複する面があるものの，規制の趣旨・目的を異にするし，後者の適用によって前者の意図する目的と効果を阻害しないと解されるから，後者は前者に違反しないと解される。なお，条例が法律と目的を異にするが，条例が法律の目的・効果を阻害するので違法とされた例として，産業廃棄物処理施設等を規制することを目的とした宗像市環境保全条例が「廃棄物の処理及び清掃に関する法律」に違反するとした福岡地判平成6・3・18行集45巻3号269頁がある。

### ⑶　上乗せ条例

国の法令に基づいて規制が加えられている事項について，当該法令と同一の目的でそれよりも厳しい規制を定める条例を上乗せ条例という。例えば，法律で工場設置につき届出制をとっている場合に条例で許可制にしたり，ある汚染物質の排出基準が法令で3ppm以内とされている場合に，条例で2ppm以内に強化したりする場合がその例である。上乗せ条例は，公害防止行政の分野で発達してきた。1969年に東京都公害防止条例が制定され，その中に，実質的にみて（形式的には法律の上乗せという形を避けていた）国の法令による規制に上乗せする条項が存在したため，かかる上乗せ条例の可否について議論を呼んだが，その後，公害防止関係の法律が明文で上乗せ条例を認めるようになった（大気汚染4条1項，水質汚濁3条3項，騒音規制4条2項参照）。しかし，大気汚染防止法，水質汚濁防止法では，市町村の上乗せ条例について規定していない点が問題である。上乗せ条例を認める明文の規定が法令にない場合，当該法令による規制が排他的な最大限規制であるか，ナショナル・ミニマムを定めるにとどまるのかを検討して，条例による上乗せを認める趣旨かを判断することになる[83]。なお，上乗せ条例が認められる場合であっても，必要以上に厳しい規制を行えば比例原則に違反し，違法無効になる（福岡高判昭和58・3・7行集34巻3号394頁［百選〔3版〕30］［判例集22］。なお，1985年2月18日に本件条例が廃止されたため，訴えの利益が失われたとして，最判昭和60・6・6判例自治19号60頁は，原判決を破棄し，第1審判決を取り消して，訴えを却下している）。

### (4)　裾切り条例

法令で一定規模または一定基準未満は規制対象外としているときに，その裾切りされた部分を規制対象に含める条例を裾切り条例ということがある。これは上乗せ条例または後述する（→(5)）横出し条例の一種として説明されることもある。裾切り条例が許されるか否かは，法律が裾切り以下の対象については規制しない趣旨であるか，それとも，裾切り以下の対象はナショナル・ミニマムの規制対象から外したにすぎず，地域の実情に応じた規制を許容する趣旨かにより判断されることになる。かつて，国土利用計画法が2000平方メートル以上の土地の取引についてのみ届出制を採用していたが，東京都土地取引適正化条例は，2000平

83）　兼子仁『条例をめぐる法律問題』（学陽書房，1978年）69頁参照。

方メートル未満の小規模な土地についても届出制を導入したことがある（同条例は，その後，国土利用計画法が監視区域制度を導入したため廃止されている）。これは，裾切り条例の例といえる。

裾切り条例の制定が許されるとしても，裾切り部分について，法令による規制よりも厳しい規制をなしうるかは別問題である。高知市が，河川法が規制対象外としている普通河川の管理条例を制定した事案において，最判昭和53・12・21民集32巻9号1723頁［百選33］［判例集19］は，「河川の管理について一般的な定めをした法律として河川法が存在すること，しかも，同法の適用も準用もない普通河川であつても，同法の定めるところと同程度の河川管理を行う必要が生じたときは，いつでも適用河川又は準用河川として指定することにより同法の適用又は準用の対象とする途が開かれていることにかんがみると，河川法は，普通河川については，適用河川又は準用河川に対する管理以上に強力な河川管理は施さない趣旨であると解される」と判示している。

裾切り条例を禁ずることはしないが，その自粛を求める法律が制定される例がある。旧「大規模小売店舗における小売業の事業活動の調整に関する法律」（同法は，1999年に廃止され，代わって大規模小売店舗立地法が制定されている）が，1991年に一部改正された際，同法15条の5に「地方公共団体は，小売業を営むための店舗について，その規模が周辺の中小小売業の事業活動に相当程度の影響を及ぼすおそれがあるものとして当該店舗における小売業の事業活動の調整に関し必要な施策を講ずる場合においては，この法律の趣旨を尊重して行うものとする」という規定が設けられた。これは，日本政府が日米構造問題協議で大規模小売店舗立地の規制緩和をアメリカに約束したため，旧通商産業省が，条例や要綱による裾切り規制を禁ずることを求め，これに難色を示す旧自治省との妥協として，裾切り規制の自粛を求める表現になったのである。

### (5)　横出し条例

国の法令と条例が同一目的で規制を行う場合において，法令で規制が加えられていない項目について規制する条例を横出し条例という。例えば，法令では二酸化窒素のみを規制している場合に，条例で二酸化炭素も規制項目に加える場合である。横出し条例が許容されるかは，当該法令が排他的包括的に規制し当該法令の規制対象事項以外は規制を否定する趣旨であるか，ナショナル・ミニマムのみを規制し，地方公共団体の必要に応じて規制項目を追加することを許容する趣旨であるかにより判断される。なお，法律が明示的に横出し条例を許容する規定を置いている例がある（大気汚染32条，水質汚濁29条，騒音規制27条2項，振動規制23条2項，悪臭23条）。

***Column*　京都府風俗案内所の規制に関する条例の合憲性**

風俗営業等の規制及び業務の適正化等に関する法律（以下「風営法」という）の2005年の改正により，性風俗営業者による広告，宣伝に対する罰則が定められたことが一因となり，風俗案内所が性風俗営業者のための集客施設としての役割を果たすようになった。そこで，風俗案内所を規制する条例を制定する地方公共団体が現れ，京都府も2010年に京都府風俗案内所の規制に関する条例（以下「風俗案内所規制条例」という）を制定した。同条例は，学校等の保護対象施設から200メートル以内を営業禁止区域として，違反には罰則を科し，また，風俗案内所の外部に，または外部から見通すことができる状態にしてその内部に，接待風俗営業に従事する者を表示し，もしくはこれを連想させる図画等を表示すること等を禁止した。風営法施行条例では，保護対象施設から70メートル以内の区域（第3種地域）を風俗営業禁止区域としているところ，この第3種地域で風俗案内所を経営している者が，風俗案内所規制条例が憲法22条1項，21条1項に違反する等と主張して出訴した。京都地判平成26・2・25判時2275号27頁は，第3種地域における保護対象施設との関係で，風俗案内所がもたらす弊害が風俗営業所がもたらす弊害よりも大きいとは認めがたいにもかかわらず，風俗営業所に対する保護対象施設からの距離制限（最大70メートル）よりも大きな距離制限（200メートル）を採用する明確な根拠を見出しがたいとして違憲とした。しかし，控訴審の大阪高判平成27・2・20判時2275号18頁は，風俗案内所が多数の風俗営業所について積極的に行う広告，宣伝の外部環境に対する影響や集客力は，単体の風俗営業所よりも格段に大きくなる等とし合憲判決を下した。そして，上告審の最判平成28・12・15判時2328号24頁は上告を棄却した。

### (6)　上積み条例

規制を上乗せするのではなく，給付を上積みする条例を上積み条例ということがある。例えば，法律で65歳以上の者に一定の給付を行うこととしている場合に，条例が同一目的の給付を60歳以上65歳未満の者にも与えることとしている場合などである。

### (7) 法律と抵触する条例

法律が全国一律に定めている事項を地方公共団体が条例で変更すること[84]は，それを許容する明文の規定がなければ許されないと一般に解されている。かつて，行政管理庁に設けられた行政手続法研究会が公表した行政手続法法律案要綱案においては，行政手続法が定める手続的義務をすべての地方公共団体に一律に課すことが，一部の地方公共団体にとって過剰な負担となりうることに配慮して，地方公共団体の事務については，条例で事項を特定して，本法の規定の全部または一部を適用しないものとすることができるとする規定（0102条）を置いていた。実際に制定された行政手続法には，このような特別の規定は設けられていないから，地方公共団体が同法により審査基準を作成する義務があるにもかかわらず，条例で作成義務の適用除外を設けることは認められない。教育公務員特例法14条2項は，休職者に休職期間中，給与の全額を支給することとしているので，期末手当を引き下げる条例は違法であるとしたものとして，札幌地判昭和31・11・28下民集7巻11号3421頁がある。また，法律が要考慮事項としているものを要考慮事項から外したり，法律が考慮禁止事項としているものを考慮禁止事項から外す条例は，そのことを許す明文の規定が法律に置かれていない以上，違法になる[85]。

児童福祉法34条1項6号が「児童に淫（いん）行をさせる行為」のみを規制していることから，青少年保護育成条例（「児童買春，児童ポルノに係る行為等の処罰及び児童の保護等に関する法律」〔現在は「児童買春，児童ポルノに係る行為等の規制及び処罰並びに児童の保護等に関する法律」〕制定附則2条1項により，青少年保護育成条例等の条例で，同法で規制する行為を処罰する旨を定めている部分は，同法施行時に失効することとされた）の「淫行禁止」条項の適法性については議論があるが，最大判昭和60・10・23刑集39巻6号413頁［百選29］は，児童福祉法34条1項6号の規定は，必ずしも児童の自由意思に基づかない淫行に限って適用されるものでないのみならず，同規定は，18歳未満の青少年との合意に基づく淫行をも条例で規制することを容認しない趣旨ではないと解している。

84）　かかる条例を「書きかえ条例」と称するものとして，岩橋健定「条例制定権の限界」塩野宏先生古稀記念『行政法の発展と変革(下)』（有斐閣，2001年）360頁参照。
85）　小早川光郎「基準・法律・条例」前掲注84）塩野古稀398頁参照。

法律が許認可等の規制の対象としている事項について，同一目的で上乗せ・横出しをする条例であっても，条例による規制が勧告等の行政指導にとどまる場合には，法律違反の問題は生じない[86]。このような行政指導条例も存在するが，地方公共団体においては，行政指導の指針を定めた要綱に基づく行政が広く行われている。これは，法規としての性格を持つものではないが，外部効果を持ちうるため，広義の自主立法に含められることもある[87]。

***Column*　模範条例**

従前は，条例が法律に抵触しないようにするため，また，地方公共団体の条例制定を支援するため，国が模範条例を地方公共団体に示すことが多かった（標準給水条例〔昭和33年11月1日衛水第61号〕等）。今日でも，技術的助言（自治245条の4第1項）として，各大臣が模範条例を地方公共団体に提示することが稀でないが（屋外広告物条例ガイドライン（案），介護保険条例参考例，火災予防条例（例），国民健康保険条例参考例，市（町，村）税条例（例），標準下水道条例，標準駐車場条例等）。最近では，「個人情報保護条例の見直し等について」（総行情第33号，平成29年5月19日）が，個人情報保護条例改正案のモデルを示している。地方分権の進展に伴い，模範条例を示すというかたちでの技術的助言は控えられる傾向にある。しかし，法律で各大臣が模範条例を作成することができることを明記している例もある。すなわち，漁港漁場整備法は，農林水産大臣が，水産政策審議会の議を経て，模範漁港管理規程例を定めることができるとしている（34条4項）。実際に模範漁港管理規程例が作成されており，地方公共団体はこれを参考に漁港管理条例を制定している。

### ⑻　条例による財産権規制

法律と条例の関係でしばしば問題になるのが，条例による財産権規制である。日本国憲法29条2項は，「財産権の内容は，公共の福祉に適合するやうに，法律でこれを定める」と規定していること，財産取引は全国的に行われること，地方分権一括法による改正前の地方自治法も，「建築物の構造，設備，敷地及び周密度，空地地区，住居，商業，工業その他住民の業態に基く地域等に関し制限を設けること」（自治旧2条3項18号），「地方公共の目的のために動産及び不動産を使用又は収用すること」（同項19号）について，「法律の定めるところにより」と

86）　成田編・都市づくり20頁（成田頼明執筆）参照。
87）　室井＝原野編・入門213頁以下（市橋克哉執筆）参照。兼子・自治体法208頁以下も，要綱を自治体法の一種として位置づけている。

いう留保を付していたこと等のため，かつては，条例による財産権規制に消極的な見解が有力であった（地方分権一括法による地方自治法の改正により，旧2条3項による地方公共団体の事務の例示は廃止されたため，現在では，地方自治法上の問題はなくなっている）。裁判例の中にも，条例による財産権規制を明示的に否定するものもあったし（大阪高判昭和36・7・13判時276号33頁），行政解釈の中にも条例による財産権制限に否定的なものがあった[88]。

しかし，ため池の破損・決壊等による災害を未然に防止するため，ため池の管理に関し必要な事項を定めることを目的として制定された奈良県の「ため池の保全に関する条例」について，最大判昭和38・6・26刑集17巻5号521頁［百選27］［判例集II 185］は，財産権の制限を定める条例を合憲と判示している。すなわち，同判決は，「ため池の堤とうを使用する財産上の権利を有する者は，本条例1条の示す目的のため，その財産権の行使を殆んど全面的に禁止されることになるが，それは災害を未然に防止するという社会生活上の已むを得ない必要から来ることであって，ため池の堤とうを使用する財産上の権利を有する者は何人も，公共の福祉のため，当然これを受忍しなければならない責務を負うというべきである」と判示しており，そのため，災害防止の必要がある場合には財産権を条例で規制することを認める趣旨と解する学説もある。もっとも，この判決は，「ため池の破損，決かいの原因となるため池の堤とうの使用行為は，憲法でも，民法でも適法な財産権の行使として保障されていない」と述べており，そもそも，条例による財産権の制限が可能か否かの問題自体が生じないと解しているようにも読める。今日の通説は，自由権であっても条例で規制できることとの均衡，条例が公選議員からなる議会で制定される民主性を持つこと，土地基本法が地方公共団体に，「法律の定めるところにより」という留保を付すことなく土地利用の規制に関する措置を適切に講ずる義務を課していること（12条1項）等に照らして，憲法29条にいう「法律」には条例を含むと解している。実際，先駆的意義を有する1973年の岡山県県土保全条例を始めとして，条例による土地利用規制

88）　一般私有地を県立公園地域に指定して，これに国立公園法（当時）とほぼ同じ趣旨の公用制限を課すことを条例で規定することはできないとした昭和24年3月26日法務調査意見長官回答，内閣法制局監修『法制意見総覧』（帝国地方行政学会，1957年〜）1290頁。

は広く行われるようになっている。条例による土地利用規制を正当化する理由として，地方公共団体が国よりも現場の事情に通暁しており，問題の認知・分析において国に先行するという「認知的先導性」[89]も指摘することができよう。

### (9)　条例への罰則の委任

憲法31条は，「何人も，法律の定める手続によらなければ，その生命若しくは自由を奪はれ，又はその他の刑罰を科せられない」と規定している。地方自治法制定時は，条例に罰則を定めることは予定されておらず，「条例に違反した者に対しては，法律の定めるところにより，これに刑罰を科することがあるものとする」（自治旧14条2項）とされていたが，1947年の地方自治法改正で，条例に罰則を設けることを一定の範囲で認めるに至った。現行の地方自治法14条3項は，「普通地方公共団体は，法令に特別の定めがあるものを除くほか，その条例中に，条例に違反した者に対し，2年以下の拘禁刑，100万円以下の罰金，拘留，科料若しくは没収の刑又は5万円以下の過料を科する旨の規定を設けることができる」と定めている。

***Column*　検察協議**

罰則を含む条例を制定しようとする場合，議会への条例案の提出に先立ち，当該地方公共団体の地域を所管する地方検察庁に協議する慣例がある。法的な義務ではないので，長の方針により検察協議を行わない例も皆無ではないが，罰則の構成要件が不明確で検察官が公訴を提起できないような事態を回避するため，地方公共団体にとっても，一般に検察協議の意義が認められているように思われる。このことは，1973年1月25日付けの全国都道府県総務部長会議連絡事項において，「各地方公共団体においては，罰則の定めのある条例の制定，改正等に当たっては関係地方検察庁との連絡を密にし，その運用に支障を生ずることのない適切妥当な規定が定められるよう配慮願いたい」と記されていることからもうかがえる。検察協議の起源は定かでないが，法務府刑政長官通牒により，1951年4月1日付けで最高検察庁，高等検察庁および地方検察庁に条例係検事が置かれたことにあり，条例係検事の制度は1959年2月26日付け法務大臣訓令により廃止されたが，指導係検事の担当事務として引き継がれたとする説がある[90]。

---

89)　角松生史「自治立法における土地利用規制の再検討」原田純孝編『日本の都市法II』（東京大学出版会，2001年）326頁参照。条例制定権の限界については，斎藤誠「条例制定権の限界」芝池＝小早川＝宇賀編・争点〔3版〕158頁以下も参照。

大阪市の旧「街路等における売春勧誘行為等の取締条例」違反で起訴された被告人が，地方自治法旧14条5項（都道府県による市町村の行政事務に関する統制条例についての旧14条3項・4項が削除されたため，旧14条5項に対応する規定は，現行法の14条3項になった）は，きわめて抽象的で不特定な事項について，条例に罰則制定権を包括的に委任しているから憲法31条に違反すると主張したが，最大判昭和37・5・30刑集16巻5号577頁［百選28］［判例集21］は，合憲判決を下している。同判決も，白紙委任は許されないとするが，憲法31条は必ずしも刑罰がすべて法律そのもので定められなければならないとするものではなく，法律の授権によってそれ以下の法令で定めることを禁じていないとする。そして，地方自治法旧2条3項に規定された事項のうちで，本件に関係のある条文（1号・7号）に定められた事項は相当に具体的な内容のものであり，また，地方自治法旧14条5項は，罰則の範囲も限定されており，白紙委任とはいえないとする。さらに，条例は，公選の議員をもって組織する地方公共団体の議会の議決を経て制定される自治立法であって，行政府の制定する命令とは性質を異にし，むしろ国民の公選した議員をもって組織する国会の議決を経て制定される法律に類するものであることを指摘している。そして，条例で罰則を定めるには法律による個別具体の委任が必要であるが，条例が地方公共団体の住民を代表する議会の定める自治立法であることにかんがみると，委任の程度が相当程度に具体的であり限定されていれば足りるという立場をとっている。したがって，憲法94条が定める条例制定権の中に，罰則を定める権能も含まれると解しているわけではないと思われる。

しかし，学説においては，条例制定権が憲法によって直接授権されたものである以上，法律の特別の委任がなくても，条例違反に対する罰則を規定しうるとする見解も有力である。この立場からすると，地方自治法14条3項は，罰則の規定を委任する条文ではなく，条例で定めうる罰則の範囲を限定したものということになる。

罰則は，通常の判断能力を有する一般人の理解において，具体的場合に当該行為がその適用を受けるものか否かの判断を可能ならしめるような基準が読み取れ

90）　北村喜宣『自治力の情熱』（信山社，2004年）103頁参照。

なければ，罪刑法定主義を定める憲法31条に違反する（最大判昭和50・9・10刑集29巻8号489頁［百選31］［判例集18］）。

**Column 世田谷区清掃・リサイクル条例事件**

地方公共団体所定のごみ集積所から民間業者により古紙が持ち去られる事件が頻発したため，条例で地方公共団体指定のごみ集積所から指定業者以外の者によるごみの持ち去りを禁止し罰則を定める条例を制定する例がみられるようになった。世田谷区清掃・リサイクル条例は，本件事件当時，「区長は，規則で定めるところにより，一般廃棄物の処理に関する計画（以下「一般廃棄物処理計画」という。）を定め，これを遅滞なく公表しなければならない」（35条1項），「一般廃棄物処理計画で定める所定の場所に置かれた廃棄物のうち，古紙，ガラスびん，缶等再利用の対象となる物として区長が指定するものについては，区長及び区長が指定する者以外の者は，これらを収集し，又は運搬してはならない」（31条の2第1項）と定め，区長は違反者に対して禁止命令を出すことができ（同条2項），命令違反に対する罰則を定めていた（80条1号）。世田谷区の「平成16年度一般廃棄物処理計画」では，一般廃棄物は「定められた場所」に排出しなければならず，「定められた場所」は，原則として，それを利用しようとする区民等が協議のうえ位置を定め，その場所を区長に申し出て，区が収集可能であると確認した場所とされていた。

東京簡判平成19・5・7判例集不登載は，本件条例上，「所定の場所」について，場所の特定および場所の定め方を含めて何ら規定がなく，一般廃棄物処理計画にいう「定められた場所」も具体的な場所を指すものではなく，一般廃棄物の排出場所を示す「資源・ごみ収集所地図」は，一般廃棄物処理計画の付属書類ではないなどの理由で，犯罪構成要件が明確性を欠くため無罪とする判決を下した。控訴審の東京高判平成19・12・18判時1995号56頁は，本件条例にいう「所定の場所」とは一般廃棄物処理計画にいう「定められた場所」のことであり，それが処理計画にいう「区民においてごみを排出すべき場所を合意し，区においてその旨確認する手続」によって確定された場所であることは明らかであり，憲法31条に違反しないとして無罪判決を破棄し，罰金刑を言い渡した。上告審の最決平成20・7・17判時2050号156頁も，本件条例31条の2第1項にいう「一般廃棄物処理計画で定める所定の場所」とは，世田谷区が，一般廃棄物の収集について区民等の協力を得るために，区民等が一般廃棄物を分別して排出する場所として定めた一般廃棄物の集積所を意味することは明らかであり，「所定の場所」の文言を用いた本件罰則規定が，刑罰法規の構成要件として不明確であるとはいえないし，本件における違反場所は，「資源・ごみ集積所」と記載された看板等により，上記集積所であることが周知されているとして，上告を棄却した。

### ⑽ 立法原則・解釈原則

地方公共団体に自主条例制定権が認められるといっても，条例は法令に違反しない限りにおいて制定しうるのであるから，法令で広範な規制がなされれば，自主条例制定権の範囲は制約されてしまうことになる。そこで，前述したように（→5章Ⅳ ***3***），地方自治法2条11項・13項に，国が，地方自治の本旨，国と地方公共団体との適切な役割分担に反する法令を制定することを抑止しようとする規定が置かれている。地方自治の本旨，国と地方公共団体との適切な役割分担におよそ反する法律は，その合憲性を問われることになる。これらの規定の効果として，国が立法を行うに際して，条例制定権の範囲をより広く認める傾向が徐々にではあっても現れてくるのではないかと思われる[91)]。

### ⑾ 義務付け・枠付けの見直し

#### ⒜ 意　義

地方分権改革推進法（2010年失効）5条においては，「行政の各分野において地方公共団体との間で適切に役割を分担することとなるよう，……地方公共団体に対する事務の処理又はその方法の義務付け……の整理及び合理化その他所要の措置を講ずる」と定められた。これは，第1次地方分権改革では不十分であった立法権の分権を念頭に置いたものであり，「地方公共団体に対する事務の処理又はその方法の義務付け」を地方分権改革推進委員会は，「義務付け・枠付け」の問題として議論した。「義務付け」とは，一定の課題に対処するために，地方公共団体に一定種類の活動を義務づけることであり，「枠付け」とは，地方公共団体の活動について手続，判断基準等の枠付けを行うことを意味する。

#### ⒝ 地方分権改革推進委員会の第2次勧告

地方分権改革推進委員会は，2008年12月8日の第2次勧告において，現行法令における自治事務にかかる義務付け・枠付けの横断的整理方策を勧告した。そこにおいては，自治事務について国が法令で事務の実施やその方法を縛っている「義務付け・枠付け」について，全体像を法律の条項単位で横断的に整理し，こ

---

91）　地方分権一括法による地方分権改革としての条例制定の課題については，宇賀編・地方分権52頁以下参照。

れをそのまま存置してよいかについての判断基準を設定し，把握した全条項について該当・非該当の判断を示すとともに，将来的な見直しの進め方について提言がなされている[92]。

#### (c) 地方分権改革推進委員会の第３次勧告

2009年10月7日に出された第3次勧告「自治立法権の拡大による『地方政府』の実現へ」においては，①施設・公物設置管理の基準，②協議・同意・許可・認可・承認，③計画等の策定およびその手続の重点3事項について，1224条項のうち892事項について，個別の条項ごとに具体的に講ずべき見直し措置が提示されている。また，重点3事項以外の見直し条項についても，第2次勧告で示された指針に基づき具体的に見直し措置を講ずべきことが提言されている。

**_Column_　従うべき基準，標準，参酌すべき基準**

同勧告では，施設・公物設置管理の基準についての法令による枠付けを，①従うべき基準（条例で異なる内容を定めることは許されない基準），②標準（通常よるべき基準であるが，合理的な理由があれば，地域の実情に応じて異なる内容を条例で定めることが許される基準），③参酌すべき基準（地域の実情に応じて条例で異なる内容を定めることを許容する基準）の3類型に分け，①②による枠付けは，限定的にのみ認めるべきとしている。

#### (d) 地方分権改革推進計画

2009年12月15日に閣議決定された地方分権改革推進計画においては，地方要望分が35法律，70条項，その他分が18法律，51条項について，義務付け・枠付けの見直しを行うこととした。

#### (e) 「地域の自主性及び自立性を高めるための改革の推進を図るための関係法律の整備に関する法律」（第１次一括法）

これを受けて，2010年，「地域主権改革の推進を図るための関係法律の整備に

92）　義務付け・枠付けをめぐる課題について，宇賀克也「義務付け・枠付けの見直し」都市とガバナンス13号（2010年）6頁，斎藤・法的基層351頁以下，出石稔「義務付け・枠付けの見直しに伴う自主立法の可能性――条例制定権拡大をどう生かすか」自治体法務研究24号（2011年）11頁以下，江藤俊昭「義務付け・枠付け見直しと自治体の役割――見直しされる総合計画を軸とした地域経営の手法」自治体法務研究24号（2011年）18頁以下，本多滝夫「“義務付け・枠付けの見直し”の影響――福祉行政を中心に」自治体法務研究24号（2011年）15頁以下参照。

関する法律案」が提出され，関係する法律を一括改正することとした（国が決めていた基準に代えて条例で基準を規定，国の関与を廃止または弱い形態の関与へ，計画等の策定義務を廃止）。例えば，児童福祉施設の設備および運営に関する基準，公営住宅の整備基準および収入基準，道路の構造の技術的基準（設計車両等の基準を除く）は，条例で定めることになり，市町村立幼稚園の設置廃止等にかかる都道府県教育委員会の認可制は届出制になる。同法案は，衆議院で修正され，法律の名称も変更されたが，2011年4月28日に成立した。同法により，41法律が一括して改正された。

**(f)　地域主権戦略大綱**

地域主権戦略大綱においては，第3次勧告で示された見直し対象のうち，地方分権改革推進計画の際に見直しの対象とされたもの以外の義務付け・枠付けについて見直しを行い（308項目，528条項），所要の一括法案を2011年通常国会に提出することとしている。さらに，第2次勧告で見直しの対象とされたもののうち，第3次勧告で取り上げた事項以外のものについて見直しを行うこととしている。

**(g)　「地域の自主性及び自立性を高めるための改革の推進を図るための関係法律の整備に関する法律」（第2次一括法）**

2011年の通常国会に第2次一括法案が提出された。図書館運営審議会の委員の任命基準の緩和等，義務付け・枠付けの見直しを行うため，160法律が改正され，併せて，基礎自治体への権限移譲のため，47法律が改正された。

**(h)　「義務付け・枠付けの更なる見直しについて」（2011年11月29日閣議決定）**

同閣議決定においては，「地方からの提言等に係る事項」，「通知・届出・報告，公示・公告等」，「職員等の資格・定数等」，「その他」について，法律の改正により措置すべき事項については，所要の一括法案等を2012年の通常国会に提出することとされた。

**(i)　「地域の自主性及び自立性を高めるための改革の推進を図るための関係法律の整備に関する法律案」（旧第3次一括法案）**

これを受けて，69法律の整備を行う第3次一括法案が2012年の通常国会に提出されたが，同国会では成立せず，継続審査となり，同年11月16日の衆議院解散に伴い廃案となった。

**(j)「義務付け・枠付けの第４次見直しについて」(2013年３月12日閣議決定)**

地方分権改革推進委員会の勧告の対象とならなかった事項について，基礎自治体への権限移譲と併せて，地方公共団体からの地域の実情に即した具体的な提案を受けて，義務付け・枠付けの見直しが行われた。

**(k)「地域の自主性及び自立性を高めるための改革の推進を図るための関係法律の整備に関する法律」(第３次一括法)**

旧第3次一括法案にかかる事項と第4次見直しにかかる事項を併せて改正する内容の第3次一括法が，2013年6月7日に成立した。

**(l)「地方分権改革に関する提案募集の実施方針」(2014年４月30日地方分権改革推進本部決定)**

従前の委員会勧告方式に代えて，地方の発意に根ざした新たな取組みを推進することとし，個々の地方公共団体等から義務付け・枠付けの緩和等に関する提案を広く募集し，それらの提案の実現に向けて検討を行う「提案募集方式」を導入することとしている[93]。

**(m)「地域の自主性及び自立性を高めるための改革の推進を図るための関係法律の整備に関する法律」(第５次一括法)**

建築審査会委員の任期の条例委任，農林業等活性化基盤整備計画を定める際の市町村から都道府県に対する同意協議にかかる同意の一部廃止，保育所型認定こども園にかかる認定の有効期間の廃止など，8つの法律の改正により，義務付け・枠付けの緩和が行われた。

**(n)「地域の自主性及び自立性を高めるための改革の推進を図るための関係法律の整備に関する法律」(第６次一括法)**

都道府県による一定の保安林の解除にかかる協議における農林水産大臣の同意廃止，都道府県による水質汚濁物質の総量削減計画策定にかかる協議における環境大臣の同意廃止など，4つの法律の改正により，義務付け・枠付けの緩和が行われた。

---

93)　勢一智子「地方イニシアティブの機能条件――地方による地方のための地方制度改革に向けて」地方自治808号(2015年)5頁以下参照。

**(o)「地域の自主性及び自立性を高めるための改革の推進を図るための関係法律の整備に関する法律」(第7次一括法)**

「提案募集方式」に基づく地方からの提案について,「平成28年の地方からの提案等に関する対応方針」(平成28年12月20日閣議決定)を踏まえ,幼保連携型認定こども園以外の認定こども園の認定等の事務・権限を指定都市へ移譲する等,都道府県から指定都市等への事務・権限の移譲についての4法律および地方公共団体が審査請求を不適法却下する場合における議会への諮問手続を事後報告に見直す等,地方公共団体に対する義務付け・枠付けの見直し等の関係法律の整備を行う6法律が改正された。

**(p)「地域の自主性及び自立性を高めるための改革の推進を図るための関係法律の整備に関する法律」(第8次一括法)**

「提案募集方式」に基づく地方からの提案について,「平成29年の地方からの提案等に関する対応方針」(平成29年12月26日閣議決定)を踏まえ,毒物または劇物の原体の事業者の登録等にかかる事務・権限の国から都道府県への移譲,幼保連携型認定こども園以外の認定こども園の認定等にかかる事務・権限の都道府県から中核市への移譲等を行うための3法律および災害援護資金の貸付利率について,市町村が条例で設定できるよう見直す等,地方公共団体に対する義務付け・枠付けの見直し等の関係法律の整備を行う14法律が改正された。

**(q)「地域の自主性及び自立性を高めるための改革の推進を図るための関係法律の整備に関する法律」(第9次一括法)**

「提案募集方式」に基づく地方からの提案について,「平成30年の地方からの提案等に関する対応方針」(平成30年12月25日閣議決定)を踏まえ,介護サービス事業者の業務管理体制の整備について,届出・立入検査にかかる事務・権限を都道府県から中核市に移譲するとともに,放課後児童健全育成事業に従事する者およびその員数の基準について,従うべき基準から参酌すべき基準に見直す等,地方公共団体に対する義務付け・枠付けの見直し等の関係法律の整備を行う12法律が改正された。

**(r)「地域の自主性及び自立性を高めるための改革の推進を図るための関係法律の整備に関する法律」(第10次一括法)**

「提案募集方式」に基づく地方からの提案について,「令和元年の地方からの提案等に関する対応方針」（令和元年12月23日閣議決定）を踏まえ，軌道経営者に対する運輸開始の認可等にかかる事務・権限を都道府県から指定都市に移譲するとともに，地方独立行政法人が本来業務および附帯する業務に該当しない土地等の貸付けを行うことを可能にする等，地方公共団体に対する義務付け・枠付けの見直し等の関係法律の整備を行う9法律が改正された。

**(s)「地域の自主性及び自立性を高めるための改革の推進を図るための関係法律の整備に関する法律」（第11次一括法）**

「提案募集方式」に基づく地方からの提案について，「令和2年の地方からの提案等に関する対応方針」（令和2年12月18日閣議決定）を踏まえ，地縁による団体について，不動産を保有する予定の有無にかかわらず認可を可能とする地方自治法の改正，転出届および印鑑登録の廃止申請の受付等の事務について，郵便局において取り扱わせることを可能にする地方公共団体の特定の事務の郵便局における取扱いに関する法律の改正等，地方公共団体に対する義務付け・枠付けの見直しを行うために9法律の改正が行われた。

**(t)「地域の自主性及び自立性を高めるための改革の推進を図るための関係法律の整備に関する法律」（第12次一括法）**

「提案募集方式」に基づく地方からの提案について，「令和3年の地方からの提案等に関する対応方針」（令和3年12月21日閣議決定）を踏まえ，流域別下水道整備総合計画の策定および変更に係る国への協議制を届出制に変更したり，オンラインによる医師，歯科医師，薬剤師の届出に係る都道府県経由事務を廃止したり，認可地縁団体について，合併および書面等による決議を可能としたりするために12法律が改正された[94]。

***Column*　立法の集権化の例**

上記のように，自主立法権を拡充するために義務付け・枠付けの見直しが継続される中，分野によっては，逆に自主立法権を大幅に制約し，立法の集権化が行われた例もある。個人情報保護法制の分野がそれである。わが国では，先進的な地方公共団体が国に先駆けて個人情報保護法制を整備してきたこともあり，地方公共団体およびそ

94）義務付け・枠付けの見直しの経緯について，高橋滋「地方分権はどう進んだのか――“義務付け・枠付け見直し”を中心に」自治体法務研究24号（2011年）6頁以下参照。

の設立する地方独立行政法人の保有する個人情報の保護は，地方公共団体の個人情報保護条例で規制してきた。そして，すでに2005年度中にすべての普通地方公共団体および特別区において個人情報保護条例が制定されていた。しかし，かかる分権的個人情報保護法制が個人情報の流通の阻害要因となっているという指摘を踏まえ，「デジタル社会の形成を図るための関係法律の整備に関する法律」（令和3年法律第37号）により，地方公共団体および地方独立行政法人の保有する個人情報の保護についても，原則として，個人情報の保護に関する法律が適用されることになった。さらに，限定的な範囲で認められる条例を制定したときに届出義務を課す義務付けもなされた（地方公共団体および地方独立行政法人の保有する個人情報の保護に係る部分の施行は2023年4月1日）。しかし，地方公共団体および地方独立行政法人は国が保有していない類型の個人情報を多数保有しており。その取扱いをめぐり，住民の意見や苦情に直接接する立場にある。そのため，国より早期に個人情報保護に関する問題を認知して対策を講じてきた例が枚挙に暇がない。統一的な個人情報保護法制の下でも，国は，地方公共団体および地方独立行政法人の意見を十分に踏まえて，法令やガイドラインの改正にそれを反映すべきであろう[95)]。

### ⑿　条例の違法審査

条例の立案過程において，法令との抵触を回避するため，当該法令の所管省庁の意見を求めることは稀でない。しかし，所管省庁から多少とも疑義が示されれば，その見解に納得できなくても安全策をとり，条例化を断念して行政指導で対応するのでは，地方分権の拡充を期待しえない。他面において，適法性に疑問がある条例であっても，私人が提起する訴訟において付随的に違法性が審査される可能性があるのみであれば，多くの場合，その適法性についての司法判断は示されないまま放置されることになる。そこで，国が条例の違法審査を求める訴訟が認められるか，認めるべきかという問題が生ずることになる[96)]。かかる訴訟も法律上の争訟であるとすれば，現行法上も出訴可能ということになるが[97)]，仮

95）　宇賀克也編著・宍戸常寿＝高野祥一著『自治体職員のための2021年改正個人情報保護法解説』（第一法規，2021年）7頁以下。統一的個人情報保護法制の下においても個人情報保護審議会の役割を軽視すべきでないことについては，宇賀・個人情報保護逐条732頁以下。

96）　この問題について詳しくは，塩野・法治主義439頁以下参照。また，国・地方間の訴訟と私人による訴訟の調整について阿部泰隆「国・地方公共団体の関係調整ルール」ジュリ1090号（1996年）50頁参照。

97）　学説の状況につき，白藤博行「国と地方公共団体との間の紛争処理の仕組み」公法62号（2000年）202頁以下参照。

に法律上の争訟に該当しないという立場をとったとしても，機関訴訟として，かかる訴訟を認めることは立法政策として十分に検討に値する問題である。実際，1947年の第1次地方自治法改正の際に条例無効確認訴訟の立法化が検討されていた[98]。逆に，地方公共団体が地方自治の本旨に反する法令の違憲審査を求める訴訟についても，同様の問題がある。また，司法統制に限らず，行政過程において第三者機関に条例の適法性および合目的性の審査を行わせるべきかという問題も存在する。

**地方分権推進委員会による検討**　地方分権推進委員会は，1996年3月の中間報告において，「条例の無効確認等に関して，国と地方公共団体の間に係争が生じた場合，司法統制だけでは，違法性の判断に限定されること，手続が複雑で結論が出るまでに長時間要することなどのため，違法性と合目的性の両面にわたり，中立的かつ客観的に，簡易・迅速・公正・透明を旨として判断することができる『第三者機関』の仕組みを一般法で定めることが必要である。その具体的な性格，内容，構成等については引き続き検討する。なお，違法性の判断に係わるものについては，裁判を起こすことができることとする方向で検討する」という方向を示した。そして，1996年12月の第1次勧告においては，「国は，地方公共団体の条例・規則が法律に違反すると認めるときは，当該条例・規則が違法であることの確認の申し出をすることができるものとする」「上記の……違法確認の申し出……については，裁判所に訴えることができるものとすることについて，なお検討する」こととされた。しかし，1997年7月の第2次勧告では，この問題につき，「委員会としては，制度の基本的部分に関わる事項について，なお各省庁をはじめとする関係者の認識との間に大きな開きがあると判断せざるを得なかったところである。こうした状況を踏まえ，国と地方公共団体との間の係争処理の仕組みについては，なお引き続き，各方面からの意見を聞きながら，検討を続けることとした」と述べられるにとどまった。同年10月の第4次勧告においては，「地方公共団体に対する国の関与と地方公共団体が担う事務の範囲が見直されることに伴い，地方公共団体の条例制定の範囲が拡大することとなることから，委員会では，条例の適法・違法を審査する仕組みを創設することについても調査審議の対象としてきたところであり，別添において掲げた試案にも，こうした制度を設ける場合の1つの案を盛り込んでいる。この条例の違法審査の制度は，国と地方公共団体の立法権限の衝突を調整する制度として重要な意義を有するものであるが，その具体化については未だ関係者の共通理解が

98)　その経緯について史料に基づく考証を行ったものとして，斎藤誠「条例無効確認訴訟の構想（1947年）――司法権の限界論に寄せて」高橋和之先生古稀記念『現代立憲主義の諸相(上)』（有斐閣，2013年）219頁以下参照。

得られているとは言えない状況にあり，また，全く新たな制度であって一般の関与の場合とは異なった観点からの法制度上の検討を経る必要もあるため，中長期的な課題として，今後さらに検討が深められることを望むものである」とされ，1998年5月の地方分権推進計画には盛り込まれず，地方分権一括法による対応もなされなかった。

***Column*　条例評価**

2001年に「行政機関が行う政策の評価に関する法律」[99]が制定され，Plan（計画）⇒Do（実行）⇒Check（評価）⇒Act（改善）のマネジメントサイクルにより政策の改善を恒常的に図る仕組みが導入されたが，条例についても，定期的な見直しにより，PDCAサイクルによる改善を図る動きがみられる。神奈川県は，2008年に「条例の見直しに関する要綱」を制定し，①県民の権利を制限し，または義務を課す規定，②特定の県民に直接に利益を付与する規定，③県民生活に関連する政策の方向付けをする規定のいずれかの規定を含む条例で特に必要があると認めるものについては，条例の見直しを定期的に行うことを義務づける規定を条例附則に設け，一定期間ごとに，㈠必要性，㈡有効性，㈢効率性，㈣基本方針適合性，㈤適法性の観点から見直しを行い，その結果を公表している。北海道も，同年，「条例の見直しに係る基本方針」を策定し，議会関係条例および制定後5年以内の条例を除くすべての条例を見直し対象とすることとしている[100]。横浜市「定期的な条例の見直しの導入について」においては，全条例について，直近改正・制定または前回の条例見直し時点から5年ごとに見直しを実施することとされている。

## *5*　都道府県条例と市町村条例

市町村および特別区は，当該都道府県の条例に違反してその事務を処理してはならず（自治2条16項後段），都道府県条例に違反して行った市町村および特別区の行為は無効とされるから（同条17項），都道府県条例と市町村条例が抵触する場合には，前者が優先することになろう。しかし，都道府県は市町村条例との

99）　宇賀克也『政策評価の法制度』（有斐閣，2002年）13頁以下参照。政策評価審議会提言（2021年3月）を踏まえて，政策評価制度のあり方について論ずるものとして，小西敦「政策評価制度再考——政策評価法制定時の議論を振り返りつつ政策評価審議会提言を踏まえて」季刊行政管理研究176号（2021年）16頁以下参照。

100）　条例評価について，北村喜宣＝山口道昭＝出石稔＝礒崎初仁編『自治体政策法務』（有斐閣，2011年）210頁以下（福士明執筆），礒崎・自治体政策法務114頁以下参照。

競管領域において条例を制定しようとする場合には，市町村と十分に協議し，市町村の自治を過度に制約しないように配慮すべきであろう。

都道府県条例の中には，市町村条例との関係について明文の規定を置くものがある。例えば，神奈川県土地利用調整条例19条は，「市町村が開発行為等に関して制定する条例の内容が，この条例の趣旨に則したものであり，かつ，この条例と同等以上の効果が期待できるものと知事が認めるときは，この条例は，当該市町村の区域における開発行為等については，適用しない」と定めている。また，広島県環境影響評価に関する条例47条は，「市町が対象事業に関し環境の保全の見地から環境影響評価に関する条例を制定した場合において，当該市町の区域内における対象事業に関するこの条例の規定の適用については，当該市町の長と知事とが協議して定めるものとする」と規定している[101)]。

## *6*　条例の留保

地方自治法旧14条2項は，「普通地方公共団体は，行政事務の処理に関しては，法令に特別の定があるものを除く外，条例でこれを定めなければならない」と行政事務条例主義について定めていた。公安条例・迷惑行為禁止条例等が行政事務条例の典型例であった。しかし，地方分権一括法による地方自治法改正により，地方公共団体の事務の従前の3区分（公共事務〔固有事務〕，〔団体〕委任事務，行政事務）が廃止されたことに伴い，地方自治法14条2項は，内閣法11条（「政令には，法律の委任がなければ，義務を課し，又は権利を制限する規定を設けることができない」）等の規定と同様に，侵害留保原則を定める規定とされることになり，「普通地方公共団体は，義務を課し，又は権利を制限するには，法令に特別の定

101）　これらの条例の評価につき，斎藤・法的基層272頁参照。都道府県条例と市町村条例については，澤俊晴『都道府県条例と市町村条例――自治・分権時代の条例間関係の理論』（慈学社，2007年）が詳しい。都道府県条例と市町村条例の関係を最小限規制，最大限規制，標準規制に分類して，具体例を挙げて検討するものとして，宇那木正寛『自治体政策立案入門――実務に活かす20の行政法学理論』（ぎょうせい，2015年）123頁以下参照。暴力団排除条例を対象として，都道府県条例と市町村条例の関係を精緻に分析したものとして，同「暴力団排除事務をめぐる都道府県条例と市町村条例の関係(1)(2・完)」自治研究88巻1号78頁以下，2号87頁以下（2012年）参照。

めがある場合を除くほか，条例によらなければならない」と定めることになった[102]。地方自治法14条2項は，「法令に特別の定めがある場合」には，義務を課し，または権利を制限する場合であっても，条例によらないことを認めている。したがって，いかなる場合に，「法令に特別の定め」を設けるかが問題になる。この問題については，地方分権推進委員会からの問題提起を受けて，政府において検討・調整が行われ，個別の法令により権利義務を規制するための基本的な規範の定立を地方公共団体に委任する場合には，条例に委任することを原則とし，規則等に委任するのは，機動性という観点からそれに合理性がある場合に限るという方針が立てられ，その方針に従って個別法の見直しが行われた[103]。

なお，義務を課し，または権利を制限する場合でなくても，条例という形式によることを法律で義務づけている場合がある（自治3条3項・4条1項・244条の2第1項等)。これは，重要事項については，住民代表議会で議論し，決定すべきという考えによっている。横須賀市のように，条例の留保について重要事項留保説（本質性理論）をとり，パブリック・コメント手続等についても条例化している例がある[104]。

## 7　条例に基づく過料

地方自治法旧14条5項は，条例違反に対する行政刑罰のみを規定し，条例で行政上の秩序罰としての過料を科すことを認める明文の規定を置いていなかった。そのため，条例に基づき過料を科しうるかについては意見が分かれ，1953年制定の千代田区公共溝渠管理条例，1995年制定の伊賀町まちづくり環境条例，1997年制定の善通寺市環境美化条例のように肯定説をとって過料の規定を設ける条例も皆無ではなかったが，一般には否定説をとり，過料規定は設けられてこ

---

102）　地方自治法14条2項は，義務を課し，または権利を制限する場合以外は条例の留保は及ばないことまで意味するものではないことを指摘するものとして，芝池義一「条例」小早川＝小幡編・自治・分権69頁参照。

103）　藤田・行政組織法298～299頁参照。

104）　宇賀克也編著『改正行政手続法とパブリック・コメント』（第一法規，2006年）94頁以下（出石稔執筆），出石稔「横須賀市市民パブリック・コメント手続条例」地方自治職員研修2002年3月号36頁以下。

なかった。他方，地方自治法15条2項は，「普通地方公共団体の長は，法令に特別の定めがあるものを除くほか，普通地方公共団体の規則中に，規則に違反した者に対し，5万円以下の過料を科する旨の規定を設けることができる」と定めている。機関委任事務制度が廃止されることに伴い，従前，規則で規定されていた事項のかなりの部分が条例事項となり，条例により義務を課し権利を制限する範囲が拡大することとなった[105)]。そこで，比例原則に照らして，条例違反に過料を科すことを認めることが適切と考えられたため，地方自治法旧14条5項に対応する現行地方自治法14条3項は，条例違反に対して，2年以下の拘禁刑，100万円以下の罰金，拘留，科料もしくは没収の刑または5万円以下の過料を科すことも認める明文の規定を置いている[106)]。

過料は，長が弁明の機会を与えた上で行政処分として科すことができるため，簡易迅速に賦課しうる長所を有し（自治149条3号・255条の3），2000年制定の「いわき市ポイ捨て防止による美化推進条例」19条（1万円以下の過料），2002年制定の「安全で快適な千代田区の生活環境の整備に関する条例」24条（2万円以下の過料）等で軽微な違反行為に対する制裁として過料が用いられている。もっとも，相手が任意に支払わない場合，地方税の滞納処分の例により強制徴収しうるが（自治231条の3第1項・3項），強制徴収に要する費用が過料額を大きく上回ることになると考えられるため，実効性に乏しいという問題がある。

## *8*　手数料

地方自治法227条（自治旧同条1項）は，普通地方公共団体は，当該普通地方公共団体の事務で特定の者のためにする事務につき，手数料を徴収することができるとしている。地方自治法旧227条2項は，普通地方公共団体は，他の法律に定める場合のほか，政令で定めるところにより，当該普通地方公共団体の長または委員会の権限に属する国，他の地方公共団体その他公共団体の機関委任事務で特定の者の

105）　地方自治法における過料制度の沿革について，須藤陽子「地方自治法における過料」行政法研究11号（2015年）13頁以下。

106）　条例における過料の定め方とその問題点について，碓井光明「地方公共団体の科す過料に関する考察」明治大学法科大学院論集16号（2015年）58頁以下。行政刑罰と行政上の秩序罰にかかる立法の不統一について，川出敏裕＝宇賀克也「行政罰」宇賀ほか編・対話89頁以下。

ためにするものにつき，手数料を徴収することができるとし，旧228条1項は，この場合の手数料に関する事項については，法律またはこれに基づく政令に定めるものを除くほか，規則で定めなければならないこととしていた。しかし，機関委任事務制度が廃止されたことに伴い，地方分権一括法による改正後の地方自治法228条1項は，普通地方公共団体の手数料について，条例で定めることを基本とし，全国的に統一して定めることが特に必要と認められるものとして政令で定める事務（標準事務）について手数料を徴収する場合においては，当該標準事務にかかる事務のうち政令で定めるものにつき，政令で定める金額の手数料を徴収することを標準として条例を定めなければならないこととしている。

地方自治法228条2項は，分担金，使用料，加入金および手数料の徴収に関しては，同条3項に定めるものを除くほか，条例で5万円以下の過料を科す規定を設けることができると定めている。機関委任事務制度が廃止されたことに伴い，地方自治法旧228条3項とは異なり，規則による過料は認められないことになる。また，地方自治法228条3項は，地方自治法旧228条2項と同様，詐欺その他不正の行為により，分担金，使用料，加入金または手数料の徴収を免れた者については，条例でその徴収を免れた金額の5倍に相当する金額以下の過料を科す規定を設けることができるとしているが，当該5倍に相当する金額が5万円を超えないときは，5万円以下の過料を科すことができる旨の文言を追加している。

## *9*　自治基本条例

近年，地方公共団体において，自治基本条例を制定しようとする動きが広まりつつあり，2018年11月1日時点ですでに370を超えている。自治基本条例とは，当該地方公共団体の地方自治の基本的あり方について定めた条例である。2000年に制定された北海道ニセコ町の「ニセコ町まちづくり基本条例」[107]がその例である。また，2002年に制定された北海道行政基本条例は住民の権利・責務や議会の運営に関する事項を対象とせず行政運営に対象を限定しているため一般に自治基本条例として位置づけられていないものの，部分的な自治基本条例とみることもできよう。もとより，自治基本条例も，法令に違反しない範囲で制定しなければならないが，この制約の中で，地方公共団体が分権型社会における地方自治

107）木佐茂男＝片山健也＝名塚昭編『自治基本条例は活きているか⁉ ―― ニセコ町まちづくり基本条例の10年』（公人の友社，2012年）参照。

のあり方を条例という法形式で宣明しようと努力していることは注目に値する[108]。そして，自治基本条例を頂点として，分野別基本条例，個別政策条例という条例の体系化を図る動きもみられるようになっている[109]。

***Column*　議会基本条例**

近年は，議会基本条例の制定を目指す動きもみられる。北海道栗山町は，2006年5月，町民や団体との意見交換のための議会主催による一般会議の設置，請願・陳情の住民からの政策提案としての位置付け，重要な議案に対する議員の賛否の公表，議員の質問に対する町長や町議員の反問権の付与，政務調査費（2012年の地方自治法改正により政務活動費となる）に関する透明性の確保等を特徴とする議会基本条例を制定している。また，2006年9月，三重県議会は，「三重県議会基本条例（素案）」を公表していたが，同年12月に，都道府県では初の議会基本条例が制定された。その特色は，二元代表制の下，議会は知事等と常に緊張ある関係を構築し，知事等の事務の執行の監視および評価を行い，県民にその評価を明らかにする責務を有するとしていること，別に条例で定めるところにより，議会に附属機関を設置することができるとしていること等である[110]。2007年2月には，三重県伊賀市も議会基本条例を制定している。2008年7月には福島県，同年12月には岩手県，神奈川県，2009年には，長野

108)　自治基本条例一般については，辻山幸宣「自治基本条例の構想」松下＝西尾＝新藤編・前掲注15）1頁以下，木佐茂男＝逢坂誠二編『わたしたちのまちの憲法』（日本経済評論社，2003年）159頁以下，北村・分権改革247頁，斎藤・法的基層371頁，木村琢麿「自治基本条例（自治憲章）の制定に向けての一考察」千葉大学法学論集17巻1号（2002年）17頁以下，礒崎初仁「条例づくりの実践(1)――自治基本条例」ガバナンス82号（2006年）128頁以下，小西敦「自治基本条例の制定状況」住民行政の窓314号（2007年）1頁以下，同「政策立案過程の基礎――国と自治体を対照させながら（22）」自治実務セミナー48巻7号（2009年）33頁以下，森啓「自治基本条例の最高規範性――市民自治の規範論理」北海学園大学法学研究40巻3号（2004年）1頁以下，南川諦弘「自治基本条例について――その最高規範性を中心に」高田敏先生古稀記念『法治国家の展開と現代的構成』（法律文化社，2007年）102頁以下参照。また，高野譲「自治基本条例に関する総体的分析の試み(上)」北海道自治研究462号（2007年）21頁以下が75条例を分析している。

109)　兼子仁＝北村喜宣＝出石稔編『政策法務事典』（ぎょうせい，2008年）54頁以下（出石稔執筆）参照。

110)　三重県議会基本条例については，岩名秀樹＝駒林良則「議会基本条例の可能性(1)(2・完)――三重県議会基本条例を例に」名城法学56巻4号（2006年）1頁以下，58巻1＝2号（2008年）1頁以下，三重県議会議会改革推進会議監修・三重県議会編著『三重県議会――その改革の軌跡』（公人の友社，2009年）。同条例12条の規定に基づく附属機関として，「議会改革諮問会議」が2009年3月に設置された。同会議が2011年1月24日に提出した最終答申および関連資料等をとりまとめた『三重県議会の議会改革――評価と展望』（2011年3月）も参照。

県，宮城県，大阪府，大分県等で議会基本条例が制定されている。2020年7月1日現在で，都道府県では32団体，市では525団体，町村では328団体，特別区では3団体，計888団体で議会基本条例が制定されている。

## *10* 規　則

### (1) 長の規則と委員会の規則

地方公共団体の自主立法としては，条例のほかに，執行機関が定める規則も重要である。地方自治法15条1項は，「普通地方公共団体の長は，法令に違反しない限りにおいて，その権限に属する事務に関し，規則を制定することができる」と定めており，同法138条の4第2項は，「普通地方公共団体の委員会は，法律の定めるところにより，法令又は普通地方公共団体の条例若しくは規則に違反しない限りにおいて，その権限に属する事務に関し，規則その他の規程を定めることができる」と規定している。両者を比較してみると，長の規則の場合には，「法令に違反しない限りにおいて」と定められているにとどまるのに対して，委員会の規則の場合には，「法令又は普通地方公共団体の条例若しくは規則に違反しない限りにおいて」と定められており，条例や長の規則にも違反することができないことが明確にされている。したがって，長の規則と委員会の規則が抵触する場合，前者が優先することになる。また，長の規則の場合とは異なり，委員会の規則の場合には，「法律の定めるところにより」と規定されており，地方自治法138条の4第2項とは別に，個別の法律の根拠が必要とされている。具体例としては，警察法38条5項（都道府県公安委員会規則），地方教育行政の組織及び運営に関する法律15条（教育委員会規則），地方公務員法8条5項（人事委員会規則・公平委員会規則）がある。

### (2) 条例と長の規則の競管領域

法律で規則の専管事項としているものもあるが（自治152条3項・171条5項・243条の2の2第1項後段），条例と長の規則の競管事項も存在する。長の規則で定めうる領域においては，条例の委任なしに規則を制定することができ，この面では，条例と長の規則の関係は法律と命令の関係とは異なり併存独立の関係にある。それでは，条例と長の規則のいずれも定めることができる領域において，両者が抵触した場合，いずれが優先するのであろうか（条例の委任を受けて長の規則が制定される場合，長の規則が条例に違反できないのは当然である)。この点については，一般に条例が優先すると解されている。議員も長もともに公選であるが，長の規則は，長のみで制定することができるのに対して，条例の場合，長が再議に付すことができ（同176条1項)，長の意思を反映する方策が制度化されていること，条例違反については刑罰を科す規定を設けうるのに対して，規則違反に対しては秩序罰しか認められていないこと，住民による制定改廃の直接請求の対象は条例に限定されていることに照らすと，地方自治法は，両者が抵触する場合には，条例優位を前提としていると思われる。

**_Column_ 規則への刑罰の委任**

地方自治法15条2項は，「普通地方公共団体の長は，法令に特別の定めがあるものを除くほか，普通地方公共団体の規則中に，規則に違反した者に対し，5万円以下の過料を科する旨の規定を設けることができる」と規定しているが，法令に特別の定めがあれば，規則に刑罰を委任できるのかという問題がある。この点について，漁業法119条2項柱書は，都道府県知事が，漁業取締りその他漁業調整のため，必要な規則を定めることができるとし，同条3項は，当該規則には，必要な罰則を設けることができるとし，同条4項は，規則には6か月以下の拘禁刑，10万円以下の罰金，拘留もしくは科料またはこれらの併科を規定することができると定めている。これを受けて，都道府県知事が定めている漁業調整規則に刑罰が定められている（水産資源保護法4条2項～4項も参照)。最判昭和49・12・20判時767号107頁は，都道府県知事が規則で刑罰を定める規定は違憲ではないと判示しているが，国の機関委任事務にかかる判例であるため，機関委任事務制度が廃止された現在においても，判例の射程が及ぶか否かは明確ではない[111]。

111） 須藤陽子「憲法94条と地方自治法15条規則――規則制定権と罰則制定権」同・『過料と不文の法原則』（法律文化社，2018年）134頁以下。

# Ⅵ　国政参加権

## *1*　意　　義

地方公共団体が，国の立法・行政に関して，自己の意見を表明する等の方法により，国政に参加する権能を国政参加権という。その意義については，ドイツの機能的自治論[112)]を参照して国と地方公共団体の適正な機能分担関係の確立に求める見解[113)]，地方公共団体の実体的自治権の手続的保障[114)]，地域利益団体としての市町村の行政手続的な参加権[115)]，市町村の計画高権の制限に対する調整[116)]に求める見解等，諸説がある。日本国憲法には，地方公共団体の国政参加権を明示的に保障した規定はないため，かかる権能が憲法上認められるかについては議論がある。

## *2*　制度化の経緯

### (1)　初期の動き

わが国においては，1970年代後半に，地方公共団体の国政参加を求める動きが高まった。すなわち，1976年，全国革新市長会が「地方自治確立のための地方行財政改革への提言」において，国の政策決定への地方公共団体の参加の制度化のための「地方自治委員会」設置を提唱し，1978年，全国知事会臨時地方行政基本問題研究会の「新しい時代に対応する地方行財政に関する措置についての報告」も，

---

112)　磯部力「自治体の国政参加」松下＝西尾＝新藤編・制度37頁，市川須美子「西ドイツ地方自治論の新構想(1)(2・完)」自治研究63巻10号101頁，11号76頁（1987年），同「地方公共団体の国政参加」成田編・争点〔新版〕118頁，由喜門眞治「自治体の国政参加」芝池＝小早川＝宇賀編・争点〔3版〕166頁。

113)　成田頼明「地方公共団体の国政参加(上)」自治研究55巻9号（1979年）8頁。

114)　塩野・行政法Ⅲ213頁，鈴木庸夫「機関委任事務の廃止と政府間手続」ジュリ1090号（1996年）57頁。

115)　兼子・自治体法36頁。

116)　宮田三郎「計画策定手続と市町村の参加」専修法学論集30号（1979年）39頁，同『行政計画法』（ぎょうせい，1984年）184頁参照。

地方公共団体の国政参加を提言している。

### (2) 第17次地方制度調査会答申

1979年，第17次地方制度調査会答申（「新しい社会経済情勢に即応した今後の地方行財政制度のあり方についての答申」）は，「国と地方公共団体の協力，協同の関係を促進するため，国は，都道府県及び市町村の全国的な連合組織と緊密な連絡を保つものとするほか，都道府県及び市町村の全国的な連合組織は，地方公共団体の利害に関係する法令の制定改廃について国会又は関係行政庁に意見を提出することができるものとする等地方公共団体の意向が国政に適切に反映されるような方途を講ずべきである。また，個々の地方公共団体の利害に密接に関係する国の事業計画の策定，地域指定等についても，極力関係地方公共団体の意向が反映されるよう適切な方途を講ずべきである」という提言を行っている。

***Column*　認定連合組織**

旧自治省は，第17次地方制度調査会の答申に基づき，1981年，全地方公共団体の10分の9以上の加入を要件として，自治大臣（当時）の認定を受けた「認定連合組織」に，地方公共団体またはその機関が処理する事務に関する法令，地方公共団体に負担を課す法令その他地方公共団体に影響を及ぼす法令の制定・改廃について，内閣および国会に対する意見提出権を認め，内閣は，その意見を尊重して必要な措置を講ずるよう努める旨の規定を地方自治法改正案に入れようと試みた。しかし，他省庁の強い反対にあい，法案提出を見送っている。

### (3) 新行革審答申

1989年，臨時行政改革推進審議会（新行革審）の「国と地方の関係等に関する答申」においても，「地方公共団体の長等の全国連合組織が，地方公共団体に関する事案につき，政府に意見を述べる方途を充実するための仕組みについて検討する」「国による特定の事業の実施等に係る関係地方公共団体の意見の聴取及び当該団体からの意見の具申についても，その機会の拡充を図る」という提言が行われている。

### (4) 1993年の地方自治法改正

1993年の地方自治法改正（議員立法）により，いわゆる地方6団体（知事会，都道府県議長会，市長会，市議会議長会，町村会，町村議長会）が地方自治に影響を及ぼす法律または政令その他の事項に関し，内閣に対して意見を申し出，または国会に意見書を提出することができる旨の規定が設けられた（自治263条の3第2項）。

### (5) 「地方分権の推進に関する意見書」(第1次)

1994年9月に，この規定に基づく最初の意見として，「地方分権の推進に関する意見書」が内閣・国会に提出され，これが地方分権推進法の制定を促進することになった。

### (6) 地方分権一括法による地方自治法改正

地方分権一括法による地方自治法改正で，新たに地方自治法263条の3第3項（「内閣は，前項の意見の申出を受けたときは，これに遅滞なく回答するよう努めるものとする」），4項（「前項の場合において，当該意見が地方公共団体に対し新たに事務又は負担を義務付けると認められる国の施策に関するものであるときは，内閣は，これに遅滞なく回答するものとする」）が追加された。

### (7) 全国知事会の提言

> その後，2000年12月，全国知事会は，国が地方公共団体に影響を及ぼす法令の制定等を行うに際して，法令案の決定前に十分な時間的余裕をもって第三者機関（国に設置）にその内容と理由を説明し，第三者機関が意見の申出をした場合，国は当該意見を尊重する義務を負い，また，当該意見を受けて講じた措置を第三者機関に通知しなければならないとする仕組みを提言している[117]。

### (8) 第28次地方制度調査会答申

> そして，2005年12月の第28次地方制度調査会答申（「地方の自主性・自律性の拡大及び地方議会のあり方に関する答申」）においては，各大臣は，地方自治に影響を及ぼす施策の企画または立案を行おうとするときは，適当な時期に，関連する資料を添えてその内容を長，議長の全国的連合組織に通知すべきことを制度化すること，各大臣と地方代表との協議の機会を確保することとしてそのあり方について検討することが提言された。

### (9) 2006年の地方自治法改正

これを受けて，2006年の地方自治法改正により，「各大臣は，その担任する事

---

117）「国の立法等に係る第三者機関（仮称）設置に関する緊急要望」。その意義については，斎藤・法的基層261頁参照。

務に関し地方公共団体に対し新たに事務又は負担を義務付けると認められる施策の立案をしようとする場合には，第2項の連合組織が同項の規定により内閣に対して意見を申し出ることができるよう，当該連合組織に当該施策の内容となるべき事項を知らせるために適切な措置を講ずるものとする」（自治263条の3第5項）という規定が設けられた。「新たに事務又は負担を義務付けると認められる施策の立案をしようとする場合」とは，地方公共団体に対して，新たに必置規制や計画策定等の事務を義務づける施策または地方公共団体に対し新たに負担を義務づける施策について規定する法律案または政令案の立案をしようとする場合である。各大臣は，新たに事務または負担を義務づけられる地方公共団体の長の連合組織および当該地方公共団体の議長の連合組織に適切な措置を講ずる義務を負うのであり，必ずしもすべての長または議長の全国的連合組織に対して行われるとは限らない。

### ⑽ 「地方分権の推進に関する意見書」（第２次）

なお，2006年6月には，地方6団体が，地方自治法263条の3第2項に基づく2回目の意見（「地方分権の推進に関する意見書」）提出を行い，内閣は，これに対して翌7月に回答を行っている。そこにおいては，新地方分権一括法制定の方向が一層明確にされ，国と地方公共団体の役割分担の見直し，国の関与・国庫補助負担金の廃止・縮小，地方交付税の見直し，税源移譲を含めた税源配分の見直し等について一体的改革を行う方向が示されている。他方，意見書に記載されていた「地方行財政会議」の設置や「地方共有税」については，回答において明示的な言及はされなかった。

地方6団体の意見書で求められていた「新地方分権推進法」の制定は，第165回臨時国会における地方分権改革推進法の制定として実現した。同法は，地方公共団体への権限移譲の推進（5条），財政上の措置のあり方の検討（6条），地方公共団体の行政体制の整備および確立（7条），地方分権改革推進計画の作成（8条），地方分権改革推進委員会の内閣府への設置（9条）等について定めていた（2010年失効）。

### ⑾　個別法に基づく国政参加

一方，個別法で関係地方公共団体またはその機関の意見申出権や関係地方公共団体からの意見聴取義務を定める例も多くなっている。地方交付税の算定方法についての地方公共団体の意見申出権がその例である（交付税17条の4。そのほか，国土利用5条3項，大気汚染5条の2第5項，湖沼保全3条3項等参照）。しかしながら，関係地方公共団体の参加にかかる規定が不備な法律も多い。

今後は，国の施策に利害関係を有する個々の地方公共団体の参加手続の一般ルールの法制化も検討する必要があろう[118]。

***Column*　日田市場外車券売場事件**

別府市の競輪場で行われる公営自転車競技の場外車券売場を日田市に建設するため，訴外建設会社が設置許可を申請し，通商産業大臣（当時）が許可したため，日田市は，競輪の大型場外車券売場が設置されれば，日田市のまちづくりは重大な打撃を被ることになり，設置許可に当たり設置場所となる地方公共団体の同意を要件としていない自転車競技法旧4条（現5条）は，憲法92条が定める「地方自治の本旨」に反し違憲であること等を主張して，当該許可処分の無効確認および取消しを求めた。大分地判平成15・1・28判タ1139号83頁［百選120］は，日田市の原告適格を否定して，訴えを却下したため，日田市は控訴したが，別府市が当該場外車券売場設置を断念したため，日田市は控訴を取り下げた[119]。

### ⑿　国と地方の協議の場

国と地方の協議の場の法制化については，地方分権改革推進委員会第3次勧告においても国地方調整会議（仮称）の法制化が提言されていたが，2011年，「国と地方の協議の場に関する法律」が制定された。そこにおいては，①国と地方公共団体との役割分担に関する事項，②地方行政，地方財政，地方税制その他の地

118）　稲葉馨「国と地方公共団体の関係に関するルール」ジュリ1110号（1997年）50頁。なお，地方公共団体の国政参加につき，石森久広「内閣への意見申出に対する回答」小早川＝小幡編・自治・分権95頁以下，神奈川県自治総合センター編『「国政参加」制度の構想――新たな国・自治体関係を求めて』（神奈川県自治総合センター，1983年），山口・自治体実務35頁以下，由喜門眞治「自治体の国政参加」髙木＝宇賀編・争点214頁以下も参照。

119）　詳しくは，木佐茂男『まちづくり権への挑戦――日田市場外車券売場訴訟を追う』（信山社，2002年），人見・分権改革47頁以下，寺井一弘『まちづくり権――大分県・日田市の国への挑戦』（花伝社，2004年）参照。

方自治に関する事項，③経済財政政策，社会保障・教育・社会資本整備に関する政策その他の国の政策に関する事項について，地方自治に影響を及ぼすと考えられるもののうち重要なものを協議することとされ，協議が調った事項については，国と地方の協議の場の構成員に協議結果の尊重義務が課されている[120)]。2011年制定の総合特別区域法11条，同年制定の東日本大震災復興特別区域法12条においても，同様に，国と地方の協議会についての規定が設けられている。

## *3*　構造改革特別区域法

### (1)　仕組み

2002年に成立した構造改革特別区域法に基づく構造改革特別区域制度は，従前全国一律であった規制を特定の地域（構造改革特別区域）に限定して緩和するものであるが，条例によるのではなく，特例措置を講ずることが可能な規制をあらかじめ法律上列挙し，この中から地方公共団体が選択して構造改革特別区域計画を作成し，当該計画を内閣総理大臣が認定することによって，当該計画に基づく特定事業に規制の特例措置が適用される仕組みである（構造改革特区4条11項)。同法に基づく規制の特例措置の提案は私人でも行うことができるが，主として地方公共団体が行うことが想定されており，地方公共団体による国政参加の重要な手段となっている。

構造改革特別区域計画が実施された後，構造改革特別区域推進本部に置かれた評価・調査委員会（構造改革特別区域推進本部令1条1項）が評価を行い，全国展開をしたほうが望ましいものについては特区制度は廃止し，全国的に規制を改革することになる。

---

120)　国と地方の協議の場について，小幡純子「『国と地方の協議の場』の法制化」自治体法務研究27号（2011年）47頁以下，北村喜宣「『国と地方の協議の場に関する法律』の成立に寄せて」都市とガバナンス16号（2011年）7頁，飛田博史「『国と地方の協議の場に関する法律』の制定過程と概要について」自治総研409号（2012年）18頁，藤巻秀夫「『国と地方の協議の場』法の意義と課題」札幌大学総合研究4号（2013年）95頁参照。

### (2) 実　績

構造改革特別区域計画の認定は，2020年1月31日現在，1337件になっている。そして2020年3月17日現在，現に活用されている構造改革特別区域計画が434，全国展開等された構造改革特別区域計画が910である。

## *4* 総合特別区域法

構造改革特区制度が一定の成果を上げたことは確かであるが，個々の規制の特例措置であり，税制・金融・財政上の支援措置等と連動していないため，その効果が限定的であること，全国展開を見据えた特例措置のために規制官庁の判断が慎重になる傾向があること等の問題も指摘されてきた。そこで，新たに総合特区構想が登場することとなった。総合特区とは，地域の自立的な取組みに基づく個性ある地域の活性化および今後のわが国の成長戦略の観点から，複数の規制の特例措置および税制・金融・財政上の支援措置等を一体として実施する制度である。

民主党の総合特区・規制改革小委員会が2010年12月14日にまとめた総合特区法案の骨子には，政令・条例により法律の特例を設ける「政令上書き」「条例上書き」を手段とした総合特区の実現が盛り込まれていたため，日本国憲法41条（「国会は，国権の最高機関であつて，国の唯一の立法機関である」），73条6号本文（「この憲法及び法律の規定を実施するために，政令を制定すること」），94条（「地方公共団体は……法律の範囲内で条例を制定することができる」）に抵触しないかをめぐり議論を呼んだ。2011年の通常国会で総合特別区域法[121)]が成立した。同法25条は，地方公共団体の事務に関し，政省令で規定することとされている事項のうち，同法施行令または同法施行規則で定めるものについては，当該事項の特例措置を条例で定めることができることとし，特例追加のための法改正は不要としている。

**_Column_　国家戦略特別区域**

2013年に制定された国家戦略特別区域法に基づく国家戦略特別区域は，経済社会の構造改革を重点的に推進することにより，産業の国際競争力を強化するとともに，

121)　大瀧洋「総合特区制度の創設」時法1902号（2012年）32頁。

国際的な経済活動の拠点を形成することが重要であることにかんがみ，規制改革その他の施策を総合的かつ集中的に推進するために指定されるものである。構造改革特別区域および総合特別区域の場合，地方公共団体からの申請を内閣総理大臣が認定するボトムアップ型であったのに対し，国家戦略特別区域の場合，関係地方公共団体の意見を聴くものの，国が主導的な役割を担い，政令により指定する。また，総合特別区域の場合，国と地方の協議会を組織することができるが（総合特区11条1項・34条1項），計画作成主体は地方公共団体であるのに対し，国家戦略特別区域の場合，国家戦略特別区域担当大臣，関係地方公共団体の長等を構成員とする国家戦略特別区域会議が区域計画を作成する[122)]。2020年10月31日現在，国家戦略特別区域で実現した特例措置は111項目（うち41項目は全国展開したもの）にのぼる。

## *5* 競争の導入による公共サービスの改革に関する法律

2006年制定の「競争の導入による公共サービスの改革に関する法律」においては，法令の特例が必要な特定公共サービスについては，地方公共団体の要望を受け，関係省庁と調整し，官民競争入札等監視委員会の審議を経て閣議決定し，同法を改正することとしている。したがって，同法も，地方公共団体にとって，国政参加の手段になる。同法5章2節が，特定公共サービスのための特例（職業安定法，国民年金法，戸籍法，不動産登記法等）を定めている。

122）国家戦略特別区域について，友井泰範「国家戦略特別区域法の制定――産業の国際競争力を強化するとともに，国際的な経済活動の拠点形成を図る」時法1953号（2014年）26頁参照。

# 第7章 地方公共団体の機関

**Point**

1）日本国憲法は，地方公共団体の長と議会の二元主義を採用していると一般に理解されている。
2）議会は，当該地方公共団体の重要案件に関する審議機関であり，重要案件の中心部分は立法に関するものであるが，重要な行政上の意思決定の機能も担う。
3）長に対する議会の究極の対抗手段として，長に対する不信任決議がある。
4）長が議会を解散できるのは，不信任の議決の通知を受けた日から10日以内に行う場合に限定されている。
5）地方自治法上，議決機関としての議会に対して，地方公共団体の行政的事務を管理執行する機関であって自ら地方公共団体の意思を外部に表示する権限を有するものを執行機関という。
6）執行機関は長のほか，委員会および委員からなり，執行機関の多元主義がとられているが，執行機関は相互に連絡をとり，すべて一体として行政機能を発揮するようにしなければならず，執行機関一体の原則がとられているともいえる。
7）長には条例案の提出権が認められている。
8）政治的中立性が強く要求される分野であって職権行使の独立性を保障された機関を設けることに意味がある場合，専門技術的知識が必要とされるため外部の学識経験者の判断にゆだねることが適当な場合，利害関係人の直接参加の要請が大きい場合に，長から独立した執行機関が委員会または委員として設けられる。
9）監査委員は，地方公共団体の財務に関する事務の執行および経営する事業についての監査（財務監査）と行政運営に関する監査（行政監査）を行う。
10）外部監査とは，地方公共団体の組織に属さず，地方公共団体の職員としての身分も有しない外部の専門家による監査のことであり，1997年の地方自治法改正で導入された。

# I 議会と長

## 1 憲法上の規定

日本国憲法は，地方公共団体の機関について，簡潔な規定を置くにとどめている。議事機関として議会を設置する義務があることは明記されているが（憲93条1項），議事機関とは何かは明らかにされていない。一般的には，議事機関とは議決機関であると理解されている。地方公共団体の長，その議会の議員および法律の定めるその他の吏員は，その地方公共団体の住民が直接これを選挙すると定められているので（同条2項），地方公共団体の長と議会の二元主義（首長制）が採用されていると一般に理解されているが，議会の場合とは異なり，地方公共団体に長を設置するとは規定されていないので，長は必置機関ではなく，もし置くとすれば公選によるとする趣旨と解する説もある。さらに，議会と長の機能分担についても，議会が議事機関である点を除き明確にされていない。また，長と議員以外にも，公選による吏員が存在しうることは93条2項の規定から読み取れるが，いかなる吏員がそれに該当するかは，立法政策にゆだねられている。このように，地方公共団体の機関について，日本国憲法が明確に規定している部分は少なく，解釈によっては，立法政策の幅は相当に広いともいえないことはない。議員については，戦前も，市町村会議員に関しては1888年市制・町村制により，府県会議員に関しては1899年府県制改正により（参政権が制限されていたとはいえ）住民の選挙で選ばれていたのに対して，長については公選制はとられていなかった。戦後，長も公選制になったことは画期的変化といえる。

## 2 議　会

### (1) 必置機関

地方自治法は，第6章に議会についての規定を置いている。「普通地方公共団体に議会を置く」という規定（自治89条）は，普通地方公共団体がすべて憲法上の地方公共団体であるとすれば，憲法93条1項の確認にとどまるが，都道府県は憲法上の地方公共団体ではないという解釈をとる場合には，創設的意味を持つことになる。地方自治法においては一院制がとられているが，憲法上は地方議会についても二院制の採用は禁じられていないと解される。議院内閣制の下における国会が「国権の最高機関であつて，国の唯一の立法機関」（憲41条）であるのに対して，首長制の下における議会は，それに対応する地位にはないと説明されることが多い[1)]。

なお，1997年の地方分権推進委員会第2次勧告は，「国は，小規模町村が地方自治の1つのあり方として，条例により町村総会へ移行できることについて周知する」ことを勧告し，小規模町村の組織形態の弾力化に前向きな姿勢をみせている。

## (2) 選　挙

### (a) 選挙権・被選挙権等

日本国民たる年齢満18年以上の者で引き続き3か月以上市町村の区域内に住所を有する者は，その属する地方公共団体の議会の議員の選挙権を有する（公選9条2項）。議員の被選挙権は，当該地方公共団体の選挙権を有する者で年齢満25年以上の者に認められている（同10条1項3号・5号）。足立区議会議員選挙に立候補した者が，住所要件を満たさないため被選挙権を有しないと判断され，同候補の得票は無効と同区議会議員選挙長が決定したことに対して，同候補が，地方議会議員の被選挙権における住所要件は，公務員選定権（憲法15条1項）や居住・移転・職業選択の自由（憲法22条1項）に違反するとして，区選挙管理委員会への異議申出を行ったところ棄却され，東京都選挙管理委員会への審査の申立ても棄却された。東京高判令和元・12・19判例集未登載も請求を棄却し，最判令和2・7・2判例集未登載も，上告を棄却した。

地方議会議員の選挙については公職選挙法が適用される。

1)　これには異論もある。駒林良則『地方議会の法構造』（成文堂，2006年）154頁，192頁参照。

**Column　電子投票**

2001年，「地方公共団体の議会の議員及び長の選挙に係る電磁的記録式投票機を用いて行う投票方法等の特例に関する法律」が成立し，いわゆる電子投票が法制上可能になった。2002年6月，岡山県新見市の市長・市議選において，全国初の電子投票が実施された。2017年12月23日現在，25件の電子投票が行われていた。他方，電子投票の実施に伴う技術的トラブルが稀でなく，岐阜県可児市で行われた電子投票のように無効とされるものもあったこと（名古屋高判平成17・3・9判時1914号54頁は選挙を無効とし，最決平成17・7・8判例自治276号35頁は上告棄却，上告不受理），コストがかかること等のため，広島市が2006年3月に電子投票条例を廃止するなど，電子投票への信頼性が十分に確保されているとはいえない状況にある。電子投票条例を制定した10団体のうち，4団体は条例を廃止し，6団体は条例の実施を凍結した。地方公共団体の費用負担が大きく電子投票が普及しなかったため，電子投票機器の製造・販売企業が機材を更新することができなくなった。そのため，唯一電子投票を実施しようとした青森県六戸町においても電子投票が実施できなくなり，電子投票制度は事実上，消滅といえる状態になった。

#### (b)　地域間均衡の要請

公職選挙法15条8項は，「各選挙区において選挙すべき地方公共団体の議会の議員の数は，人口に比例して，条例で定めなければならない。ただし，特別の事情があるときは，おおむね人口を基準とし，地域間の均衡を考慮して定めることができる」と定めている。地方公共団体の議会の議員定数配分においては，投票価値の平等が最重要かつ基本的な基準である（最判昭和60・10・31判時1181号83頁，最判昭和62・2・17判時1243号10頁）。同項ただし書の趣旨は，各地方公共団体の実情等に応じた当該地域に特有の事情として，都市の中心部における常住人口を大幅に上回る昼間人口の増加に対応すべき行政需要等を考慮して地域間の均衡を図る観点から人口比例の原則に修正を加えることができることとするものである（最判平成27・1・15判時2251号28頁）。この地域間均衡の要請により，人口比例の原則に修正を加えるか否か，どの程度の修正を加えるかについては，地方議会に裁量が認められる（前掲最判平成27・1・15，最判平成28・10・18判時2327号17頁）。

**Column　府県議会の指定都市選出議員**

指定都市は都道府県が処理する事務の大半を処理する。しかし，指定都市を区域内に有する道府県の議員選挙においても，人口比例原則が一律に適用されている。そのため，道府県議会における指定都市選出議員の割合が高くなっている。程度の差はあるが，中核市を有する都道府県の議員についても同様の問題が存在する。指定都市・中核市を有する都道府県の議員選挙に人口比例原則を適用するのが妥当かについて，検討する余地があるように思われる。

### (c) 特例選挙区

1966年1月1日現在において設けられている都道府県の議会の議員の選挙区については，当該区域の人口が当該都道府県の人口を当該都道府県の議会の議員の定数をもって除して得た数の半数に達しなくなった場合においても，当分の間，公職選挙法15条2項の規定（「選挙区は，その人口が当該都道府県の人口を当該都道府県の議会の議員の定数をもつて除して得た数……の半数以上になるようにしなければならない。この場合において，一の市の区域の人口が議員一人当たりの人口の半数に達しないときは，隣接する他の市町村の区域と合わせて一選挙区を設けるものとする」）にかかわらず，当該区域をもって1選挙区を設けることができるという特例選挙区の制度が存在する（公選271条）。この制度は，元来，島部のみを対象としていたが，高度経済成長により急速に過疎化した地域の代表を存続させるため，1966年の改正で設けられたものである。当該都道府県の行政施策の遂行上，当該地域からの代表を確保する必要性の有無・程度，隣接郡市との合区の困難性の有無・程度等を総合判断して，特例選挙区を設けるか否かが決定される（特例選挙区の設置の適法性について判示したものとして，最判平成元・12・18民集43巻12号2139頁，最判平成元・12・21民集43巻12号2297頁，最判平成元・12・21判時1337号38頁，最判平成7・3・24判時1526号87頁，最判平成11・1・22判時1666号32頁，最判平成12・4・21判時1713号44頁［百選72］，最判平成27・1・15判時2251号28頁，最判平成31・2・5判時2430号10頁参照）。判例は，まず，特例区設置が議会の合理的裁量権の行使として是認されるかを判断し，次いで，選挙区間の人口格差が公職選挙法15条8項が定める人口比例原則に反しないかを判断するが，特例選挙区設置が認められた場合には，相当大きな人口格差も是認されている[2]。

## (3) 権　限

### (a) 議 決 権

(ア) 必要的議決事項　　議会の必要的議決事項は，重要事項に限定されており，地方自治法96条1項は，「条例を設け又は改廃すること」（1号），「予算を定めること」（2号），「決算を認定すること」（3号），「法律又はこれに基づく政令に規

2） 特例選挙区を含め，地方議会における一票の較差について詳しくは，宍戸常寿「地方議会における一票の較差に関する覚書」高見勝利先生古稀記念『憲法の基底と憲法論』（信山社，2015年）413頁以下参照。

定するものを除くほか，地方税の賦課徴収又は分担金，使用料，加入金若しくは手数料の徴収に関すること」(4号)，「その種類及び金額について政令で定める基準に従い条例で定める契約を締結すること」(5号)，「条例で定める場合を除くほか，財産を交換し，出資の目的とし，若しくは支払手段として使用し，又は適正な対価なくしてこれを譲渡し，若しくは貸し付けること」(6号)，「不動産を信託すること」(7号)，「前2号に定めるものを除くほか，その種類及び金額について政令で定める基準に従い条例で定める財産の取得又は処分をすること」(8号)，「負担付きの寄附又は贈与を受けること」(9号)，「法律若しくはこれに基づく政令又は条例に特別の定めがある場合を除くほか，権利を放棄すること」(10号)，「条例で定める重要な公の施設につき条例で定める長期かつ独占的な利用をさせること」(11号)，「普通地方公共団体がその当事者である審査請求その他の不服申立て，訴えの提起……，和解……，あつせん，調停及び仲裁に関すること」(12号)，「法律上その義務に属する損害賠償の額を定めること」(13号)，「普通地方公共団体の区域内の公共的団体等の活動の総合調整に関すること」(14号)，「その他法律又はこれに基づく政令（これらに基づく条例を含む。）により議会の権限に属する事項」(15号）とされている（「訴えの提起」には，控訴もしくは上告の提起または上告受理の申立てが含まれるものと解されるが，普通地方公共団体の行政庁の処分または裁決にかかる当該普通地方公共団体を被告とする抗告訴訟にかかるものについては，議会の議決を要する事項から除外されているので，最決平成23・7・27判例自治359号70頁は，普通地方公共団体の行政庁の処分または裁決にかかる当該普通地方公共団体を被告とする抗告訴訟につき，当該普通地方公共団体が控訴もしくは上告の提起または上告受理の申立てをするには，地方自治法96条1項12号に基づく議会の議決を要するものではないと判示する)。

議会の議決が必要な「訴えの提起」には，応訴は含まれない（最大判昭和34・7・20民集13巻8号1103頁)。普通地方公共団体の申立てに基づき発せられた支払督促に対し債務者から適法な督促異議の申立てがあると訴えの提起があったものとみなされるが（民訴395条)，この場合にも議会の議決が必要である（最判昭和59・5・31民集38巻7号1021頁)。

地方自治法96条1項1号から3号までは，国会と同様の権能であるが，4号以下は，個別処分についての議決権も含まれており，立法権の行使に限られるわけではない。このように，地方公共団体の議会は，当該地方公共団体の重要案件に関する審議議決機関であり，重要案件の中心部分は立法に関するものであるが，重要な行政上の意思決定の機能も担うものということができる。その点では，地方議会のほうが国会よりも広範な権能を有するといえる。

議決は本会議でなされることが必要であり，通常は出席議員の過半数の同意により可決されるが，特別多数決が要件とされているものもある。議員全員が集まり意見交換を行う事実上の会議である全員協議会が開かれることは多いが，全員協議会の議決をもって議会の議決に代替させることはできない（和歌山地判昭和33・3・31行集9巻3号510頁，仙台高判昭和33・4・15行集9巻4号713頁）。議会の議決を経ないでなされた行為は無効とするのが裁判例の大勢である（最判昭和35・7・1民集14巻9号1615頁［百選A12］）。ただし，議会の事後の議決により瑕疵が治癒されることを認めた裁判例もある（名古屋高判平成10・12・18判タ1027号159頁）。

(イ)　予　算　「予算を定めること」は議会の議決事項であり，議会は，予算について増額して議決することも妨げられないが，普通地方公共団体の長の予算の提出権限を侵すことはできない（自治97条2項）。普通地方公共団体の長の予算の提出権限を侵すような増額修正とは，議会に提出された予算案の中に全く含まれていない新しい事項につき，その予算に必要な額を計上したりすることによって，予算全体との関連，当該地方公共団体の行財政に及ぼす影響等を総合的に勘案して，長が提案した予算の趣旨を損なうような修正を意味すると一般に解されている。なお，減額修正については明文の規定はないが，当然に可能と解されている。

(ウ)　決　算　第31次地方制度調査会答申では，議会が決算を認定せず，その理由を示した場合については，議会が長に対し理由の中で指摘した問題点について長が説明責任を果たす仕組みを設けることが提言されている。この仕組みは，三議長会から第31次地方制度調査会に対して行われた議会改革に関する提案である「地方制度調査会における重点検討項目について」に含まれていたものである。これを受けて，2017年の地方自治法改正により，普通地方公共団体の長は，決算の認定に関する議案が否決された場合において，当該議決を踏まえて必要と認める措置を講じたときは，速やかに，当該措置の内容を議会に報告するとともに，これを公表しなければならないこととされた（自治233条7項）。この報告規定の整備は，議会による長に対する監視機能の強化を意図したものである。

(エ) 適正な対価による譲渡・貸付け　地方自治法96条1項6号は，適正な対価なくして普通地方公共団体の財産を譲渡したり貸し付けることを議会の議決事項としており，同法237条2項は，普通地方公共団体の財産は，条例または議会の議決による場合でなければ，適正な対価なくして譲渡し，または貸し付けてはならないと定めている。同法237条2項の議決について，原審判決（仙台高判平成15・5・29判例集不登載）が，議会において当該譲渡等が適正な対価によらないものであるとの認識を持って議決することまでは必要なく，実質的に対価の妥当性が審議されていれば足りると判示したのに対して，最判平成17・11・17判時1917号25頁［百選54］は，破棄差戻しにしている。最高裁は，地方自治法96条1項6号・237条2項は，適正な対価によらずに普通地方公共団体の財産の譲渡等を行うことを無制限に許すと，当該普通地方公共団体に多大の損失が生ずるおそれがあるのみならず，特定の者の利益のために財政の運営がゆがめられるおそれもあるため，条例による場合のほかは，適正な対価によらずに財産の譲渡等を行う必要性と妥当性を議会において審議させ，当該譲渡等を行うかどうかを議会の判断にゆだねることとしたものであり，したがって，同法237条2項の議会の議決があったというためには，当該譲渡等が適正な対価によらないものであることを前提として審議がされた上，当該譲渡等を行うことを認める趣旨の議決がされたことを要し，単に議会において当該譲渡等の対価の妥当性について審議がされた上で当該譲渡等を行うことを認める趣旨の議決がされたというだけでは足りないとしている。妥当な判決と思われる。

なお，鑑定価額の半額以下で市有地を譲渡する議案を，市長が地方自治法96条1項8号（「前二号に定めるものを除くほか，その種類及び金額について政令で定める基準に従い条例で定める財産の取得又は処分をすること」）に基づくものとして議会に提出し，鑑定価額と譲渡予定価格について説明したうえで，可決された事案で，広島高判平成29・3・9判例自治442号64頁は，適正な対価によらない譲渡であることを前提とした同項6号議案として提出されたものではないことに加えて，議会における審議も，実質的に適正な対価によらないことを前提として行われたとはいえないので，同法237条2項の議決があったとはいえないと判示した。しかし，最判平成30・11・6判時2407号3頁は，当該譲渡等が適正な対価によるものであるとして普通地方公共団体の議会に提出された議案を可決する議決がされた場合であっても，当該譲渡等の対価に加えてそれが適正であるかを判定するために参照すべき価格が提示され，両者の間に大きな乖離があることを踏まえつつ当該譲渡等を行う必要性と妥当性について審議がされた上でこれを認める議決がされるなど，審議の実態に即して，当該譲渡等が適正な対価によらないものであることを前提として審議がされた上これを認める趣旨の議決がされたと評価することができるときは，地方自治法237条2項の議会の議決があったものといえると判示している（本判決には，本件における鑑定価額が適正な時価を示すものといえるかについて疑問を提起する2名の裁判官の補足意見が付されている）。本判決は，議案の提出理由（本件では，適正な対価による譲渡であることを前提として提出された）にかかわらず，適正な対価によらないことを前提とした審議が実質的に行われたかを重視している。

㈪　その他の法令による議会の権限

「その他法律又はこれに基づく政令（これらに基づく条例を含む。）により議会の権限に属する事項」（自治96条1項15号）は，議会の議長・副議長の選挙（同97条1項・103条1項），議会が行う選挙の投票の効力に関する異議についての決定（同118条1項），議員の被選挙権の有無についての決定（同127条1項），廃置分合・境界変更についての申請，決定，廃置分合・境界変更がなされた場合の財産処分についての関係地方公共団体の協議（同6条3項・4項・7条1項・3項・5項・6項），未所属地域の編入について利害関係があると認められる都道府県または市町村が述べる意見（同7条の2第1項・2項），都道府県知事が市町村の廃置分合・境界変更の計画を定め，または変更しようとするときに関係市町村が述べる意見（同8条の2第2項・3項），市町村境界争論の調停・裁定の関係市町村による申請（同9条1項・2項・4項），争論がない市町村境界の決定について関係市町村が述べる意見（同9条の2第1項・3項），公有水面のみにかかる市町村の境界変更の決定（同9条の3第1項），公有水面のみにかかる市町村の境界変更についての関係市町村の同意（同条1項・5項），公有水面のみにかかる市町村の境界変更で都道府県の境界にわたるものについての関係普通地方公共団体の同意（同条2項・5項），公有水面のみにかかる市町村の境界に関し争論があるものを調停・裁定に付することについての関係市町村の同意（同条3項・5項），新たに生じた土地の確認（同9条の5第1項），一部事務組合の規約制定の協議（同284条2項・290条），一部事務組合の規約変更の協議（同286条・290条），一部事務組合の解散の協議（同288条・290条），一部事務組合の財産処分の協議（同289条・290条），広域連合の規約制定の協議（同284条3項・291条の11），広域連合の組織・事務・規約の変更の協議（同291条の3第1項・3項・291条の11），広域連合の解散の協議（同291条の10第1項・291条の11），広域連合の財産処分の協議（同289条・291条の11・291条の13）等，多数存在する。

(カ)　条例による議決事項の追加　　普通地方公共団体は，条例で普通地方公共団体に関する事件（法定受託事務にかかるものにあっては，国の安全に関することその他の事由により議会の議決すべきものとすることが適当でないものとして政令で定めるものを除く）につき議会の議決すべきものを定めることができる（自治96条2項）。地方分権推進委員会第2次勧告は，地方分権による長の権限の拡大との均衡上，地方議会の権限も拡大する必要があるという観点から，地方自治法96条2項の積極的活用を提唱していた（1999年11月14日自治事務次官通知も参照）。平成23年法律第35号による改正前の地方自治法96条2項においては，議会の議決事件から法定受託事務にかかるものが除かれていたので，法定受託事務については，地方自治法96条1項15号により，法律またはこれに基づく政令（これらに基づく委任条例を含む）に根拠を有する場合に限って議決事項となると一般に解されていた。しかし，法定受託事務について条例で議決事項を追加する余地を全面的に否定するものと解すべきではないという見解も存在した[3)]。

第29次地方制度調査会は，議会の監視機能を充実・強化するためには，議決事件の対象について条例で定めることができる範囲を合理的な範囲で拡大すべきであるとし，「現在法定受託事務は議会が条例により追加することができる議決事件から除外されているが，第28次地方制度調査会においても答申されたとおり，法定受託事務も地方公共団体の事務であることからすれば，これを議決事件として追加できるようにすることが適当であるものと考えられる。この点については，法定受託事務のうち議決事件として追加することが適当でないと考えられるものにどのような措置を講じていくべきかなどについて，検討していく必要がある」と指摘していた。これを受けて，2011年，法定受託事務にかかる事件に

3)　木佐茂男「議会の組織・権限・会議」小早川＝小幡編・自治・分権72頁参照。なお，条例による議決事項の追加について，市村充章「地方議会議決事件の追加制度――地方議会の意思決定権限の拡大に関する現状と課題」白鷗13巻1号（2006年）213頁以下参照。

ついても，国の安全に関することその他の事由により議会の議決すべきものとすることが適当でないものとして政令で定めるものを除き，条例で議会の議決事件として定めることができるものとされた。法定受託事務であって政令で議会の議決事項外とされたのは，武力攻撃事態等における国民の保護のための措置に関する法律および災害救助法施行令の規定により地方公共団体が処理することとされている事務にかかる事件のうち地方自治法施行令121条の3に掲げるものである。これらは，国家の安全，外交その他国家の存立に直接かかわるもの，または緊急時もしくは切迫している状況における国民の生命，身体，財産等の保護に関するものである。ただし，総務省は，地方自治法施行令121条の3に定めるもののほか，①法律またはこれに基づく政令により地方公共団体に執行が義務づけられている事務であって，その執行について改めて団体としての判断の余地がなく，いわば機械的に行わなければならないもの，②上記①以外の事務であって，法令によって長その他の執行機関の権限に属するとされているものや，事務の性質等から，当然に長その他の執行機関の権限にもっぱら属すると解されるものは，地方自治法96条2項の規定に基づき議会が議決すべきものとする事項に含まれないと解している（総行行第68号平成24年5月1日）。

近年，基本的な行政計画の策定・改廃等を地方自治法96条2項に基づく議会の議決事項とする条例が徐々に増加しつつあり，2021年4月1日現在，都道府県では，1都1道2府36県でかかる条例が80制定されている。市区町村についても，稚内市，京都市，三次市等1353団体で，1919件の条例が制定されている。これは，基本的な政策決定には住民代表である議会が関与すべきという考えによるものである。

**Column　名古屋市中期戦略ビジョンに対する再議**

名古屋市会は，2010年2月25日，地方自治法96条2項の規定に基づき，総合計画の策定等を議会において議決すべきことなどを内容とする「市会の議決すべき事件等に関する条例」（以下「本条例」という）を制定した。名古屋市長は，「名古屋市中期戦略ビジョン（案）」を同年6月14日，本条例に基づき議会に提出したところ，議会は，同月29日，修正した上で同議案を可決した（以下「本修正議決」という）。市長は，同年9月9日，本修正議決が議会の権限を超えるとして，同法176条4項の規定に基づき，これを再議に付したが，議会は，同月28日，本修正議決と同内容の議決（以下「本議決」という）をした。市長は，同年10月18日，本議決が議会の権限を超えるとして，同条5項の規定に基づき，愛知県知事に対して審査の申立てをした。愛知県知事は，同法255条の5の規定に基づく自治紛争処理委員の審理を経て，2011年1月14日，申立てを棄却する旨の裁定をした[4]。そこで，市長は，同法176条7項の規定に基づき，議会を被告として，本議決の取消しを求める訴訟を提起した。

名古屋地判平成24・1・19（平成23年［行ウ］33号）［百選127］は，本条例は，総合計画の策定にかかる議案の提出権を市長に専属させる趣旨であると解されるが，本条例が，総合計画の立案段階から議会が積極的な役割を果たすことにより，市民の視点に立った効果的な行政の推進に資することを目的とすることに照らせば，本条例は，市長から総合計画の策定にかかる議案が提出された場合において，議会がその内容を一部修正して議決することを当然許容しているものと解されるとする。ただし，議会が無制限な修正を行うことができるとするならば，総合計画の策定にかかる議案の提出権を市長に専属させた趣旨を没却することになるので，市長から提案された総合計画に定める施策の基本的な方向性を変更するような修正を行うことは許されないと判示する。そして，議会が本件で行った修正を個別に検討し，議会の修正権の範囲を超えるものではないとして，原告の請求を棄却している。

(キ)　法的効果のない決議　　地方自治法96条の議決事件でないものについて，地方議会が議決することがある。その中には，特定の国会議員の辞職を求めたり（1993年3月25日千葉市議会決議等），核兵器廃絶を求めたりするものもある（1998年6月9日千葉市議会決議等）。これらは，政治的効果を意図したものであり，法的効果は生じない。

#### (b)　検査権・監査請求権

普通地方公共団体の議会は，当該団体の事務に関する書類および計算書を検閲し，当該団体の長，委員会または委員の報告を請求して，当該事務の管理，議決の執行および出納を検査することができる（自治98条1項）。これは検査権と呼ばれる。また，普通地方公共団体の議会は，監査委員に対し，当該団体の事務に対する監査を求め，監査結果に関する報告を請求することができる（同条2項）。これは監査請求権と呼ばれる。

(ア)　1991年の地方自治法改正

かつては，機関委任事務については，議会の関与は制限され，長その他の執行機関の説明を要求し，これに対して意見を陳述することができるほか，意見書を関係

4)　斎藤誠「名古屋市議会の再議議決に係る市長の審査申立てに対する愛知県知事の裁定（2件，平成23年1月14日）」自治研究87巻6号（2011年）121頁以下。

**議会検査権・監査請求権の対象外の事務の変遷**

| | 1991年改正 | 1999年改正 |
|---|---|---|
| 国の安全にかかる事務 | × | 自治事務○<br>法定受託事務× |
| 個人の秘密にかかる事務 | × | 自治事務○<br>法定受託事務× |
| 収用委の権限に属する事務 | × | 法定受託事務(大臣認定)×<br>自治事務（知事認定）×<br>ただし，組織・庶務○ |
| 地労委（現在は都道府県労委）の権限に属する事務 | × | 自治事務×<br>ただし，組織・庶務○ |

○…検査権・監査請求権の対象
×…検査権・監査請求権の対象外

行政庁に提出することができるにとどまった。しかし，1991年の地方自治法の改正で，機関委任事務についても，原則として，議会の検査権・監査請求権の対象になった。この改正は，地方公共団体自身の事務と機関委任事務とが取り立てて区別されることなしに一体の事務として総合的に運営されていた地方行政の実態にもかんがみ，機関委任事務の執行にも地域の実情をより反映させ，事務の適正かつ効率的な執行を確保しようとするために行われたのである。これは，すでに市制・町村制で採用されていた機関委任事務についての重要な改革であったといえる。すなわち，機関委任事務については，地方議会の掣肘を受けないという理論に，漸進的ではあるが変更を迫るものであり，機関委任事務と地方公共団体自身の事務の区別を相対化する方向に第1歩を踏み出すものであったといえる。

ただし，地方自治法施行令旧121条の3（平成11年政令第324号による改正前のもの）は，以下の3種類の例外事項を認めていた。第1に開示により国の安全を害するおそれがある事項，第2に開示により個人の秘密を害することとなる事項，第3に労働組合法の規定による労働争議のあっせん，調停，仲裁そのほか地方労働委員会の権限に属する事務および土地収用法の規定による収用に関する裁決そのほか収用委員会の権限に属する事務である。

(イ)　1999年の地方分権一括法による改革　　1999年の地方分権一括法による地方自治法改正により，機関委任事務制度自体が廃止されたが，地方公共団体の長が国の機関としての地位から解放され住民代表としての地位に徹することができるようになったことは，他面において，主務大臣による監視に代わり，住民代表からなる地方議会による長の監視機能の重要性が高まることを意味するといえよう。

しかし，地方分権一括法による地方自治法改正後も，議会の検査権・監査請求権には一定の例外がある。すなわち，「自治事務にあつては労働委員会及び収用委員会の権限に属する事務で政令で定めるものを除き，法定受託事務にあつては国の安全を害するおそれがあることその他の事由により議会の検査の対象とすることが適当でないものとして政令で定めるもの」を議会の検査権・監査請求権の対象から除いている（自治98条1項括弧書)。従前，地方自治法施行令旧121条の3により議会の検査権・監査請求権の対象外とされていた事務のうち，法定受託事務となったものについては，引き続き対象外とされている。他方，自治事務となったものについては，労働委員会および収用委員会の権限に属するもの（その組織に関する事務および庶務を除く）に限り対象外とすることとされている。これらの委員会の組織に関する事務および庶務が検査権・監査請求権の対象に追加されたことになる。これに対して，国家の安全・個人の秘密にかかる事務については，自治事務となった部分は，議会の検査権・監査請求権の対象に加わることになった（自治令121条の3)。これをまとめたものが前掲（→286頁）の表である。なお，自治事務であってもプライバシー情報に関しては，法定受託事務と同様に取り扱うべきであり，解釈上，議会の検査権・監査請求権の対象外とすべきとする説もある[5)]。

2007年4月1日から2021年3月31日までの14年間において，議会が検査権を行使したのは，都道府県で8件，市町村で387件，監査請求権を行使したのは，都道府県では1件であったが，市町村では76件あった。

**Column　名古屋市公開事業審査の実施に関する条例**

名古屋版事業仕分けといえる名古屋市公開事業審査の実施に関する条例（以下「本条例」という）が2010年6月29日に本会議で可決された。名古屋市長は，同年9月9日，同条例の議決が議会の権限を超えるものであるとして，地方自治法176条4項の規定に基づき，再議に付したが，同月28日，議会は上記議決と同内容の議決（以

5）　木佐・前掲注3）72頁参照。

下「本議決」という）をした。そこで，名古屋市長は，同条5項の規定に基づき，愛知県知事に対して審査の申立てをしたところ，愛知県知事は，地方自治法255条の5の規定に基づく自治紛争処理委員の審理を経て，2011年1月14日，申立てを棄却する裁定をした。そこで，名古屋市長は，地方自治法176条7項の規定に基づき，名古屋市会を被告として，本議決の取消しを求める訴訟を提起した。

名古屋市長は，①本条例3条2項が，事業審査の対象とする事務事業の選定に当たって，市長に議会の意見聴取を義務づけていること，②同条3項が，議会が事業審査の対象とする事務事業を選定し，事業審査の実施を求めたときは，その趣旨を尊重し，事業審査を実施するとしていること，③同条4項が，事業審査を行う審査人は，学識経験者，議長の推薦による議員および市民から公募等をした者のうちから，事業審査の都度，市長が委嘱する旨規定していることの3点が，市長の執行する事務について個別具体的に規定し，市長の専属的権限に属する事項に介入するものであって，議会の権限を超えると主張した。

名古屋地判平成24・1・19（平成23年［行ウ］32号）は，地方自治法148条は，普通地方公共団体の長が当該団体の事務を一般的に管理執行する権限を有する旨を規定した包括的権限規定であり，また，同法149条は，普通地方公共団体の長の担任事務を概括的に例示したものにすぎず，これらの規定は，本件事務が議会の関与を許さない旨の長の専属的権限に属する事項であるとの根拠となるものではないとする。そして，二元代表制の下において，議会が執行機関の行う事務について監視する権限を有することは当然のことであり，同法98条1項に規定する検閲・検査権，同条2項に規定する監査請求権は，議会の監視権の一部が明文で規定されたものであり，議会がこうした監視権を有することに照らしても，本件事務が，議会の監視を許さない長の専属的な権限に属する事項であると解することはできないと判示する（さらに，本条例3条2項ないし4項の規定が，本件事務に関する市長の権限を不当に侵害するともいえないとして請求を棄却している）。同判決が指摘するように，二元代表制の下で，議会は長に対して一般的な監視権を有しており，地方自治法98条1項の検査権，同条2項の監査請求権は，その一部を明文化したものと考えられる。

### (c) 調査権

普通地方公共団体の議会には，100条調査権と呼ばれる強力な調査権が与えられている。これは，国会の国政調査権に対応するものである。調査権の内容は，当該普通地方公共団体の事務に関する調査を行い，当該調査を行うため特に必要があると認めるときに選挙人その他の関係人の出頭および証言ならびに記録の提出を請求することである（自治100条1項）。関係人の出頭および証言ならびに記録の提出の請求を調査に特に必要がある場合に限定する改正は，2012年通常国会において行われた。地方分権一括法による改正前は，「当該普通地方公共団体の事務」（＝団体事務）が調査対象であり，機関委任事務は対象外であったが，機関委任事務が廃止され，「当該普通地方公共団体の事務」が拡大したため，調査権の対象も拡大した。しかし，検査権・監査請求権の対象とならない事務と同じ事務は調査権の対象外である（自治令121条の5）。

出頭または記録の提出の請求を受けた選挙人その他の関係人が正当な理由がないのに議会に出頭せず，もしくは記録を提出しないとき，または証言を拒んだときは，6か月以下の拘禁刑または10万円以下の罰金に処せられる（自治100条3項）。虚偽の陳述をしたときは，3か月以上5年以下の拘禁刑に処せられる（同条7項）。

第29次地方制度調査会は，議会の監視機能を強化するために，執行機関が適切に業務を遂行しているか否かを現場に出向いて調査する実地検査権を議会に付与するかについては，現在の検査権や調査権の行使の状況等も勘案しつつ，検討していくべきであるとしている。

100条調査権は，議会に付与されたものであり，委員会に付与されたものではない。リクルート事件を調査した「川崎駅周辺再開発事業等特別委員会」のように，通常，100条調査は特別委員会（100条委員会）を設けて実施されるが，議会の個別具体的委任が必要である。100条調査権は，これまで必ずしも積極的に行使されてきたとはいえない[6)]。1999年4月1日から2021年3月31日までの22年間において，都道府県で100条調査が行われたのは，埼玉県，鳥取県，愛知県，山梨県，長野県，奈良県で各1件，東京都，長崎県，沖縄県で2件，高知県で3件，千葉県で5件あるのみである。同じ期間において，市町村において100条調査が行われたのは230件であった。

1991年には，地方自治法の改正で，参考人制度が設けられた（同109条5項・115条の2）。従前，議会外の意見を聴取する正式の方法としては，委員会における公聴会の開催と100条調査による関係人の証言があったが（参考人招致という方法がとられた実例は存在した），前者は手続が厳格にすぎ，後者は罰則規定があるため運用に慎重な配慮が必要であった。そのため，より簡便に利害関係人や学

6)　孝忠延夫「地方議会による監視」都市問題82巻8号（1991年）25頁参照。

識経験者の意見を聴取できるようにしたのである。

さらに，2006年の地方自治法改正により，普通地方公共団体の議会は，議案の審査または当該普通地方公共団体の事務に関する調査のために必要な専門的事項にかかる調査を学識経験を有する者等にさせることができるものとされた（同100条の2）。これは，学識経験を有する者等に合同で調査・報告を行わせることも認める趣旨である。また，2012年の地方自治法改正で，本会議においても，公聴会の開催と参考人招致ができるようになった（115条の2）。

### (d)　不信任決議

長に対する議会の究極の対抗手段として，長に対する不信任決議がある。不信任の議決は，議員数の3分の2以上の者が出席し，その4分の3以上の者の同意で行われる（自治178条1項・3項）。ただし，長が議会の不信任決議に対抗して議会を解散した場合，解散後初めて招集された議会において再び不信任の議決を行うときは，議員数の3分の2以上の者が出席し，その過半数の同意で足りる（同条2項・3項）。不信任決議の理由は特に制限されておらず，議会の政治的判断にゆだねられている。1999年4月1日から2021年3月31日までの22年間において，長に対する不信任案が上程されたのは，都道府県で29件（可決7件，否決22件），市町村で166件（可決39件，否決127件）である。

**_Column_　刑事告発を理由とする解散通知**

2020年7月27日，100条委員会で虚偽の陳述をしたという理由で千代田区議会が区長を刑事告発する議決をしたところ，区長は，これを事実上の不信任決議であるとして，翌28日に議会に解散を通知し，議会への出席を拒んだ。同区選挙管理委員会は，解散通知は無効と判断した。また，全区議会議員が解散通知の無効確認請求（後に予備的に取消訴訟を追加的変更）と本案の判決が確定するまでの執行停止の申立てをしたところ，東京地決令和2・8・7判例集未登載は，刑事告発は，区長の特定の行為を対象とするものであり，区長の不信任の意思が明確に含まれているとはいえないとして，執行停止決定を行った。不信任決議は，議員数の3分の2以上の者が出席し，その4分の3以上の者の同意を得て行われるのに，刑事告発の議決は議員数の半数以上の者が出席し（自治113条本文），その過半数の同意を得て行われること（自治116条1項），不信任決議があったとみなすことができるのは，非常の災害による応急もしくは復旧の施設のために必要な経費または感染症予防のために必要な経費を削除または減額する議決に対して，長が再議に付したところ，議会が過半数でなお災害応急経費を削除または減額したときのみが法定されていること（自治177条3項）に照らして，議会による長の刑事告発にかかる議決を長に対する不信任決議とみなすことはできないと考えられる。なお，東京地判令和3・6・29LLI/BD L07630896は，執行停止決定後に区長が解散処分を取り消したため，主位的請求，予備的請求とも訴えの利益を欠き，不適法として却下した。他方，併合して審理されていた区に対する損害賠償請求は同判決により認容された。

#### (e)　その他

議会は，その他，選挙（自治97条1項），意見書の提出（同99条），会議規則の制定（同120条），請願の処理（同125条），議員の辞職の許可（同126条），議員の懲罰（同134条1項）等の権限を有する。

**Column　パフォーマンスによる辞職願の許可**

議員の辞職許可が違法とされたのが，大阪地判平成20・5・16判時2027号7頁の事案である。同判決は，地方自治法126条が，普通地方公共団体の議会の議員の辞職を議会の開会中においては議会の，議会の閉会中においては議長の許可にかからせている趣旨は，住民の直接選挙によって選出された議員が，自己の恣意に基づいてみだりに辞職することを抑止するとともに，議員の辞職に正当な理由があるか否かの判断を，選挙権を有する住民に代わって議会ないしその代表者である議長にゆだねたものと解されるとする。本件において，原告は，自らの議員の地位を政治的なパフォーマンスの手段とすることによって，自己の意図する町長の辞職という政治目的実現を図ろうとしたものと評価せざるをえず，真摯な動機に基づくものであることをうかがわせるに足りる証拠はなく，議長は，その経緯を熟知していたものと容易に推認されるにもかかわらず，辞職願を許可したものであり，これは地方自治法126条の規定により議長に付与された裁量権の範囲を超え，またはこれを濫用したものといわざるをえず，違法と判示している。

### (4)　本会議

#### (a)　定例会および臨時会

普通地方公共団体の議会は定例会および臨時会であり（自治102条1項），定例会は，毎年条例で定める回数招集しなければならない（同条2項）。従前は毎年4回以内という制限が法定されていたが，2004年の地方自治法改正でこの制限が撤廃された。臨時会は，必要がある場合において，その事件に限り招集する（同条3項）。

**Column　北海道白老町の通年議会制**

北海道白老町は，2008年5月議会において，定例会の回数を年1回とし，会期を1月から12月までの1年間とし，議長の判断により，休会と再開を繰り返す「通年議会制」を導入する条例を制定した。これは，議案の受理や議案等の委員会付託を随時行うことや，災害時の緊急対応等を可能にするものとして注目されるものであった。

第29次地方制度調査会答申も，「今後一層住民に身近な議会を実現し，柔軟な議会運営を可能とする観点から，長期間の会期を設定してその中で必要に応じて会議を開く方式を採用することや，現行制度との関係や議会に関する他の諸規定との整合性に留意しつつ会期制を前提としない方式を可能とすることなど，より弾力的な議会の開催のあり方を促進するよう必要な措置を講じていくべきである」と述べている。2012年の通常国会において，条例により，定例会・臨時会の区分を設けず，通年の会期とすることができることとし（自治102条の2第1項），この選択をした場合，議会は会議を開く定例日を条例で定め（同条6項），長は，議長に対し，会議に付議すべき事件を示して定例日以外の日において会議の開催を請求することができることとし（同条7項前段），長等の議場への出席義務については定例日の審議および議案の審議に限定する（同条8項）地方自治法改正が行われた。

都道府県では，長崎県が2012年4月に（ただし，長崎県は2014年度から通年議会制度を廃止した），三重県が2013年1月に，栃木県が2013年4月に通年議会制度を開始した。2021年4月1日現在，地方自治法102条の2第1項の規定により，通年議会制を採用している地方公共団体は，1県（栃木県）45市町村である。地方自治法102条2項の定例会を条例で年1回と定めている地方公共団体は，2県（三重県，滋賀県）63市区町村である。

招集は，開会の日前，都道府県および市にあっては7日，町村にあっては3日までに告示しなければならないが，緊急を要する場合は，この限りでない（自治101条7項）。臨時会に付議すべき事件は，原則として，普通地方公共団体の長があらかじめ告示しなければならない（同102条4項）。ただし，緊急を要する事件（かつては「急施事件」と呼ばれたが，現在は「緊急事件」と略称される）があるときは，直ちにこれを会議に付議することができる（同条6項）。定例会および臨時会は，原則として，普通地方公共団体の長が招集するが，議員定数の4分の1以上の者から会議に付議すべき事件を示して臨時会の招集の請求をすることができる（同101条1項・3項）。地方分権推進委員会第2次勧告は，この臨時会招集請求権の要件の緩和も勧告していたが，実現は見送られた。2006年の地方自治法改正により，議長も，議会運営委員会の議決を経て，当該普通地方公共団体の長に対して，会議に付議すべき事件を示して臨時会の招集を請求することができるようになった（同条2項）。また，議員の定数の4分の1以上の者または議長から請求があったときは，当該普通地方公共団体の長は，請求のあった日から20日以内に臨時会を招集しなければならないこととされた（同条4項）。

なお，地方自治法101条2項は，「会議に付議すべき事件を示して」臨時会の招集を請求することができるとしているため，単に討議や質問を行うための臨時会招集請求は認められないのかが問題にされ，かかる場合も含めた臨時会招集請求を明文で認めるべきという主張もなされていた。しかし，政府は，地方自治法98条1項の一般的監視権に基づいて，長等の報告を求めて臨時会招集を請求することは可能であるとする解釈を採用し，そのため，法改正は不要とする立場をとった[7]。

***Column*** **阿久根市長の議会招集拒否問題**

議員からの法定の要件を満たした臨時会招集請求があったにもかかわらず，鹿児島県の当時の阿久根市長が，期限である2010年6月28日を過ぎても議会を開催しなかったため，鹿児島県知事が同年7月2日，是正の勧告（自治245条の6）を行った。ようやく，市長は同年8月下旬に臨時会を招集したが，この事件を契機として，議会の招集権を議長にも付与する地方自治法改正の必要性が議論された。同年7月29日，阿久根市議会は，議長に議会招集権を与えるよう地方自治法改正を求める議案を可決し，同年8月4日には，全国都道府県議会議長会，全国市議会議長会，全国町村議会議長会が，同様の地方自治法改正を求める緊急声明を総務大臣に提出している。これを受けて，議長等の臨時会の招集請求に対して所定の期間内に長が招集しないときは，議長が臨時会を招集できるようにする地方自治法改正が2012年の通常国会で実現した（自治101条5項・6項）。

議会の定足数は原則として議員定数の半数以上である（自治113条）。会議は公開が原則であるが，議長または議員3人以上の発議により，出席議員の3分の2

7） 地方自治制度研究会編・Q＆A 76頁参照。

以上の多数で議決したときは，秘密会を開くことができる（同115条1項）。実際には，全員協議会で非公開で審議し実際上の決定を行い，公開される本会議は形骸化している場合がある。議事は，出席議員の過半数で決するのが原則である（同116条1項）。

### *Column*　オンライン議会

コロナ禍で国会や地方議会への議員のオンライン参加を認めるよう求める声が国際的に高まった。列国議会同盟（IPU）による116か国の調査では，2020年末までに約3分の2が委員会審議をオンラインで可能としており，約3分の1が本会議もオンラインで開催できることとしている。わが国では，国会の本会議について，「両議院は，各々その総議員の3分の1以上の出席がなければ，議事を開き議決することができない」（憲56条1項）の「出席」に「オンライン出席」が含まれるかという憲法解釈の問題がある。衆議院の憲法審査会は，憲法58条2項が，両議院は，各々その会議の手続その他の手続および内部の規律に関する規則を定める権能を認めていることを根拠に，緊急時には，「オンライン出席」が可能であるという意見が大勢を占めた旨の報告書を，2022年3月8日，衆議院議長等に提出した。地方議会の場合には，国会と異なり，憲法上の問題はないが，地方自治法上，「オンライン出席」が可能かが問題になる。総務省は，2020年4月30日付け自治行政局行政課長通知で，各団体の条例や会議規則等について必要に応じて改正等の措置を講じ，新型コロナウイルス感染症のまん延防止措置の観点等から委員会の開催場所への参集が困難と判断される実情がある場合に，いわゆる「オンライン出席」により委員会を開催することは差し支えないという見解を示した。これを受けて，翌月14日，大阪市が会議規則を改正したのを皮切りに，都道府県では大阪府が同月26日に，委員会条例を改正して，「オンライン委員会」を開催できるようにした。「オンライン委員会」を可能にするために条例または会議規則等を改正した地方公共団体は，2022年4月1日現在，135団体であり，普通地方公共団体および特別区の全体に占める割合は約7.6%であり，改正予定の普通地方公共団体および特別区は185団体であり，普通地方公共団体および特別区の全体に占める割合は約10.3%であった。そして，実際に「オンライン委員会」を開催した地方公共団体は35団体で普通地方公共団体および特別区の全体に占める割合は約2.0%，「オンライン委員会」を実際に開催したわけではないが試行した団体は29団体であった。「オンライン委員会」を実際に開催した35団体における「オンライン委員会」開催の要件は，「感染症のまん延」（32団体）が最多であり，「災害の発生」（26団体）がこれに次ぐ。「育児・介護」を含めるものも10団体（大阪府，秋田県，大分県等）あった。「委員長が必要と認めるとき」，「やむを得ない理由」，「その他特別の理由」等のバスケット・クローズを設けるものも存在した。地方議会の本会議については，地方自治法113条および116条1項の「出席」については，上記の総務省の通知で，現に議場にいることと解されている旨が付言されており，行政実例（昭和25年6月8日自行発93号）で示された解釈を踏襲した。そこで，全国都道府県議会議長会等から「オンライン本会議」を実現するための地方自治法改正を求める意見書が提出された。2023年2月7日，総務省は，本会議について，一般質問に限り，オンラインで行うことを認める通知を発した。地方議会へのオンライン参加を認めることは，議員活動と家庭生活の両立を容認したり，障害者が議員活動を行いやすくしたりすることにつながり，さらに地方議会議員への立候補を促進する効果も期待される。

#### (b)　議長および副議長

普通地方公共団体の議会は，議員の中から議長および副議長1人を選挙しなければならず，議長および副議長の任期は，議員の任期による（自治103条）。これは，議長の地位の安定を図ることによって，議長が安んじて公正中立に職務を遂行することができるようにするためである。議長・副議長の不信任議決の制度はないので，たとえ不信任議決（問責決議）がなされたとしても法的拘束力はない。もっとも，議長・副議長は，議会の許可を得て辞職することはできる（同108条）。実際には，議長職が名誉職化し，辞職制度を用いて，1年等の短期交代制を採用している例が多い。

全国市議会議長会が行った調査によると，2020年において，議長の任期について申合せや慣例があるものが約78.4%，申合せや慣例がないものが21.6%であった。申合せや慣例がある議会においては，任期2年とするものが約69.6%，任期1年とするものが約29.0%であった。法律どおり任期4年とする議会は約1.4%であった。

***Column*　墨田区議会議長の辞職拒否事件**

墨田区議会においても，戦後間もなくから，議長は，最大会派から選出し，任期は1年とする慣行があった。しかし，議長が就任後1年を経過しても辞職せずに議長職にとどまった。当該最大会派では，1年を超えて議長職にとどまる場合には，当該会派の区議の4分の3以上の賛成が必要とされていたが，同議長は，この手続によることを拒んだため，同会派は，2022年5月13日付けで当該議長を除名した。そして，最大会派を除名されたにもかかわらず，議長を続けるべきでないとして，同会派は，不信任決議案を提出し，同年6月13日に決議案が可決された。しかし，議長に対する不信任決議に法的拘束力はなく，同議長は，辞職を拒否した。さらに，同年9月30日には同議長に対する辞職勧告決議案も可決されたが，同議長は辞職を拒否した。

そこで，同年11月30日に，同議長の報酬を減額し，一般の議員の報酬と同額とする条例が可決された。この事件は，法律で4年と定められている議長の任期が形骸化していることの是非の問題について一石を投じることになった。

### (5) 委員会

普通地方公共団体の議会には，条例で常任委員会，議会運営委員会および特別委員会を置くことができる（自治109条1項）。常任委員会は，その部門に属する当該普通地方公共団体の事務に関する調査を行い，議案，請願等を審査する（同条2項）。議会運営委員会は，議会の運営に関する事項，議会の会議規則・委員会に関する条例等に関する事項，議長の諮問に関する事項について調査を行い，議案・請願等を審査する（同条3項）。地方自治法は委員会を必置機関としておらず，この点は，国会の常任委員会・特別委員会が必置機関であるのと異なる（国会40条）。地方自治法が委員会の設置を任意としたのは，特に小規模自治体において本会議中心主義をとることを可能にするためである。地方分権推進委員会第2次勧告は，必要に応じて本会議中心の運営を検討するように提言している。もっとも，実際には，委員会を中心に実質的審議が行われ，本会議が形骸化する傾向がみられる。

**Column　会議規則と会議条例**

地方自治法120条は，普通地方公共団体の議会は会議規則を設けなければならないと規定しており，これを受けて，一般に各議会議長会を中心に作成された標準会議規則に依拠した会議規則が制定されている。しかし，委員会の設置が条例事項とされているのに，本会議について法律で定められた事項以外は規則で定めることが妥当か，住民の請願のように，住民と直接に関わる事項についても規則で定めることが妥当かについては議論があり，北海道福島町議会のように，従前の会議規則に代えて，会議条例（2009年3月制定）を制定した例もある[8]。

**委員の選任方法・在任期間等**　議員はそれぞれ1個の常任委員となることとされていたが，2006年の地方自治法改正により，議員の複数の常任委員会への所属制限が廃止され，議員は，少なくとも1個の常任委員になるものとされた（自治旧109条2項）。これは，少数会派の者にとって特にメリットの大きな改正であった。常

8)　この問題について，駒林良則「地方議会法制の変容」同・地方自治法制145頁以下参照。

任委員・議会運営委員会委員は会期の始めに議会において選任し，条例に特別の定めのある場合を除くほか，議員の任期中在任することとされていた（同旧109条2項・旧109条の2第2項）。特別委員は，議会において選任し，委員会に付議された事件が議会において審議されている間在任することとされていた（同旧110条2項）。2006年の地方自治法改正により，閉会中においては，議長が条例で定めるところにより，常任委員，議会運営委員または特別委員を選任することができるものとされた（同旧109条3項・旧109条の2第3項および旧110条3項）。また，地方行財政検討会議の「地方自治法抜本改正に向けての基本的考え方」（2010年6月22日）においては，「議会の委員会などの組織運営等については，地方自治法において定められている項目が多いが，条例や会議規則に委ねるなど，議会自身の権限を拡大する方向で検討を行う」とされている。これを受けて，2012年の通常国会において，委員会に関する規定を簡素化し，委員の選任その他委員会に関し必要な事項は条例で定めることとする地方自治法改正が行われた（自治109条9項）。これは，自主組織権の拡大の動きの一環として位置づけることができる。

### (6) 議会活動の範囲

地方議会においては，本会議・委員会以外に，全員協議会，各派代表者会議，正副委員長会議等が開催されているが，これらについては，法律上の根拠がなかったため，正式の議会活動とは位置づけられておらず，費用弁償の支給対象になるかも明確でなかった。地方議会では，議員の職責・職務が地方自治法において明確にされていないため，議員としての活動範囲が不当に狭く解釈されているという不満があり，全国都道府県議会議長会，全国市議会議長会，全国町村議会議長会から，地方議会議員の職責・職務を明確にすることが要望されていたが，2008年通常国会において，衆議院総務委員長の提案による議員立法で，地方自治法100条12項（「議会は，会議規則の定めるところにより，議案の審査又は議会の運営に関し協議又は調整を行うための場を設けることができる」）の規定が新設された。議員の職責・職務を明確化する規定は設けられなかったが，議員の主要な職責・職務である議会活動の範囲を明確化することにより，議会議長会の要望に対応したのである。

第29次地方制度調査会答申においては，「議員の活動は，議会における審議・討論にとどまるものではなく，政策形成のための調査研究活動や住民の意思を把握するための諸活動等，広範にわたることから，議員の位置付けやその職責・職務を法制化すべきであるとの意見がある。この点については，今後の地方分権の進展や議会機能の充実・強化に伴う議員の活動の実態を踏まえ，政治活動と公務との関係，議員の活動についての住民への説明責任のあり方，職責・職務の法制化に伴う法的効果等を勘案しつつ，引き続き検討することが必要である」と述べられている。

**Column　免責特権の否定**

憲法51条は，国会議員が議院で行った演説・討論・表決について，院外で責任を問われないと定めているが，地方議会議員の議会での発言・表決については憲法上，議会外での免責を定めた規定はなく，また，最大判昭和42・5・24刑集21巻4号505頁［百選69］は，地方議会議員の議会での発言について，議会外での免責特権を保障しているものと解すべき根拠はないと判示している。この事案では，議員が地方議会の議事進行を妨げたことが，公務執行妨害に当たるとして，刑事責任が認められている。

### (7)　議員報酬

従前は，地方議会議員に対する報酬の支給については，203条1項（2008年改正前）において，非常勤職員に対する報酬支給と一緒に規定されていたため，地方議会議員に対する報酬が，本会議・委員会への出席，公務出張に対する対価と狭く解釈される傾向があった。そこで，上記の3つの議長会の要望を受けて，同じく同年の通常国会における地方自治法改正で，議員に対する報酬についての独立の規定（203条）を新設し，その名称も「議員報酬」として，非常勤職員に対する「報酬」と区別し，旧203条は203条の2とし，非常勤職員に対する報酬規定とすることとされた。もっとも，議長会が要望していた「地方歳費」への名称変更は実現しなかった。地方自治法100条12項が定める議会活動は，費用弁償の支給対象になろう[9)]。

---

9)　2008年通常国会における地方自治法改正については，松永智史「地方自治法の一部改正について」地方自治729号（2008年）129頁以下，田口一博「2008年地方自治法改正をめぐって(上)――100条12項・議会活動の範囲の明確化と会議規則について」自治総研359号（2008年）59頁以下，「同(下)――203条・議員の報酬に関する規定の整備がもたらす意味と議員の職務について」自治総研360号（2008年）54頁以下参照。また，この改正の背景については，都道府県議会制度研究会最終報告「自治体議会議員の新たな位置付け」（2007年4月19日）が参考になる。

**Column　議員報酬額**

最判平成22・3・30判時2083号68頁［百選82］は，地方自治法（平成20年法律第69号による改正前のもの。以下同じ）203条3項（議員について現2項），5項（現4項）の規定に基づく「札幌市議会議員の報酬，費用弁償及び期末手当に関する条例」を制定し，市議会議員が定例会等の会議に出席したときの費用弁償として日額1万円（附則11項による平成17年4月1日以降の金額）を支給したことが，高額にすぎ違法として提起された住民訴訟において，当該条例を適法と判示している。その理由として，同判決は，同条例所定の会議はいずれも地方自治法に定められたものであって，議員の重要な活動の場であり，そこへの出席に伴い，その職責を十全に果たすための準備，連絡調整および移動等の費用を含む，常勤の公務員にはない諸雑費や交通費の支出を要する場合がありうるところであるとする。そして，このような諸経費の弁償の定め方は，政令指定都市においても様々に異なるものの，本件条例が定めるのと同程度の定額で費用弁償を支給する政令指定都市も存在していたのであって，札幌市議会は，このような取扱いとの均衡をも考慮しつつ，費用弁償額を定めていたと認定し，定例会等の会議に出席した議員への費用弁償にかかる本件条例の定めは，違法ではないと判示する。

もっとも，およそ費用弁償の対象にすべきでないものを対象として積算した条例であれば違法となりうるであろうが，本件条例は，そもそも費用弁償の対象となる費目の範囲を確定して必要な費用を積算する方式をとらず，1日当たりの定額で費用弁償を定める方式を採用していた。そして，このような定額方式については，最判平成2・12・21民集44巻9号1706頁［百選〔3版〕A28］が，「右費用弁償については，あらかじめ費用弁償の支給事由を定め，それに該当するときには，実際に費消した額の多寡にかかわらず，標準的な実費である一定の額を支給することとする取扱いをすることも許されると解すべきであり，そして，この場合，いかなる事由を費用弁償の支給事由として定めるか，また，標準的な実費である一定の額をいくらとするかについては，費用弁償に関する条例を定める当該普通地方公共団体の議会の裁量判断にゆだねられていると解するのが相当である」と判示している。このように，最判平成2・12・21は，定額方式を採用するか否か，費用弁償の支給事由の選定，標準的な実費の決定について議会の裁量を認めていた。しかも，最判平成2・12・21は，支給額の決定に関して考慮された費目の是非を問題にせず，単に概括的な支給事由を定めるだけで足りるとすることにより，フリーハンドに近い決定権を議会に認めたと評価されるものであった。したがって，最判平成22・3・30が，費目にかかる具体的な審査を行わず，他の政令指定都市において同程度の定額を支給する例があることを指摘して，裁量権の逸脱濫用を認めなかったことも，最判平成2・12・21の延長線上でとらえることができると思われる。

地方議会議員の報酬請求権の譲渡性について，最判昭和53・2・23民集32巻

1号11頁［百選 A21］［判例集38］は，地方自治法，地方公務員法には地方議会議員の報酬請求権について譲渡・差押えを禁止する規定はないこと，地方議会議員は特定公職との兼職を禁止され（自治92条），当該地方公共団体と密接な関係のある私企業から隔離される（同92条の2）ほかは，一般職公務員に課されているような法律的拘束からは解放されていることを指摘し，地方議会議員の報酬は一般職公務員の給与とは異なり，公務の円滑な遂行を確保するために譲渡を禁止して議員の生活を保護すべき必要性はないから，当該地方公共団体の条例に譲渡禁止の規定がない限り，譲渡可能と判示している。

***Column*　長期欠席議員の報酬**

2021年に東京都議会議員選挙で再選された議員が，再選直後に無免許運転で交通事故を惹起していたことが発覚したが，問題になった行為は議会運営に関することではないので除名の要件には該当しないと判断され，都議会において全会一致で2度にわたり辞職勧告決議が行われた。しかし，当該議員は，辞職しないまま約4か月にわたり議会を欠席した。その後，在宅起訴が行われたが，禁錮以上の実刑判決が確定するまでは失職しないので，在宅起訴により直ちに失職することにはならなかった。当該議員は，在宅起訴の3日後に辞職したが，長期にわたる議会欠席中に議員報酬および政務活動費を支給され続けたことへの批判も少なくなかった。そこで，東京都議会は，2022年3月25日，令和4年条例第64号により，議員がその任期中に長期欠席（一の定例会の開会の日から当該定例会の閉会の日までの間に開かれる会議および委員会〔理事会を含む〕のすべて欠席することをいう）をしたときは，当該定例会の閉会の翌日以降に支給する議員報酬を全額不支給とし，当該議員が，議員報酬を支給しないこととされた月以降に会議等に出席した日の属する月以降の議員報酬については，これを適用しないこととした。ただし，公務上または通勤による災害，感染症，出産，入院および退院後の療養であって医師の診断書の提出がある場合等には，議員報酬の不支給の対象としないこととしている（東京都議会議員の議員報酬，費用弁償及び期末手当に関する条例4条の3）。長期にわたり本会議，委員会等を欠席した議員の報酬等を減額する条例の例としては，秋田県の県議会議員の議員報酬等に関する条例3条の3，富山県議会議員の議員報酬，費用弁償及び期末手当に関する条例2条2項，福岡市特別職職員等の議員報酬，報酬，費用弁償及び期末手当に関する条例3条3項等もある。また，大阪府議会議員の議員報酬及び費用弁償等に関する条例4条の2は，被告人または被疑者として身体の拘束を受けていることにより会議等を欠席した日の属する月以後の月分の府議会議員の議員報酬の支給停止について定めている。

### (8) 政務活動費

地方自治法は，制定当初，議員に対する報酬および費用弁償の支給について規定していたが（旧203条），地方公共団体が議員に対してそれ以外の金銭を支給することについては特段の規定を置いていなかった。そのため，条例上の根拠なくても議員に手当等を支給することは適法と考えられていた。ところが，1956年の同法改正により設けられた204条の2の規定により，法律または法律に基づく条例の根拠なしに，地方公共団体が議員に対して金銭を支給することは違法となった。そこで，議員ではなく会派に調査研究費を支給することは可能か否かが問題になった。

***Column* 会 派**

地方自治法上は，会派という文言は，政務活動費の交付先として同法100条14項・15項において用いられているのみで，定義はされていないが，会派は，政党など類似の意見，主張，基本的政策を共有する議員が任意に形成する集団であって，当該議会内で表決等において原則として同一の意思表示を行うほか，議会運営上，統一的な行動をとり，会派間で協議を行う。最大多数を占める第1会派から議長，第2会派から副議長を選出する慣行があり，議会での質問時間の割振りや議会棟の部屋割りを会派ごとに行うので，特に大規模な議会では，会派が議会運営の基本単位として重要な機能を果たしている。1人会派を認めるか否かについて地方公共団体の対応は分かれており，議会基本条例で会派は複数の議員で結成することができる旨を定め，1人会派を認めない例もある（横浜市議会基本条例8条1項，京都市会基本条例7条1項，東村山市議会基本条例4条1項)。複数の議員からなる会派の中でも，一定数（たとえば4人）以上の会派を交渉会派，一定数未満の会派を非交渉会派として，議会運営委員会の委員選出や本会議の代表質問を交渉会派に限る例もある。三重県鳥羽市議会のように，2011年に会派制を廃止した例もある。国会との関係では，会派という文言は，日本国憲法の改正手続に関する法律12条3項，国会法46条，国会における各会派に対する立法事務費の交付に関する法律1条・3～6条・制定附則等で用いられている。

「会派に対する調査研究費の支給」（昭和31年9月6日自庁行発第59号）は，「従来の調査研究費に代わるものとして，県議会各派に対し調査研究費を支給することは，その内容が実質的に従来どおりであると認められる限り，できないものと解する」としていたが，この回答は，実質的に議員個人に支給されるのでなければ会派への調査研究費の支給は認められると解しうるものであったため，地方公共団体の中には，地方自治法232条の2の規定に基づき，会派に対して調査研究費を補助金として支給するものもあった。しかし，かかる補助については，長が支給するか否かの裁量を有することになり，長と議会との関係の対等性が損なわれるという批判があり，全国都道府県議会議長会および全国市議会議長会から，調査研究費の交付に明確な法律上の根拠を設けることが要望された。また，補助金交付に関しては要綱等で定められるにとどまり，その使途を十分に検証できないという問題も指摘されていた。そこで，議員立法により，政務調査費に関する規定が，2000年の改正で地方自治法に設けられた。その立法の趣旨は，地方分権の進展に伴い，地方議会の審議能力を向上させる必要があり，そのために，会派・議員に対する調査研究費の助成を制度化するとともに，その使途の透明性を確保するというものであった。政務調査費を支給するためには，条例に根拠を設けなければならず，また，政務調査費の交付を受けた会派または議員には，収入および支出の報告書を議長に提出することが義務づけられた。しかし，政務調査費と別に，地方自治法232条の2の規定に基づく補助金を会派に支給する地方公共団体も存在した。大阪高判平成25・9・26判例自治413号77頁は，政務調査費制度法定化後は，会派に対する助成の根拠は，地方自治法100条14項（前述の2000年改正で設けられた）の規定に限定され，別途，要綱に基づき会派に対して補助金を支給することは違法と判示した。ところがその上告審の最判平成28・6・28判時2317号39頁は，会派に対し，政務調査費の対象とされた「調査研究に資するため必要な経費」を交付するためには，当該政務調査費の交付の対象，額等について定めた条例に基づいてこれを行う必要が生じたというべきであり，従前のようにこれを地方自治法232条の2の規定に基づく補助金として交付することは許容されなくなったものとする一方，地方自治法の政務調査費にかかる規定は，上記の「調査研究に資するため必要な経費」以外の経費に対する補助の可否については特に触れるところがなく，2000年の地方自治法改正の際に，そのような補助を禁止する旨の規定が置かれることもなかったところ，同改正にかかる立法過程においても，そのような補助を禁止すべきものとする旨の特段の検討がされていたとはうかがわれないので，同改正が，上記の「調査研究に資するため必要な経費」以外の経費に対する補助を禁止する趣旨でされたものであるとは認められないと判示した。その後，平成24年法律第72号により，政務調査費制度は政務活動費制度に改正され，その交付対象が「議会の議員の調査研究その他の活動に資するために必要な経費」に拡大された。それにより，従前，要綱に基づいて行われていた会派に対する補助金を政務活動費に統合し，当該要綱を廃止した地方公共団体もあるが，政務活動費と別に会派に対する補助金を支給している地方公共団体もある（福岡市議会の各会派に対する職員雇用費の交付に関する規則等）。

**Column　政務調査費，政務活動費にかかる主張立証責任**

政務活動費およびその前身の政務調査費を返還すべきことを求める住民訴訟における主張立証責任について，最高裁が明示的な判断をしたことはない。しかし，最判平成22・3・23判時2080号24頁は，①本件議員らの任期満了1ないし4か月前という時期にパソコン，プリンター，ビデオカメラ等の比較的高額な物品が購入されており，任期中の最後の議会の会期後に購入されたものも少なくないこと，②本件議員らは，任期満了による選挙に立候補することなく，市会議員としての任期を終えたこと，③本件議員らは10年から20年以上にわたる議員としての経歴を有するところ，このような手元に残る物品を在職中初めて購入したり，緊急の必要性もなく買い替えたりしたことが主張され，その主張にかかる事実も認められるのであれば，本件各支出は調査研究のための必要性に欠けるものであったことが窺われ，その場合，特段の事情のない限り，本件各支出は使途基準に合致しない違法なものと判断されることになると判示している。そして，住民監査請求における本件議員らの回答は，そのほとんどが抽象的なものにとどまるところ，このような抽象的な回答をせざるを得ないような合理的な理由があるか否かは定かではなく，本件回答があるだけで上記の特段の事情があるということは困難であると述べている。

これは，政務調査費または政務活動費にかかる不当利得返還請求をすべきことを求める住民訴訟において，使途基準に合致しない支出がなされたことの主張立証責任は原告が負うが，使途基準に合致した支出がされなかったことを推認させる一般的，外形的な事実の存在が原告により主張立証された場合においては，被告が適切な反証を行わないときは，違法な支出であると推認されるとする説（仙台高判平成20・11・11判例集不登載〔最決平成21・10・2判例集不登載は上告棄却兼上告不受理〕，名古屋高判平成20・4・24裁判所ウェブサイト〔最決平成21・1・16判例集不登載は上告棄却兼上告不受理〕，名古屋高判平成17・8・24裁判所ウェブサイト〔最決平成19・2・8判例集不登載は上告不受理〕，名古屋高判平成18・2・15判例集不登載〔最決平成19・4・24判例集不登載は上告棄却兼上告不受理〕，神戸地判平成29・4・25判時2381号47頁，広島高松江支判平成30・11・27判例集未登載，金沢地判平成31・1・21判時2422号6頁）と整合的であるように思われる。

### (9) 議員・委員会の議案提出権・修正動議提出権

議会が議決すべき事件についての議案提出権は，予算を除いて議員にも認められている（自治112条1項）。議案を提出したり，修正動議を提出するためには，議員の定数の12分の1以上の者の賛成がなければならない（同条2項・115条の3）。国会法56条・57条に対応する。出席議員ではなく，議員の定数の12分の1以上である点に留意する必要がある。議員定数が12名以下の場合には，1人でも議員の議案提出権・修正動議提出権があることになる。

元来は，1人でも議案提出・修正動議提出が可能であったが，議案提出・修正動議提出が議事引き延ばし等の目的で濫用されることを防ぎ，議事運営の円滑化を図るために，1956年の地方自治法改正で議員の定数の8分の1以上の者の賛成が必要とされた。しかし，地方分権推進計画において，地方分権に伴う地方行政体制の整備の一環として，住民自治充実の観点から地方議会の活性化が提言され，そのための一方策として，地方分権一括法による地方自治法の改正で，議案提出要件・修正動議提出要件が緩和されたのである。このことは，長期的には，議会の政策立案能力の向上につながるという指摘もある[10]。

2006年の地方自治法改正により，常任委員会，議会運営委員会または特別委員会は，議会の議決すべき事件のうちその部門に属する当該普通地方公共団体の事務に関するものにつき，議会に議案を提出することができるものとされた（予算は除かれる）（同109条6項）。

2009年4月1日から2021年3月31日までの12年間において，議員・委員会提案による条例（議会・議員に関するものを除く）は，都道府県では，議員提案によるものが403件，委員会提案によるものが48件で合計451件あった。このうち原案通り可決されたものが380件，修正可決されたものが5件，否決されたものが50件，撤回されたものが6件，審議未了となったものが4件，その他が6件であった。同期間において，議員提案による条例（議会・議員に関するものを除く）は，市区町村では，議員提案によるものが1715件，委員会提案によるものが248件で合計1963件あった。このうち原案通り可決されたものが1017件，修正可決されたものが59件，否決されたものが803件，撤回されたものが36件，

10）　駒林良則「地方議会」法教209号（1998年）34頁参照。

審議未了となったものが37件，その他が11件であった。

### ⑽　議会の解散

#### (a)　長による解散

国においては，学説上議論があるものの，不信任決議がなされた場合に限らず，憲法7条に基づき内閣が任意に衆議院解散を（実質的に）決定しうるとするのが実務上定着した解釈になっているが，地方公共団体においては，長が議会を解散できるのは，不信任の議決の通知を受けた日から10日以内に行う場合に限定されている（自治178条1項）。1999年4月1日から2021年3月31日までの22年間において，都道府県知事が議会を解散したのは15件のみである。また，2007年4月1日から2021年3月31日までの14年間において，市町村長が議会を解散したのは14件である。非常の災害による応急もしくは復旧の施設のために必要な経費または感染症予防のために必要な経費を，議会の議決が削除しまたは減額した場合，長はこれを再議に付し，議会がなお当該経費を削除しまたは減額したときは，不信任の議決とみなすことができる（同177条1項2号・3項）。議会が非常災害費を含む予算全体を否決したときに不信任の議決とみなすことができるかについては見解が分かれている（行政解釈は否定説）。また，立法論として，予算の否決を不信任の議決とみなす規定を設けるべきという主張もなされている。議会による不信任決議，長による解散が制度化されている点は，アメリカの大統領制と大きく異なる。

#### (b)　住民による議会の解散請求

日本国民たる普通地方公共団体の住民で，選挙権を有する者は，当該普通地方公共団体の議会の解散を請求することができる（自治13条1項・76条1項）。これについては，あとで詳しく述べる（→8章I *2*⑶）。2007年4月1日から2021年3月31日までの14年間において，住民の直接請求により都道府県議会が解散された例はないが，市町村議会が解散された例は4件ある。

#### (c)　議会の自主解散

東京都議会議長選挙をめぐる汚職事件に端を発した都政刷新運動の中で，議会の自主解散権が問題になり，1965年，「地方公共団体の議会の解散に関する特例法」が制定された。これは，全文わずか2か条の法律であり，議員数の4分の3

以上の者が出席し，その5分の4以上の者が同意したときには，議会は解散することとしている（2条2項・3項）。東京都議会は，この法律に基づき自主解散を行い，混乱を脱することになった。1999年4月1日から2021年3月31日までの22年間において，市町村議会がこの法律により解散したのは28件（同法による解散決議案を否決したのが9件）である。

### ⑾ 議員の関係私企業からの隔離

普通地方公共団体の議会の議員は，国会議員，他の地方議会の議員，地方公共団体の常勤職員および短時間勤務職員等との兼職は禁止されるものの（自治92条），民間企業等の役職員との兼職は一般的には禁止されていない。しかし，当該普通地方公共団体に対し請負をする者およびその支配人または主として同一の行為をする法人の無限責任社員，取締役，執行役もしくは監査役もしくはこれらに準ずべき者，支配人および清算人となることはできない（同92条の2）。ただし，2022年の臨時国会で，議員立法により同条が改正され，各会計年度において支払を受ける当該請負の対価の総額が普通地方公共団体の議会の適正な運営の確保のための環境の整備を図る観点から政令で定める額を超えない者は，この規制の適用除外とされた。「これらに準ずべき者」とは，法人の無限責任社員，取締役，執行役もしくは監査役と同程度の権限と責任を当該法人に対して有する者である。地方公共団体の議会の議員の選挙における当選人で，当該地方公共団体に対し，地方自治法92条の2に規定する関係を有する者は，当該選挙に関する事務を管理する選挙管理委員会に対し，当選の告知を受けた日から5日以内に，地方自治法92条の2に規定する関係を有しなくなった旨の届出をしないときは，その当選を失う（公選104条）。

高知県大川村では，議員のなり手が不足し，議会の存続自体が危ぶまれため，2017年5月，同村長は，町村総会の検討を行う方針を表明したが，実現への障壁は高いことが認識された。そのため，町村総会の検討を中断し，議会を存続させるため，いかにして議員選挙への立候補を促すかを検討することになった。そして，議員の兼業規制の範囲が不明確なことが，立候補を躊躇させる一因となっているのではないかが議論されるようになった。そして，2019年3月4日に，村議会議員の兼業制限の範囲を明確化する条例が全会一致で可決・成立し，同年

4月1日から施行された。

**Column　大川村議会議員の兼業禁止を明確にする条例**

同条例は，議会議員のなり手不足をできる限り補うため，議会議員の兼業禁止について明確化を図り，大川村議会を維持することを目的とする（1条）。そして，大川村議会議員は，(i)大川村から補助金の交付を受け，補助事業を実施すること，(ii)大川村から指定管理者の指定を受け，公の施設を管理すること，(iii)大川村との土地賃貸借契約のうち，営利目的ではない契約または継続的・反復的でない契約を締結すること，(iv)以上のほか，経済的ないし営利的な取引契約で，物品，役務などを供給することを目的とし，継続的・反復的にされるものであるとはいえない契約を締結すること，を行うことまたはこれらの行為を主として行う法人の役員等となることができる（3条）。以上に定めるもののほか，大川村と請負関係にある公益的法人のうち，当該請負が当該法人の業務の主要部分を占め，その重要度が議員の職務執行の公正，適正を損なうおそれが類型的に高いと認められる程度にまで至っているような事情が認められない法人は，地方自治法92条の2の「主として同一の行為をする法人」に該当せず，大川村議会議員は，当該法人の役員等となることができるものとされている（4条）。そして，村長は，同条例4条の規定により「主として同一の行為をする法人」に該当しないとされた法人名について，毎年度議会に報告した上で公表するものとされている（5条）。

第32次地方制度調査会答申（2020年6月26日）も，禁止の対象となる請負の範囲が明確でないことは，立候補しようとする者にとっては懸念材料の一つであり，議員のなり手不足の要因となっているとの指摘があることから，その範囲を明確化する必要があること，法人の請負については，地方公共団体に対して請負をする法人のうち，その請負が当該法人の業務の主要部分を占めるものに限って議員がその取締役等となることができないこととされていることを踏まえて，個人の請負に関する規制について，透明性を確保する方策と併せて，その緩和について検討する必要があることを提言している。

**Column　政治倫理条例**

アメリカで1978年に制定された政府倫理法を参考にして，議員の職務執行の公正を図り，もって議会運営の公正を確保するために，1983年に堺市でわが国初の政治倫理条例が制定された。その後，政治倫理条例は増加し，2008年9月1日から10月1日にかけて，尾崎行雄記念財団・総合政策研究会が1810の地方公共団体を対象に調査したところ，410の地方公共団体で政治倫理条例が制定されていた[11]。

広島県府中市議会議員政治倫理条例は，2親等以内の親族が経営する企業および議員が実質的に経営に関与する企業は，地方自治法92条の2の規定の趣旨を尊重し，原則として，府中市の工事等の請負契約等を辞退しなければならない旨規定し（4条1項），同項に該当する議員は，責任をもって当該企業の辞退届を徴するなどして提出するよう努めなければならない旨定めている（同条3項）。同条例に基づく審査結果は市民に公表され，議長は，上記の違反行為があったと認められる議員に対して，①本件条例の規定を遵守させるための警告を発すること，②議員の辞職勧告を行うこと等とされている。本件条例違反と認定された議員が，審査にかかる一連の手続は違法であるなどと主張して，府中市に対し，慰謝料等の支払を求めた事案において，広島高判平成23・10・28判時2144号91頁は，憲法21条1項による保障が及ぶと解される議員の議員活動の自由，ならびに憲法22条1項および29条による保障が及ぶと解される企業の経済活動の自由について，2親等規制が上記の制約を生じさせることには合理性や必要性が認められないから，本件規定は，憲法21条1項ならびに憲法22条1項および29条に違反し，違憲無効であるとして，国家賠償法上の違法も認め，府中市に損害賠償責任があると判示した。

しかし，上告審の最判平成26・5・27判時2231号9頁は，本件2親等規制の目的は，議員の職務執行の公正を確保するとともに，議員の職務執行の公正さに対する市民の疑惑や不信を招くような行為の防止を図り，もって議会の公正な運営と市政に対する市民の信頼を確保することにあるものと解され，このような規制の目的は正当なものということができるとする。そして，議員の当該企業の経営への実質的な関与の有無等の事情は，外部の第三者において容易に把握しうるものではなく，そのような事実関係の立証や認定は困難を伴い，これを行いえないことも想定されるから，仮に上記のような事情のみを規制の要件とすると，その規制の目的を実現しえない結果を招来することになりかねないこと，本件条例4条3項は，議員に対して2親等内親族企業の辞退届を提出するよう努める義務を課すにとどまり，辞退届の実際の提出まで義務づけるものではないから，その義務は議員本人の意思と努力のみで履行しうる性質のものであること，議員がこのような義務を履行しなかった場合には，本件条例所定の手続を経て，警告や辞職勧告等の措置を受け，審査会の審査結果を公表されることによって，議員の政治的立場への影響を通じて議員活動の自由についての事実上の制約が生ずることがありうるが，これらは議員の地位を失わせるなどの法的な効果や強制力を有するものではないこと，本件条例は地方公共団体の議会の内部的自律権に基づく自主規制としての性格を有しており，このような議会の自律的な規制のあり方についてはその自主的な判断が尊重されるべきものと解されること等も考慮すると，本件規定による2親等規制に基づく議員の議員活動の自由についての制約は，地方公共団体の民主的な運営におけるその活動の意義等を考慮してもなお，前記の正当な目

11）　総合政策研究会レポート「共同研究『地方自治体における政治倫理条例』経過報告」世界と議会533号（2009年）23頁参照。

的を達成するための手段として必要かつ合理的な範囲のものということができ，憲法21条1項に違反するものではないと判示している。

また，2親等内親族企業であっても，上記の請負契約等にかかる入札資格を制限されるものではない上，本件条例上，制裁を課するなどしてその辞退を法的に強制する規定は設けられておらず，2親等内親族企業が上記の請負契約等を締結した場合でも当該契約が私法上無効となるものではないこと等の事情も考慮すると，本件規定による2親等規制に基づく2親等内親族企業の経済活動についての制約は，前記の正当な目的を達成するための手段として必要性や合理性に欠けるものとはいえず，憲法22条1項および29条に違反するものではないと判示している（同判決は，その他の違法事由の有無等について審理を尽くさせるため原審に差し戻し，差戻控訴審の広島高判平成26・11・12判例集不登載は，本件条例の違法性を否定した）。

### ⑿ 議会事務局の充実

町村議会の事務局の場合，数名の職員しかおらず，議事運営関係事務をこなすのみで手一杯であり，議員の立法活動をサポートする余力はないことが多い。議会の政策立案能力を向上させるためには，議員を補佐する議会事務局の充実が重要である。そのため，地方分権推進委員会第2次勧告においては，議会事務局職員の調査能力・政策立案能力・法制能力等を向上させるための研修機会の拡大と研修内容の充実に努めること，議会事務局職員の資質の向上と執行機関からの独立性の確保を図る観点から，専門的能力の育成強化を図るための共同研修の実施，相互の人事交流の促進等の措置を積極的に講じ，中核となる職員の養成，議会事務局の体制整備に努めることを勧告した（1997年11月28日付け自治省公務員部長通知で地方公共団体に要請済み）。なお，2011年の地方自治法改正により，議会事務局やその内部組織（調査課等）・補助職員の共同設置が可能になっている（自治252条の7第1項）[12]。

### ⒀ 議会の運営

地方分権推進委員会第2次勧告は，議会の閉鎖性に対する批判にこたえ，議会の公開性を高めるため，本会議に加え，委員会やその審議記録の公開を一層進め

12） 議会事務局改革のあり方について多面的に検討したものとして，議会事務局研究会最終報告書「議会事務局新時代の幕開け」（2011年3月）（研究代表：駒林良則立命館大学法学部教授）参照。

(市議会の委員会の傍聴を不許可とされたフリージャーナリストが，委員会傍聴を許可制にしたこと，市政記者クラブの記者にのみ傍聴を許可するという市会先例は違憲であるとし，国家賠償請求を行った事案において，大阪地判平成19・2・16判時1986号91頁は，請求を棄却している)，議会関係の事務についても，情報公開条例の対象に含めること，議会活動に対する住民の理解を深めるため，地方公共団体は，休日・夜間の議会開催，住民と議会とが直接意見交換する場の設定等に努めることを提言している（1997年11月14日付け自治事務次官通知で一部措置）。すでに，すべての都道府県において，議会が情報公開条例の対象機関になっている。これには，首長部局等の執行機関を対象とする情報公開条例において議会も実施機関とされている場合（神奈川県等30府県）と，議会独自の情報公開条例が制定されている場合（東京都等17都道府県）がある（2018年10月1日現在)。市区町村においても大多数は議会が情報公開条例の対象機関になっている。

また，地方分権推進委員会第2次勧告は，議員の性別構成・職業構成と住民のそれとの間の乖離が著しい状況を踏まえて，国が女性や勤労者等の立候補を容易にするために必要な環境の整備に努めることも勧告している。この問題を抜本的に解決するために，議員を非常勤として会議は夜間や休日に開催することとしたり，公務員との兼任を認めたり，落選後，元の職場に復帰することを認めたりする等の方策も提言されている[13)]。専門職・名誉職等議員身分のあり方についても中期的課題として検討を求めている[14)]。なお，2018年5月23日に公布・施行された「政治分野における男女共同参画の推進に関する法律」は，国会のみならず地方議会の選挙においても，男女の候補者の数ができる限り均等となることを目指すこと等を基本原則とし，国および地方公共団体の責務ならびに政党等が所属する男女のそれぞれの候補者数について目標を設定する努力義務等について定めている。

---

13)　室井敬司「議会の活性化」小早川＝小幡編・自治・分権102頁。

14)　江藤俊昭『自治体議会学』（ぎょうせい，2012年）2頁以下，野村稔「地方分権に伴う地方議会活性化の方策」法セ513号（1997年）96頁以下，髙沖秀宣『自治体議会改革講義』（東京法令出版，2018年）が，制度面・運用面の改善方策について網羅的に検討している。

**Column　夜間・休日議会**

長野県喬木村議会は，2017年の12月定例会から，平日の夜や休日に議会を開催する「夜間・休日議会」を開始した。町村議会が，傍聴人を増加させることを主たる目的として，年に1～2日，平日の夜や休日に議会を開催する例はそれまでもあったが，喬木村議会は，平日の昼に他の仕事をしながら議員活動を行うことを可能にし，議員の成り手がほとんどいないという危機的状況を解消することを目的として，恒常的に「夜間・休日議会」を導入した最初の例である。

地域主権戦略大綱においては，①幅広い住民が議員活動を行えるようにするための環境整備，②議員同士，議員と住民の議論等により議会審議を充実させる方策，③議会・議員の果たすべき役割，④議会が長と対立した場合の解決方策を含めた長と議会の関係，⑤都道府県議会の選挙区のあり方，⑥地方選挙を政策本位の選挙制度に変更すべきかどうか等について，今後広く検討することとしている。

第31次地方制度調査会答申においては，①議員への研修の充実，議会事務局職員の資質向上や小規模な市町村における議会事務局の共同設置を含めた議会事務局の体制強化や議会図書室の機能向上，② ICTを積極的に活用した情報発信等の充実，③多様な民意を議会における審議・議決に反映させるための住民参加の充実，④政務活動費の使途を含めた議員活動の透明性の確保，⑤夜間・休日等の議会開催，通年会期制の活用等，多様な人材が議員として議会に参画しやすくする取組み，⑥立候補に伴う休暇を保障する制度や休職・復職制度等の導入，公務員の立候補制限の緩和や地方議会議員との兼職禁止の緩和等，立候補に伴う各種制度の整備の検討が提言されている。

**Column　「町村議会のあり方に関する研究会」報告書**

2018年3月に，総務省の「町村議会のあり方に関する研究会」報告書が公表された。同報告書は，町村総会については，実効的な開催は困難であるので，それと異なる制度的解決を提示する必要があるとして，現行議会に加えて，「集中専門型」と「多数参画型」という新しい2つの議会のあり方を条例で選択可能とすることを提言している。

「集中専門型」とは，少数の専業的議員による議会構成とし，生活給を保障する水準の十分な議員報酬を支給し，女性や若者など，多様な民意を反映させるとともに，住民が議会活動に関わる経験を得られる仕組みとして，有権者からくじその他の作為が加わらない方法で選ばれる「議会参画員」制度を設ける仕組みである[15)]。勤労者の立候補にかかる休暇の取得等を理由とした使用者による不利益取扱いを禁止すること，公務員は，立候補によって職を失うこととなるため，公務員が立候補により退職した場合の復職制度を設けることも提言されている。

「多数参画型」とは，多数の非専業的議員による議会構成とし，夜間・休日を中心とする議会運営を行い，契約の締結などを議決事件から除外することなどによって，議員の仕事量・負担を軽減し，それに見合った副収入的水準の議員報酬を支給すること，議員の請負禁止を緩和するとともに，他の地方公共団体の職員との兼職を可能とすること，勤労者の立候補および議員活動にかかる休暇の取得等を理由とした使用者による不利益取扱いを禁止すること，各市町村の集落や小学校区を単位とした選挙区を設けて選出することを内容とする。

第32次地方制度調査会答申（2020年6月26日）は，立候補に伴うリスクを軽減する観点から，地方議会議員に立候補した者が休暇を取得するなどした場合に，そのことを理由として解雇や配置転換等の不利益な取扱いを受けることがないようにすることについて，事業主をはじめとする関係者の負担等の課題も含めた労働法制のあり方にも留意しながら検討する必要があるとする。裁判員の参加する刑事裁判に関する法律100条（不利益取扱いの禁止），消防団を中核とした地域防災力の充実強化に関する法律11条2項（事業者の協力）のような規定を設けることの検討が念頭に置かれているものと思われる。また，公務員の立候補制限や地方議会議員との兼職禁止の緩和についても，議員のなり手不足を解消するのに有効な方策の一つと考えられるところであり，行政の中立性・公平性等の要請にも配慮しつつ，引き続き検討する必要があるとする。

2022年の第210回臨時国会で可決・成立した「地方自治法の一部を改正する法律」附則6条では，(i)政府は，事業主に対し，地方公共団体の議会の議員の選挙においてその雇用する労働者が容易に立候補をすることができるよう，地方公共団体の議会の議員の選挙における立候補に伴う休暇等に関する事項を就業規則に定めることその他の自主的な取組を促すものとすること，(ii)地方公共団体の議

15)　常勤議員と非常勤議員からなる二重構成の議会制度を提案するものとして，碓井光明「地方議会の構成の抜本的改革試論」阿部昌樹＝田中孝男＝嶋田暁文編『自治制度の抜本的改革——分権改革の成果を踏まえて』（法律文化社，2017年）235頁以下。

会の議員の選挙における労働者の立候補に伴う休暇等に関する法制度については，事業主の負担に配慮しつつ，かつ，他の公職の選挙における労働者の立候補に伴う休暇等に関する制度のあり方についての検討の状況も踏まえ，同法による改正後の規定の施行の状況，(i)の自主的な取組の状況等を勘案して，引き続き検討が加えられるものとすることが定められた。第33次地方制度調査会答申（2022年12月28日）においても，同様の提言がなされている。

## *3* 執行機関

### (1) 執行機関の概念

執行機関という言葉は，行政官庁（国の意思を決定し表示する権限を有する機関）の命を受けて実力を行使する警察官，租税の徴収職員等を意味することもあるが，地方自治法上は，議決機関としての議会に対して地方公共団体の行政的事務を管理執行する機関であって，自ら地方公共団体の意思を決定し外部に表示する権限を有するものの意味で用いられている。行政庁の概念に近似する[16)]。そして，長の補助機関（自治161条以下），選挙管理委員会の職員（同191条），監査委員の事務局（同200条）等について規定していることからも，作用法的行政機関概念（行政官庁理論上の機関概念）（→宇賀・概説Ⅲ 1編2章*2*）を採用しているといえる。他面において，「保健所，警察署その他の行政機関」（同156条1項）という表現にみられるように，国家行政組織法と同様，事務配分的行政機関概念（→宇賀・概説Ⅲ 1編2章*3*）を用いている箇所もあり，両概念が混交している。

### (2) 多元主義と一体性の原則

地方自治法は，第7章において，執行機関について定めている。執行機関とは，普通地方公共団体の長のほか，法律の定めるところにより置かれる委員会または委員である（自治138条の4第1項）。執行機関は，当該普通地方公共団体の事務を「自らの判断と責任において」誠実に管理し執行する義務を負う（同138条の2）。執行機関の組織は，普通地方公共団体の長の所轄の下に，それぞれ明確な範

---

16) 両者の差異については，室井＝原野編・入門231頁（渡名喜庸安執筆）参照。

囲の所掌事務と権限を有する執行機関によって系統的に構成される（同138条の3第1項）。「所轄」とは，職権行使の独立性を認められた機関が形式的に他の機関の下に置かれることを意味するから，わが国の地方公共団体においては，執行機関の多元主義がとられているといえる（同180条の5も参照）。これは，国・地方を通じて，行政の民主化等のために行政委員会を活用しようとしたアメリカの占領政策を反映している。

他面において，執行機関は，相互に連絡を図り，すべて一体として行政機能を発揮するようにしなければならず（同138条の3第2項），長は，執行機関相互の間にその権限につき疑義が生じたときは，これを調整するように努めなければならないこととされている（同条3項）。したがって，執行機関一体性の原則がとられているともいえる。そして，長が最も重要な執行機関として位置づけられている。実際問題として，長の権限は相当に包括的かつ強力である。このことは，主任の大臣による分担管理原則（→宇賀・概説Ⅲ1編5章***7***）をとる国と比較して，地方公共団体が長のリーダーシップの下に総合行政を行いうるという長所をもたらすが，他面において，長の権限の濫用を防止する仕組みが重要になる。

### (3)　長

#### (a)　選挙権と被選挙権

選挙権は議会の議員の場合と同じである（公選9条2項）。被選挙権は，都道府県知事については年齢満30年以上の者（同10条1項4号），市町村長については年齢満25年以上の者（同項6号）であれば足り，議員と異なり，当該地方公共団体の住民であることは要件ではない（橋本大二郎氏が，高知県住民でなかったが，同県知事選に立候補して当選した例がある）。

***Column***　**再選挙**

わが国では，1946年に地方公共団体の長の選挙に決選投票制度が導入されたが，1952年に法定得票数を有効投票総数の8分の3以上から4分の1以上へ引き下げるとともに決選投票制度は廃止されることになった。廃止の理由は，決選投票ではほとんどの場合に第1回投票の最多数者が最多票を得ており実益に乏しいこと，決選投票とはいえ選挙をする以上多大の経費を要するので制度的に無駄であることであった。しかし，再選挙を行っても法定得票数に達した者がいなければ再々選挙になり，多大な公費が支出されるのみならず，長が不在の期間が長期化することになる。そのため，総務省の「補充立候補制度等のあり方に関する研究会」の報告書（2007年10月）は，法定得票数は従前どおりとしたまま，最初の選挙で最多数を得た候補者4人を候補者として決選投票を行う制度とすることが適当であると考えらえるとしていた。一方，同報告書では，決選投票制度がなければ地方公共団体の長を決められないケースはきわめて稀であると考えることや，改めて広く人材を求める機会を排除すべきではないという意見等もあり，決選投票制度の導入については，当事者である地方自治関係者や有識者等の意向を踏まえながら，従前の再選挙制度と比較した決選投票のメリット・デメリットを勘案しつつ，引き続き検討される必要があると考えられることも指摘していた。その後，議論は深まらなかったが，2022年10月2日に投開票が行われた品川区長選挙では，法定得票数に達した候補がいなかったため再選挙が行われ，同年12月4日の再選挙で新区長が決定した。地方公共団体の長の選挙で法定得票数に達した者がいないため，長の再選挙が行われたのは，これが7例目であり，改めて，決選投票制度への関心が喚起された。

### (b)　地　　位

都道府県には知事が，市町村には市町村長が，当該普通地方公共団体の長として置かれる（自治139条)。いずれも国会議員，地方公共団体の議会の議員，地方公共団体の常勤の職員等との兼業を禁止され（同141条)，当該普通地方公共団体に対し請負をする者およびその支配人または主として同一の行為をする法人の取締役等になることを禁じられる（同142条)。地方公共団体の長の選挙における当選人で，当該地方公共団体に対し，地方自治法142条に規定する関係を有する者は，当該選挙に関する事務を管理する選挙管理委員会に対し，当選の告知を受けた日から5日以内に，同条に規定する関係を有しなくなった旨の届出をしないときは，その当選を失う（公選104条)。

**関係私企業からの隔離**　普通地方公共団体の長は，国会議員，地方議会の議員，地方公共団体の常勤職員および短時間勤務職員等との兼職は禁止されるものの（自治141条)，民間企業等の役職員との兼職は一般的には禁止されていない。しかし，当該地方公共団体に対し請負をする者およびその支配人または主として同一の行為をする法人（当該普通地方公共団体が出資している法人で政令で定めるものを除く）の無限責任社員，取締役，執行役もしくは監査役もしくはこれらに準ずべき者，支配人および清算人になることはできない（同142条)。地方自治法142条の「主として同一の行為をする法人」の意義について，最判昭和62・10・20判時1260号3頁［百選75］は，当該普通地方公共団体等に対する請負が当該法人の業務の主要部分を占め，当該請負の重要度が長の職務執行の公正，適正を損なうおそれが類型的に高いと認められる程度に至っている場合の当該法人を指すものと解すべきとし，具体的には，①当該普通地方公共団体等に対する請負量が当該法人の全体の業務量の半分を超える場合，②請負量が当該法人の全体の業務量の半分を超えない場合であっても，当該請負が当該法人の業務の主要部分を占め，その重要度が長の職務執行の公正，適正を損なうおそれが類型的に高いと認められる程度にまで至っているような事情があるとき，が該当すると判示している。そして，東京高判平成15・12・25判時1853号78頁は，①につき，補助金収入は請負収入に当たらないとし，②については，当該法人の性格や請負契約の内容を考慮すべきであるとし，具体的には，当該法人と長との個人的な関係が密接である場合，すなわち，長に就任する前から個人の資格において法人の役員に就任している場合や，長が個人の資格において営利目的等で法人に出資している場合などは，長の職務執行の公正，適正を損なうおそれが高いというべきであるとする。したがって，これらの事情の有無と当該法人の請負比率を相関的に総合判断して，当該請負の重要度が長の職務執行の公正，適正を損なうおそれが類型的に高いと認められる程度に至っているかを判断すべきであるとする。当該事件においては，社会福祉協議会の理事は，町長が慣例的に就任していたものであり，私的な特別な関係があったことを認める証拠はないこと，当該社会福祉協議会が実施するデイサービスの利用料の額は厚生労働大臣の定める基準によることになっており，当該社会福祉協議会が営利目的で自由に定めうるものではないことが認められ，町から支払を受ける委託料もそれに応じたものになっていると推認されることを考慮し，請負比率が45％を超えており比較的高いものの，当該請負の重要度が長の職務執行の公正，適正を損なうおそれが類型的に高いと認められる程度に至っているとはいえないと判示している（地方自治法142条の該当性が認められた例として，最判昭和32・12・3民集11巻13号2031頁参照）。

なお，1991年の地方自治法改正で，当該普通地方公共団体が出資している法人で政令で定めるものは，関係私企業からの隔離の例外とされることになり，当該普通地方公共団体が資本金，基本金その他これらに準ずるものの２分の１以上を出資している法人については，この例外が認められることとなった（自治令122条）。その理由は，かかる法人は，地方公共団体のイニシアティブで設けられたもので，地方公共団体が実質的支配権を有していると考えられるからである。これにより，普通地方公共団体の長は，地方公共団体が２分の１以上を出資している財団法人や第三セクターの役員を兼業することが可能になった。

長は，地方公務員法３条１項にいう特別職の公務員である（地公３条３項１号）。同法は，法律に特別の定めがある場合を除くほか一般職に属する公務員にのみ適用されるから（同４条），長には，同法の懲戒に関する規定（同29条）は適用されない。制定当時の地方自治法旧146条は,「内務大臣は,都道府県知事が著しく不適任であると認めるときは,法律の定めるところにより,法律で定める弾劾裁判所にその罷免の訴追をすることができる」(1項)「都道府県知事は,市町村長が著しく不適任であると認めるときは,法律の定めるところにより,前項の弾劾裁判所にその罷免の訴追をすることができる」(2項)と定めていた。政府原案では,内務大臣は都道府県知事を,都道府県知事は市町村長を,それぞれ政令の定めるところにより公聴会を開いて解職しうるとされていたが,GHQが難色を示し,衆議院の審議過程においても批判がなされたため,弾劾裁判所制度が採用されたのである。しかし,実際には弾劾裁判所は設けられることなく,1947年12月12日法律第169号による地方自治法改正で同条は職務執行命令訴訟制度およびそれとリンクした内閣総理大臣または都道府県知事による首長罷免制度に衣替えすることになった[17]。職務執行命令訴訟制度(→9章V ***6***(3))とリンクした首長罷免制度も,1991年の地方自治法改正により,廃止されることになった。これにより,長の意に反してその地位を奪う制度は,地方自治法143条による失職のほか,議会による不信任決議と住民による解職請求に限られることになった。

***Column*** **懲戒目的で長の給料を減額する条例**

長の給料は条例で定めるが(自治204条3項),議会には長に対する懲戒権は与えられておらず,懲戒目的で長の給料を減額する条例を制定することは違法である。かかる条例案の議決に対して,地方自治法176条5項の規定に基づく審査の申立てがなされ,同条6項の規定に基づき,都道府県知事が議決を違法として取り消した先例として,岡山県加茂町議会の議決を取り消した1995年7月9日裁定,宮城県可南町議会の議決を取り消した1998年4月15日裁定,広島県安浦町議会の議決を取り消した2004年4月1日裁定,神奈川県逗子市議会の議決を取り消した2004年5月25日裁定等がある。

### (c) 多選制限

(ア) 法改正の動き　　憲法上も地方自治法上も長の多選を制限する規定はないが,長に権限が集中するため多選が実現しやすいこと,多選の場合,長と議会の

---

17) 以上につき,宇賀克也「職務執行命令訴訟制度の比較法的考察」新藤宗幸編著『自治体の政府間関係』(学陽書房,1989年)27頁以下参照。

抑制と均衡の関係が崩れオール与党化しやすいこと，首長部局内においても長に疑問を提起したり批判的見解を述べることが事実上困難になりがちで，権限の濫用が行われやすくなること等の弊害が指摘されていることから，長の多選制限の是非が議論されてきた。

***Column*　長の多選制限を定める法案**

長の多選制限を定める法案は，過去に3度，国会に提出されている。最初は，1954年5月8日に緑風会が都道府県知事の連続3選禁止を定める公職選挙法改正法案を第19回国会に提出している。同法案は，参議院地方行政委員会に付託されたが，同年12月9日に閉会した第20回国会で審議未了廃案となった。次に，1967年6月23日，自由民主党の篠田弘作議員ほか4名が都道府県知事の連続4選を禁止する公職選挙法改正案を第55回国会に提出している。同法案は衆議院公職選挙法改正に関する調査特別委員会に付託されたが，1969年8月5日に閉会した第61回国会で審議未了廃案になっている。さらに，1995年2月8日，新進党の石井一二，及川順郎両議員が都道府県知事，政令指定都市市長の連続4選を禁止する地方自治法改正案を第132回国会に提出している。同法案は参議院地方行政委員会に付託されたが，同年6月18日に閉会した同国会で審議未了廃案となっている[18]。

(イ)　政府における検討　　1997年7月8日，地方分権推進委員会第2次勧告において，「今後，地方分権の進展に伴い，地方公共団体の首長の権限・責任が相対的に増大する一方，首長選挙における投票率の低さ，無投票当選の多さ，各政党の相乗り傾向の増大は，首長の多選が原因の一端であるとして問題視する向きも多い。このため，首長の選出に制約を加えることの憲法上の可否を十分吟味した上で，地方公共団体の選択により多選の制限を可能とする方策を含めて幅広く検討する」ことが提言されている。そして，1998年5月29日に閣議決定された「地方分権推進計画」において，「首長の多選の見直しについては，これまでの国会における議論の経緯や各界の意見等も踏まえ，首長の選出に制約を加えることの立法上の問題点や制限方式のあり方等について，幅広く研究を進めていく」こととされた。これを受けて，総務省において，「首長の多選の見直し問題に関する調査研究会」が設置され，1999年7月27日に報告書が公表されている。

18)　政党においても多選首長を推薦しない方針がとられることがある。これについては，小山善一郎「首長多選禁止の検討開始——総務省，5月めどに報告書」法令解説資料総覧299号（2006年）54頁以下参照。

そこにおいては，多選制限に賛成と反対の双方の立場から，憲法論等が整理され，多選制限が合憲であるとした場合における制限方式等について検討されている。そして，立候補の自由は公共の福祉と密接な関係があり，その趣旨からの必要最小限の制約は憲法上も十分考慮されてよいと考えられると述べられており，合理的な多選制限であれば合憲といえるというニュアンスをにじませていた。2006年2月28日には，第28次地方制度調査会の「道州制のあり方に関する答申」が公表されたが，そこにおいては，道州の長の多選は禁止する旨が明記されている。その後，2006年に都道府県知事の収賄等による逮捕が相次いだことが大きな契機となり，首長の多選制限が合憲か，いかなる内容であれば違憲とならないのか等の点について，できる限り明確な方向性を示されたいとの総務大臣の要請を受けて，総務省に「首長の多選問題に関する調査研究会」が設置され，2007年5月30日に報告書が公表されている[19)]。

(ウ) 地方公共団体における多選制限の動き　地方公共団体においては，多選自粛条例を制定する動きがみられるようになり[20)]，2003年に杉並区（2010年12月廃止），川崎市，旧城山町（2007年3月に相模原市に編入されるまで），中津市（大分県），2004年に埼玉県，2005年には中野区，綾瀬市（神奈川県），松伏町（埼玉県），2006年には柏原市（大阪府），2007年には阿南市（徳島県）（2014年廃止），横浜市，大田区，合志市（熊本県），2008年には藤沢市（神奈川県）で多選自粛条例が制定されている。これらの地方公共団体が多選制限条例ではなく多選自粛条例という形式をとってきたのは，多選制限条例の合憲性や公職選挙法との適合性について議論があることに配慮したからである。なお，長野県，宮崎県，柳川市等のように，多選自粛条例案が議会に提出されたが，成立しなかった例もある。さらに，2007年には，神奈川県が，全国で初めて，首長の多選を禁止する条例を制定した。しかし，条例の施行日については，地方自治法や公職選挙法等の関係する法改正を踏まえるため，別途条例で定めることとしており，いまだ施行されていない。なお，上記の条例の中には，制定時の首長のみを対象とするものも

19) 笠置隆範「首長の多選問題に関する調査研究会の経緯と報告書の概要」ジュリ1340号（2007年）8頁以下参照。報告書についてはジュリ同号30頁以下参照。

20) 小山善一郎「首長自ら多選を禁止――多選自粛条例，広がる兆し」法令解説資料総覧259号（2003年）100頁以下参照。

ある（川崎市，綾瀬市，松伏町，大田区）。

㈵　立憲主義との関係　　日本国憲法は立憲主義を基本原理の１つとしている。立憲主義は多義的な概念であるが，ここでは，憲法によって権力の行使を制限し，統治機構の構成・権限を定めることにより，国民の権利と自由の保障を図る原理の意味で用いる。立憲主義の観点からみた場合，首長の多選制限は，合理的理由を有するといえる。地方公共団体においては，執行機関の多元主義がとられているとはいえ，首長は，地方公共団体を統轄し，これを代表する地位にあり（自治147条），主任の大臣による分担管理が行われる国と比較して，首長が管理執行する地方公共団体の事務は，きわめて広範である（同148条）。他の執行機関の所掌事務についても，首長は，予算の調製・執行権（同149条2号・220条1項），議案の議会への提出権（同149条1号）を有し，しかも，1956年の地方自治法改正で，組織等，予算の執行，公有財産に関して首長の総合調整権が認められている（同180条の4第1項・221条1項・238条の2第1項）。また，他の執行機関の委員の選任方法は一様ではないが，任命権を首長が有することが多い。さらに，国においては，最高の行政機関は，合議体である内閣であり，内閣総理大臣は，国務大臣の任免権を有するとはいえ，行政各部に対する指揮監督権（憲72条），主任の大臣の間における権限疑義の裁定は，閣議にかけて行うこととされている（内6条・7条）。そして，閣議決定は全会一致による慣行になっているので，各国務大臣は，いわば拒否権を有することになり，内閣総理大臣の指導性には大きな制約が伴うことになる（→宇賀・概説Ⅲ1編5章***8***）。これに対して，首長は，独任制機関であり，権力が集中しやすい構造になっている。その結果，首長の多選に伴い，執行機関内で首長に異論を唱える者がいなくなり，本来は首長に対する監視・統制機能を果たすべき議会においても，総与党化が進み，この機能が形骸化する傾向がみられる。したがって，首長の多選制限は，立憲主義の観点から，権力の濫用を抑止する手法の１つとして，合理性を有するといえる。

もっとも，多選制限以外の方法により，首長の権力の濫用を抑止することが可能であれば，合憲性について議論のある多選制限の制度を導入する必要はないともいえるが，過去の経験が教えるところによれば，前述したように，議会によるチェック機能が十分に働くことは必ずしも期待しえないのみならず，リコール制度は大都市では機能しにくいし，長が任命する監査委員の制度等も，所期の効果を発揮してきたとはいいがたいことが多い。さらに，首長が広範な権限を有し，総合行政を行いやすいことは，国における縦割行政の弊害にかんがみ，長所ともいえるので，この長所を喪失させるような制約を長の権限に課すことが望ましいとは必ずしもいえない。そうであるとすれば，首長の強力なリーダーシップ発揮が可能な仕組みは維持したまま，多選制限により，その権力濫用防止を図ることも，合理的な選択肢といいうる。

他方，地方自治制度が，中央政府の強大化を防止するという立憲主義に立脚する側面も有し，この観点からは，首長の多選を制限せず，首長の中央政府に対する発言権を強化すべきという議論もありうる。しかしながら，首長の多選を制限しないことは，後述するように（→(オ)）有能な首長の誕生を制約する側面も有するので，多選制限の否定が当然に中央政府に対する地方公共団体の発言権強化につながり，中央政府による権力濫用を抑止するといえるか自体が定かではないし，仮に，首長の多選が中央政府の権力濫用を抑止する面があることを認めたとしても，このメリットが，首長の多選による首長の権力の濫用の危険というデメリットを凌駕するものといえるかは疑問である。

(オ) 民主主義との関係　日本国憲法が民主主義原理を採用していることも疑いない。民主主義は，知名度，政治資金，後援会組織等の大小にかかわらず，志ある者が容易に立候補することができ，候補者により多様な選択肢が提示され，候補者間で活発な政策論争が行われ，国民が選挙を通じて，政策選択を行うという制度が，実質的に機能することを前提としている。しかし，首長の多選は，選挙の実質的競争性を阻害し，民主主義を形骸化させるおそれがある。権力が集中する首長の多選は，首長批判を困難にする政治構造を産み出しやすく，対立候補が出現しにくくなりがちである。たとえ，対立候補が出たとしても，現役首長が任期中，日常的に政策発表の機会に恵まれ，また，交際費という公費を用いて，事実上選挙運動的効果を持つ交際を行うことができるのに比して，構造的に不利な立場に置かれることになる。したがって，選挙における実質的競争性を確保し民主主義を活性化させるためには，首長の多選制限は合理性を有するといえよう。これに対しては，首長が多選されるのは，住民の支持を得ているからであり，住民が継続して首長の地位に就くことを望む者を多選制限により立候補できなくすることは，民主主義の原理に反するという批判もある。このような考え方にも一理あり，１期目の首長が，在任中に実施した政策について住民に信任の可否をめぐる意思表示の機会を保障しないことは，民主主義の理念に悖るという誹りを免れがたい。しかし，首長の任期が４年であることを前提とすると，２期連続して８年の期間があれば，政策実現のための期間として一般的にいって十分であり，連続して３期以上の多選を制限しても，民主主義の原理に反して違憲とはいえないであろう。人口 50 万以上の立憲主義国家 88 か国の大統領について２期までの多選制限を設けている国が６割を超えることも，連続３期以上の多選制限が民主主義の原理に反するとはいえないという考え方が，国際的にも広く支持されていることを示すものといえよう。

㈮　基本的人権との関係

①平等原則との関係　　首長の多選制限は，立候補の機会について，首長の職にある者を不利益に扱うことになるから平等原則に反するという意見もある。しかし，最大判昭和 39・5・27 民集 18 巻４号 676 頁が判示するように，日本国憲法 14 条は，合理的と認められる差別的取扱いを否定するものではなく，連続して２期務めた首長について，引き続き３選を目指すことを禁止しても，㈃および㈄で述べた立憲主義，民主主義の観点から，立法目的に合理性が認められ，目的と手段の合理的関連性も肯定されると思われる。

②立候補の自由との関係　　日本国憲法は，立候補の自由については明文の規定を置いていない。しかし，最大判昭和 43・12・4 刑集 22 巻 13 号 1425 頁が判示するように，立候補の自由が不当に制約されれば，選挙人の自由な意思の表明が阻害されることになり，自由かつ公正な選挙の趣旨に反することになるので，立候補の自由は，選挙権の自由な行使と表裏の関係にあり，日本国憲法 15 条１項は，立候補の自由も保障していると解される。立候補の自由を選挙権の自由な行使のための手段とみるか，立候補の自由自体を基本的人権とみるべきかについては見解が分かれうるが，後者の立場に立ったとしても，合理的理由に基づく被選挙権・立候補の制約は認められる。実際，公職選挙法（10 条・11 条・11 条の２・86 条の８・87 条・88 条・89 条・251 条の２・251 条の３・252 条），政治資金規正法（28 条）は，被選挙権・立候補について一定の制約を課している。首長の多選制限の観点から被選挙権に制約を課し，立候補の自由を制限しても，立憲主義，民主主義の観点から合理性が認められる限り，日本国憲法 15 条１項違反とはな

らないと思われる。

③職業選択の自由との関係　日本国憲法22条1項は職業選択の自由を保障しているが，首長の多選制限が，この規定に反しないかも問題になる。もっとも，同条項は，国民の経済的自由権を保障する趣旨の規定であり，公選の職を選択する自由まで念頭に置いた規定か否か自体，議論の余地のあるところである。また，公選の職に就くことも，同条項により保障されていると仮定しても，最大判昭和47・11・22刑集26巻9号586頁が判示するように，公共の福祉の要請に基づき職業選択の自由に制限を加えることは認められるから，(エ)および(オ)で述べたような理由で首長の多選制限をすることが，日本国憲法22条1項に違反するとはいえないと思われる。

(キ)　地方自治の本旨との関係　日本国憲法92条は，地方公共団体の組織および運営は地方自治の本旨に基づいて法律で定めることとしており，地方自治の本旨は，団体自治と住民自治を内容としていると一般に解されている。首長の多選制限が，住民が首長を選択する自由を制限し，住民自治の原理に反することにならないかも，一応問題になりうる。しかし，(オ)で述べたように，首長の多選を制限しないことが，選挙の実質的競争性を喪失させ，住民自治を形骸化させるおそれがあるという認識に立つ限り，首長の多選制限は，住民自治を機能させるための合理的手段であり，地方自治の本旨に反するものとはいえないことになる。

(ク)　多選制限の可能な範囲

①首長の範囲　以上に述べてきたような多選制限合憲論は，都道府県知事や政令指定都市の市長に限らず，すべての首長に妥当する。

②再選の回数　1期目の首長に連続して再選を目指す機会を保障すべきこと，連続して3期以上首長の職に就くことを制限しても違憲とはいえないと考えられることについては，すでに述べた。それでは，連続ではなく通算であっても，3期以上首長の職に就くことを制限することは合憲であろうか。(エ)および(オ)で述べたような首長多選の弊害は，連続就任に伴う面が大きく，連続就任でない場合には，かかる弊害のおそれは必ずしも大きくないから，これをも制約することは，過度の制約となるおそれを否めない。

(ケ)　法形式　日本国憲法92条は，地方公共団体の組織および運営に関する基本的事項は法律で定めることとしており，首長の多選制限は，これに該当するから，法律で定めることが憲法上必要とされているといえる。しかし，法律で一律に多選制限を定めるか，法律に多選制限の根拠規定を設け，その具体化は地方公共団体の条例にゆだねることとするかは，立法政策により決定しうる問題と考えられる[21]。

**(d)　権　　限**

(ア)　包括的事務処理権限　　長の役割については，憲法に特段の定めがないが，地方自治法においては，長は，当該普通地方公共団体を統轄し，これを代表し（自治147条），当該普通地方公共団体の事務を管理し，およびこれを執行すると定めている（同148条）。すなわち，包括的な事務処理権限を有しており，この点が他の執行機関と異なる。長の担任する事務については，地方自治法149条に掲げられているが，これは例示であり（名古屋地判平成24・1・19〔平成23年［行ウ］32号〕），議会の議決事件について定める同法96条とは異なる。この点からも，長の所掌事務が広範であることがうかがえる。

もっとも，長の権限にも制限がある。ときに長が越権行為を行い，その法効果が争われることがある。その場合，民法110条（権限外の行為の表見代理）の規定の適用ないし類推適用が認められる（大判昭和16・2・28民集20巻264頁，最判昭和34・7・14民集13巻7号960頁［判例集46］，最判昭和39・7・7民集18巻6号1016頁）。また，平成18年法律第50号による改正前の民法44条（一般社団法人及び一般財団法人に関する法律78条・197条に相当）1項の規定の適用ないし類推適用も認められている（最判昭和37・9・7民集16巻9号1888頁［百選〔3版〕61］，最判昭和41・6・21民集20巻5号1052頁）。

なお，長の調査権の対象となる法人および長が議会に経営状況の報告を要する対象となる法人は，従前は，当該地方公共団体が資本金，基本金その他これらに準ずるものの2分の1以上を出資している法人等とされていた。この点について，第29次地方制度調査会答申は，現在，監査委員の監査が資本金等の4分の1以上を出資している法人等にまで及んでいる（自治199条7項，自治令140条の7第

21)　首長多選制限については，ジュリ1340号（2007年），都市問題98巻10号（2007年）の特集等を参照。

1項）ことなどを踏まえ，議会の監視機能を高めるという観点から，長の調査権の対象となる法人および長が議会に経営状況の報告を要する対象となる法人についても，当該地方公共団体が資本金等の4分の1以上を出資している法人等のうち，条例で定めるものにまで拡大することとすべきであると提言した。この提言は，平成23年政令第410号による改正で実現した（自治221条3項，自治令152条1項3号）。

(イ)　議案提出権　　長の担任する事務には，「普通地方公共団体の議会の議決を経べき事件につきその議案を提出すること」（自治149条1号）が含まれる。「普通地方公共団体の議会の議決を経べき事件」の中には，「条例を設け又は改廃すること」（同96条1項1号）が含まれるから，長には，条例案の提出権が認められていることになる。この点は，アメリカの大統領制と異なるところである。実際に，条例案の大半は，長が提出している。わが国の地方公共団体における首長制は，議院内閣制的要素も組み入れているため，基本的に半大統領制の仕組みになっている。

(ウ)　内部統制　　地方自治法においては，従前から，支出負担行為を行う者と支出を行う者の分離，監査委員制度等，内部統制の仕組みが定められている。しかし，リスクを可視化し，それへの対策を定め，モニタリングし，評価を行い，その結果を公表し，改善につなげるというPDCAサイクルに基づく内部統制の体系化は一部の地方公共団体で緒についたばかりであり，政府においてこの議論が行われるようになったのは，近年になってからである。その背景の一つとして，民間における内部統制の整備の進展がある。2002年5月の商法改正により委員会等設置会社に，2005年7月制定の会社法で大会社に，さらに2006年6月に制定された金融商品取引法において上場会社等に内部統制制度が導入されたことを受けて，総務省は，2007年10月に「地方公共団体における内部統制のあり方に関する研究会」を開催し，その報告書が2009年3月にまとめられた。同報告書は法改正を提言するものではなく，地方公共団体の自主的な取組みを促すものであったが，その後，2010年12月に会計検査院が報告書を公表し，すべての都道府県，政令指定都市において，「預け」等の不適正経理が行われていることが判明し，地方公共団体の内部統制が不十分であることが明らかになった。また，2013年3月にとりまとめられた総務省の監査制度や住民訴訟制度の見直しに関する研究会報告書においても，内部統制の必要性が指摘された。他方，同年6月に，総務省が都道府県・政令指定都市を対象に行った調査によると，これらの団体における内部統制体制の整備は不十分といわざるを得ないものであった。このような背景の下で，総務省の「地方公共団体における内部統制の整備・運用に関する検討会」が同年7月に開催され，2014年3月に報告書がとりまとめられた。そして，第31次地方制度調査会答申は，すべての地方公共団体の長には内部統制体制を整備および運用する権限と責任があることを制度的に明確化すべきとする。さらに，都道府県や指定都市等，組織や予算の規模が大きい地方公共団体は，具体的な手続（例えば，長が，内部統制体制の運用状況を自ら評価し，その評価内容について監査委員の監査を受け，その評価内容と監査結果を議会に報告するとともに公表して住民への説明責任を果たすこと）も制度化する必要があるとする。内部統制の対象となるリスクについては，財務に関する事務の執行におけるリスクを最低限評価すべきとする。

そして，2017年の地方自治法改正により，都道府県および政令指定都市の長は，内部統制に関する方針を定め，当該方針に基づき必要な体制を整備することを義務づけられ（自治150条1項），政令指定都市以外の市および町村の長は，これらの措置を講ずる努力義務を負うこととされた（同条2項）。当該方針を定めた長は，毎会計年度少なくとも1回以上，内部統制報告書を作成し（同条4項），監査委員の審査に付し（同条5項），議会に提出することが義務づけられた（同条6項）[22]。内部統制体制整備を必要とする事務として法律で具体的に明記されているのは財務に関する事務であり，他は総務省令で定める事務または長が必要と認める事務とされている（同条1項・2項）。この改正により，民間で整備されてきた内部統制制度を参考に内部統制制度が法定化されたことは，マネジメントの強化，事務の適正性の確保のみならず，計算突合等を内部統制にゆだねて監査の一部を省力化して，内部統制では十分な対応が困難な部分に監査を重点化することによる監査の効率化，実効性の確保，議会や住民による監視のための情報提供の

22）　地方自治法150条の規定に基づく内部統制に関して，道府県の担当課における検討状況を調査したものとして，小西敦「道府県における内部統制の検討状況(1)(2・完)」自治研究96巻10号（2020年）35頁以下，96巻11号（2020年）63頁以下。

意義も有する。総務省は，2017年10月17日に「地方公共団体における内部統制・監査に関する研究会」の第1回を開催し，同研究会の下に内部統制部会を設け，検討を重ねてきた。そして，2019年3月29日に，「地方公共団体における内部統制制度の導入・実施ガイドライン[23]」を公表している。これは，地方自治法245条の4第1項の規定に基づく技術的助言としての性格を有する。

長は，内部統制の最終責任者として，その補助機関である職員を指揮監督し（自治154条），内部統制体制を構築し運用する。補助機関である職員は，長の指揮監督の下，内部統制にかかる規則・規程・マニュアル等を遵守して業務を執行することになる。正規の職員に限らず非正規の職員も，長の指揮監督に服し，同様の役割を担う。事務が委託された場合には，委託者が受託者を監督する責任を負い，委託業務にかかる内部統制についての責任も委託者が負うことになる。地方公営企業管理者は，長の補助機関であり，長は，当該地方公共団体の住民の福祉に重大な影響がある地方公営企業の業務の執行に関しその福祉を確保するため必要があるとき，または当該管理者以外の地方公共団体の機関の権限に属する事務の執行と当該地方公営企業の業務の執行との間の調整を図るため必要があるときは，当該管理者に対し，当該地方公営企業の業務の執行について必要な指示をすることができるが（地公企16条），地方公営企業管理者は，予算の調製，議会

---

23) 宇賀克也「地方公共団体における内部統制制度」行政法研究36号（2020年）i頁以下，板垣・現代的課題80頁以下，原島良成「地方公共団体の内部統制強化――2017年地方自治法等一部改正」法教448号（2018年）56頁以下，石井恵子『地方自治体の内部統制：少子高齢化と新たなリスクへの対応』（中央経済社，2017年），同「地方自治体の内部統制の整備・運用――活力ある未来に向けて」地方財務775号（2019年）2頁以下，清水涼子『地方自治体の監査と内部統制――2020年改正制度の意義と米英との比較』（同文舘，2019年），久保直生＝川口明浩編著『地方公共団体の内部統制の実務――制度開設と先行事例』（中央経済社，2020年），町田祥弘「地方公共団体における内部統制の制度化について」地方自治831号（2017年）2頁以下，自治実務セミナー676号（2018年），688号（2019夫婦年）の特集，地方財務759号（2017年）の特集，自由と正義71巻10号（2020年）の特集，葭田英人「企業の内部統制制度の地方自治体への導入」自治研究93巻5号（2017年）87頁以下，長畑周史「日本における内部統制制度の展開：地方自治法改正を中心に」横浜市立大学論叢70巻1号（2018年）19頁以下，谷伸雄＝陸川諭「『地方公共団体における内部統制制度の導入・実施ガイドライン』の策定について」地方自治860号（2019年）74頁以下参照。道府県における内部統制の検討状況については，小西敦「道府県における内部統制の検討状況(1)(2・完)」自治研究96巻10号（2020年）35頁以下，11号（2020年）63頁以下が詳しい。

の議決を経るべき事件についての議案の提出，決算を監査委員の審査および議会の認定に付すること，過料を科することまたは法令に特別の定めがある場合を除き，当該業務の執行に関し当該地方公共団体を代表する（同8条1項）。したがって，地方公営企業に対しても，同法16条が定める指揮監督権限の範囲内においては，長による内部統制を及ぼすことはできるものの，地方公営企業は長による内部統制に関する方針および内部統制体制の整備等の直接の対象にはならない。

***Column*　地方公営企業管理者が行った処分に対する審査請求**

地方公営企業管理者が行った処分に対する審査請求をすべき行政庁は，地方公営企業管理者に上級行政庁がないと解すれば地方公営企業管理者になり（行審4条1号），地方公共団体の長が上級行政庁と解すれば長になる（同条4号）。この点について行政実務において解釈が分かれていたところ，最判令和3・1・22判例自治472号11頁は，地方公営企業法によれば，地方公営企業管理者は，原則として地方公営企業の業務の執行に関し地方公共団体を代表するものとされ，地方公共団体の長は，地方公営企業管理者に対し，同法16条の場合に限って必要な指示をすることができるにとどまることから，地方公営企業法は，地方公営企業の業務を原則として地方公営企業管理者に委ねているものと解され，その業務の執行に関し地方公営企業管理者が当該地方公共団体の代表権を有する場合には，当該地方公共団体の長は代表権を有しないと判示した。そして，個人情報保護条例に基づく地方公営企業管理者に対する開示請求に対する不作為について，長が地方公営企業管理者を指揮監督する旨の法令の定めはないから，長は指揮監督権を有せず地方公営企業管理者の上級行政庁に当たらないので，不作為に対する審査請求は，地方公営企業管理者に対して行うべきとした。

長は，他の執行機関に対しても，組織等に関する総合調整権（自治180条の4），予算執行に関する調査権等（同221条1項），公有財産に関する総合調整権（同238条の2第1項）を有するものの，執行機関としての委員会および委員は，職権行使について長から独立性が認められており，長による内部統制に関する方針および内部統制体制の整備等の直接の対象とはならない。もとより，地方公営企業管理者または委員会もしくは委員が，自主的に内部統制に関する方針を定め，内部統制体制を整備することは望ましいことである。

***Column*　姫路市の内部統制**

姫路市は，「姫路市職員の倫理と公正な職務の確保に関する条例」を制定し，同条例に基づき，任命権者の下に倫理監督者を置いている。また，「姫路市リスク管理基本方針」を作成し，業務におけるリスクを見える化し，対応策を整備し，予防・抑制活動と改善を実施している。具体例として，ＤＶ被害者の住民票を誤って加害者に交付するリスクを特定し，リスク回避の徹底のため，ＤＶ被害者の住民票交付手続を住民窓口センターでの手続に一本化し，検索システムの改良（アラーム表示）等を実施している。

(エ)　事務の委任　　普通地方公共団体の長は，その権限に属する事務の一部をその管理に属する行政庁に委任することができる（自治 153 条 2 項）。

地方分権一括法による改正前は，都道府県知事は，その権限に属する事務の一部を市町村長に委任することも認められていた。これは，都道府県の事務で都道府県知事の権限に属するものを市町村長に機関委任する場合と，国の事務で都道府県知事に機関委任されたものを市町村長に再委任する場合の双方を念頭に置いたものであった。この委任については，地方自治法 96 条 1 項の議決事項とされていなかったため（機関委任事務が委任対象の場合には，そもそも議会の議決は認められていなかった），これを活用して，市町村長への権限移譲を積極的に行う県知事も存在した。広島県は，1978 年，知事の持つ許認可権限を市町村長に大幅に移譲する構想（「宮沢方式」と呼ばれた）を打ち出し，翌 1979 年から実施した。他の府県においても同様な検討がなされ，実施に移したところもある。しかし，市町村の側では，財源難・職員不足・事務処理能力上の問題が少なくなかった。広島県の場合は，三位一体の対応といわれたように，財源措置の問題と人づくり（市町村職員の研修）が併せて実施された点に特色があった。このように，都道府県知事が，その権限に属する事務の一部を市町村長に委任できるとする規定には，市町村長への権限移譲の推進により，住民に身近な市町村において，より多くの事務が行われることを可能にするという積極的意味もあったが，地方分権一括法により都道府県知事から市町村長への機関委任事務制度が廃止されることになったのに伴い，旧制度が持っていた上記の積極的機能は，都道府県の条例による事務処理の特例制度（同 252 条の 17 の 2）に引き継がれることになった。

**「管理に属する行政庁」**　　地方自治法 153 条 2 項にいう「管理に属する行政庁」に，地方公共団体の出先機関の長も含まれるかについては議論がある。地方公共団体の出先機関とは，都道府県にあっては支庁（道にあっては支庁出張所を含む）および地方事務所，市町村にあっては支所または出張所のことである（同 155 条 1 項）。戦後間もない時期の行政実例（通牒昭和 22 年 5 月 29 日）は，これらを含むと解していたが，「管理に属する行政庁」は，本来的な行政庁を指すと解されるので，今日では否定説が有力である[24]。

なお，2006年の地方自治法改正前の同法153条1項は，普通地方公共団体の長による「吏員」への委任を認めていたが，「吏員」が副知事等の特別職も含むかについては議論があった（通説は肯定）。しかし，同改正により，副知事および副市町村長は，普通地方公共団体の長の権限に属する事務の一部について，改正された同法153条1項の規定により委任を受け，その事務を執行する旨の明文の規定が設けられた（同167条2項）。この場合において，普通地方公共団体の長は，直ちに，その旨を告示しなければならない（同条3項）。委任の対象になる事務には，契約締結も含まれるが，長の固有の権限は委任の対象にならないと解される。例えば，議会招集権，規則制定権，副知事・副市町村長任命権，再議に付す権限等は，長の固有の権限として委任することは認められないと思われる。また，トップマネジメントの強化の一環として，副知事および副市町村長は，普通地方公共団体の長の命を受け政策および企画をつかさどる旨の規定も追加された（同条1項）。

㈭　公共的団体の監督　　普通地方公共団体の長は，当該普通地方公共団体の区域内の公共的団体等の活動の総合調整を図るため，これを指揮監督することができる（自治157条1項）。公共的団体等とは，農協・漁協・生協・青年団・PTA・婦人会等，公共的活動を行う団体をすべて含み，法人格の有無を問わない。

### ⒠　首長部局

**内部部局に関する国の関与**　　普通地方公共団体の主要な内部部局については，従前は，機構簡素化の趣旨から，数を法定していた。すなわち，都道府県の局部の総数・種類・所管事項が法定され，都道府県知事は，必要があると認めるときは，条例で局部の数を増減することができ，局部数を増加させるときは，あらかじめ自治大臣（当時）と協議しなければならず，局部の名称もしくは分掌する事務を定め，もしくは変更し，または局部の数を増減したときは，自治大臣（当時）に届出をする義務が課せられていた。そして，市町村長は，他の市町村の部課の組織との間に権衡を失しないようにしなければならないという留保の下で条例で必要な部課を設けることができるとされていた。内部部局に関する条例の発案権は，長に専属していると解されていた。

---

24）　松本・逐条545頁参照。

内部部局にまで強力な規制を行うことは，自主組織権の侵害であるという批判があり，次第に規制が緩和されてきた。すなわち，1991年，都道府県の局部の種類，所管事項の法定が廃止され，1997年，局部数を増加させるときの事前協議制は届出制に変更された。さらに，2003年6月13日法律第81号による地方自治法改正により，都道府県の局部総数の法定も廃止された。これにより，普通地方公共団体の長は，その権限に属する事務を分掌させるため，総数の限定なしに必要な内部組織を設けることができることとされた。この場合において，当該普通地方公共団体の長の直近下位の内部組織の設置およびその分掌する事務については，条例で定めなければならない（自治158条1項)。

普通地方公共団体の長は，上記の内部組織の編成に当たっては，当該普通地方公共団体の事務および事業の運営が簡素かつ効率的なものとなるよう十分配慮しなければならない（同条2項)。普通地方公共団体の長は，地方自治法158条1項の条例を制定しまたは改廃したときは，遅滞なく，その要旨その他の総務省令で定める事項について，都道府県にあっては総務大臣，市町村にあっては都道府県知事に届け出なければならないとされていたが（同条旧3項)，2011年の通常国会における地方自治法改正により，この届出義務は廃止された。

**(f) 補助機関**

1888年の市制・町村制により設けられた助役という職に代えて，2006年の地方自治法改正で副市町村長という職が設けられることになった（自治161条1項)。従前も，京都市のように，事実上,「副市長」という名称を用いることとしていた普通地方公共団体もあるが，2007年4月1日以後は，正式名称になった。副知事および副市町村長は，普通地方公共団体の長が議会の同意を得て選任する（同162条)。立法政策としては，知事候補とその指名する副知事候補，市町村長候補とその指名する副市町村長候補がペアで選挙に立候補する仕組みも考えられるが，現在は，そのような仕組みにはなっていない。議会の同意権は，議会による長のチェック機能の一環をなす。副知事および副市町村長の任期は4年であるが，長は，任期中においてもこれを解職することができる（同163条)。

2006年の地方自治法改正前は，都道府県に副知事1人，市町村に助役1人を置くことを原則とし，これらを置かない場合または定数を増加する場合には，条例によることとしていた（同旧161条1項2項)。同改正により，原則的な定数は法定されないことになり，各普通地方公共団体が条例で定数を定めることになった（同161条2項）。条例で副知事・副市町村長を置かないこともできる（同条1項）。

さらに，2006年の地方自治法改正前は，都道府県には出納長を置き（同旧168条1項），市町村に収入役1人を置くことが原則とされていた（同条旧2項）。同改正により，いわゆる三役の一環として議会同意の特別職であった出納長・収入役の職は廃止され，普通地方公共団体に一般職の会計管理者1人を置くこととされた（同168条1項）。会計管理者は，普通地方公共団体の長の補助機関である職員のうちから，普通地方公共団体の長が任命する（同条2項）。この背景には，会計事務の電算化の進展により，特別職としての会計管理者を置く必要性が稀薄になったことがある。また，戦前の官公吏と傭人の区別を引きずった吏員とその他の職員の区別は，2006年の地方自治法改正で廃止され，同改正により，事務吏員と技術吏員の区別（同旧173条）も廃止された。これは，地方公務員法上，吏員と他の職員の間に任用，勤務条件等の面で差が設けられているわけではないこと，地方公共団体の事務の多様化，高度化に伴い，事務と技術の区別が困難な事例が生じていることを踏まえたものである。

最大判平成17・1・26民集59巻1号128頁［百選80］は，住民の権利義務を直接形成し，その範囲を確定するなどの公権力の行使に当たる行為を行い，もしくは地方公共団体の重要な施策に関する決定を行い，またはこれらに参画する職務の遂行は，住民の権利義務や法的地位の内容を定め，あるいはこれらに重大な影響を及ぼすなど，住民の生活に直接間接に重大なかかわりを有するから，国民主権の原理に照らし，原則として日本国籍を有する者が，かかる職務を行う公務員に就任することが想定されているとする（→宇賀・概説Ⅲ2編2章***4***(6)）。

**_Column_　専　決**

国と同様，地方公共団体においても，補助機関に決裁権限を内部的に付与し，対外的には執行機関の名において意思表示を行うことが広く行われている（→宇賀・概説Ⅲ1編3章***1***(3)1)）。例えば，法律上は知事に許可権限が与えられているが，知事があらかじめ決裁権限を局長にゆだね，当該局長が決裁を行うが，対外的には知事の名において許可が行われることがある。これが専決と呼ばれるものである。代理の場合には，局長は知事の代理であることを示すし，委任の場合には，知事の権限が局長に委譲され，局長の名において許可が行われることになるので，専決は代理とも委任とも異なる（なお，専決処分については後述〔→(g)(オ)〕）。

財務会計上の行為が専決により行われた場合，専決者も地方公共団体に対し不法行為責任を負うことがあるし，執行機関も，指揮監督上の義務違反を理由として地方公共団体に対する不法行為責任を負うことがありうる。地方自治法上の執行機関ではなく，地方公営企業の管理者による専決の事案ではあるが，最判平成3・12・20民集45巻9号1455頁［百選77］［判例集59］は，この点を明らかにしている。教育委員会が公立学校教員の分限免職処分を教育長に専決処理させたため，当該免職処分の無効確認訴訟が提起された事案において，最判昭和43・2・16教職員人事関係裁判例集6集49頁［百選A20］は，違法，無効とは解されないと判示した。教育委員会の形骸化という批判を受けて，2007年の改正で，「教育委員会及び教育委員会の所管に属する学校その他の教育機関の職員の任免その他の人事に関すること」（教育行政25条1項・2項4号）については，教育委員会の権限を教育長に委任することが禁じられている。これは，委任と代理の禁止であり，専決の禁止規定ではないが，教育委員会は政治的中立性を確保するため，職権行使の独立性を保障された合議制機関であることに照らすと，分限免職処分のような重大な処分を教育長に専決させることは疑問である。他方，名古屋高判令和3・10・7裁判所ウェブサイトは，沖縄県における米軍ヘリパッドの移設工事のために愛知県警察本部長が県公安委員会の承認を得ずに専決で機動隊を派遣したことは違法であるとして，県警本部長に損害賠償請求を行うことを県知事に義務づける判決を下した。

#### (g)　議会との関係

不信任決議と解散（→***2***(3)(d)），副知事・副市町村長の選任の同意（→(f)）については，すでに述べたので，ここでは，それ以外のものについて述べる。

(ア)　一般的拒否権　　普通地方公共団体の議会の議決について異議があるときは，当該普通地方公共団体の長は，地方自治法に特別の定めがあるものを除くほか，その議決の日（条例の制定もしくは改廃または予算に関する議決については，その送付を受けた日）から10日以内に理由を示してこれを再議に付することができる（自治176条1項）。議会が再議に付された議決と同じ議決を過半数で行ったときは，その議決は確定するが（同条2項），条例の制定もしくは改廃または予算に関するものについては，議会が出席議員の3分の2以上の者の同意で再議に付された議決と同じ議決をしたときに，その議決は確定する（同条3項）。後者の場合，出席議員の3分の2以上の者の同意が得られない場合には，その議案は廃案となる。ただし，再議に付された議決と異なる内容の議決が出席議員の過半数の同意を得てされたときは，新たな議決があったものとみなされる。長は，この議決に異議があるときは，改めて再議に付することができる。従前は，一般的拒否権の対象は，条例・予算にかかる議決に限定されていたが，2012年の通常国会において，一般的拒否権の対象を条例・予算以外の議決事件にも拡大し，条例・予算以外の議決の再議決要件は過半数とする地方自治法改正が行われた。

**Column　一般的拒否権行使の実例**

1999年4月1日から2021年3月31日までの22年間において，都道府県知事が一般的拒否権を行使したのは19件のみである。うち1件は，情報公開条例の実施機関に公安委員会と警察本部長を加える改正案に対して，議会が警察情報の開示範囲を制限する修正案を提出したため，知事が再議に付したものである。再議の結果，修正案は否決されている。また，一般会計予算案が知事の政策に反するとして行使されたものもあり，前議決のとおり再議決されている。岩手県立病院等の新しい経営計画の実施に必要となる事業費の一部について，減額削除する修正議決に対して行使されたものもある。同期間において，市町村長が一般的拒否権を行使したのは275件である（うち，前議決どおり再議決されたのは94件）。

(イ)　特別拒否権　　普通地方公共団体の議会の議決または選挙がその権限を超えまたは法令もしくは会議規則に違反すると認めるときは，当該普通地方公共団体の長は，理由を示してこれを再議に付しまたは再選挙を行わせなければならない（自治176条4項）。これは，長による議会への統制手段であると同時に，議会の議決の適法性を確保するための地方公共団体内部の統制制度とみることができる[25)]。再議または再選挙がなおその権限を超えまたは法令もしくは会議規則に違反すると認めるときは，都道府県知事にあっては総務大臣，市町村長にあっては都道府県知事に対し，当該議決または選挙があった日から21日以内に審査を申し立てることができる（同条5項）。審査の申立てがあった場合において，総務大臣または都道府県知事は，審査の結果，議会の議決または選挙がその権限を超えまたは法令もしくは会議規則に違反すると認めるときは，当該議決または選挙を取り消す旨の裁定をすることができる（同条6項）。この裁定に不服があるときは，普通地方公共団体の議会または長は，裁定のあった日から60日以内に，

25）　駒林良則「地方自治法176条の長の特別拒否権について」同・地方自治組織法制145頁参照。

裁判所に出訴することができる（同条7項）。これは機関訴訟である（行訴6条）。

2007年4月1日から2021年3月31日までの14年間において，違法な議決・選挙に対する長の再議・再選挙を求める拒否権が行使されたのは，41件であり，うち34件では前の議決どおり再議決が行われている。この類型の拒否権を知事が行使したのは1件のみ（大阪府・大阪市特別区設置協議会委員の推薦に係る動議に対するもの）である。審査の申立てが行われたのは6件であり，機関訴訟の例はない。

**原処分主義**　千葉地判平成16・10・8判例集不登載は，市長が市議会の議決に対して県知事に審査の申立てをしたところ，棄却裁定が出されたため，市長が当該裁定の取消しを求める訴訟を提起した事案である。この事案において，地方自治法176条7項の規定に基づく訴訟については，裁決主義はとられておらず，議会を被告とする議決等の取消訴訟には原処分主義にかかる規定が準用されるので（行訴43条1項），議会の議決の違法を主張することは許されず，裁定の固有の瑕疵のみ主張することができると判示している。

***Column*　収支不能再議規定の削除**

普通地方公共団体の議会の議決について，収入または支出に関し執行することができないものがあると認めるときは，当該普通地方公共団体の長は，理由を示してこれを再議に付さなければならない旨の規定が設けられていた（自治旧177条1項）。収入または支出に関し執行することができないものがあると認めるときとは，その議決の執行が事実上不可能である場合を意味する。法的に執行不能の場合には，地方自治法176条4項の問題となり，理由を示して再議に付しまたは再選挙を行わせなければならない。収入または支出に関し執行することができない議決とは具体的には，歳出に比べて歳入が不足する予算の議決，予算額と著しく均衡を失するような低率の地方税税率の議決等である。再議の結果，議会が従前と同様の議決をした場合には，当該議決は確定することになる。この収支不能再議については，違法なものは違法再議の対象となり，事実上収支不能であるものは一般再議の対象にすれば足りることから，この規定を廃止する地方自治法改正が2012年の通常国会で行われた。

議会において，①法令により負担する経費，法律の規定に基づき当該行政庁の職権により命ずる経費その他の普通地方公共団体の義務に属する経費，②非常の災害による応急もしくは復旧の施設のために必要な経費または感染症予防のために必要な経費を削除しまたは減額する議決をしたときは，その経費およびこれに伴う収入についても，普通地方公共団体の長は，理由を示してこれを再議に付さなければならない（自治177条1項）。①の経費を削除しまたは減額する議決を再議に付し，議会の議決がなおその経費を削除しまたは減額したときは，当該普通地方公共団体の長は，その経費およびこれに伴う収入を予算に計上してその経費を支出することができる（同条2項）。

**Column　強制予算制**

市制118条，町村制122条においては，法律勅令等によって負担し，または官庁の職権で命じられた支出の予算措置を市町村が講じない場合，再議の手続を経ずに府県知事等が予算措置を講ずることができる強制予算制が定められていた。これが，上記①の前身になる規定であるが，①では，対象が法令に基づく経費に限定され，再議の手続を経ることを要し，最終的に支出を強制するのは監督官庁ではなく，当該地方公共団体の長である点で，市制・町村制の強制予算制と異なる[26]。

②については，議会が過半数でなお災害応急経費を削除し，または減額したときは，当該普通地方公共団体の長は，その議決を不信任の議決とみなすことができる（同条3項）。②については，地方自治法制定当初，数件の適用例が存在するが，その後50年余の間，適用実績がなかったこと，過半数の再議決で不信任議決とみなされることは，本来，不信任議決は4分の3以上の特別多数決で行われることと均衡を失していることから，①と同様，原案執行権に統一することが検討されている。なお，2016年（熊本県和水町），2017年（兵庫県三木市）に，各1件，②を理由として再議に付された件があり，いずれも再議が認容されている。

このように，特別拒否権の効果は，議決の性質に応じて異なることに留意する必要がある。1999年4月1日から2021年3月31日までの22年間において，都道府県知事が特別拒否権を行使した例は2件，市町村長が特別拒否権を行使した例は129件ある。

**Column　条例の公布**

地方自治法旧16条2項は，普通地方公共団体の長は，議長から条例の送付を受けた場合において，再議その他の措置を講ずる必要がないと認めるときは，その日から20日以内にこれを公布しなければならないと定めていた。2010年の6月定例会で名古屋市議会が可決した3条例について，河村たかし市長は，9月定例会で再議に付すことも含めた検討を行うとして，送付を受けてから20日以内に公布しなかった。こ

26）　都丸泰助・地方自治制度史論（新日本出版社，1982年）46～47頁参照。

のように，再議その他の措置を講ずる必要があると長が認めれば，再議その他の措置を講じないまま，長期にわたり条例の効力が生じないことになるおそれがあることが，この事件により広く認識されるようになった。そのため，2012年の通常国会において，長は，再議その他の措置を講ずる場合を除き，20日以内に条例を公布しなければならないとする地方自治法改正が行われた（自治16条2項）。

(ウ) 地方公共団体財政健全化法に基づく拒否権　議会が財政再生計画の策定または変更に関する議案を否決したとき，財政再生計画に対する総務大臣の同意を求める協議に関する議案を否決したとき，財政再生計画の達成ができなくなると認められる議決をしたときは，地方公共団体の長は，当該議決があった日から起算して10日以内に，理由を示してこれを再議に付することができる（地財健全化17条）。

(エ) 議会に出席する義務　普通地方公共団体の長は，議会の審議に必要な説明のために議長から出席を求められたときは，議場に出席しなければならない（自治121条）。内閣総理大臣も，答弁または説明を求められたときは，議院に出席しなければならないが，いつでも議案について発言するため議院に出席することができるのに対して（憲63条），長は議長からの求めなしに議会に出席することはできない。そこに，首長主義と議院内閣制の差異が表れている。鹿児島県の当時の阿久根市長は，議長の求めにかかわらず2010年3月の定例会への出席を拒否したため，市議会で問責決議が可決された。

(オ) 専決処分

①法律の規定による専決処分（法定代理的専決処分）　i 普通地方公共団体の議会が成立しないとき，ii 地方自治法113条ただし書が定める定足数の例外が認められる場合においてなお会議を開くことができないとき，iii 普通地方公共団体の長において議会の議決すべき事件について特に緊急を要するため議会を招集する時間的余裕がないことが明らかであると認めるとき，または iv 議会において議決すべき事件を議決しないときは，当該普通地方公共団体の長は，その議決すべき事件を処分することができる（自治179条1項）。甲府地判平成24・9・18判例自治363号11頁は，地方公共団体の長が，専決処分権が与えられた趣旨をことさら潜脱する目的でこれを行使した場合には，当該専決処分は違法になると判示している（その控訴審の東京高判平成25・5・30判例自治385号11頁は，長が議会の

議決がない状態を作出したとはいえないとした)。また，東京高判平成25・8・29判時2206号76頁は，「議会において議決すべき事件を議決しないとき」について，議決を欠く事態が出現すれば直ちにこれに当たるのではなく，長にとって議会の議決を得ることが社会通念上不可能ないしこれに準ずる程度に困難と認められる場合でなければならないとして，議会が故意に議決を回避したものではなかった等の事情にかんがみ，市長の専決処分を違法とした（最決平成27・1・15判例集未登載は上告棄却，上告申立て不受理)。専決処分をした場合，普通地方公共団体の長は，次の会議においてこれを議会に報告し，その承認を求めなければならない（同条3項)。第28次地方制度調査会答申を受けた2006年の地方自治法改正前は，「議会を招集する暇がないと認めるとき」という文言が用いられていたが，この要件が恣意的に解釈され，専決処分が濫用されることを防止するため，上記のように，要件を明確化する改正がなされた。

**運用状況**　2018年1月1日から同年12月31日までの1年間について，926町村議会を対象に行われた調査によれば，地方自治法179条の規定に基づく専決処分は5191件あり，予算が約51.8%で最も多く，条例が約37.3%でこれに次いでいる。この両者でほとんどを占め，契約は約2.6%，その他が約8.3%になっている。1議会あたりの法定代理的専決処分の平均件数は約6.1件であり，議会で約99.8%が承認されている。法定代理的専決処分が行われる理由としては，議会を招集する時間的余裕がないことが約94.5%を占めている（全国町村議会議長会『第65回町村議会実態調査結果の概要』2020年2月)。

***Column*　専決処分の適法性**

鹿児島県阿久根市の当時の竹原信一市長は，2010年6月の定例会を招集せず，また，議長からの臨時会招集要請にも応じず，期末手当削減条例，議員報酬日当制条例，税・手数料引下げ条例，補正予算等を専決処分した。そのため，鹿児島県知事が同年7月2日，是正の勧告を行ったことは前述したとおりである。鹿児島県知事は，同月23日にも，臨時会を招集して，補正予算の議決を得るように是正の勧告を行った。しかし，阿久根市長は，その後も，行政委員会委員日当制条例，副市長選任を専決処分した。ようやく同年8月25日に臨時会が招集され，19件の専決処分のうち，法改正に伴うもの以外の14件は承認されなかった。しかし，阿久根市長は昭和26年8月15日の行政実例を根拠として専決処分は有効であると主張した。他方，千葉地判平成19・3・9判例自治304号15頁は，専決処分の要件を満たしていない場合，専決処分による条例は違法であり無効であると判示している。また，青森地判昭和52・10・18判時895号65頁は，法定の要件を満たさず，重大明白な瑕疵ある専決処分は無効であるとする[27)]。阿久根市の事件を受けて，2012年の通常国会において，副知事，副市長村長の選任を専決処分で行うことを否定し（自治179条1項ただし書），また，議会が条例の制定もしくは改廃または予算に関する処置にかかる専決処分を承認しなかった場合には，長に条例改正案の提出，補正予算案の提出等の必要な措置を講じ議会に報告することを義務づける（同条4項）地方自治法改正が行われた。さらに，2014年の改正で，指定都市の総合区長の選任についても，専決処分を行うことはできないとされた（同条1項ただし書）。

②議会の委任による専決処分（任意代理的専決処分）　普通地方公共団体の議会の権限に属する軽易な事項で，その議決により特に指定したものは，普通地方公共団体の長において，これを専決処分にすることができる（同180条1項）。議会の委任による専決処分をしたときは，普通地方公共団体の長は，これを議会に報告しなければならない（同条2項）。選挙管理委員会の委員の選挙のように，議会の権限とする個別の規定が置かれているものは，委任専決処分の対象とすることはできない。

地方自治法96条1項12号は普通地方公共団体が当事者である「和解」を議会の議決事項としているが，東京高判平成13・8・27判時1764号56頁［百選71］は，地方自治法180条1項が，特に軽微な事項に限って長の専決処分にゆだねることができる旨を規定していることからすると，およそ訴訟上の和解のすべてを無制限に知事の専決処分とすることは同法の許容するところではないというべきであり，このような議決がされた場合には，議会にゆだねられた裁量権の範囲を逸脱するものとして，違法と評価されるとし，東京都が応訴した訴訟事件にかかる和解のすべてを知事の専決処分とした本件議決は，地方自治法180条1項に違反する無効なものというほかはないとする。この事案においては，東京都知事を被告とする住民訴訟が提起されたのであるが，同判決は，知事は，知事の専決処分とした議決が一義的明白に違法であるといえるような場合でない限り，議決に従って専決処分を行うことを義務づけられるから，議決が一義的明白に違法とはいえない専決処分により和解した知事の不法行為責任は生じないとした（最決平成14・6・14判例集不登載は上告不受理）。

27)　三野靖「専決処分（地方自治法179条）」法教361号（2010年）2頁以下。

# II　委員会および委員

## 1 意　　義

地方公共団体は，長の下で総合行政が行われる点に特色があるが，政治的中立性が強く要求される分野であって長から職権行使の独立性を保障された機関を設けることに意味がある場合（選挙管理委員会，人事委員会，公安委員会，教育委員会，監査委員等），専門技術的知識が必要とされるため外部の学識経験者の判断にゆだねることが適当な場合（収用委員会等），利害関係人の直接参加の要請が大きい場合（農業委員会，海区漁業調整委員会等）に，長から独立した執行機関が委員会または委員として設けられる。監査委員のみが独任制の執行機関（ただし，一定の場合には合議しなければならない）である。

## 2 必 置 機 関

地方自治法は，執行機関である委員会および委員のうち，必置機関を以下のように定めている。普通地方公共団体の必置機関である委員会および委員は，教育委員会，選挙管理委員会，人事委員会（人事委員会を置かない普通地方公共団体にあっては公平委員会），監査委員である（自治180条の5第1項）。以上のほか，都道府県の必置機関である委員会は，公安委員会，労働委員会，収用委員会，海区漁業調整委員会，内水面漁場管理委員会である（同条2項）。そして，地方自治法180条の5第1項に掲げるもののほか，市町村の必置機関である委員会は，農業委員会，固定資産評価審査委員会である（同条3項）。執行機関に関しては，地方自治の本旨に照らして，委員会という組織構成のみ国家法で定め，具体的な設置は，地方公共団体にゆだねる方式のほうが適切であるとする指摘がある[28)]。第28次地方制度調査会は，教育委員会の設置は地方公共団体が，農業委員会の

---

28）　塩野・行政法Ⅲ 224頁参照。

設置は市町村が選択できるようにすることが適当である旨の答申を行った。地方分権改革推進委員会第3次勧告も，教育委員会の必置規制の廃止，農業委員会の必置規制（北海道では800ヘクタール，都府県200ヘクタールを超える農地を有する市区町村）の廃止を提言している。しかし，この点については，政府部内における調整がつかず，立法化されていない。

## 3　附属機関との差異

### (1)　執行機関法定主義

執行機関としての委員会および委員は，法律の定めるところにより置かれる（自治138条の4第1項）。条例で設置することはできない[29]。選挙管理委員会（同181条～194条），監査委員（同195条～202条）のように，組織の詳細が地方自治法で定められている場合もあるが，教育委員会（教育行政2条～29条），人事委員会・公平委員会（地公6条～12条），都道府県公安委員会（警38条～46条の2），収用委員会（収用51条～66条），都道府県労働委員会（労組19条の12～24条），農業委員会（農委3条～41条），海区漁業調整委員会（漁業84条～102条）のように，組織の詳細は個別法で定められている場合もある。

執行機関法定主義の理由は，執行機関の設置は，地方公共団体の組織の根本に関する事項であるからとされる。地方公共団体が情報公開条例で審査会を設置する場合も，執行機関法定主義のゆえに，条例で裁決機関としての審査会を設けることはできず，そのため，諮問機関としての審査会を設置するにとどめざるをえない。執行機関法定主義については，その緩和を主張する意見が少なくない。

執行機関の附属機関である自治紛争処理委員，審査会，審議会，調査会その他の調停，審査，諮問または調査のための機関は，法律または条例の定めるところにより設置できるのが原則である（自治138条の4第3項本文）。したがって，普通地方公共団体自らの判断で条例により設置することが可能である。これは，附

---

29)　この点については異論もある。兼子仁・新地方自治法（岩波書店，1999年）107頁参照。少なくとも，情報公開審査会の裁定機関化は条例により可能とするものとして，稲葉馨「自治組織権と附属機関条例主義」塩野宏先生古稀記念『行政法の発展と変革㈦』（有斐閣，2001年）339頁参照。

属機関は，執行機関と異なり，自ら地方公共団体の意思を外部に表示することはできないからとされる。

**Column　附属機関条例主義**

法律で定められた附属機関以外は，条例で定めなければならないため，長が要綱等により設置した諮問機関は，附属機関条例主義に反するとして，住民訴訟が提起され，附属機関条例主義に反し違法であるが過失がないとするもの（大阪地判平成 26・9・3 判例自治 409 号 26 頁，大阪高判平成 27・6・25 判例自治 409 号 16 頁），違法であり過失もあるとしたもの（広島高岡山支判平成 21・6・4LLI/DB L06420347，奈良地判平成 25・6・25 判例自治 382 号 77 頁，甲府地判平成 31・1・29LLI/DB L0745013）がある一方，「附属機関」該当性を否定し，附属機関条例主義に反しないとしたもの（松江地判平成 25・8・5 判例自治 375 号 16 頁）もある。附属機関条例主義は，議会による民主的統制の理念に立脚するものであるが，地方公共団体においては，首長も直接公選され，強力な民主的基盤を有するので，首長の自主組織権の観点から附属機関条例主義を広範に適用することには疑問が提起されている[30)]。

また，普通地方公共団体の委員会は，一定の制約の下で法規たる規則その他の規程を定めることができる点も，附属機関と異なる（同条２項）。附属機関を組織する委員その他の構成員は非常勤であり（同 202 条の３第２項），その庶務は，原則として，その属する執行機関においてつかさどる（同条３項）。

**Column　私的諮問機関**

実際には，条例に基づかず要綱等により設置される懇談会・委員会・研究会等のいわゆる私的諮問機関が少なくない。私的諮問機関といっても公的機関であることは間違いなく，この呼称は必ずしも適切ではない。しばしば，私的諮問機関で重要な政策の方向性が決定され，条例に基づく審議会等以上に実際上の意義が大きい場合がある。市長が条例によらず私的諮問機関を設置し，委員に報酬を支払ったことが住民訴訟で争われた事案において，広島高岡山支判平成 21・6・4 判例集不登載は，議会の議決なしに長が委員会を設置することは違法として，委員報酬全額について市長に返還を

30）　附属機関条例主義の射程について，稲葉馨「自治組織権と附属機関条例主義」塩野宏先生古稀記念『行政法の発展と変革(下)』（有斐閣，2001 年）333 頁以下，碓井光明「地方公共団体の附属機関等に関する若干の考察(上)(下)」自治研究 82 巻 11 号（2006 年）53 頁以下，82 巻 12 号（2006 年）22 頁以下，中川丈久「地方自治法における附属機関の法定主義の意義と射程(1)(2・完)」自治研究 94 巻 11 号（2018 年）3 頁以下，94 巻 12 号（2018 年）3 頁以下，高橋正人「附属機関（設置）条例主義と判例・学説」静岡大学法政研究 26 巻 2＝3＝4 号（2022 年）21 頁以下参照。

求めるよう義務づける判決を下している。

### (2) 行政庁としての性格

執行機関としての委員会および委員は，自己の名において対外的に当該地方公共団体の意思を表示しうる権能を持つ点で，執行機関の附属機関と異なるとされるが，執行機関の附属機関の中にも，かかる権能を与えられているものがある。例えば，都道府県および指定都市等に置かれる開発審査会（都計78条1項），建築主事を置く市町村および都道府県に置かれる建築審査会（建基78条1項）は，審査請求に対する裁決を行う機関であり（都計50条，建基94条），行政庁としての性格を持っているが，執行機関としての委員会ではなく，執行機関の附属機関として位置づけられている。このように，執行機関としての委員会と附属機関との差異は必ずしも明瞭でない面がある（→宇賀・概説Ⅲ1編10章*2*(4)）。

**Column 鳥取県人権侵害救済推進及び手続に関する条例**

2005年に制定された「鳥取県人権侵害救済推進及び手続に関する条例」は，人権救済推進委員会を設け，同委員会に加害者等への勧告権限および正当な理由なく勧告に従わない場合の公表権限を付与した。地方自治法上，附属機関として位置づけられる機関に対外的な勧告権限や公表権限も付与したことは，執行機関の権限の付与にならないか，そうであるとすると執行機関法定主義に反しないかという議論がありうるが，同条例は，2009年3月に成立した「鳥取県人権尊重の社会づくり条例の一部を改正する等の条例」により，施行されないまま廃止されることになった。

## *4* 長との関係

### (1) 委員会・委員の権限外の事項

普通地方公共団体の長が総合行政の責任を負っているのに対して，他の執行機関は特定の事務のみを所掌する。さらに，①普通地方公共団体の予算を調製し，およびこれを執行すること，②普通地方公共団体の議会の議決を経べき事件につきその議案を提出すること，③地方税を賦課徴収し分担金もしくは加入金を徴収し，または過料を科すること，④普通地方公共団体の決算を議会の認定に付することは，法律に特別の定めがある場合を除いて，委員会または委員の権限に属さない（自治180条の6）。これらの事務については，委員会または委員の所掌事務に関するものであっても，長が担任する（同149条1号～4号）。

**Column　委員会の意向に反した長による控訴断念**

那覇地判平成30・1・16判例集未登載は，沖縄県に対して国家賠償法1条1項の規定に基づき損害賠償の支払を命じたところ，沖縄県警察本部は，同判決を不服として控訴するための議案を作成し，同警察本部長，県公安委員会委員長らの決裁を得て，県議会の議決を得る準備を整えた。しかし，県知事Aは，控訴しないこととし，同判決は確定し，県は損害賠償金を支払った。原告らは，県知事が控訴しなかったことが，違法な不作為であるとして，前知事A（訴訟係属中Aが死亡したため，Aの相続人に対する賠償請求を行うことを求める訴えになった）に対して県が支払った損害賠償金と同額の賠償請求をすることを求めて，現知事Bを被告とする住民訴訟を提起した。那覇地判平成31・3・15判例集未登載は，(i)Aが控訴にかかる議案を議会に提出したとしても，県議会の賛成議決が得られたかは定かではなく，また，賛成議決が得られたとしても，それにより直ちに第1審判決の効力が失われるわけではなく，同判決が変更されるかは上訴審の判断にかかるものであり，その判断の結果も定かではないから，本件不作為が直ちに本件支出に結び付いたとはいえず，本件不作為について，地方自治法242条1項にいう「債務その他の義務の負担」をしたものとはいえず，財務会計行為に当たるとは認められないこと，(ii)都道府県公安委員会は都道府県警察の管理権限を有するが（同法180条の9第1項），議会との関係における事務については権限を有さず（同法180条の6第2号），議案を作成し提案する最終権限は知事にあること（同法149条1号），(iii)同法は，長に委員会の所轄権限および総合的調整権を与えることで，行政機能の一体性を確保しようとしているから，知事が他の執行機関の所掌事項に関する議案についても，県の長としての観点から，これを判断し決定する権限を有していること，を指摘し，Aの判断が県公安委員会の考えに沿わないことをもって，Aの判断に裁量権の逸脱または濫用があることにならないのは明らかであると判示した。その控訴審の福岡高判令和元・9・12判例集未登載は，第1審の判決を是認して控訴を棄却した。

### (2)　事務の委任および補助執行

普通地方公共団体の長は，その権限に属する事務の一部を，当該普通地方公共団体の委員会または委員と協議して，普通地方公共団体の委員会，委員会の委員長（教育委員会にあっては，教育長），委員もしくはこれらの執行機関の事務を補助する職員等に委任し，またはこれらの執行機関の事務を補助する職員等をして補助執行させることができる（自治180条の2本文）。

逆に，委員会または委員は，その権限に属する事務の一部を，長と協議して，長の補助機関である職員等に委任したり，補助執行させたりすることができる（自治 180 条の 7）。

#### (3)　職員の融通

また，普通地方公共団体の長は，当該普通地方公共団体の委員会または委員と協議して，その補助機関である職員を，当該執行機関の事務を補助する職員もしくはこれらの執行機関の管理に属する機関の職員と兼ねさせ，もしくは当該執行機関の事務を補助する職員もしくはこれらの執行機関の管理に属する機関の職員に充て，または当該執行機関の事務に従事させることができる（自治 180 条の 3）。

#### (4)　長の勧告権

さらに，長の総合調整権の一環として，普通地方公共団体の長は，各執行機関を通じて組織および運営の合理化を図り，その相互の間に権衡を保持するため，委員会または委員の事務局等の組織，事務局等に属する職員の定数またはこれらの職員の身分取扱いについて，委員会または委員に必要な措置を講ずべきことを勧告することができる（自治 180 条の 4 第 1 項）。

#### (5)　長との協議義務

普通地方公共団体の委員会または委員は，事務局等の組織，事務局等に属する職員の定数またはこれらの職員の身分取扱いで当該委員会または委員の権限に属する事項のうち政令で定めるものについて，当該委員会または委員の規則その他の規程を定め，または変更しようとする場合においては，あらかじめ当該普通地方公共団体の長に協議しなければならない（自治 180 条の 4 第 2 項）。

### *5*　委員の選任方法

#### (1)　選挙管理委員

委員会または委員の選任方法は多様である。選挙管理委員は，選挙権を有する者で，人格が高潔で，政治および選挙に関し公正な識見を有するもののうちから，普通地方公共団体の議会において選挙する（自治 182 条 1 項）。

### (2) 都道府県公安委員会の委員

都道府県公安委員会の委員は，当該都道府県の議会の議員の被選挙権を有する者で，任命前5年間に警察または検察の職務を行う職業的公務員の前歴のないもののうちから，都道府県知事が都道府県議会の同意を得て任命する（警39条1項本文）。職業的公務員の前歴にかかる制限を設けたのは，官僚的でない者による警察行政の民主的統制（layman control）を意図したものである。また，委員の任命については，そのうち2人以上（都，道，府および指定県にあっては3人以上）が同一の政党に所属することとなってはならない（同条3項）とされているのは，公安委員会の政治的中立性を保障するためである。

### (3) 人事委員会・公平委員会の委員

人事委員会・公平委員会の委員は，人格が高潔で，地方自治の本旨および民主的で能率的な事務の処理に理解があり，かつ，人事行政に関し識見を有する者のうちから，議会の同意を得て，地方公共団体の長が選任する（地公9条の2第2項）。委員の選任については，3人の委員のうち2人が，同一の政党に属する者となることになってはならない（同条4項）。

### (4) 収用委員会の委員

収用委員会は，委員7人をもって組織される（収用52条1項）。さらに，就任の順位を定めて，2人以上の予備委員を置かなければならないとされている点に特色がある（同条2項）。委員および予備委員は，法律，経済または行政に関してすぐれた経験と知識を有し，公共の福祉に関し公正な判断をすることができる者のうちから，都道府県の議会の同意を得て都道府県知事が任命する（同条3項）。

### (5) 教育委員

教育委員については，1948年，教育委員会法で公選とされたが，政治的中立性を損なうという理由で，1956年，「地方教育行政の組織及び運営に関する法律」で公選制が廃止され，地方公共団体の長が議会の同意を得て任命することとされた（教育行政4条2項）。教育長および委員の任命については，そのうち委員の定数に1を加えた数の2分の1以上の者が同一の政党に所属することになってはならないとされているのは（同条4項），教育委員会の政治的中立性を確保するためである。委員のうちに保護者である者が含まれなければならないとされている点に特色がある（同条5項）。

***Column*　教育委員準公選条例**

1978年，中野区で，住民の条例制定の直接請求に基づいて教育委員の準公選制条例が可決された[31]。この条例は，区長が教育委員の人選をするに当たって，区民投票結果を尊重するというものである。この条例案が可決された際，区長は違法な条例案であるとして再議に付したが（自治176条4項），議会は再度，同条例案を可決したため，区長は都知事に審査を申し立てた（同条5項）。都知事はこの条例は適法であると裁定し，区長はこれに対して出訴せずに適法性が確定した。その後，同条例に基づく区民投票の投票率の低下から，中野区でも条例の見直しの動きが起き，1994年1月31日をもって，同条例は廃止されることになった。これに代わり，区民推薦制度が区長の要綱に基づき1996年4月1日から開始された。大阪府高槻市でも，1984年，教育委員準公選制条例制定の直接請求が成立したが，1985年，議会はこの議案を否決した。

### ⑹　都道府県労働委員会の委員

都道府県労働委員会は，使用者委員，労働者委員および公益委員各13人，各11人，各9人，各7人または各5人のうち政令で定める数のものをもって組織する。ただし，条例で定めるところにより，当該政令で定める数に使用者委員，労働者委員および公益委員各2人を加えた数のものをもって組織することができる（労組19条の12第2項）。使用者委員は使用者団体の推薦に基づいて，労働者委員は労働組合の推薦に基づいて，公益委員は使用者委員および労働者委員の同意を得て，都道府県知事が任命する（同条3項）。

---

31）　中野区編『教育委員準公選の記録――中野の教育自治と参加のあゆみ1』（総合労働研究所，1982年），同編『教育委員準公選の記録――中野の教育自治と参加のあゆみ2』（エイデル研究所，1986年），同編『教育委員準公選の記録――中野の教育自治と参加のあゆみ3』（エイデル研究所，1990年），同編『教育自治と住民参加――教育委員準公選の記録4』（エイデル研究所，1994年），兼子仁＝神田修編『資料 中野区・教育委員準公選を知るために』（エイデル研究所，1985年），黒田秀俊『教育は誰のものか：教育委員準公選運動の記録』（教育史料出版会，1980年），長田三男『中野区教育委員準公選制実施の経緯』（毎日文庫，1985年）等。

### (7) 農業委員会の委員

農業委員会の委員は，かつては，選挙による委員と選任による委員からなった（農委旧4条2項)。選挙による委員は，①都府県にあっては10アール，北海道にあっては30アール以上の農地につき耕作の業務を営む者，②上記①の者の同居の親族またはその配偶者（その耕作に従事する日数が農林水産省令で定める日数に達しないと農業委員会が認めた者を除く)，③上記①に規定する面積の農地につき耕作の業務を営む農業生産法人の組合員，社員または株主（その耕作に従事する日数が農林水産省令で定める日数に達しないと農業委員会が認めた者を除く）で，当該農業委員会の区域内に住所を有する20歳以上の者の選挙によった（同旧7条・8条)。選任による委員は，①農林水産省令で定める農業協同組合，農業共済組合および土地改良区がそれぞれ推薦した理事（経営管理委員を置く農業協同組合にあっては，理事または経営管理委員）または組合員各1人，②当該市町村の議会が推薦した農業委員会の所掌に属する事項につき学識経験を有する者4人（条例でこれより少ない人数を定めているときはその人数）以内を，市町村長が選任することとされていた（同旧12条)。

農業委員会の実務的機能を強化するため，2015年に農業委員会等に関する法律が改正され，農業委員の選挙制度は廃止され，市町村長が議会の同意を得て任命することになり，委員の定数も削減された。他方，農地利用の集積・集約化および耕作放棄地の発生防止・解消等の地域における現場活動を担う農地利用最適化推進委員制度を設け，農業委員会が委嘱することとされた（17条）[32]。

***Column*　農業改革特区**

2014年5月1日，国家戦略特区として政令で指定された「養父市中山間農業改革特区」では，養父市長と同市農業委員会との合意に基づき，同市内全域について，農地等の権利の設定・移転にかかる農業委員会の事務のすべてを市長が行う特例が認められている。これにより，農業委員会は，農地のあっせん，遊休農地の解消等に力を注ぐことができるようになり，農地の流動化が円滑に進行することが期待されている。

### (8) 海区漁業調整委員会の委員

都道府県知事が議会の同意を得て任命する（漁業138条1項)。2020年12月1日に委員公選制は廃止された。これにより，公選制行政委員会は終焉を迎えることになった[33]。

32）　同年の農業委員会等に関する法改正について，後藤智「自治体行政委員会，公共組合の変容と地方自治」晴山一穂＝白藤博行＝本多滝夫＝榊原秀訓編著『官僚制改革の行政法理論』（日本評論社，2020年）257頁以下参照。

### ⑼　内水面漁場管理委員会の委員

内水面漁場管理委員会の委員は，当該都道府県の区域内に存する内水面において漁業を営む者を代表すると認められる者，当該内水面において水産動植物の採捕をする者を代表すると認められる者および学識経験がある者の中から都道府県知事が選任した者をもって充てる（漁業131条2項）。

### ⑽　監査委員

監査委員は，普通地方公共団体の長が，議会の同意を得て，人格が高潔で，識見を有する者（議員である者を除く）および議員のうちから選任するが，条例で議員のうちから選任しないことができる（自治196条1項）。

### ⑾　固定資産評価審査委員会の委員

固定資産評価審査委員会の委員は，当該市町村の住民，市町村税の納税義務がある者または固定資産の評価について学識経験を有する者のうちから当該市町村の議会の同意を得て，市町村長が選任する（地税423条3項）。

## *6*　委員会の組織

### ⑴　教育長

委員会の組織も一様ではない。教育委員会は，教育長および4人の委員をもって組織することを原則とする（教育行政3条本文）。教育長は，当該地方公共団体の長の被選挙権を有する者で，人格が高潔で，教育行政に関し識見を有するもののうちから，地方公共団体の長が，議会の同意を得て任命する（同4条1項）。教育長は，教育委員会の会務を総理し，教育委員会を代表する（同13条1項）。教育委員会の会議を招集するのも教育長である（同14条1項）。

**_Column_　教育委員会制度改革**

2014年の地方教育行政の組織及び運営に関する法律の改正前は，教育委員会の指

33）　島村健「地方行政組織の構成原理に関する一考察（上）（下）――公選制行政委員会の終焉に寄せて」太田匡彦＝山本隆司編『行政法の基礎理論――複眼的考察』（日本評論社，2023年）51頁以下（島村健執筆）。

揮監督の下に，教育委員会の権限に属するすべての事務をつかさどる教育長が置かれていた。教育長は，当該教育委員会の委員（委員長を除く）である者のうちから，教育委員会が任命していた。教育長の任命について承認制（都道府県・指定都市は文部大臣，市町村は都道府県知事）がとられていた時期もあったが，地方分権改革により，承認制は廃止された。教育委員会形骸化という批判への対応として，2007年の法改正で，教育長に委任できない事項（教育に関する事務の管理および執行の基本的な方針に関すること，教育委員会規則その他教育委員会の定める規程の制定または改廃に関すること等）が明確化された。2011年に発生した大津市いじめ事件で教育委員会の対応が批判されたことが大きな契機になり，2012年衆議院議員選挙における自由民主党の選挙公約では，地方教育行政が非常勤の委員を中心とした教育委員会により担われている点を問題とし，首長が議会の同意を得て任命する常勤の教育長を教育委員会の責任者とするなど，教育委員会制度を抜本的に改革するとした。

これを受けた2014年の法改正で，首長が任命する教育長が教育委員会を代表することになった。教育長は常勤で（教育行政11条4項），任期は3年（同5条1項），委員は非常勤で（同12条2項），任期は4年である（同5条1項）。地方公共団体の長は，地方公共団体の長および教育委員会を構成員とする総合教育会議を設けるものとされ，総合教育会議は，教育を行うための諸条件の整備その他の地域の実情に応じた教育，学術および文化の振興を図るため重点的に講ずべき施策および児童，生徒等の生命または身体に現に被害が生じ，またはまさに被害が生ずるおそれがあると見込まれる場合等の緊急の場合に講ずべき措置についての協議ならびにこれらに関する構成員の事務の調整を行うこととされている（同1条の4第1項・2項）。また，地方公共団体の長は，当該地方公共団体の教育，学術および文化の振興に関する総合的な施策の大綱を総合教育会議と協議して定めるものとされている（同1条の3）。

なお，2012年5月25日に制定された大阪市教育行政基本条例[34]は，市長が教育委員会と協議して教育振興基本計画案を作成し，市会の議を経て決定することとしており，2014年の地方教育行政の組織及び運営に関する法律の改正内容を実質的に先取りした面を持つが，教育振興基本計画を議会の議決事項としている点，教育振興基本計画の進捗状況の点検評価の結果に基づいて，市長が教育委員会委員の罷免事由に該当するかを判断することができるとしている点に特色がある。

### (2) 事務局

委員会の事務局については，教育委員会のように設置が法定されている場合も

34）　同条例について，大森彌「自治体の首長⑯」自治実務セミナー53巻9号（2014年）6頁以下参照。

あるが（教育行政17条1項），公安委員会のように設置が認められていないもの（警44条参照），選挙管理委員会のように一定の職員を置くことが義務づけられているが（都道府県および市の場合は書記長，書記その他の職員，町村の場合は書記その他の職員。自治191条1項），事務局の設置は任意であるもの等，統一されていない。また，収用委員会のように，委員会の事務を整理させるために必要な専任職員を置くことを原則とするが，当該都道府県の内部組織において当該委員会の事務を整理させることが認められている例もある（収用58条1項・3項）。収用委員会の専任職員を都道府県知事が任命するに当たっては，収用委員会会長の同意を得なければならない（同条2項）とされていることも注目に値する。

## *7*　会議の公開

アメリカでは，1976年に政府日照法（Government in the Sunshine Act）が制定され，連邦政府の行政委員会の会議は原則として公開することが義務づけられた。わが国では，1948年に制定された旧教育委員会法が，会議公開原則を採用していたが，旧教育委員会法に代わるものとして1956年に制定された「地方教育行政の組織及び運営に関する法律」は，当初，教育委員会の会議公開原則を採用していなかった。しかし，実際には，教育委員会規則により会議公開原則を定めることが多かった。そして，2001年の同法改正により，再度，教育委員会公開原則が採用されることとなった。旧教育委員会法では，出席委員の3分の2以上の多数で議決をしたときは秘密会を開くことができるとしていた。非公開のまま秘密会とする旨の議決をした瑕疵が，当該会議で決定された懲戒免職処分の取消事由になるかが争われたのが旭川中学事件である。最判昭和49・12・10民集28巻10号1868頁［百選〔3版〕63］は，瑕疵の程度が軽微であり，懲戒免職処分を取り消すべき事由には当たらないと判示した。市町村に置かれる行政委員会である固定資産評価審査委員会の場合，1999年までは，申立人から申請があれば，特別の事情がある場合を除き公開で口頭審理を行わなければならなかったが，1999年改正により，申立人の申立てがあっても口頭で意見を述べる機会を付与すれば足り，必要がある場合に公開による口頭審理を行うことができるとされた（地税433条6項）。すなわち，審理公開原則は廃止されたのである（なお，収用委員会は，原則として公開で審理を行う。収用62条）。

**Column　人事委員会または公平委員会の議事録の閲覧**

人事委員会または公平委員会が免職処分等の行政処分を行う場合，被処分者がその議事録の閲覧や写しの交付を請求できるかという問題がある。公務員の免職処分には，行政手続法3章の不利益処分の規定が適用されないため（行手3条1項9号），同法18条に基づく文書等閲覧請求権の規定は適用されない。また，人事委員会または公平委員会により免職処分を受けた職員は，行政不服審査法により審査請求を行うことができるが（地公49条の2第1項），この審査請求については，行政不服審査法2章の規定は適用されないから（同条3項），同法38条の提出書類等閲覧請求権の規定も適用されない。そして，審査請求の手続に関し必要な事項は人事委員会規則または公平委員会規則で定められている（地公51条）。かつては，人事委員会規則または公平委員会規則で議事録の閲覧が認められていない以上，審査請求人に議事録閲覧請求権はないと一般に解されていた（最判昭和39・10・13民集18巻8号1619頁［百選〔3版〕64］）。しかし，今日では，すべての普通地方公共団体，特別区には個人情報保護条例が存在するから，個人情報保護条例に基づき自己に対する処分にかかる議事録の開示を請求することができる。その場合，個人情報保護条例に定められた不開示事由に該当しない限り開示が義務づけられることになる。

## *8*　委員の報酬

監査委員は常勤であるが，委員会の委員は非常勤であるのが原則である（ただし，都道府県労働委員会の公益委員のうち2名以内は，条例の定めるところにより常勤とすることができる。労組19条の12第6項・19条の3第6項。また，東京都，大阪府および兵庫県の収用委員会の委員は各収用委員会につき，それぞれ1名常勤とすることができる〔収用52条7項ただし書，収用令1条の11〕）。地方自治法203条の2第2項本文は，非常勤の者に対する報酬は，勤務日数に応じて支給するとし，同項ただし書は，条例で特別の定めをした場合はこの限りでないとしている。

**Column　滋賀県選挙管理委員会月額制委員報酬事件**

「滋賀県特別職の職員の給与等に関する条例」において，労働委員会，収用委員会，選挙管理委員会の委員報酬について月額制を採用していたところ，滋賀県の住民が滋賀県知事に対し，被告が滋賀県労働委員会，収用委員会および選挙管理委員会の各委員に月額報酬を支給しているのは違法であるとして，その支出の差止めを求めた。大津地判平成21・1・22判時2051号40頁は，普通地方公共団体の委員会または委員は，法律に定めがあるものを除くほか，非常勤とすると規定され，委員会の非常勤の委員に対しては報酬を，委員会の常勤の委員に対しては給料および旅費をそれぞれ支給しなければならないとし，委員会の委員を非常勤のものと常勤のものとで明確に区別して規定していることを指摘する。そして，非常勤の委員に対し常勤の委員に対するのと同様な生活給的色彩を持つ給与を支給することは，法の予定するところではないといわざるをえないとする。したがって，これらの非常勤職員に対する報酬は，生活給としての意味を全く有さず，純粋に勤務実績に対する反対給付としての性格のみを有するから，勤務日数に応じた支給を原則とし，勤務日数によらずに月額制を採用しうるのは，その業務の繁忙度等から，その勤務実態が常勤の職員と異ならないといえる場合に限られるとする。そして，本件の委員の近時の勤務実態は，到底常勤職員と異ならないとはいえないから，月額制を定める条例は，地方自治法203条の2第2項の趣旨に反し無効として差止めを認めた。その控訴審の大阪高判平成22・4・27判例自治331号53頁は，選挙管理委員長に対する支払の差止めを命ずる部分のみを取り消し，その余の控訴を棄却している。上告審の最判平成23・12・15民集65巻9号3393頁［百選81］は，月額制をとっていた2011年3月分までの労働委員会および収用委員会の各委員の報酬は，すでに全額が支給されていることが認められ，さらに，条例改正により，上記各委員会に関しては，日額制をとることとされ，上記改正条例は2011年4月1日から施行されているので，滋賀県が将来において上記各委員について月額報酬にかかる公金を支出する蓋然性は存しないとして，公金の支出の差止めを求める訴えは不適法と判示した。

そして，なお月額制がとられている選挙管理委員会の委員について，日額制以外の報酬制度をとる条例の規定が地方自治法203条の2第2項の規定に違反し違法，無効となるか否かについては，当該非常勤職員の職務の性質，内容，職責や勤務の態様，負担等の諸般の事情を総合考慮して，当該規定の内容が同項の趣旨に照らし裁量権の逸脱・濫用であるか否かにより判断すべきとする。

そして，①いわゆる行政委員会は，その事務について最終的な責任を負う立場にあること，②報酬制度の内容いかんによっては，当該普通地方公共団体における委員の確保に相応の困難が生ずるという事情があることも否定しがたいことを指摘する。そして，登庁日以外にも書類や資料の検討，準備，事務局等との打合せ等のために相応の実質的な勤務が必要となるものといえるし，その業務に必要な専門知識の習得，情報収集等に努めることも必要となることを併せ考慮すれば，選挙管理委員会の委員の業務については，形式的な登庁日数のみをもって，その勤務の実質が評価し尽くされるものとはいえず，国における非常勤の職員の報酬との実質的な権衡の評価が可能となるものともいえないとする。そして，以上の諸般の事情を総合考慮すれば，選挙管理委員について月額制をとることは，県議会の裁量権の逸脱・濫用とはいえないと判示している。

このように，最高裁は，行政委員会の委員の報酬を日額制にするか月額制にするかについて，議会の広範な裁量を認めており，また，その委員の勤務量を勤務日数のみで量るべきではないという立場をとっている。以上のとおり，この問題についての最高裁の基本的考え方は示されたが，同様の訴訟が全国各地で提起され，社会問題になったため，月額報酬制を日額報酬制に変更する動きが地方公共団体の間で広がっている。もっとも，月額報酬制を採用していたとしても，過大な報酬とはいえない場合には，そもそも地方公共団体には損害がないことになるので，問題の本質は，月額制か日額制かではなく，報酬額が適切か否かにあると思われる。

**その後の裁判例**　仙台地判平成23・9・15判例集不登載は，行政委員会委員の地位や職責に相応の負担を伴うことを考慮し，月額報酬制を採用することが一般的に不合理ということはできないとしつつ，当該事案においては，職務の内容，勤務の状況および市の財政状況に照らし，月額報酬制の採用は違法として差止めを認めている。東京地判平成25・10・16判時2218号10頁は，疾病により勤務実態がない場合のように，業務を全く行っていない者にも一律に月額報酬を全額支給することは違法と判示している。

## *9*　監査委員

### (1)　1991年改正

1980年，第18次地方制度調査会は，①監査委員の監査の対象および職務権限の拡大，②監査委員の職務の専門性および独立性の確保，③監査の実施体制の整備を答申（「地方行財政に関する当面の措置等についての答申」）したが，ようやく1991年に，以下のように監査制度に関する重要な改正が行われることになった。

監査委員は，普通地方公共団体の財務に関する事務の執行および普通地方公共団体の経営する事業の管理についての監査（財務監査）を行うが（自治199条1項），監査委員の職務権限が行政監査にも拡大され（同条2項），これに対応して，監査委員の要件として，「財務管理，事業の経営管理」に加えて，「行政運営に関し優れた識見を有する者」が加えられた（「人格が高潔」という要件も付加されている）（同196条1項）。従前，多くの地方公共団体において，助役退任後直ちに監査委員に任命されるなど，監査委員が幹部公務員の退職後のポストとして利用されてきた点に批判があったことにかんがみ，識見を有する者のうちから選任される監査委員の数が2人以上である普通地方公共団体にあっては，少なくともその

1人以上は，選任前5年間において当該普通地方公共団体の常勤職員および地方公務員法28条の5第1項に規定する短時間勤務の職を占める職員でなかった者でなければならないこととされた（自治旧196条2項，自治令旧140条の3）。これは，当該地方公共団体の前職員の就任を制限し，監査委員の長からの独立性を確保する趣旨である。

監査委員は独任制の機関として構成されているが，監査の慎重を期するため，監査結果の報告，監査意見の提出について，委員定数が2人以上の場合には，合議によることとされた（自治75条4項・199条12項・242条11項・243条の2の2第9項）。

### (2)　1997年改正

1997年の第25次地方制度調査会の答申（「監査制度の改革に関する答申」）に基づいて，同年，当該普通地方公共団体の前公務員の監査委員就任制限を一層強化する改正が行われ，前公務員の監査委員は1人を限度とすることになった。この前公務員の就任制限は，当該地方公共団体において常勤職員であったのが選任前5年より前であっても適用される（自治196条2項）。また，町村の監査委員数は，従前は，条例の定めるところにより1人または2人であったが，改正により2人となった（同旧195条2項）。これにより，いかに小規模の町村においても，当該町村の常勤職員でなかった者が1人は監査委員となることになり，監査結果の報告，監査意見の提出が，当該町村の常勤職員であった監査委員の意思のみによってなされる事態は回避されることになった。また，従前は，市の監査委員には条例の定めるところにより事務局を設置できたが，町村の監査委員には事務局は設置できなかった。この点についても，改正により，町村の監査委員に条例の定めるところにより事務局を設置することが認められた（同200条2項）。

さらに，議会・長・委員会等が，監査結果に関する報告に基づいて措置を講じたときは，監査委員に当該措置の内容を通知し，監査委員は，当該措置の内容を公表することが義務づけられた（同199条14項）[35]。

---

35）　この規定の地方分権一括法による改正については，木佐茂男「監査委員の職務」小早川＝小幡編・自治・分権74頁参照。

### (3) 2006年改正

政令で定める市以外の市にあっては監査委員の定数は条例の定めるところにより3人または2人であったが，第28次地方制度調査会の答申を受けて，2006年の地方自治法改正で，定数を2人とし，識見を有する者から選任される監査委員については，条例でその数を増加させることができるとされた（自治195条2項）。

### (4) 定数等

都道府県および人口25万以上の市にあっては監査委員の定数は4人であり，条例でその定数を増加することができる（自治195条2項，自治令140条の2）。このうち，議員のうちから選任する監査委員の数は2人または1人であり（自治196条6項），識見を有する者のうちから選任される監査委員のうち少なくとも1人以上は，常勤としなければならない（同条5項）。監査委員の独立のためには，監査委員の事務局の独立も重要である。実際の運用としては，首長部局採用の一般職職員が異動してくるため，財務会計の内情に通じているという長所の反面，独立性の観点から問題が指摘されている[36]。

### (5) 第29次地方制度調査会答申

第29次地方制度調査会に対しては監査機能の充実・強化策も諮問されているが，専門小委員会では，監査委員の執行機関からの独立性を強化するため，監査委員の任命権を長ではなく議会に付与すること，それに伴い議員から監査委員を選出する制度は廃止し，議会に現場に出向いて調査する実地検査権を付与すること等が議論されていた。最終答申においては，監査委員の選任方法や構成については，各地方公共団体における今後の行政運営や監視機能の強化のための自主的な取組みの状況を踏まえつつ，監査委員を公選により選出することも含めて引き続き検討を行う必要があると述べられている。また，監査体制の強化を図る上で，監査委員事務局は重要な要素であり，監査委員事務局を単独で設置することのほか共同設置することも有効であると考えられるとする。そして，「現行制度上は，共同設置を可能とする規定がなく，事務局職員を共同設置することにより対応す

36）　礒崎＝金井＝伊藤・地方自治235頁参照。

ることとなる。今後，監査委員事務局の共同設置の促進を図るためには，事務局の共同設置を可能とする制度改正が検討されるべきである」とされている。この制度改正は，2011 年の地方自治法改正により実現している。さらに，現行の合議による制度においては，監査結果の報告等の決定に当たっては全監査委員の意見が一致することが必要とされているため，全監査委員の意見が一致しないときには，監査結果の報告等が行われないこととなるが，監査の実効性を高めるためには，監査結果の報告およびこれに添えて提出できる意見の決定については多数決によることができるものとし，少数意見を付記して公表することとするのが適当であると指摘されている。このことによって，個々の監査委員の視点も明確となり，監査の透明性の確保にも資するものと考えられると述べられている。そして，監査の実効性を高めるため，監査結果の報告等に対し何ら措置を講じなかった場合においても，その旨を監査委員へ理由を添えて通知することとするのが適当であるとされている。

### ⑹　地方行財政検討会議

2008 年次から 2010 年次にかけての会計検査院検査を通じて，都道府県および政令指定都市のすべてにおいて，「預け」等の不適正な予算執行が実施されていたことが判明したにもかかわらず，この問題を監査委員も外部監査人も指摘してこなかったことから，監査委員制度および外部監査制度の実効性に疑問が提起された。かかる背景の下に，2010 年 1 月に設置された総務省地方行財政検討会議は，同年 6 月，現行の監査委員制度および外部監査制度を廃止し，監査制度を抜本的に再構築することを提言し，これを踏まえて，総務省は，2011 年 1 月に「地方自治法抜本改正についての考え方（平成 22 年）」において，現行の監査委員制度および外部監査制度について，その廃止も含めゼロベースで見直しを進める方針を示した。

### ⑺　地方公共団体の監査制度に関する研究会

しかし，その後，第 29 次地方制度調査会答申を受けた法改正は，監査委員事務局の共同設置を除き実現しておらず，また，総務省の「地方自治法抜本改正についての考え方（平成 22 年）」を受けた議論も進んでいないことから，監査制度の将来について見通しが立たないという不安の声が，監査委員等の関係者から聞かれるようになった。そこで，2012年9月に，総務省の「地方公共団体の監査制度に関する研究会」が開催され，地方行財政検討会議が目指した抜本的改革は将来の課題として，現状の監査制度を前提に改善策が検討された。そこにおいては，監査基準の必要性，内部統制体制の整備，監査委員の監査権限の範囲の見直し，監査委員・監査委員事務局の専門性・独立性の確保（監査の専門職の設置，監査委員・事務局職員に一定の資格を必要とすること等），監査結果の効果（勧告または措置要求の制度の導入の是非），外部監査制度の見直し等が議論された。

### (8)　第31次地方制度調査会答申

第31次地方制度調査会答申は，監査委員制度について，多くの提言を行っている。すなわち，①一般に公正妥当と認められるものとして，監査を実施するに当たっての基本原則や実施手順等について，統一的な基準を，地方公共団体が共同して定めること，②監査の透明性を高める観点から，合議に至らない場合でも，監査の内容や監査委員の意見が分かるようにすること，③監査の結果が有効に生かされるよう，必要に応じて監査委員が必要な措置を勧告できるようにし，これに対して，監査を受けた者が説明責任を果たす仕組みを設けること，④監査の実施に当たって必要な専門性を高めるための研修制度を設け，研修の修了要件を明確化する等，外部から見ても専門性を有していることが分かるような仕組みとすること，⑤専門性の高い外部の人材の活用という観点から，監査委員が，特定の事件につき専門委員を任命できるようにすること，⑥各地方公共団体の判断により，監査は専門性のある識見監査委員にゆだね，議選監査委員を置かないことを選択肢として設けること，⑦監査委員を補助する監査委員事務局の充実策として，市町村が連携して事務局の共同設置を行う等，専門性を有する優秀な人材の確保や研修の充実を効率的・効果的に行うための方策を講ずること，⑧地方公共団体に共通する監査基準の策定や，研修の実施，人材のあっせん，監査実務の情報の蓄積や助言等を担う，地方公共団体の監査を支援する全国的な共同組織を構築すること（小規模な市町村等からの求めがあるときは，その監査の支援を当該共同組織が行うことも考えられるとする）が提言されている。他方，同答申は，監査委員の選任方法を公選とすることについては，監査委員として専門的な能力を有する人材の立候補が期待できるのか，また，議会による選挙とすることについては，実質的なメリットがあるのか，その場合の監査委員の制度的な位置付けをどのように考えるのかといった課題もあると指摘し，慎重に考えるべきとする。

### ⑼　2017年改正

議選監査委員については，条例で定めることにより，選任しないことも選択できることとされた（自治196条1項)。全国統一的な監査基準は存在しないが，全国的に監査の質が一定水準以上のものになることが確保されるように，総務大臣は，監査基準の策定または変更について指針を示し必要な助言を行い（同198条の4第5項)，各地方公共団体の監査委員は，監査基準を定め公表すること，また，監査を行うに当たり，監査基準に従うことが義務づけられた（同198条の4第3項・198条の3第1項)[37)]。総務省は，2017年10月17日に「地方公共団体における内部統制・監査に関する研究会」の第1回を開催し，同研究会の下に監査部会を設け，検討を重ねてきた。そして，2019年3月29日に，「監査基準（案)」，「実施要領」を公表した。これは，地方自治法245条の4第1項の規定に基づく技術的助言としての性格を有する。一部事務組合や広域連合の監査委員も監査基準の策定を義務づけられている（自治292条)。監査委員は，監査の結果に対する報告を決定し，これを公表し（同199条9項)，必要があると認めるときは，監査の結果に関する報告に添えてその意見を提出することはできるが（同条10項)，勧告は，住民監査請求を受けた場合にのみ認められていた。しかし，監査結果報告やそれに添付される意見が十分に尊重されていないという指摘が監査委員からなされることがあり，第29次地方制度調査会答申において，監査結果に対して措置が講じられない場合に応答義務を課すべきとされたことも踏まえ，住民監査請求に基づく監査以外の場合にも勧告権限が付与された（同条11項)。また，合議不調の場合にも，その旨および各監査委員の意見を付記する（同条13項）ことにより，監査の透明性を向上させ，説明責任を履行させることとされた。監査の

37)　統一的な監査基準に準拠して監査を行うことの意義については，清水涼子「地方公共団体のガバナンスの一層の向上に向けて」地方自治821号（2016年）2頁以下，同「地方公共団体のガバナンスに関する考察――監査と内部統制」産業経理75巻3号（2015年）58頁以下参照。

専門性を高めるため，代表監査委員に他の監査委員の意見を聴いて監査専門委員を選任する権限が付与された（同200条の2第2項)。

監査委員制度に関する2017年の法改正のうち，監査の実効性，透明性を向上させる目的のものは，ほぼ異論のないものと思われる。議選監査委員選任については賛否両論があるが，同年の改正は，議選監査委員を選任しない選択肢を認めるにとどまるので，議選監査委員有用論者にも理解されよう。各地方公共団体において，議選監査委員の存在意義，議選監査委員を廃止する場合の留意点（議会による検査権の運用の活性化等）について真摯な議論が行われることが期待される。すでに，大阪府，大津市のように，議選監査委員を廃止する条例を制定した地方公共団体が存在する。

**_Column_　議選監査委員枠の廃止**

大阪府は，議選監査委員を選任しないことを可能とする地方自治法改正を受けて，議選監査委員について検討し，議選監査委員が名誉職化しているという批判を踏まえ，2017年12月20日，議選監査委員を選任せず，専門性の高い人材を登用するため，監査委員の少なくとも1人を公募で選出する大阪府監査委員条例の改正を行った（同条例3条)。

大津市では，従前は2名の議選監査委員と2名の識見監査委員が任命されていたが，2017年の地方自治法改正により，議選監査委員枠を廃止することが可能になったこと受けて市議会で検討を行い，政務活動費等で議員の支出が住民監査請求の対象になった場合，議選監査委員が存在しては独立性が確保できないこと，議選監査委員は1年で交代する慣行になっているため専門性の向上が困難であることを踏まえ，2018年3月26日，全会一致で議選監査委員枠を廃止する大津市監査委員条例の改正を行った（同条例2条)。他方において，議会と監査委員が情報を共有する仕組みとして，(i)市の決算審査において監査委員の意見陳述に対する質疑応答の時間を設け，(ii)定期監査について市長への年2回の報告時期にあわせて全員協議会を開き，監査委員と意見交換を行い，(iii)議会の委員会の年間予定を監査委員に通知して傍聴を認め，(iv)本会議や委員会の会議録を初校の段階で監査委員に送付することとした。また，従前は，決算常任委員会の定数から議選監査委員2名分を除外していたが，議選監査委員が存在しなくなったため，大津市議会委員会条例を改正して，決算常任委員会の定数を2名増加させた（同条例2条2項6号)。

佐賀県嬉野市，愛知県大府市，兵庫県高砂市，佐賀県唐津市等も，監査委員の議員枠を廃止している。

**Column　監査過程で収集した資料の公開**

逗子市住民監査請求関係記録に対する情報公開条例に基づく開示請求がなされたところ，事情聴取記録について不開示決定がなされた事案において，最判平成11・11・19民集53巻8号1862頁［百選〔3版〕A4］［判例集81］［判例集II 79］は，地方自治法242条が監査記録の公開を予定していないことを指摘し，監査委員限りで参考にするにとどめ公開しないことを前提として提供された機密にわたる情報が含まれている可能性があり，仮にそのような情報が含まれているとするならば，これを無条件に公開することは，関係行政機関との信頼関係を損ない，将来の同種の事情聴取に重大な支障を及ぼし，公正または適正な監査を行うことができなくなるおそれがあり，審議・検討・協議（意思決定過程）に関する不開示情報に該当すると判示している。また，品川区議会政務調査費住民監査の過程で監査委員が某会派から任意に提出を受けた文書に対し，情報公開・個人情報保護条例に基づく開示請求がなされたところ，監査事務に支障を与えることを理由として不開示決定がなされた事案においては，最判平成21・12・17判時2068号28頁は，政務調査費条例は，政務調査費の支出に使途制限違反があることが収支報告書等の記載から明らかにうかがわれるような場合を除き，監査委員を含め区の執行機関が，実際に行われた政務調査活動の具体的内容等に立ち入ってその使途制限適合性を審査することを予定していないと解されるとする。そして，区議会の議員等が監査委員から政務調査活動について説明等を求められた場合，その具体的な目的や内容等に関して逐一回答すべき義務を負っているとまではいえず，また，区議会の議員等がその回答をしない場合，その一事をもって，当該政務調査活動が適正に行われたものではないとの推定を及ぼすこともできないと述べている。このように政務調査活動が執行機関に対する監視機能を果たすための活動としての性格を帯びていることに照らすと，区議会の議員等がその具体的な目的や内容等を監査委員に任意に回答する場合，監査委員限りで当該情報が活用されるものと信頼し，監査委員においてもそのような保障の下にこれを入手するものと考えられ，仮に，そのような保障がなく，政務調査活動に関し具体的に回答したところが情報公開の対象となりうるとすれば，区議会の議員等において，監査委員にその回答をすることに慎重になり，あるいは協力を一律に控えるなどの対応をすることも想定され，そのような事態になれば，同種の住民監査請求がなされた場合，正確な事実の把握が困難になるとともに，違法または不当な行為の発見も困難になり，議員等の任意の協力の下に上記情報を入手して監査を実施した場合と比較して，監査事務の適正な遂行に支障を及ぼすおそれがあることは明らかであるとして，不開示決定を適法とした。本判決においては，政務調査活動を執行機関に対する監視機能を果たすための活動として位置づけていることが結論に大きな影響を与えており，その射程は監査記録一般には及ばず，政務調査費（2012年の地方自治法改正で政務活動費になり，政務活動費を充てることができる経費の範囲は条例で定めることとなった）にかかる任意提出文書に限定されるべきであろう。

## *10* 外部監査

### (1) 導入の背景

前述したように（→*9*），監査委員制度の改革が進められてきたが，長が任命する執行機関にのみ監査機能を付与することに基本的に問題があるのではないかという認識が次第に広まってきた。とりわけ，情報公開条例を用いて市民オンブズマン等が行った食糧費等にかかる公文書の開示請求によって不適正な支出が多くの地方公共団体で明るみに出たことは，監査委員による監査が十分に機能していなかったのではないかという批判を強めることになった。このような背景の下で，1997年の第25次地方制度調査会答申（「監査制度の改革に関する答申」）[38]を受けて，同年，外部監査制度が導入されることになった。外部監査とは，地方公共団体の組織に属さず，地方公共団体の職員としての身分も有しない外部の専門家による監査のことである。これは，直接的には執行機関の問題ではないが，執行機関たる監査委員による監査と外部監査の機能分担について理解しておくことは重要であるので，ここで外部監査について説明することとする[39]。

### (2) 外部監査契約を締結できる者

普通地方公共団体が外部監査契約を締結できる者は，普通地方公共団体の財務管理，事業の経営管理その他行政運営に関し優れた識見を有する者であって，①弁護士（弁護士となる資格を有する者を含む），②公認会計士（公認会計士となる資格を有する者を含む），③国の行政機関において会計検査に関する行政事務に従事した者または地方公共団体において監査もしくは財務に関する行政事務に従事した者であって，監査に関する実務に精通しているものとして政令で定めるもの（自治252条の28第1項），④税理士（税理士となる資格を有する者を含む）（同条2項）である。政府提出法案においては1項のみであったが，国会における修正で

---

38）それ以前の外部監査に関する答申について，枝根茂「監査機能の充実・強化」小早川＝小幡編・自治・分権105頁参照。

39）外部監査の詳細については，宇賀監修・行政手続・監査174頁以下（池田昭義執筆）参照。

2項の税理士が追加された。3項では，当該普通地方公共団体の議会の議員，当該普通地方公共団体の職員等，欠格事由が定められている。

**実　績**　実際には，包括外部監査契約を締結している者のほとんどは公認会計士である。2020年度において，都道府県では37団体が公認会計士と，7団体が弁護士と，3団体が税理士と包括外部監査契約（自治252条の36以下）を締結しており，実務精通者と契約を締結している団体は存在しなかった。

### ⑶　外部監査人の義務

外部監査人は，外部監査契約の本旨に従い，善良な管理者の注意をもって，誠実に監査を行う義務を負う（自治252条の31第1項）。外部監査人は，当該普通地方公共団体の職員ではなく，地方公務員法上の守秘義務規定の適用を受けないため，地方自治法において守秘義務が課されている（同条3項）。この守秘義務違反に対しては2年以下の拘禁刑または100万円以下の罰金が科される（同条4項）。これは地方公務員法上の守秘義務違反に対する罰則である1年以下の拘禁刑または50万円以下の罰金（地公60条2号）より加重されている。また，外部監査人は，みなし公務員とされているので（自治252条の31第5項），収賄罪の規定が適用され，また，その職務への妨害は公務執行妨害罪に問われることになる。

### ⑷　外部監査人の事務の補助

外部監査人は，当該外部監査契約に責任を持つものという趣旨から，1つの外部監査契約について1人とされている。しかし，実際には，1人で監査を行うことは困難であるので，外部監査人はアド・ホックに監査チームを作って監査を行うことが想定されている。すなわち，外部監査人は，あらかじめ監査委員と協議した上で，監査の事務を他の者に補助させることができる（自治252条の32第1項）。監査委員は協議が調った場合には，直ちに当該監査の事務を補助する者（外部監査人補助者）の氏名および住所ならびに当該監査の事務を補助する者が外部監査人の監査の事務を補助できる期間を告示しなければならない（同条2項）。外部監査人は，監査が適正かつ円滑に行われるよう外部監査人補助者を監督しなければならない（同条4項）。外部監査人補助者も，地方公務員法上の守秘義務規定の適用を受けないため，地方自治法において守秘義務が課され（同条5項），その違反に対する罰則は，外部監査人と同じである（同条6項）。また，外部監査人補助者も，みなし公務員とされている（同条7項）。

> **実　績**　2018年度において，都道府県では，1人の包括外部監査人が平均して約6.3人の補助者を使用している。また，2017年度において，包括外部監査契約を締結した市区町村にあっては，包括外部監査人は，平均して1人当たり約6.0人の外部監査人補助者を使用している。

### (5)　外部監査人と監査委員の関係

外部監査人と監査委員は基本的に独立対等の関係にある。両者が独立に監査を行う結果，両者が同時に同一の記録を入手して調査をしようとする事態が生じうるため，両者間の調整規定が設けられている。すなわち，外部監査人は，監査を実施するに当たっては，監査委員にその旨を通知する等，相互の連絡を図るとともに，監査委員の監査の実施に支障をきたさないよう配慮しなければならない（自治252条の30第1項）。他方，監査委員も，監査を実施するに当たっては，外部監査人の監査の実施に支障をきたさないよう配慮しなければならない（同条2項）。

普通地方公共団体が外部監査人の監査を受けるに当たっては，当該普通地方公共団体の議会，長その他の執行機関または職員は，外部監査人の監査の適正かつ円滑な遂行に協力するよう努めなければならない（自治252条の33第1項）。また，外部監査人が，地方公共団体の内部の事情に通暁した者の協力を必要とする場合があると予想されることから，代表監査委員は，外部監査人の求めに応じ，監査委員の監査の事務に支障のない範囲内において，監査委員の事務局長，書記その他の職員，監査専門委員または地方自治法180条の3（職員の融通）の規定による職員を外部監査人の監査の事務に協力させることができる（同252条の33第2項）。

外部監査人は，監査する地方公共団体から独立していなければならないが，他面において，公費で監査を行う以上，民主的コントロールが全く及ばないのは問題である。そこで，普通地方公共団体の議会は，外部監査人の監査に関し必要があると認めるときは，外部監査人または外部監査人であった者の説明を求めることができ（同252条の34第1項），また，外部監査人に対し意見を述べることができるとされている（同条2項）。2012年度において，包括外部監査人に対して議会が説明または意見の陳述を求めたのは，川越市，船橋市，奈良市，町田市，江東区の5団体においてのみであった。

### ⑹　外部監査契約

外部監査契約は，包括外部監査契約と個別外部監査契約からなる（自治252条の27第1項）。

#### ⒜　包括外部監査契約

㋐　定　義　　包括外部監査契約とは，地方自治法2条14項（「地方公共団体は，その事務を処理するに当つては，住民の福祉の増進に努めるとともに，最少の経費で最大の効果を挙げるようにしなければならない」）・15項（「地方公共団体は，常にその組織及び運営の合理化に努めるとともに，他の地方公共団体に協力を求めてその規模の適正化を図らなければならない」）の規定の趣旨を達成するため，地方自治法の定めるところにより，外部監査人の監査を受けるとともに監査の結果に関する報告の提出を受けることを内容とする契約であって，同法の定めるところにより，当該監査を行う者と締結するものをいう（自治252条の27第2項）。2017年の地方自治法改正により，政令指定都市・中核市以外の市または町村は，包括外部監査制度の導入を促進するため，毎会計年度ではなく，条例で定める会計年度において包括外部監査を受けることも可能とされた（同252条の36第2項）。

なお，地方自治法2条14項の最少経費最大効果原則について，名古屋地判平成16・1・29判タ1246号150頁は，地方公共団体は，その財政面における能率性という意味での費用対効果を常に意識しながら住民の福祉の増進等の目的の達成を図らなければならないとしても，会社等の私企業とは異なり，もっぱら費用の節減と収入の増加のみを目標とすべきものではないことも明らかであり，財政上の収入の増加には必ずしもつながらない費用の投下であっても，広く地方公共団体の健全な発達または住民の福祉の増進に寄与するものであれば，同法2条14項にいう「効果を挙げ」たと評価しうると判示している。そして，「効果」が必ずしも金銭に還元することのできない様々な価値を含むものである以上，1つの尺度で経費と効果のそれぞれの増差を比較することは困難を伴うのであって，一般的には，そのような判断については，専門的，技術的な観点から行政に広範な裁量が付与されていることは否定できないから，この裁量権を逸脱ないし濫用したものと評価できる特段の事情が存する場合に限り，当該行政庁の判断が違法となると解すべきであると述べている[40]。

***Column*　泡瀬干潟埋立公金支出等差止請求事件**

泡瀬干潟埋立事業について，沖縄市長が，第Ⅰ区域については，土地利用計画の見直しを前提に推進せざるをえないが，第Ⅱ区域については推進は困難であり，具体的な見直しが必要という意見表明を行ったことから，那覇地判平成20・11・19判例自治328号29頁は，前記意見表明後の開発事業計画は経済的合理性を欠き，地方自治法2条14項および地方財政法4条1項（「地方公共団体の経費は，その目的を達成するための必要且つ最少の限度をこえて，これを支出してはならない」）に違反するとして，すでに終了したものと判決確定時までに支払義務が発生した部分を除き，公金支出等の差止請求を認容した。控訴審の福岡高那覇支判平成21・10・15判時2066号3頁［百選109］は，第Ⅰ区域について，公有水面埋立免許後の事情変更に伴い変更許可を受けるためには，土地利用計画に経済的合理性がなければならないが，変更後の土地利用計画が明らかになっていない時点では，経済的合理性が認められず，第Ⅱ区域についても，土地利用計画が事実上白紙に戻され，新たな土地利用計画に基づき変更許可がされる見込みはないので，本件土地利用計画を前提とした埋立事業等にかかる財務会計行為は，予算執行の裁量を逸脱し，地方自治法2条14項および地方財政法4条1項に違反すると判示している。

(ｲ)　包括外部監査契約の締結　　包括外部監査契約には，①包括外部監査契約の期間の始期，②包括外部監査契約を締結した者に支払うべき監査に要する費用の額の算定方法，③上記①②のほか，包括外部監査契約に基づく監査のために必要な事項として政令で定めるものについて定めなければならない（自治252条の36第5項）。包括外部監査対象団体の長は，包括外部監査契約を締結したときは，①②の事項その他政令で定める事項を直ちに告示しなければならない（同条6項）。包括外部監査契約の期間の終期は，包括外部監査契約に基づく監査を行うべき会計年度の末日とされている（同条7項）。

包括外部監査対象団体は，①都道府県，②政令で定める市（指定都市，中核市），③上記②以外の市，特別区または町村であって契約に基づく監査を受けることを

40）　同判決について，板垣勝彦「地方自治法2条14項のいわゆる最少経費最大効果原則」会計と監査59巻11号（2008年）36頁以下参照。

条例により定めたものである（同252条の36第1項・2項・283条1項）。③の包括外部監査を受けることを条例で定めている地方公共団体は，2021年3月31日現在，所沢市，港区，江東区，大田区，世田谷区，荒川区，町田市，甲賀市，真庭市のみであり，なお少数にとどまる。一部事務組合または広域連合は，包括外部監査契約に基づく監査については，政令で定める市（指定都市，中核市）以外の市または町村とみなされるから（同252条の45），条例で定めれば包括外部監査契約を締結できることになる。

都道府県，指定都市，中核市の長は，毎会計年度，当該会計年度にかかる包括外部監査契約を速やかに一の者と締結しなければならない。この場合には，あらかじめ監査委員の意見を聴くとともに，議会の議決を経なければならない（同252条の36第1項，自治令174条の49の26）。

外部監査人は，地方公共団体の職員ではないとはいえ，長期にわたって同一の外部監査人の監査を受けることは，「外部性」を稀薄にするおそれがある。そこで，包括外部監査契約を締結する場合において，包括外部監査対象団体は，連続して4回，同一の者と包括外部監査契約を締結してはならないこととされている（同条4項）。連続して3回までとしたのは，1，2年で交替した場合，当該地方公共団体の外部監査に必要な知見の蓄積が不十分になるおそれがある反面，長の任期4年のうち，少なくとも2人の異なる包括外部監査人の監査を受けることが望ましいと考えられたからである。2017年度において，連続契約回数の上限を3回としていたのは，青森県，岩手県，茨城県，東京都，石川県，三重県，滋賀県である。

(ウ)　包括外部監査人の監査　　いかなるテーマを何件選択するかの判断は，基本的に包括外部監査人にゆだねられている。これまでのところ，予算執行，財政援助団体，公の施設等に関するテーマが選択されることが多い。テーマの選択権が外部監査人にある点が，後述する個別外部監査契約（→(b)）と比較した場合の包括外部監査契約の特色である。すなわち，包括外部監査人は，包括外部監査対象団体の財務に関する事務の執行および当該包括外部監査対象団体の経営にかかる事業の管理のうち，地方自治法2条14項および15項の規定の趣旨を達成するため必要と認める特定の事件について監査する（自治252条の37第1項）。包括外部監査人は，監査をするに当たっては，当該包括外部監査対象団体の財務に関する事務の執行および当該包括外部監査対象団体の経営にかかる事業の管理が，地方自治法2条14項[41]および15項の規定の趣旨にのっとってなされているかどうかに，特に意を用いなければならない（同条2項）。したがって，単なる財務会計法規への適合性よりは，合法的ではあるものの不合理なコストのかかる行政運営のあり方を指摘するような監査が期待されているといえよう。包括外部監査人の監査は，監査委員の随時監査（同199条5項）に対応する。

地方公共団体が補助金を支給していたり，出資をしていたりする団体を財政援助団体というが，包括外部監査人に財政援助団体に対する外部監査を認めるか否かは，当該地方公共団体が条例で定める。この条例では，財政援助団体のうち，地方公共団体が出資しているものに限ってとか，債務保証をしているものに限って包括外部監査の対象とすることもできる（同252条の37第4項）。他方，監査委員は，自ら必要があると認めるときは，財政援助団体の監査をすることができる（同199条7項）。

包括外部監査人は，監査のため必要があると認めるときは，監査委員と協議して，関係人の出頭を求め，もしくは関係人について調査し，もしくは関係人の帳簿，書類その他の記録の提出を求め，または学識経験を有する者等から意見を聴くことができる（同252条の38第1項）。他方，監査委員が，監査のため必要があると認める場合には，関係人に対して出頭を求めたり，書類等の提出を求めたりすることができ，この場合には外部監査人と協議する必要はない（同199条8項）。

包括外部監査人は，包括外部監査契約で定める包括外部監査契約の期間内に，監査の結果に関する報告を決定し，これを包括外部監査対象団体の議会，長および監査委員ならびに関係のある教育委員会，選挙管理委員会，人事委員会もしくは公平委員会，公安委員会，労働委員会，農業委員会その他法律に基づく委員会

---

41）　地方自治法2条14項については，訓示規定説と法規範説があるが，最判平成20・1・18民集62巻1号1頁［百選50］［判例集198］は，委託契約を無効としなければ地方自治法2条14項の趣旨を没却することとなる特段の事情があれば，当該契約は無効となると判示している。行政の経済性・効率性について，石森久広『財政民主主義と経済性』（有信堂，2011年）155頁以下，木村琢麿『ガバナンスの法理論』（勁草書房，2008年）29頁以下，同「行政の効率性について」千葉大学法学論集21巻4号（2007年）202頁以下参照。

または委員に提出しなければならない（同252条の37第5項）。すなわち，包括外部監査契約は，単に監査を行うのみならず，その結果報告を提出して初めて完結する契約なのである。包括外部監査人は，監査の結果に基づいて必要があると認めるときは，当該包括外部監査対象団体の組織および運営の合理化に資するため，監査の結果に関する報告に添えてその意見を提出することができる（同252条の38第2項）。監査委員は，監査の結果に関する報告の提出があったときは，これを公表しなければならない（同条3項）。

監査委員は，包括外部監査人の監査の結果に関し必要があると認めるときは，当該包括外部監査対象団体の議会および長ならびに関係のある教育委員会，選挙管理委員会，人事委員会もしくは公平委員会，公安委員会，労働委員会，農業委員会その他法律に基づく委員会または委員にその意見を提出することができる（同条4項）。この意見書は，包括外部監査人の監査結果を支持したり，それを補足したりする内容であることもありうるが，監査結果に疑問を呈する内容であることもありうる。

包括外部監査人から監査結果報告の提出を受けて，議会，執行機関が当該監査結果に基づき，または当該監査結果を参考として措置を講じたときは，その旨を監査委員に通知しなければならない（同条6項前段）。この場合において，監査委員は，当該通知にかかる事項を公表しなければならない（同項後段）。このような対応が義務づけられていることは評価しうるが，監査結果報告で問題が指摘されたにもかかわらず，何らの措置も講じない場合にも，その理由の公表を義務づけることが，監査結果報告を単に聞き置くという対応を抑止し，外部監査の実効性を担保するために必要と思われる。また，包括外部監査を行政監査について認めることも検討されるべきであろう[42]。

㈣　第29次地方制度調査会答申　　第29次地方制度調査会答申は，決算の財務書類を包括外部監査人の必要検査事項として義務づけることにより，監査の実効性を高めることが考えられるとする。もっとも，この点については，これらの監査を包括外部監査人が行うこととした場合には，業務が膨大となることに伴う

42）　田村達久「自治体行政における公正の確保と透明性の向上」法教209号（1998年）33頁参照。

費用の増加や包括外部監査人となりうる資格者が限定されること等の課題があることから，引き続き検討を行う必要があると指摘している。また，包括外部監査の導入を促進する観点から，毎会計年度外部監査を受ける方式に加え，条例により複数年度に1回包括外部監査を受ける方式を導入することが適当であるとする。指定都市および中核市以外の市町村への包括外部監査の義務付けの拡大については，今回の監査制度および包括外部監査制度の見直しによる監査機能の充実・強化の状況や，人材の確保や財政負担等の課題も勘案し，引き続き検討を行うべきであると述べている。

(オ)　第31次地方制度調査会答申　　同答申は，包括外部監査が，監査委員の監査を外部の目から補完する観点から有用であることから，条例により導入する地方公共団体が条例で頻度を定めることができるようにすることにより，包括外部監査制度導入団体を増やしていくことが必要であるとする。また，適切なテーマ選定に資するよう地方公共団体をめぐる課題についての情報提供を行う等，包括外部監査人をサポートする仕組みや，包括外部監査人に対する研修制度の導入により，その監査の質を高める必要があるとする。

(カ)　2017年改正　　前述したように，政令指定都市・中核市以外の市または町村は，条例で定める会計年度において包括外部監査を受けることを可能とする地方自治法改正が，2017年に行われている。

**(b)　個別外部監査契約**

監査委員以外の者による要求や請求に基づき，監査委員が監査を行うこととされている場合において，監査の要求や請求をする者が理由を示して，当該事項にかかる外部監査を求めたときに行われるのが個別外部監査である（自治252条の27第3項）。具体的には，次の5つの場合に，個別外部監査が認められている。

第1に，選挙権を有する者がその総数の50分の1以上の者の連署をもって，その代表者から普通地方公共団体の監査委員に対し，当該普通地方公共団体の事務の執行に関して行う監査請求（自治75条1項）について，監査委員の監査に代えて契約に基づく監査によることができることを条例により定めている場合である（同252条の39第1項）。

第2に，議会からの監査請求（自治98条2項）について，監査委員の監査に代えて契約に基づく監査によることができることを条例により定めている場合である（同252条の40第1項）。

第3に，長からの監査の要求（自治199条6項）について，監査委員の監査に代えて契約に基づく監査によることができることを条例により定めている場合である（同252条の41第1項）。

第4に，長からの財政援助団体等の監査の要求（自治199条7項）について，監査委員の監査に代えて契約に基づく監査によることができることを条例により定めている場合である（同252条の42第1項）。

第5に，住民監査請求（自治242条1項）について，監査委員の監査に代えて契約に基づく監査によることができることを条例により定めている場合である（同252条の43第1項）。

このように，個別外部監査契約は，いずれも条例でそれを認める旨の規定がある場合に限って可能となる。2021年3月31日現在において，都道府県，指定都市，中核市はすべて，それ以外の市区町村では69団体が個別外部監査を認める条例を制定している。個別外部監査を認める条例制定団体は着実に増加しつつあるが，なお少ない。第29次地方制度調査会答申は，住民による監査機能の充実や個別外部監査の導入を促進する見地からは，いずれの個別外部監査においても導入の前提として必要とされている条例の制定を不要とすることが適当であると述べている。しかし，第31次地方制度調査会答申においては，監査委員の専門性が高まれば，個別外部監査の役割は小さくなっていくため，個別外部監査について，導入を促進するという観点から条例の制定を不要とすることについては，監査委員監査の充実強化の成果を踏まえ，慎重に検討する必要があると軌道修正されている。

個別外部監査の請求または要求があった場合において，自動的に外部監査が行われるわけではない。議会の請求の場合には，個別外部監査によることが適当であるという議会の議決がなされているわけであるが，それ以外の場合にも，個別外部監査によることが適当であるかについて議会が議決することが必要である（自治252条の39第5項・252条の41第4項・252条の42第4項）。ただし，住民監査請求の場合には，個別外部監査によることが適当かについて，監査委員が判断する（同252条の43第2項）。なぜならば，住民監査請求は1人でも行うことができるので，そのつど議会の議決を求めることは煩瑣になるおそれがあるからである。

個別外部監査によることが適当であると議会が判断した場合においても，具体の個別外部監査契約の内容（相手方・契約金額・期間等）が適当かについても，議会がチェックすることが望ましい。そこで，具体の個別外部監査契約についても，議会の議決を経ることが原則とされている（自治252条の39第6項・252条の40第4項・252条の41第4項・252条の42第4項・252条の43第3項）。ただし，包括外部監査契約の期間内に包括外部監査人と個別外部監査契約を締結する場合には，締結前に議会の議決を経る必要はない（同252条の39第10項・252条の40第4項・252条の41第4項・252条の42第4項・252条の43第3項）。2020年度において，個別外部監査契約を締結した団体は1にとどまる。長または議会からの個別外部監査の要求によって契約が締結されている。実際の個別外部監査の例は，なお僅少といわざるをえず，その原因を究明する必要があろう。

なお，財政健全化計画，財政再生計画または経営健全化計画（→6章Ⅳ ***12***）を定めなければならない地方公共団体の長は，財政上の課題を的確に把握する必要が大きい。そこで，これらの計画を定めるに当たっては，あらかじめ，当該地方公共団体の長は，財政の健全化のために必要と認められる事務の執行について，監査委員に対し，監査の要求をしなければならない（自治199条6項）。この場合において，当該地方公共団体の長は，監査委員の監査に代えて個別外部監査契約による監査によることを求めなければならない（地財健全化26条1項）。2009年度において，地方公共団体の財政の健全化に関する法律に基づき個別外部監査が実施されたのは11団体であった。

**_Column_　外部監査制度の抜本的見直しの提言**

民主党を中心とした連立政権下では，外部監査制度に対して厳しい見方があり，抜本的な見直しの検討を行う方針が示されていた。すなわち，地域主権戦略大綱においては，「現行の監査委員制度，外部監査制度については，廃止を含め，抜本的に再構築する」とされ，総務省の「地方自治法抜本改正に向けての基本的考え方」（2010年6月22日）においても，例えば，イギリスの監査委員会（Audit Commission）のように地方公共団体から独立した機関や，複数の地方公共団体が共同で設立した機関を設けて，こうした機関が監査にかかわっていくことが考えられると指摘され，具体的な制度設計を今後検討することとされた。これを受けて，地方行財政検討会議で検討が行われ，総務省の「地方自治法抜本改正についての考え方（平成22年）」（2011年1月26

日）は，2008年次からの会計検査院等の検査等により，検査対象となった47都道府県・18政令指定都市のすべてにおいて，不適正経理が判明し，一部の地方公共団体で不適正な決算が調製され，監査委員の監査が不十分であったため，財務状況等について不正確な情報を住民に開示することとなったとする。そして，現行の監査委員・外部監査制度について，廃止を含め，ゼロベースで見直しを進めるとし，監査制度の見直しの方向性について，3つのたたき台となる案を示した。第1案は，予算執行等については長が内部統制機能としてチェックを行い，不適正な予算執行等が発見された場合は長が責任を負い，決算等については外部監査人が監査を行い，監査後において不適正な決算処理等が発見された場合は外部監査人が責任を負うとするものである。第2案は，予算執行等については内部監査役が監査を行い，監査後において不適正な予算執行等が発見された場合は内部監査役が責任を負い，決算等については外部監査人が監査を行い，監査後において不適正な決算処理等が発見された場合は外部監査人が責任を負うとするものである。第3案は，予算執行や決算等については地方監査共同組織が監査を行い，監査後において不適正な決算処理等が発見された場合は地方監査共同組織が責任を負うとするものである[43]。

43）　上記各案について検討するものとして，田中孝男「地方監査制度の改革と住民監査請求・住民訴訟制度」会計検査研究44号（2011年）103頁以下参照。

# 第8章　住民の権利義務

**Point**

1) 地方自治法においては，代表制民主主義の欠陥を補い，住民による恒常的な監視と参加を可能にするため，国にはみられない直接民主主義制度（条例の制定または改廃の請求，事務監査請求，議会の解散請求，議員・長・副知事または副市町村長，選挙管理委員・監査委員・公安委員会の委員の解職請求）が設けられている。
2) 住民であれば誰でも，自己の個人的権利利益とかかわりなく，住民全体の利益のために，公益の代表者として，地方公共団体の財務会計行為の適正を期すために，単独で，住民監査請求を行い，住民訴訟を提起することができる。
3) 住民投票条例の中には，原子力発電所設置のような特定の問題の是非を問うためのものと，一般的な問題に適用されるものがある。
4) 住民は，法律の定めるところにより，その属する普通地方公共団体の役務の提供を等しく受ける権利を有するが，地方自治法は，特に公の施設について，このことを明確にしている。

## Ⅰ　住民の権利

### *1*　選 挙 権

地方公共団体においても，住民に選挙権（自治11条）を与え，公選による長や議員が政治を行う間接民主制がとられている。しかし，直接民主制の制度もかなり取り入れている点に特色がある[1)]。

公務員を選定し，およびこれを罷免することは国民固有の権利であるが（憲15条1項），最判平成7・2・28民集49巻2号639頁［百選14］は，ここでいう「国民」は日本国民を指すと解している。もっとも，この最高裁判決が，立法政

1)　もっとも，何を直接民主制，何を間接民主制と理解するかについてコンセンサスが成立しているわけではない。人見・分権改革194頁参照。

策として，永住者等，一定の外国人に地方参政権を認めても違憲ではないと述べていることは前述したとおりである（→1章II *2*(7)）。この判示の射程を永住者等の地方参政権に限定する合理的根拠があるかについては疑問が提起されている[2)]。選挙権の年齢要件，居住期間等については憲法は規定しておらず，立法政策にゆだねられている。これらに関しては，公職選挙法が定めている。公職選挙法は，選挙権および被選挙権（2章），選挙に関する区域（3章），選挙人名簿（4章）等について規定している。

## *2*　直 接 請 求

日本国憲法は，長，議員について公選制をとり（憲93条2項），代表制民主主義を基本としているが，地方自治の本旨の中核をなす住民自治の理念に照らせば，直接民主主義の要素を導入することを否定しているとは解されない。実際，代表制民主主義には，選挙が終わると当選した長や議員が住民の意思と乖離した行動をとるおそれがあり，住民は選挙の際にのみ主権者であるにすぎないという問題がある。そこで，地方自治法は，代表制民主主義の欠陥を補い，住民による恒常的な監視と参加を可能にするため，国にはみられない直接民主主義的制度を採用している。すなわち，地方自治法5章は以下の直接請求について定めている。

### (1)　条例の制定改廃請求

日本国民たる普通地方公共団体の住民であって当該普通地方公共団体の議会の議員および長の選挙権を有する者は，政令の定めるところにより，その総数の50分の1以上の者の連署をもって，その代表者から，普通地方公共団体の長に対し，条例（地方税の賦課徴収ならびに分担金，使用料および手数料の徴収に関するものを除く）の制定または改廃を要求することができる（自治12条1項・74条1項）。この括弧書は，1948年の地方自治法改正で挿入されたものである。たしかに，かかる対象についても条例の制定改廃請求を認めれば，負担軽減を求める請求が濫発される可能性はあるが，後述するように，条例の制定改廃請求がなされ

---

2)　塩野・行政法III 232頁以下参照。

ても住民投票で決するレファレンダムの仕組みではなく，議会に付議する仕組みであることに照らすと，条例制定権の範囲内の事項である限り，議会による合理的判断を信頼して，請求対象を限定する必要はないと考えることもできよう。2011年通常国会には，これらの事項についての直接請求も可能とする地方自治法改正案が提出される予定であったが，地方6団体との調整がつかず，結局，提出されなかった。

**代表証明書の交付**　過去においては，長が条例案を違法と考えると，代表者証明書の交付（自治令91条）を拒否するという方式がとられ，この拒否処分に対して取消訴訟が提起されることもあった。代表者証明書とは，条例の制定または改廃請求に先立ち，その代表者の資格を当該普通地方公共団体の長が確認して交付する証明書である。東京地判昭和47・12・12行集23巻12号918頁は，違法な条例制定請求について長が代表者証明書の交付を拒否することは違法ではないと判示したが，その控訴審判決である東京高判昭和49・8・28行集25巻8＝9号1079頁［百選23］は，条例案の内容が一見しただけで条例で規定しえない事項または条例制定請求をなしえない事項であることが何人にも議論の余地すらない程度にきわめて明白であって，その後の法定の手続を進めることが全く無意義であると認められるような例外的場合のほかは，たとえ長の見解によれば条例事項に当たらないと考える場合でも，その段階で代表者証明書の交付を拒絶して住民の条例制定請求の権利の行使を阻止することは許されないと判示している（練馬区長準公選条例案制定請求事件における東京地判昭和43・6・6行集19巻6号991頁も同旨）。条例案の合憲性，適法性の判断権は，基本的には議会に付与されていることはいうまでもなく（自治96条1項1号），長は，条例の制定改廃の直接請求を議会に付議するに当たり意見を付けたり（同74条3項），議会の議決の後，それが違法と認めるときに再議に付す権限（同176条4項）を有するにとどまる。長に条例案の違法性判断権を付与すれば，議会の判断を得る機会なしに，長の判断により，条例の制定改廃の直接請求制度が利用できなくなることになり，制度の趣旨に反することになろう。したがって，前掲東京高判昭和49・8・28が述べるように，条例案が違憲・違法であることが何人にとっても自明であるとみられる場合を除き，長の判断で条例案の内容を理由として代表者証明書の交付を拒否することは認められるべきではない。ただし，一見きわめて明白に違憲・違法な場合に，例外的に長の判断により代表者証明書の交付を拒否することを認めると，この判断が恣意的になされ，交付拒否処分の取消訴訟（交付決定処分の義務付け訴訟が併合提起される場合もありうる）の提起を余儀なくされるおそれがあるので，代表者請求書の交付請求の審査に当たっては，そもそも内容による審査は一切認めないという考えもある。かかるリスクと，違憲・違法と議会で判断される可能性がきわめて高い場合に条例の制定・改廃の直接請求手続を進めるこ

｜とのコストとの比較衡量の問題になろう。

条例の制定改廃請求があったときは，当該普通地方公共団体の長は，直ちに請求の要旨を公表しなければならない（自治 74 条 2 項）。そして，この請求を受理した日から 20 日以内に議会を招集し，意見をつけてこれを議会に付議して，その結果を地方自治法 74 条 1 項の代表者に通知するとともに，これを公表しなければならない（同条 3 項）。このように，住民からの直接請求で直ちに条例が制定されるわけではなく，議会に付議され，議会の決定にゆだねられることになる。実際には，直接請求された条例案が議会で可決される例は少ない。1947 年 5 月から 1999 年 3 月までに行われた条例の制定改廃の直接請求 1352 件のうち，原案可決は 50 件（3.7%），修正可決は 77 件（5.7%）で両者を合わせても 127 件（9.4%）にすぎない[3)]。1999 年 4 月 1 日から 2021 年 3 月 31 日までの 22 年間において，条例の制定改廃の直接請求があったのは，都道府県においては 13 件（修正議決された 1 件を除き，いずれも議会において否決），市区町村において 798 件（証明書の交付のみ 61 件，取下げ 15 件，却下 5 件，原案可決 42 件，修正可決 65 件，否決 610 件）である。そのため，直接請求がなされたのち，議会に付議するのではなく，住民投票を行うべきという意見もある。ちなみに，アメリカの州では，20 世紀初頭から州民が法案や憲法改正案を発議するイニシアティブ（州民発案）の制度を採用するものが増加してきた。アメリカのイニシアティブの場合，発議がなされると，直ちに州民の投票にかける州が相当多い[4)]。

条例の制定または改廃の請求者の署名であって，①法令の定める成規の手続によらない場合，②何人であるかを確認しがたい署名は無効とされる（自治 74 条の 3 第 1 項）。また，詐欺または強迫に基づく旨の異議の申出（同 74 条の 2 第 4 項）があった署名で市町村の選挙管理委員会がその申出を正当であると決定したもの

---

3)　自治立法研究会編『市民立法総覧〔直接請求編〕』（公人社，2003 年）40 頁参照。同書は，1999 年度末までに条例制定・改廃の直接請求がなされたすべての事例のデータを含むとともに，直接請求に基づき可決（修正可決を含む）されたすべての条例とその解説を含んでおり，資料的価値が高い。

4)　2018 年 10 月 1 日現在，24 州が住民の請願に基づく住民投票を認めている。また，18 州が，住民の請願に基づく憲法改正の住民投票を認めている。自治体の条例についての住民投票に関しては，小滝・アメリカ 315 頁以下。

も無効とされる（同74条の3第2項）。市町村選挙管理委員会の決定に不服がある者は，その決定のあった日から14日以内に地方裁判所に出訴することができ，その判決に不服がある者は，控訴することはできないが最高裁判所に上告することができる（同74条の2第8項）。都道府県条例の制定または改廃の請求者の署名簿の署名に関する市町村選挙管理委員会の決定に不服がある者は，その決定のあった日から10日以内に都道府県選挙管理委員会に審査を申し立てることができ（同条7項），都道府県選挙管理委員会の裁決に不服がある者は，その裁決書の交付を受けた日から14日以内に高等裁判所に出訴することができ（同条9項），高等裁判所の判決に不服があれば，最高裁判所に上告することもできる（民訴311条）。

***Column*　署名の効力**

部落会の決議により部落民のした署名および請求代表者またはその代理人が第三者を同伴して集めた署名の効力について，最判昭和28・6・12民集7巻6号715頁［百選A7］は，もともと地方自治法は署名を集めるについては運動の行われることを予定しており（自治74条の4），また，運動に従事する者が請求者またはその代理人に限られるわけでもないから，かかる行為によって署名が事実上心理的に影響されたからといって，当該署名が詐欺または強迫によるものということはできないと判示している。また，最判昭和28・11・20民集7巻11号1255頁［百選〔2版〕28］は，署名簿の署名捺印を求めることを請求代表者が第三者に委任した場合において，当該委任が直ちに市町村選挙管理委員会に届け出られなくても，当該委員会の署名の効力審査前にその届出があったときは，当該受任者の集めた署名は無効ではないとする。さらに，同判決は，地方自治法74条の3第2項にいう「詐欺」とは，署名の目的を偽って署名を集めるような行為を指すものと解すべきであり，請求の要旨の記載またはその説明に事実に相違する点があったからといって，その選挙人の署名を詐欺に基づく署名ということはできないとする。

### ⑵　事務監査請求

日本国民たる普通地方公共団体の住民であって選挙権を有する者は，政令の定めるところにより，その総数の50分の1以上の者の連署をもって，その代表者から，普通地方公共団体の監査委員に対して，当該普通地方公共団体の事務の執行に関し，監査の請求をする権利を有する（自治12条2項・75条1項）。他の直接請求の場合とは異なり，事務監査請求については，国籍を要件とすることが妥当かについて議論のあるところであろう。この請求があったときは，監査委員は，直ちに請求の要旨を公表しなければならない（同75条2項）。監査委員は，事務監査請求にかかる事項につき監査し，監査の結果に関する報告を合議で決定し，これを事務監査請求の代表者に送付し，かつ，公表するとともに，これを当該普通地方公共団体の議会および長ならびに関係のある教育委員会，選挙管理委員会，人事委員会もしくは公平委員会，公安委員会，労働委員会，農業委員会その他法律に基づく委員会または委員に提出しなければならない（同条3項・4項）。1999年4月1日から2021年3月31日までの22年間において，事務監査請求書が受理されたのは51件のみである（いずれも市区町村）。

### (3) 議会の解散請求

日本国民たる普通地方公共団体の住民であって選挙権を有する者は，政令の定めるところにより，その総数の3分の1（その総数が40万を超え80万以下の場合にあっては，その40万を超える数に6分の1を乗じて得た数と40万に3分の1を乗じて得た数とを合算して得た数，その総数が80万を超える場合にあってはその80万を超える数に8分の1を乗じて得た数と40万に6分の1を乗じて得た数と40万に3分の1を乗じて得た数とを合算して得た数）以上の者の連署をもって，その代表者から，普通地方公共団体の選挙管理委員会に対し，当該普通地方公共団体の議会の解散を請求することができる（自治13条1項・76条1項）。総数が40万を超える場合の6分の1以上への緩和の特例は，都市部において有権者の3分の1以上の署名を集めることはきわめて困難であるという批判にこたえて，2002年の地方自治法改正で設けられたものである。しかし，議会の解散は，最終的には住民投票で過半数の賛成が得られなければ行われないのであるから，解散請求の濫用を過度に懸念すべきではなく，大都市においては，連署要件をさらに緩和すべきという意見が少なくなかった。そこで，2012年の通常国会において，議会解散請求と後述する解職請求（→(4)）について，有権者数が（40万人から80万人の部分については6分の1のまま）80万人を超える部分については8分の1に署名数要件を緩和する地方自治法改正が行われた。また，従前は，署名収集期間が都道府県では2か月以内，市町村では1か月以内と一律に定められていたが，政令指定都市のほうが一部の県よりも人口が多いにもかかわらず，署名収集期間が短いのは不合理であり，有権者数に応じた署名収集期間とするほうが合理的と思われる。そこで，政令で定めている署名収集期間が政令指定都市については2か月以内に延長された（自治令92条3項本文）。

住民による議会の解散の請求があったときは，選挙管理委員会は，直ちに請求の要旨を公表し（自治76条2項），選挙人の投票に付さなければならない（同条3項）。解散の投票において過半数の同意があったときは，議会は解散することになる（同78条）。住民による議会の解散の請求は，その議会の議員の一般選挙があった日から1年間および解散の投票のあった日から1年間はすることができない（同79条）。1999年4月1日から2021年3月31日までの22年間に，市町村においては，住民による議会の解散の請求を受けた投票で議会が解散した例は，38件ある（都道府県では例なし）。

**_Column_　名古屋市における議会の解散請求**

名古屋市の河村たかし市長は，公約に掲げた市民税の恒久的な10％減税案，議員報酬半減案を議会が否決したため，自らが主導して，議会の解散請求の署名集めを行い，46万5602人分の署名が集まった。これは，議会の解散請求に必要な署名数（36万5795人分）を大きく上回るものであった。しかし，選挙管理委員会は，11万1811人分の署名は無効で，有効署名数は，35万3791人分であったとしたため，リコールは不成立になるかと思われた。ところが，3万人以上の者が選挙管理委員会の無効判定に異議の申出を行い，再審査の結果，その約半数が有効と判定され，法定署名数を超えたため，議会解散の住民投票が行われることになった。政令指定都市で，議会の解散請求が成立した初のケースである。2011年2月に住民投票が行われ，その結果，議会が解散された。

## ⑷　解職請求

### ⒜　議員の解職請求

個々の議員に対する解職請求も議会の解散請求と同様の手続で行われる（自治13条2項・80条・83条）。1999年4月1日から2021年3月31日までの22年間に，15名の市町村会議員がこの手続で解職されている。2013年2月3日，広島県議会議員がこの手続で解職されたが，これは都道府県議会議員の唯一の解職例である。

**_Column_　高知県東洋町議会議員解職請求事件**

2008年4月17日に受理された高知県東洋町議会議員の解職請求において，解職請求代表者の中に非常勤公務員である農業委員会委員が含まれていたため，町選挙管理委員会が解職請求者署名簿の署名をすべて無効とする決定を行った。そこで，署名代表者らが異議申立てをしたが，棄却決定がなされたため，棄却決定の取消訴訟が提起された。公職選挙法 89 条 1 項本文（当時）は，「国若しくは地方公共団体の公務員又は特定独立行政法人……若しくは特定地方独立行政法人……の役員若しくは職員は，在職中，公職の候補者となることができない」と規定しており，地方自治法 85 条 1 項は，公職選挙法中普通地方公共団体の選挙に関する規定は，政令で特別の定めをするものを除き，解散の投票および解職の投票に準用すると定めている。同項の委任に基づき，地方自治法施行令 108 条（当時）は，国もしくは地方公共団体の公務員または特定独立行政法人もしくは特定地方独立行政法人の役員もしくは職員は，在職中，請求代表者となることができない旨，規定していた。すなわち，公務員については，およそ，解散・解職の投票の請求代表者となることを禁じていたのである。

このことの適法性が争われた訴訟において，最大判平成 21・11・18 民集 63 巻 9 号 2033 頁［百選 22］［判例集 183］[5]は，最判昭和 29・5・28 民集 8 巻 5 号 1014 頁を変更し，地方自治法施行令の規定（自治令旧 108 条 2 項・109 条・113 条・115 条）が，公務員が「公職の候補者」となることを禁じた公職選挙法 89 条 1 項本文を解職請求代表者の資格についても準用しているのは，地方自治法 85 条 1 項の規定に基づく政令の定めとして許される範囲を超えており，資格制限が請求手続にまで及ぼされる限りで違法であり無効と判示した（3 名の裁判官が反対意見を付している）。大法廷が違法と判断した 1 つの理由は，議員解職請求に関する地方自治法 80 条各項の規定は，解職の請求と解職の投票の 2 段階に区分し，これを前提に地方自治法 85 条 1 項は，選挙関係規定を地方自治法 80 条 3 項による解職の投票に準用する旨定めているのであり，準用がなされるのは解職の請求手続とは区分された投票手続についてであると解されるとする文理解釈である。いま 1 つは，解職の投票手続は選挙手続と同質性があるが，解職の請求手続と選挙手続の間には類似性ないし同質性がないとする実質的理由である。藤田宙靖裁判官の補足意見においては，国民の参政権の行使にかかわる，その性質上重要な権利の制限について，その制限の幅を拡張しようとするのであれば，明文の規定の拡張解釈によってではなく，法的根拠と内容とを明確にした新たな立法によって行うのが本来の筋であると指摘されている。

これを受けて，2011 年の通常国会における地方自治法改正により，直接請求代表者の資格制限を行い，①選挙権を有しなくなったことまたは当該市町村の区域に住所を有しなくなった旨を選挙人名簿に表示されている者（選挙人名簿に選挙権の停止・失権，転出の表示をされている者），②選挙人名簿から抹消された者（死亡，国籍喪失，転出後 4 か月経過，誤載），③当該請求にかかる普通地方公共団体の選挙管理委員会の委員また

5) 同判決については，ジュリ 1396 号（2010 年）46 頁以下の特集参照。また，この問題については，安本典夫「公務員の解散・解職請求権の政令による制限・再論」名城法学 59 巻 1 号（2009 年）1 頁以下が精緻な分析を行っている。

は職員は代表者となれないこととしている（自治74条6項・75条6項・76条4項・80条4項・81条2項・86条4項）。また，地位を利用して署名運動をした公務員等に対する罰則を新設している（同74条の4第5項・75条6項・76条4項・80条4項・81条2項・86条4項）。農業委員会委員は，市町村の議会の議員および長の選挙に立候補することが可能であるにもかかわらず（公選89条1項3号，公選令90条2項1号，別表第2備考），前掲最大判平成21・11・18以前において，解職請求の代表者にはなれないという不均衡な取扱いがなされていたが，この不均衡が2011年の地方自治法改正で解消されたといえる。

#### (b) 長の解職請求

長に対する解職請求も議会の解散請求と同様の手続で行われる（自治13条2項・81条・76条2項・3項・83条）。1999年4月1日から2021年3月31日までの22年間に，22名の市町村長がこの手続で解職されている。

#### (c) 役員等の解職請求

日本国民たる普通地方公共団体の住民であって選挙権を有する者は，長，議員の解職請求の場合と同一の要件を満たした連署をもって，その代表者から，普通地方公共団体の長に対し，副知事もしくは副市町村長，指定都市の総合区長，選挙管理委員もしくは監査委員または公安委員会の委員の解職を請求することができる（自治13条2項・86条1項）。この請求があったときは，当該普通地方公共団体の長は，直ちに請求の要旨を公表しなければならず（同86条2項），解職の請求を議会に付議しなければならない（同条3項）。そして，当該普通地方公共団体の議会の議員の3分の2以上の者が出席し，その4分の3以上の者の同意があったときは，これらの者はその職を失う（同87条1項）。

地方自治法は，日本国民たる普通地方公共団体の住民が教育委員会の教育長または委員の解職請求をする権利を有することも定めているが（同13条3項），その具体的手続は，「地方教育行政の組織及び運営に関する法律」8条に定められている。なお，地方自治法には全く規定がないが，他の法律で解職請求が定められていた場合がある。漁業法旧99条がその例である。なお，議会の解散請求と議員・長・役員等の解職請求を併せてリコールということがある。

### ⑸ 合併協議会の設置

#### ⒜ 合併協議会の設置請求

市町村の議会の議員および長の選挙権を有する者は，政令の定めるところにより，その総数の50分の1以上の者の連署をもって，その代表者から，市町村の長に対し，当該市町村が行うべき市町村の合併の相手方となる市町村の名称を示し，合併協議会を置くよう請求することができる（市町村合併特4条1項）。この請求があったときは，当該請求があった市町村（合併請求市町村）の長は，直ちに，請求の要旨を公表するとともに，合併対象市町村の長に対し，これを通知し，当該請求に基づく合併協議会設置にかかる協議（合併協議会設置協議〔自治252条の2の2第1項〕）について議会に付議するか否かの意見を求めなければならない（市町村合併特4条2項）。合併対象市町村の長は，この意見を求められた日から90日以内に，合併請求市町村の長に対し，合併協議会設置協議について議会に付議するか否かを回答しなければならない（同条3項）。すべての回答が合併協議会設置協議について議会に付議する旨のものであった場合には，各市町村の長はそれぞれ議会を招集し，合併協議会設置協議について議会に付議しなければならない（同条5項）。合併請求市町村およびすべての合併対象市町村の議会が合併協議会設置協議について可決した場合には，合併請求市町村およびすべての合併対象市町村は，合併協議会設置協議により規約を定め，合併協議会を置くものとされている（同条18項）。

#### ⒝ 住民投票

住民発議が行われても合併協議会設置に至らない場合が多いことにかんがみ，2000年の第26次地方制度調査会答申（「地方分権時代の住民自治制度のあり方及び地方税財源の充実確保に関する答申」）において，市町村合併にかかる住民投票制度の導入が提言されたことを受けて，2002年，第1次合併特例法改正により，住民投票制度が導入された[6]。すなわち，合併協議会設置協議について，合併請求市町村の議会がこれを否決し，かつ，すべての合併対象市町村の議会がこれを可決した場合には，合併請求市町村の長は，選挙管理委員会に対し，合併協議会

---

6） 野本祐二「地方自治法等の一部を改正する法律（市町村合併特例法関係）について」地方自治654号（2002年）67頁以下参照。

設置協議について選挙人の投票に付するように請求することができる（市町村合併特4条9項・10項）。この請求があったときは，合併請求市町村の選挙管理委員会は，合併協議会設置協議について選挙人の投票に付さなければならない（同条14項）。この投票において，合併協議会設置協議について有効投票の総数の過半数の賛成があったときは，合併協議会設置協議について合併請求市町村の議会が可決したものとみなされる（同条17項）。一定期間内に長が住民投票を求めた旨の公表がなかった場合には，有権者の6分の1以上の者の連署をもって，その代表者から，合併請求市町村の選挙管理委員会に対して，合併協議会設置協議について選挙人の投票に付するよう請求することができる（同条11項）。この投票において，合併協議会設置協議について有効投票の総数の過半数の賛成があったときは，合併協議会設置協議について合併請求市町村の議会が可決したものとみなされる（同条17項）。合併協議会設置の賛否にかかる住民投票は2006年4月1日現在で66団体で行われている。この住民投票制度は，住民の多くが合併を希望しているにもかかわらず，議会の多数派が合併に消極的であるために合併協議が進行しない事態を克服する制度として評価に値する。もっとも，住民の多くが合併を希望していないにもかかわらず，長や議会が合併協議を進行させようとする場合に，住民と議会・長との意思の乖離を克服するための住民投票制度も対として設けるべきかは検討に値する[7]。

## 3　住民監査請求・住民訴訟

### (1)　意　　義

直接請求としての事務監査請求とは別に，地方自治法は，住民監査請求・住民訴訟の制度を採用している。請求の対象となる事項は，当該地方公共団体の財務会計上の行為に限られる。直接請求の場合は，有権者の一定数以上の署名が必要であるが，住民監査請求・住民訴訟は，住民であれば誰でも，自己の個人的権利利益とかかわりなく，「住民全体の利益のために，いわば公益の代表者として」

7)　小西敦「住民投票の現在――横浜市IR，大阪都構想」法教489号（2021年）89頁。

(最判昭和53・3・30民集32巻2号485頁［百選95］［判例集II 112］) 地方公共団体の財務会計行為の適正を期すために，単独で行うことができる。ここでいう「住民」は，国籍を問わないし，自然人であるか法人であるかも問わない。年齢も要件となっていないので，未成年者も含まれうる。

住民訴訟は，住民が単独で提起することができ，かかる訴訟の提起が，住民の多数の意思と合致しているとは限らない。また，そこで問題になっているのは，政治への参画というよりも，適法性確保のための司法統制である。さらに，選挙権を有しない外国人や法人も住民訴訟を提起しうる。したがって，住民訴訟を直接民主主義の制度と位置づけることには疑問も提起されている。狭義の直接民主主義を政策形成過程への住民の直接参加という意味でとらえれば，住民訴訟は，直接民主主義のための制度とはいえないとも考えられる。他面において，住民訴訟は，地方公共団体の財務会計の適法性確保を通じて，地方公共団体の財務会計のあり方に大きな影響を及ぼし，それは，第三セクターへの補助等，地方公共団体の政策形成にも重大な影響を及ぼしうる。住民が，公選による長や議員を介さずに，地方公共団体の政策形成に直接に影響を及ぼしうる制度という意味では，住民訴訟を広義の直接民主主義制度と位置づけることも，理論的にありえないわけではないと思われる。判例においても，住民訴訟について，「住民の参政措置の一環」(最判昭和38・3・12民集17巻2号318頁［百選〔3版〕91］)，「法律によつて特別に認められた参政権の一種」(前掲最判昭和53・3・30) といわれることもある。

### (2) 住民監査請求

#### (a) 対　象

住民監査請求について，地方自治法は，以下のように定めている。「普通地方公共団体の住民は，当該普通地方公共団体の長若しくは委員会若しくは委員又は当該普通地方公共団体の職員について，違法若しくは不当な公金の支出，財産の取得，管理若しくは処分，契約の締結若しくは履行若しくは債務その他の義務の負担がある（当該行為がなされることが相当の確実さをもつて予測される場合を含む。）と認めるとき，又は違法若しくは不当に公金の賦課若しくは徴収若しくは財産の管理を怠る事実（以下「怠る事実」という。）があると認めるときは，これらを証する書面を添え，監査委員に対し，監査を求め，当該行為を防止し，若しくは是正し，若しくは当該怠る事実を改め，又は当該行為若しくは怠る事実によつて当該普通地方公共団体の被つた損害を補塡するために必要な措置を講ずべきことを請求することができる」（自治242条1項）。このように，住民監査請求は，違法な場合のみならず不当な場合も対象としうる点で住民訴訟と異なる（2007年度および2008年度に行われた住民監査請求において，違法ではなく不当を理由に制度の見直しや運用の改善が勧告された事例は63件あり，勧告全体の約7割にのぼる）[8)]。

**_Column_　財産の管理を怠る事実**

地方自治法242条1項の「財産の管理を怠る事実」における「財産」とは，公有財産，物品および債権ならびに基金を意味する（同237条1項）。そして，「債権」とは，金銭の給付を目的とする普通地方公共団体の権利をいう（同240条1項）。「債権」を金銭の給付を目的とするものに限定したのは，金銭債権の定型性や財産権としての重要性に着目したからである。例えば，補助金交付決定の取消権は，贈与契約の約定解除権に相当する性質のものであり，金銭債権自体ではないから，地方自治法240条1項の「債権」には当たらない（福岡高判平成18・10・31判タ1254号126頁）。また，市と土地開発公社の間の協定において，土地開発公社が日本国有鉄道清算事業団から取得した土地を，市が当該年度の予算に応じて，市街地再開発事業用地として，順次，土地開発公社から買い取ることで合意したところ，この買取請求権の行使を怠ることの違法確認を求める住民訴訟が提起された。東京高判令和2・7・14判例集未登載は，本件買取請求権の法的性質は，市の予約完結の意思表示を停止条件とする対象地の売買契約にかかる形成権としての予約完結権であり，金銭の給付を目的とする権利に該当しないので，請求は不適法と判示した。

住民監査請求の制度は，住民訴訟の前置手続として，まず当該普通地方公共団体の監査委員に住民の請求にかかる行為または怠る事実について監査の機会を与え，当該行為または怠る事実の違法，不当を当該普通地方公共団体の自治的，内部的処理によって予防，是正させることを目的とするものである（最判昭和62・2・20民集41巻1号122頁［百選94］）。

8)　住民監査請求について，碓井・住民訴訟37頁以下，田中孝男『住民監査請求制度の危機と課題』（公人の友社，2013年），廣田達人「住民請求監査法に関する若干の考察」日本財政法学会編『地方財政の変貌と法』（勁草書房，2005年）211頁以下参照。

### (b) 期間制限

住民監査請求は，当該行為のあった日または終わった日から1年を経過したときは，正当な理由がない限り行うことができなくなる（自治242条2項）。

この期間制限は，当該行為の知不知を問わない客観的請求期間である。

**監査請求期間の起算日**　市長が行った違法な土地転売行為に起因して市が支払った和解金相当額の損害賠償請求権の行使を怠る事実について，監査請求の起算日は，転売行為を行った日ではなく，和解の日とするのが判例（最判平成9・1・28民集51巻1号287頁）である。最判平成14・7・16民集56巻6号1339頁［百選89］は，支出負担行為（自治232条の3），支出命令（同232条の4第1項）および支出については，地方自治法242条2項本文所定の監査請求期間は，それぞれの行為があった日から各別に計算すべきとする。最判平成14・10・3民集56巻8号1611頁は，財務会計上の行為の準備行為（契約に関する予算案の作成等）は財務会計上の行為として一体としてとらえ，財務会計上の行為のあった日または終わった日を基準として，監査請求期間を計算すべきとする。最判平成14・10・15判時1807号79頁は，契約の締結にかかる監査請求は，それが一時的行為であることから，契約締結時点から起算し，契約の履行は継続的行為であり，その履行が完了した時点を起算点としている。

**正当な理由**　最判平成14・9・12民集56巻7号1481頁［百選92］は，地方自治法242条2項ただし書にいう「正当な理由」の有無は，特段の事情がない限り，普通地方公共団体の住民が相当の注意力をもって調査したときに客観的にみて当該行為を知ることができたかどうか，また，当該行為を知ることができたと解された時から相当な期間内に監査請求をしたかどうかによって判断すべきであり，当該行為が秘密裡にされた場合に限らず，普通地方公共団体の住民が相当な注意力をもって調査を尽くしても客観的にみて監査請求をするに足りる程度に当該行為の存在または内容を知ることができなかった場合にも同様であると解すべきであると判示している。最判平成14・9・17判時1807号72頁は，都市計画案の縦覧，土地所有権移転登記等が行われ，決算説明書が一般の閲覧に供された時点で住民が相当の注意力をもって調査すれば，当該行為を知ることができたはずと認定している。前掲最判平成14・10・15は，住民監査請求を行った者が専門的知識を有する不動産鑑定士であったことから，一般住民とは異なり，「正当な理由」を認めることはできないとしており，請求人に応じて，「正当な理由」の有無が異なりうるという立場をとっている。最判平成17・12・15判時1922号67頁は，情報公開条例に基づき開示された文書の分析を終えてから約25日後に監査請求がなされた事案で「正当な理由」なしとしている。他方，最判平成20・3・17判時2004号59頁［百選93］は，情報公開条例に基づく第1次開示では出張関係書類の旅行期間，目的地，用務等が不開示とされ，第2次開示でこれらの情報が開示されることになった場合，第2次開示前は監査請求をするに足りる程度に違法または不当な旅費の支出の存在およびその内容を開示請求者が知ることができたとは解されないとし，第2次開示から1か月後になされた監査請求につき「正当な理由」ありと判示している（逆に，一部開示決定により開示された文書によって，客観的にみて当該財務会計行為の違法性の有無を判別して監査請求をするに足りる程度にまで当該財務会計行為の内容を知ることができたと認定して，当該一部開示決定から約5か月半が経過してされた監査請求は相当な期間内にされたものといえないとしたものとして，高松高判令和元・6・28判例集未登載がある）。

財産管理等を怠る不作為の責任を追及する場合には，この期間制限は適用されない（最判昭和53・6・23判時897号54頁）。談合による地方公共団体の損害賠償請求権の行使を怠る事実にかかる住民監査請求についても，1年の請求期間の規定は適用されない（最判平成14・7・2民集56巻6号1049頁［百選90］，最判平成14・7・18判時1798号71頁，最判平成14・10・3民集56巻8号1611頁）。

**「不真正怠る事実」と「真正怠る事実」**　監査請求が実質的には財務会計上の行為を違法，不当と主張してその是正等を求める趣旨のものにほかならないと解されるにもかかわらず，請求人において怠る事実を対象として監査請求をする形式をとりさえすれば，上記の期間制限が及ばないことになるとすると，期間制限の趣旨が没却されることになりかねない。そこで，学説・判例は，「不真正怠る事実」と「真正怠る事実」を区別している。怠る事実を対象としてされた監査請求であっても，特定の財務会計上の行為が財務会計法規に違反して違法であるか，またはこれが違法であって無効であるからこそ発生する実体法上の請求権の行使を怠る事実を対象とするものである場合には，当該行為が違法とされて初めて当該請求権が発生するのであるから，監査委員は当該行為が違法であるか否かを判断しなければ当該怠る事実の監査を遂げることができないという関係にあり，これを客観的，実質的にみれば，当該行為を対象とする監査を求める趣旨を含むものとみざるをえない場合には，「不真正怠る事実」であり，当該行為のあった日または終わった日を基準として期間制限の規定が適用される（最判昭和62・2・20民集41巻1号122頁）。他方，当該行為が財務会計法規に違反し違法であるか否かの判断をしなければならない関係にない場合には，当該怠る事実を対象としてされた監査請求は，「真正怠る事実」であり，期間制限の規定は適用されないとするのが判例（最判平成14・7・2民集56巻6号1049頁，最判平成14・7・18判時1798号71頁）の立場である[9]。

### (c)　対象の特定

住民監査請求における対象の特定について，最判平成2・6・5民集44巻4号719頁は，「住民監査請求においては，対象とする当該行為等を監査委員が行うべき監査の端緒を与える程度に特定すれば足りるというものではなく，当該行為等を他の事項から区別して特定認識できるように個別的，具体的に摘示することを要し，また，当該行為等が複数である場合には，当該行為等の性質，目的等に照らしこれらを一体とみてその違法又は不当性を判断するのを相当とする場合を除き，各行為等を他の行為等と区別して特定認識できるように個別的，具体的に摘示することを要するものというべきであり，監査請求書及びこれに添付された事実を証する書面の各記載，監査請求人が提出したその他の資料等を総合しても，監査請求の対象が右の程度に具体的に摘示されていないと認められるときは，当該監査請求は，請求の特定を欠くものとして不適法であり，監査委員は右請求について監査をする義務を負わないものといわなければならない」と判示し，相当に厳格な特定を求めている（これに対しては，園部逸夫裁判官が，請求人が当該行為等の違法または不当を知る端緒となったものを示せば足りるとする反対意見を付している）。

複写機リース会社への複写機使用料の支出について，県が調査を行い，1995年度の支出のうち2億2412万4000円が不適切であることを公表し，その後，1993年度から1997年度までの支出のうち6億4433万6000円が不適切なものであることを公表したため，住民が，1995年度の支出に関し住民監査請求をした後，1993年度，1994年度，1996年度および1997年度の4か年度の支出について住民監査請求を行ったところ，第1審判決および原審判決は，本件監査請求は，対象とされている支出を一体とみてその違法性または不当性を判断するのを相当とする特段の事情は認められないので，監査請求人は，個々の支出ごとに，支出した部課，支出年月日，金額，支出先等のうち所要の項目を示して対象とする支出を個別具体的に摘示する必要があり，本件監査請求においては，かかる個別具体的な摘示がされていないので，請求の対象の特定を欠くとした。これに対

---

9)　この問題について，鈴木庸夫「住民訴訟における違法性相対説と監査中心主義――住民訴訟における『内部法』と『外部法』」行政法研究32号（2020年）1頁以下参照。

し，上告審の最判平成16・11・25民集58巻8号2297頁は，本件監査請求は，1993年度，1994年度，1996年度および1997年度の県庁全体の複写機使用料にかかる支出のうち，県の調査の結果不適切とされたものの合計額4億2021万2000円が違法な公金の支出であるとして，これによる県の損害を補てんするために必要な措置等を講ずることを求めるものであり，県の上記調査においては，対象期間中の複写機使用料にかかる個々の支出ごとに不適切な支出であるかどうかが検討されたというのであるから，本件監査請求において，対象とする各支出について，支出した部課，支出年月日，金額，支出先等の詳細が個別的，具体的に摘示されていなくとも，県監査委員において，本件監査請求の対象を特定して認識することができる程度に摘示されていたものということができるので，請求の対象の特定に欠けるところはないと判示した。

同様に，1997年12月に，県監査委員事務局職員の秋田県への出張旅費が架空支出であったことが明らかになったことを受け，県が調査委員会を設置し，1994年4月から1997年12月までの全県職員の旅費支出について1件ごとに調査し，1998年3月に公表された調査結果報告書において，カラ出張による旅費支出の合計額が記載されていたため，住民が，当該調査において不適切な支出とされた合計16億9806万7220円の旅費支出は違法な公金の支出に当たるとして，県監査委員に住民監査請求を行った事案で，第1審判決（福井地判平成11・7・7判例集不登載）および原審判決（名古屋高金沢支判平成12・3・22判例集不登載）は，本件監査請求は，県監査委員事務局職員の秋田県への出張旅費の支出以外は，対象となる各支出を特定して認識することができる程度に個別的，具体的に摘示していないので，監査請求の対象の特定に欠け不適法としたのに対し，最判平成16・12・7判時1886号36頁は，県が，対象期間中の旅費支出について1件ごとに調査し，不適切な支出の合計額を公表したという事実関係の下においては，県の調査において不適切支出とされたものが違法な公金支出であるとしてされた本件監査請求は，対象とする各支出について，支出にかかる部課，支出年月日，支出金額等の詳細を個別的，具体的に摘示していなくとも，請求の対象の特定に欠けるところはないと判示した。2004年に出された上記の2つの最高裁判決は，前掲最判平成2・6・5の判示を下級審判決が杓子定規に解して対象の特定性を必要以上に厳格に要求したことを戒めるものといえよう。

### (d) 同一住民による同一行為に対する監査請求

前掲最判昭和62・2・20は，監査委員の監査の結果が請求人に通知された場合において，請求人たる住民は，当該監査の結果に対し不服があるときは，住民訴訟を提起すべきであり，同一住民が先に監査請求の対象とした財務会計上の行為または怠る事実と同一の行為または怠る事実を対象とする監査請求を重ねて行うことは許されないとする。そして，監査委員は，監査請求の対象とされた行為または怠る事実につき違法，不当事由が存するかを監査するに当たり，住民が主張する事由以外の点にわたって監査することができないとされているものではなく，住民の主張する違法，不当事由や提出された証拠資料が異なることによって監査請求が別個のものになるものではないし，監査請求の理由として主張した事由以外の違法事由を訴訟において主張することも何ら禁止されていないから，主張する違法事由ごとに監査請求を別個のものとしてこれを繰り返すことを認める必要も実益もないと判示する。

### (e) 停止の勧告

> 住民監査請求があった場合において，当該行為が違法であると思料するに足りる相当な理由があり，当該行為により当該普通地方公共団体に生ずる回復困難な損害を避けるため緊急の必要があり，かつ，当該行為を停止することによって人の生命または身体に対する重大な危害の発生の防止その他公共の福祉を著しく阻害するおそれがないと認めるときは，監査委員は，当該普通地方公共団体の長その他の執行機関または職員に対し，理由を付して，監査の手続が終了するまでの間，当該行為を停止すべきことを勧告することができる（自治242条4項前段）。この場合において，監査委員は，当該勧告の内容を請求人に通知するとともに，これを公表しなければならない（同項後段）。

### (f) 証拠の提出および陳述の機会の付与

> 監査委員は，監査を行うに当たっては，請求人に証拠の提出および陳述の機会を与えなければならない（自治242条7項）。監査委員は，請求人から陳述の聴取を行う場合または関係のある当該普通地方公共団体の長その他の執行機関もしくは職員の陳述の聴取を行う場合において，必要があると認めるときは，関係のある当該普通地方公共団体の長その他の執行機関もしくは職員または請求人を立ち会わせることができる（同条8項）。

#### (g) 監査結果に基づく措置

監査委員は，監査を行い，請求に理由がないと認めるときは，理由を付してその旨を書面により請求人に通知するとともに，これを公表し，請求に理由があると認めるときは，当該普通地方公共団体の議会，長その他の執行機関または職員に対し期間を示して必要な措置を講ずべきことを勧告するとともに，当該勧告の内容を請求人に通知し，かつ，これを公表しなければならない（自治242条5項）。監査委員の監査および勧告は，監査の請求があった日から60日以内に行わなければならない（同条6項）。

**_Column_　京都府の簡易監査制度**

住民監査請求の対象は，財務会計行為に限られているが，京都府は，全国で初めて簡易監査制度を導入し，2006年6月1日から実施している。そのため，監査委員事務局の中に府民簡易監査室を設けている。京都府府民簡易監査規程（平成18年6月1日京都府監査委員告示第2号）が定める簡易監査は，京都府政に関する意見や疑問について，証拠書類の提出を義務づけず簡易な手続で受け付け，監査委員が府の関係機関を調査し，簡易監査請求を受け付けてから20日程度で結果を回答するとともに，提出された意見等を他の監査の参考とする制度である。府民監査請求の対象は，府政の非効率や煩雑さ，府の府民に対する不作為や不当な行為，府職員による制度の不正運用，府民による制度の不正利用等であり，公益通報も包摂した制度であるといえる。ただし，判決，裁決等により確定した権利に関する事項，訴訟や行政上の不服申立てで係争中の事項，すでに調査済みの事項，監査請求にかかる事項が虚偽その他正当な理由がないときは，簡易監査の対象外になる。すでに多様な簡易監査請求が行われており，簡易監査の結果，パーキングエリアの表示板の記載を分かりやすくしたり，府営住宅申込み受付場所をプライバシーに配慮したものに改善する等の効果が表れている。

### (3) 住民訴訟

#### (a) 沿　革

住民訴訟は，元来，GHQの指示の下，アメリカで判例法上認められていた主観訴訟としての納税者訴訟（taxpayers' suit）をモデルにして1948年の地方自治法改正で導入されたものである（最大判昭和34・7・20民集13巻8号1103頁は，納税者訴訟制度を設けるか否かは立法政策の問題であって，これを設けないからといって，地方自治の本旨に反するとはいえないとする）。1963年の改正で，現在のように

「住民訴訟」が正式の名称になった。住民訴訟は，民衆訴訟（行訴5条）の一種（したがって，客観訴訟）である[10]。

### ⒝　住民訴訟で違法と認定された例

これまで，競輪開始事業10周年記念品料の議員への支給（最判昭和39・7・14民集18巻6号1133頁［百選A22］。ただし，一般論としては，法律・条例に基づかない記念品料等の支給も，社会通念上儀礼の範囲内にとどまる限り，法律・条例に基づかない給与等の支給を禁じた地方自治法204条の2の規定に反しないとする），府議会議員退職記念品料贈与規程に定める額を著しく超えてされた退職記念品料の議員への支払（大阪地判昭和39・12・25行集15巻12号2399頁。本件は，条例に基づかずに地方公共団体の議員，職員に給与その他の給付を支給することを一切禁止する地方自治法204条の2の施行前のものであることに留意），現職町長自らの胸像の建立（広島地判昭和43・12・18判時560号43頁），観光に終始する旅行計画に基づく議員の海外視察（最判平成9・9・30判時1620号50頁），議員の野球大会への公費支出（最判平成15・1・17民集57巻1号1頁［百選70］［判例集62］），県の元議員会の内部的な行事等への補助（最判平成18・1・19判時1925号79頁），市職員共済組合が行う年金給付制度への補助（京都地判平成18・5・19判タ1230号158頁），玉串料等の靖国神社または護国神社への奉納（最判平成9・4・2民集51巻4号1673頁［百選96］），第三セクターに派遣された職員への給与の支給（東京高判平成6・10・25行集45巻10＝11号1868頁），臨時従事員への退職手当を支給するための競艇従事員共済会に対する補助金（最判平成28・7・15判時2316号53頁）等が住民訴訟で違法と認定されている。

### ⒞　監査請求前置主義

住民訴訟を提起することができるのは，監査結果，監査委員の勧告，勧告に基づいてとられた措置に不服があるとき，監査委員が所定の期間内に監査または勧告を行わないとき，議会，長その他の執行機関が勧告に基づく措置を講じないときである（違法性を争えるのみで当不当の問題は争えない）。すなわち，監査請求前置主義がとられているのである（自治242条の2第1項柱書）。監査請求を前置し

10)　住民監査請求・住民訴訟制度の包括的な改正案について，阿部・住民訴訟3頁以下参照。

ていない者は，住民訴訟に参加することはできても原告にはなれない。監査請求前置主義については，重要な最高裁判決が出されている。すなわち，住民訴訟の対象となる財務会計上の行為または怠る事実について監査請求を経ていると認められる以上，監査請求で求められた具体的措置の相手方とは異なる者を相手方として当該措置の内容と異なる請求をすることも認められている（最判平成10・7・3判時1652号65頁）。適法な住民監査請求が監査委員により不適法であるとして却下された場合においては，当該請求を行った住民は，適法に住民監査請求を前置したものとして直ちに住民訴訟を提起することも再度の住民監査請求を行うことも認められる（最判平成10・12・18民集52巻9号2039頁［百選97］［判例集108］）。監査委員が適法な住民監査請求を不適法であるとして却下した場合，当該請求をした住民が提起する住民訴訟の出訴期間は，地方自治法242条の2第2項1号に準じ，却下の通知があった日から30日以内と解されている。さらに，下級審判決ではあるが，建設費支出差止めを求める住民訴訟が係属中に建設工事が実施されたため，支出された公金の一部について代位訴訟が提起された場合において，対象の同一性が認められるとして監査請求前置の要件の充足が肯定されている（横浜地判平成13・1・17判タ1094号139頁）。

**(d)　出訴期間**

住民監査請求を行った者は，監査結果または勧告に不服がある場合には監査結果または勧告の内容の通知があった日から30日以内（請求をした日から60日を経過しても監査委員が監査をしない場合は60日を経過した日から30日以内），勧告を受けた機関または職員の措置に不服がある場合には，当該措置にかかる監査委員の通知を受けた日から30日以内（勧告を受けた機関または職員が措置を講じない場合は，当該勧告に示された期間を経過した日から30日以内）に（自治242条の2第2項），裁判所に対し，住民監査請求にかかる違法な行為または怠る事実につき訴えをもって以下（→(e)）に示す4つの請求をすることができる（住民訴訟を提起する権利は一身専属的なものである〔青森地決昭和42・6・2行集18巻11号1427頁，最判昭和55・2・22判時962号50頁，福岡高那覇支判平成21・10・15判時2066号3頁［百選109］〕）。

**(e)　訴訟類型**

①当該執行機関または職員に対する当該行為の全部または一部の差止めを求め

る請求（1号請求），②行政処分たる当該行為の取消しまたは無効確認の請求（2号請求），③当該執行機関または職員に対する当該怠る事実の違法確認の請求（3号請求），④当該職員または当該行為もしくは怠る事実にかかる相手方に損害賠償または不当利得返還の請求をすることを当該普通地方公共団体の執行機関または職員に対して求める請求（4号請求。ただし，当該職員または当該行為もしくは怠る事実にかかる相手方が地方自治法243条の2の2第3項の規定による賠償の命令の対象となる者である場合にあっては，当該賠償の命令をすることを求める請求）である（自治242条の2第1項1号～4号）。このうち，④は，従前は，原告住民が地方公共団体に代位して当該職員または当該行為もしくは怠る事実にかかる相手方に損害賠償または不当利得返還の請求をする訴訟（代位訴訟）であった。しかし，2002年の地方自治法改正により，執行機関等を被告として長，職員，相手方への損害賠償等の請求を行うことを求める義務付け訴訟に再構成された。この訴訟で住民の勝訴判決が確定した場合には，敗訴した地方公共団体の長は，当該判決が確定した日から60日以内の日を期限として，当該請求にかかる損害賠償金または不当利得返還請求金の支払を請求しなければならない（同242条の3第1項）。所定の期限までに支払がなされない場合には，当該普通地方公共団体は，当該損害賠償または不当利得返還請求を目的とする訴訟（第2次訴訟）を提起しなければならない（同条2項）。

2002年改正後の4号請求に係る住民訴訟においては，被告となる地方公共団体の執行機関は，地方公共団体の組織を代表する立場にあるので，原告である住民と利害が対立するとは限らない。現在の長に対する損害賠償請求の義務付けを求める訴訟のような場合には，当該長は，第2段階の訴訟で個人として被告となりうるので，執行機関としての長は，第1段階の訴訟で請求を却下または棄却する訴訟活動を行うインセンティブを有する。しかし，前の長に対する損害賠償請求の義務付けを求める訴訟の場合，現在の長が前の長と政治的に対立しているようなケースでは，現在の執行機関としての長には，請求を却下または棄却する訴訟活動を行うインセンティブを有しないことが想定されうる。かかる場合に，処分権主義により請求の認諾を認めてよいのかという問題が生ずる。また，前の長が第1段階の訴訟に補助参加しても，補助参加人の訴訟行為が，被告の訴訟行為と抵触するときは，その効力を有しない（民訴45条2項）。この場合，第1段階の裁判は，補助参加人に対しては効力を有しないので（同46条2号），実質的に訴訟のやり直しとなり，訴訟経済に反するという問題がある。かかる場合，独立当事者参加（同47条1項）を認めることが考えられる[11]。

「当該職員」とは，当該訴訟においてその適否が問題とされている財務会計行為を行う権限を法令上本来的に有するものとされている者およびこれらの者から権限の委任を受けるなどして同権限を有するに至った者を広く意味し，他方で，およそそのような権限を有する地位ないし職にあると認められない者はこれに該当しない（最判昭和62・4・10民集41巻3号239頁）。長は，当該地方公共団体を代表するものであり，予算の執行，地方税の賦課徴収，分担金，使用料，加入金または手数料の徴収，財産の取得，管理および処分等の広範な財務会計上の行為を行う権限を有するので，その職責および権限の内容に鑑みると，長は，その権限に属する一定の範囲の財務会計上の行為をあらかじめ特定の職員に委任している場合であっても，当該財務会計上の行為の適否が問題とされている住民訴訟において，地方自治法242条の2第1項4号にいう「当該職員」に該当する（最判平成5・2・16民集47巻3号1687頁）。

平成14年法律第4号による改正前の地方自治法242条の2第1項における3号請求と4号請求の関係について，最判平成13・12・13民集55巻7号1500頁は，同項が両請求の間に優先順位を定めていないことや両請求の当事者，効果の相違等に鑑みると，4号請求との関係において3号請求を補充的なものと解する根拠はないから，4号請求がその代位請求の対象となっている当該請求権の行使を怠る事実の違法確認を求める3号請求にかかる訴えに併合提起されていることにより，当該3号請求にかかる訴えが不適法な訴えとなるものと解すべきではないと判示した。平成14年法律第4号による改正後の3号請求と4号請求の関係についても同様にいえるかについては，見解が分かれている。

**Column　会計職員，予算執行職員等の損害賠償責任**

会計管理者もしくは会計管理者の事務を補助する職員，資金前渡を受けた職員，占有動産を保管している職員または物品を使用している職員が故意または重大な過失（現金については，故意または過失）により，その保管にかかる現金，有価証券，物品

11）　この問題について，福井秀夫「住民訴訟における原告・被告の対立構造の歪みと弁論主義の限界」行政法研究42号（2022年）53頁以下が詳しい。

（基金に属する動産を含む）もしくは占有動産またはその使用にかかる物品を亡失し，または損傷したときは，これによって生じた損害を賠償しなければならない。支出負担行為，支出命令，当該支出負担行為が法令または予算に違反していないことおよび当該支出負担行為にかかる債務が確定していることの確認，支出または支払，契約の適正な履行を確保するためまたはその受ける給付の完了の確認をするため必要な監督または検査をする権限を有する職員またはその権限に属する事務を直接補助する職員で普通地方公共団体の規則で指定したものが故意または重大な過失により法令の規定に違反して当該行為をしたことまたは怠ったことにより地方公共団体に損害を与えたときも，同じである（自治243条の2の2第1項）。同項の規定により損害を賠償しなければならない場合には，同項の職員の賠償責任については，賠償責任に関する民法の規定は，適用されない（同条14項）。これは，同項所定の職員の職務の特殊性に鑑みて，同項所定の行為に起因する当該地方公共団体の損害に対する職員の賠償責任に関しては，民法上の債務不履行または不法行為による損害賠償責任よりも責任発生の要件および責任の範囲を限定し，これらの職員がその職務を行うに当たり萎縮し消極的となることなく，積極的に職務を遂行することができるよう配慮するとともに，当該職員の行為により地方公共団体が損害を被った場合には，地方公共団体内部における簡便な責任追及の方法を設けることによって，簡便かつ迅速にその損害の補塡が図られるように，当該地方公共団体を統轄する長に対し，賠償命令の権限（同条3項）を付与したものである（最判昭和61・2・27民集40巻1号88頁）。他方，地方公共団体の長は，同条1項の職員に含まれず，長の当該地方公共団体に対する賠償責任については民法の規定によるとするのが判例の立場である（前掲最判昭和61・2・27）。そして，最判平成6・11・8集民173号275頁は，長の賠償命令が確定している場合には，同条1項の職員の賠償責任の範囲は当該賠償命令の命ずる範囲に限定され，住民訴訟で賠償請求をすることを求める額は賠償命令で命じられた賠償額を超えることはできないとする。

地方自治法243条の2の2第1項の予算執行職員等に該当しない職員が予算執行職員等を補助する場合において，東京高判平成19・4・19東高民58巻1～12号5頁は，当該補助行為に関する違法が地方自治法243条の2（平成29年法律第25号による改正前のもの。現在は243条の2の2）第1項各号に掲げる行為の違法を構成する関係にあるときには，当該補助職員自らは損害賠償責任を負わず，当該補助職員に重大な過失があったときは，予算執行職員等が（予見可能性が存する限り）損害賠償責任を負うと解した。しかし，上告審の最判平成20・11・27判時2028号26頁は，予算執行職員等に損害賠償責任が生ずるためには，予算執行職員等自身が故意または重大な過失により違法な行為をし，または違法に職務を怠ったと認められることが必要であり，予算執行職員等は，これに該当しない職員の補助を受けてその職務の執行をする場合においても，その補助職員が違法な行為をしたこと，または違法に職務を怠ったことにつき，当然に自らの行為と同視されてその責任を問われるものではないと判示した。

当該普通地方公共団体がその長に対し当該損害賠償または不当利得返還の請求を目的とする第2次訴訟を提起するときは，当該訴訟については，代表監査委員が当該普通地方公共団体を代表する（自治242条の3第5項）。

***Column*　第2次訴訟の義務付け**

長または代表監査委員が，第2次訴訟を提起しない場合に，第2次訴訟提起の義務付けを求める住民訴訟を提起できるかが争点になった事案において，東京地判平成25・1・23判時2189号29頁は，かかる訴訟は不適法とした。その理由は，住民訴訟は民衆訴訟であり，法律の定める場合において，法律に定める者に限り提起することができるのであるが（行訴42条），住民が第2次訴訟提起の義務付けを求める訴訟は法定されていないからというものであった。もっとも，第2次訴訟を提起することを「怠る事実の違法確認の請求」（自治242条の2第1項3号）を行うことは可能である。

#### (f)　議員による利用

議員が議会での質問等のために住民訴訟を提起し，控訴にかかる訴訟費用に政務調査費（当時）を支出することが適法かが争点になった事案において，最判平成25・1・25判時2182号44頁は，住民訴訟の提起および追行は，地方議会の制度とは別個独立の自己完結的な争訟制度を通じて地方公共団体の執行機関または職員の財務会計上の違法な行為または怠る事実を是正し予防することを目的とし，裁判所に対し法令と証拠に基づく法的判断を求めて請求の実現を図り攻撃防御を行う司法手続上の争訟活動を内容とする行為であり，客観的にみて，議会の審議能力の強化を図るために議会の議員活動の基礎となるものとして情報や資料を収集する調査や研究の活動とは，本来目的や性質を異にすると指摘している。そして，住民訴訟の提起および追行は，それ自体としては，議員の議会活動の基礎となる調査研究活動との間に合理的関連性が認められないので，控訴にかかる訴訟費用は本件政務調査費の使途基準に適合しないと判示している。

他方，住民訴訟を提起し追行する議員が，当該訴訟の提起および追行を端緒として，その過程でその結果として地方公共団体の保有する情報や資料を取得することはありうるところ，これらの取得した情報や資料を，当該訴訟の追行とは別途に，議会活動に関して，その基礎となる調査研究または議会審議に必要な資料の作成や議会活動の広報等に用いるために費用が支出された場合には，その費用が本件使途基準の調査研究費または資料作成費や広報費等の他の項目に該当するとみる余地があり，当該情報や資料が住民訴訟を端緒として得られたものであることから直ちに当該支出がおよそ本件使途基準に適合しない支出であるとまではいいがたいと判示している。

**(g)　損害賠償請求権の議決による放棄**

住民訴訟係属中に，地方自治法96条1項10号の規定に基づき，地方公共団体の議会が損害賠償請求権等を放棄する議決をすることが稀でなくなっている。かかる放棄議決が適法か否かが訴訟で争われ，千葉地判平成12・8・31判例自治220号38頁（千葉県鋸南町補助金交付事件）のように，住民訴訟の制度趣旨に反するという理由で，権利放棄議決を違法とする判決もあったものの（岩手県玉串料事件の仙台高判平成3・1・10判時1370号3頁は，傍論においてではあるが，住民訴訟係属中の権利放棄は住民訴訟制度の趣旨に反し許されないとする），権利放棄議決を適法とする判決が多かった。すなわち，前掲千葉地判平成12・8・31の控訴審の東京高判平成12・12・26判時1753号35頁［百選〔3版〕A32］は，法律またはこれに基づく政令または条例に特別の定めがある場合を除き，地方公共団体の権利の放棄は，議会の議決によるべきとされており，住民訴訟提起後には放棄ができないとする特別の定めはないから議会の議決は適法と判示した（最判平成16・10・15判例集不登載は上告棄却・上告受理申立不受理）。

また，新潟地判平成15・7・17判例集不登載（新潟県安塚町事件）は，住民訴訟は，住民の意思を地方公共団体の運営に反映させるための唯一の制度ではなく，絶対不可侵のものとみることはできず，住民訴訟は，債権者が自己の個人的利益のために行う債権者代位権に基づく訴訟とは性質を異にするから，住民訴訟が提起されることによって当該地方公共団体の管理処分権が制限されると解する必要はなく，裁判上の代位に関する非訟事件手続法（明治31法14）旧76条2項（「前項ノ告知〔裁判上の代位の申請を裁判所が許可した旨の告知—著者注〕ヲ受ケタル債務者ハ其権利ノ処分ヲ為スコトヲ得ス」）の規定を類推適用する余地はないこと，地方公共団体の長が自己に関する議案を提出することは禁じられていないから，そのことをもって長の誠実執行義務違反とはいえないこと，損害賠償請求権を放棄することは地方公共団体の長に給与を支払うことと異なるから地方自治法204条の2が定める給与条例主義に反しないこと等を指摘して，住民の請求を棄却している。その控訴審の東京高判平成16・4・8判例集不登載は，地方自治法96条1

項10号が，権利の放棄が許される場合の要件を特に定めることなく，その判断を議会の議決にゆだねていることからすれば，権利を放棄するかどうかは，第一次的には当該地方公共団体自身の意思，すなわち住民の代表者で構成される議会の判断にゆだねられており，基本的には，その判断を尊重すべきとする。ただし，同判決は，議会による権利放棄の議決が，地方公共団体および住民の利益を一方的に害するにもかかわらず，もっぱら特定の個人の利益を図る目的でされた場合等，地方自治法96条1項10号が権利の放棄を議会の議決にゆだねた趣旨に明らかに背いてされたものと認めうるような特別の事情がある場合には，当該議決は議会にゆだねられた権限を濫用し，またはその範囲を逸脱するものとして違法となるとするが，当該事件においては，かかる特別の事情は認められないとする（最判平成16・11・19判例集不登載は，上告棄却・上告受理申立不受理）。

東京高判平成18・7・20判タ1218号193頁（玉穂町事件）も，地方公共団体の権利の放棄は，法令または条例に別段の定めがない限り，議会の議決にゆだねられているとし，これは，住民の意思をその代表者を通じて直接反映させるとともに，執行機関の専断を排除しようとする趣旨をも含むから，権利放棄の議決につき長の執行行為を要するとは解されないと述べている。東京高判平成19・3・28判タ1264号206頁（久喜市事件）も，傍論においてではあるが，権利放棄議決を適法としている。また，第1審判決が損害賠償請求を義務づける判決を出した後に議会が賠償請求権を放棄する議決をした事案において，大阪高判平成21・3・26判例集不登載は，放棄の可否は，住民の代表である議会が，発生原因，影響，効果等を総合考慮して行う合理的判断にゆだねられるとし，議会による放棄の議決により，損害賠償請求権は消滅したと判示している。

このように，住民訴訟にかかる地方公共団体の損害賠償請求権の議決による放棄を容認する裁判例が優勢になったため，第29次地方制度調査会は，4号訴訟で紛争の対象となっている損害賠償または不当利得返還の請求権を当該訴訟の係属中に放棄することは，住民に対し裁判所への出訴を認めた住民訴訟制度の趣旨を損なうこととなりかねないので，4号訴訟の係属中は，当該訴訟で紛争の対象となっている損害賠償または不当利得返還の請求権の放棄を制限するような措置を講ずるべきであると提言した。その後，大阪高判平成21・11・27民集66巻6号2738頁は，議会が本件権利を放棄する旨の議決をする合理的理由はなく，放棄の相手方の個別的・具体的な事情の検討もなされていないこと等の事情に照らせば，本件権利を放棄する議会の決議は，地方公共団体の執行機関が行った違法な財務会計上の行為を放置し，損害の回復を含め，その是正の機会を放棄するに等しく，また，本件住民訴訟を無に帰せしめるものであって，地方自治法に定める住民訴訟の制度を根底から否定するものといわざるをえず，上記議会の本件権利を放棄する旨の決議は，議決権の濫用に当たり，その効力を有しないと判示している。また，東京高判平成21・12・24判例自治335号10頁も，裁判所が存在すると認定判断した損害賠償請求権について，これが存在しないとの立場から，裁判所の認定判断を覆し，あるいは裁判所においてそのような判断がされるのを阻止するために権利放棄の議決をすることは，三権分立の趣旨に反するものというべきであり，地方自治法も，そのような裁判所の認定判断を覆す目的のために権利放棄の議決が利用されることを予想・容認しているものと解することはできないと判示している。

このように，2009年末に，大阪高裁，東京高裁で立て続けに権利放棄議決を違法とする判決が出され，裁判例の流れに変化がみられたため，上告審において，どのような判断が示されるかが注目されていた。前掲大阪高判平成21・11・27の上告審の最判平成24・4・20民集66巻6号2583頁（神戸市事件）［百選113］［判例集II 6①］は，住民訴訟の対象とされている損害賠償請求権または不当利得返還請求権が認められる場合は様々であり，個々の事案ごとに，当該請求権の発生原因である財務会計行為等の性質，内容，原因，経緯および影響，当該議決の趣旨および経緯，当該請求権の放棄または行使の影響，住民訴訟の係属の有無および経緯，事後の状況その他の諸般の事情を総合考慮して，これを放棄することが普通地方公共団体の民主的かつ実効的な行政運営の確保を旨とする同法の趣旨等に照らして不合理であって議会の裁量権の範囲の逸脱・濫用に当たると認められるときは，その議決は違法となり，当該放棄は無効となるものと解するのが相当であり，当該公金の支出等の財務会計行為等の性質，内容等については，その違法事由の性格や当該職員または当該支出等を受けた者の帰責性等が考慮の対象とされるべきものと解されるとする。そして，本件では，市が本件各団体に対する不当利得返還請求権を放棄することが普通地方公共団体の民主的かつ実効的な行政運営の確保を旨とする地方自治法の趣旨等に照らして不合理であるとは認めがたく，その放棄を内容とする市議会の議決がその裁量権の逸脱・濫用に当たるとはいえず，当該議決は適法であると解するのが相当であると判示している。そして，最判平成24・4・20判時2168号45頁（大東市事件）［判例集63］および前掲東京高判平成21・12・24の上告審の最判平成24・4・23民集66巻6号2789頁（さくら市事件）［判例集17］［判例集Ⅱ 6②］も，同様の判示をしている。最高裁の基本的考え方が示されたことを受けて，総務省は，立法的対応の是非についての検討を再開した12)。以上の3判決に付された千葉勝美裁判官の補足意見においては，「権利の放棄の議決が，主として住民訴訟制度における地方公共団体の財務会計行為の適否等の審査を回避し，制度の機能を否定する目的でされたと認められるような例外的な場合（例えば，長の損害賠償責任を認める裁判所の判断自体が法的に誤りであることを議会として宣言することを議決の理由としたり，そもそも一部の住民が選挙で選ばれた長の個人責任を追及すること自体が不当であるとして議決をしたような場合が考えられる。）には，そのような議会の裁量権の行使は，住民訴訟制度の趣旨を没却するものであり，そのことだけで裁量権の逸脱・濫用となり，放棄等の議決は違法となるものといえよう」，「議会としては，基本的にはその裁量事項であっても，単なる政治的・党派的判断ないし温情的判断のみで処理することなく，その逸脱・濫用とならないように，本件の法廷意見〔最判平成24・4・23においては「多数意見」―著者注〕が指摘した司法判断の枠組みにおいて考慮されるべき諸事情を十分に踏まえ，事案に即した慎重

---

12)　退職給付制度の廃止により不要となった補給金の清算金を不当利得返還債務へ充当する合意が実質的に債権の放棄になるかが争点となったものとして，最判平成22・3・25判時2081号3頁も参照。住民訴訟と損害賠償請求権等の議決による放棄の問題について，阿部泰隆＝白藤博行『住民訴訟と議会と首長――議会の損害賠償請求権放棄の論点と首長の責務』（地域科学研究会，2011年），阿部・住民訴訟303頁，田村達久「住民訴訟の展開――経済性の原則，権利放棄議決と住民訴訟との関係に絞って」法時82巻8号（2010年）38頁，斎藤・法的基層468頁，木村琢麿「財政法の基礎理論の覚書き――住民訴訟と権利放棄議決の関係を含めて」自治研究86巻5号（2010年）54頁，同「住民訴訟4号請求が提起された場合における権利放棄議決の可否」法教388号（2013年）41頁，飯島淳子「議会の議決権限からみた地方自治の現状」論究ジュリ3号（2012年）128頁，津田和之「住民訴訟と議会による債権放棄」自治研究85巻9号（2009年）108頁以下，蝉川千代「住民訴訟制度と地方議会の権限(上)(下)―― 4号訴訟に対する債権放棄を中心に」自治研究82巻5号135頁，7号127頁（2006年）参照。

な対応が求められることを肝に銘じておくべきである」と述べられている。そして，上記最高裁判決後に出された東京地判平成25・1・23判時2189号29頁は，詳細な事実認定を行い，債権放棄議決を違法無効と判示している（しかし，控訴審の東京高判平成25・8・8判時2211号16頁は，村の行財政改革の一環として行われたこと，住民訴訟で違法とする判決が出された後，コンプライアンスを確保する措置を講じたこと，村の財政規模への影響が大きいとはいえないことなどを理由として，債権放棄議決は有効として第1審判決を取り消している）。また，高松高判平成29・1・31判タ1437号85頁は，債権放棄議決を無効としたが，その上告審の最判平成30・10・23判タ1460号31頁は，前掲最判平成24・4・20（神戸市事件），前掲最判平成24・4・20（大東市事件），前掲最判平成24・4・23（さくら市事件）で示された判断基準を適用し，債権放棄議決の逸脱または濫用はないと判示した[13]。

**(h) 千葉補足意見および須藤意見**

前掲最判平成24・4・20（神戸市事件），前掲最判平成24・4・20（大東市事件），前掲最判平成24・4・23（さくら市事件）の3判決には，千葉勝美裁判官の補足意見が付されており，そこでは，錯綜する事務処理の過程で，一度ミスや法令解釈の誤りがあると，相当因果関係が認められる限り，長の給与や退職金をはるかに凌駕する損害賠償義務を負わせることとしているこの制度の意義についての説明は，通常の個人の責任論の考えからは困難であること，国家賠償法の考え方に倣えば，長に個人責任を負わせる方法としては，損害賠償を負う場合やその範囲を限定する方法もありうることが指摘されている。

また，さくら市事件における須藤正彦裁判官の意見においては，事案によっては高額の損害賠償金額を一定程度減縮することが相当となる場合があるという考え方も成り立ちうるところであり，一般的に，議会において賠償金額を，例えば，長の資力などを考慮して過重とみられる分をカットし，あるいは，年間報酬額の何年分といった額にまで減縮する旨の一部放棄の議決をすることは一つの政治的判断として合理的で裁量権の範囲内とみられることが指摘された。

---

13) その他も含めて，前掲最判平成24・4・20(神戸市事件)，前掲最判平成24・4・20（大東市事件），後の裁判例の動向とそれへの評価については，曽和俊文「住民訴訟と債権放棄議決：再論――最判平成24・4・20以後の展開」同志社法学74巻3号（2022年）797頁以下参照。

### (i) 「住民訴訟に関する検討会」報告書

このように，権利放棄議決についての最高裁の判断が示され，また，補足意見および意見において，住民訴訟における個人の損害賠償責任のあり方について問題提起がなされたこと，執行3団体からも住民訴訟制度の見直しについて強い要望が寄せられたことを受けて，総務省は，2012年7月，「住民訴訟に関する検討会」を開催し，2013年3月に報告書をとりまとめている。同報告書では，一定の結論は示されず，6つの対応案が提示され，各案の意義と留意点がまとめられている。

### (j) 第31次地方制度調査会答申

第31次地方制度調査会答申では，全体のガバナンスの見直しにより不適正な事務処理の抑止効果を高めるとともに，長や職員の損害賠償責任については，長や職員への萎縮効果を低減させるため，軽過失の場合における損害賠償責任の長や職員個人への追及のあり方を見直すことが必要であると同時に，不適正な事務処理の抑止効果を維持するため，裁判所により財務会計行為の違法性や注意義務違反の有無が確認されるための工夫や，4号訴訟の対象となる損害賠償請求権の訴訟係属中の放棄の禁止が必要であるとされた。また，長や職員個人に損害賠償請求を認める判決が確定した後は，裁判所の判断を前提とした上で損害賠償請求権の放棄が客観的かつ合理的に行われることに資するよう，損害賠償請求権を放棄する場合に監査委員等の意見の聴取を行うことが必要であるとされた。

### (k) 「住民訴訟制度の見直しに関する懇談会」取りまとめ

第31次地方制度調査会答申が，軽過失の場合における損害賠償責任の長や職員個人への追及のあり方を見直すことを提言したことに対しては，日本弁護士連合会等から強い反対意見が出された。そこで，総務省は，2016年12月に，「住民訴訟制度の見直しに関する懇談会」を開催して，あらためて，4号訴訟における軽過失の場合の長や職員の損害賠償責任について検討を行い，同懇談会は，2017年1月，取りまとめを行っている。取りまとめでは，長や職員の責任要件を故意・重過失に限定する見直しについては，地方公共団体のガバナンスに関する様々な議論を踏まえると慎重であるべきとする一方，軽過失の場合にも，違法な財務会計行為と相当因果関係が認められる損害全額について，長や職員個人の責任を追及することは，個人責任として過酷であるので，会社法・独立行政法人通則法等の役員等の損害賠償責任の限定を可能とする立法例も参考に，長や職員個人が負担する損害賠償額を限定する措置を講ずることが適当であるとされた。その上で，具体的な措置の内容としては，(i)故意・重過失がない場合には，損害賠償額の上限を実体法上において設ける案，(ii)故意・重過失がない場合には，賠償責任額から，職責等を考慮して条例で定める額を控除して得た額を免除する旨を条例で定めることができるとする案が示された。そして，損害賠償額を限定する措置を講ずることとすれば，故意・重過失がある場合の損害賠償請求権の放棄や軽過失の場合に最低限負担すべきとされる損害賠償額にかかる請求権の放棄に際しては，より一層慎重な判断が求められること，住民監査請求があった後に損害賠償請求権を放棄する場合には，議会に対して監査委員の意見聴取を義務づけるなど，手続面の適正化が必要であることが指摘されている。

#### (l)　2017年改正

2017年の地方自治法改正により，長や職員等の地方公共団体に対する損害賠償責任について，その職務を行うにつき善意でかつ重大な過失がないときは，条例において，賠償責任額を限定してそれ以上の額を免責する旨を定めることを可能にし，条例で定める場合の免責に関する参酌基準および責任の下限額は政令で定めることとされた（自治243条の2第1項）。2019年11月8日に公布された政令では，会社法の責任の一部免除の規定（425条1項）を参考にして，1会計年度に支給される給与を基準とし，(イ)長は6年分，(ロ)副知事もしくは副市町村長，指定都市の総合区長，教育委員会の教育長もしくは委員，公安委員会の委員，選挙管理委員会の委員，監査委員または海区漁業調整委員会の委員は4年分，(ハ)人事委員会の委員もしくは公平委員会の委員，労働委員会の委員，農業委員会の委員，収用委員会の委員，内水面漁場管理委員会の委員，固定資産評価審査委員会の委員，消防長または地方公営企業の管理者は2年分，(ニ)普通地方公共団体の職員（地方警務官ならびに(ロ)および(ハ)に掲げる普通地方公共団体の職員を除く）は1年分を上限とし，下限は職責にかかわらず，1年分としている。地方警務官については，警視総監または道府県警察本部長は1会計年度に支給される給与を基準とし2年分，その他の地方警務官は1年分を上限とし，下限は1年分とされた（自治令173条1項・2項）。地方独立行政法人の役員等については，理事長または副理事長は基準報酬年額の6年分，理事は基準報酬年額の4年分，監事または会計監査人は基準報酬年額の2年分を上限とする（地独行法令3条の2第1項・2項）。

議会は，この条例の制定または改廃に関する議決をしようとするときは，あらかじめ監査委員の意見を聴取しなければならないこととされた（自治243条の2第2項）。そして，住民監査請求があった後に，当該請求にかかる行為または怠る事実に関する損害賠償または不当利得返還の請求権その他の権利の放棄に関する議決をしようとするときは，あらかじめ監査委員の意見を聴取することが義務づけられた（同242条10項）。

民間企業や独立行政法人等の役員等の損害賠償責任免除額と均衡のとれた損害賠償責任免除額が条例で定められた場合，軽過失の場合にそれ以上の額を免除したり，故意重過失の場合に損害賠償責任を軽減したりする権利放棄議決を行うことについては，その必要性について重い説明責任が課されるといえよう。

2021年4月1日現在，44都道府県，303市区町村で住民訴訟による損害賠償責任を制限する条例が制定されている。

**(m)　請求の放棄**

2002年の地方自治法改正前の代位請求（4号請求）に関するものであるが，最判平成17・10・28民集59巻8号2296頁は，4号請求の訴訟を提起した住民は，請求の放棄（訴訟上の請求に理由がないことを自認する陳述）をすることができないとしている。請求の放棄は，原告が訴訟物とされている権利を任意に処分することができる場合に認められるが，代位請求は，地方公共団体の有する実体法上の請求権を代位するものであるので，住民には処分権はないという考えによるものと思われる。

**(n)　訴　　額**

平成14年法律第4号による改正前の住民訴訟の4号請求の訴額は，訴額が算定不能の場合に当たるとして取り扱われた（最判昭和53・3・30民集32巻2号485頁［百選95］［判例集Ⅱ112］）。同改正後の4号請求は，直接金銭の給付を求めるものではないので，財産上の請求権ではなく，訴額算定不能と解される。

***Column*　職員の弁護士報酬**

従前は，職員個人が代位訴訟の被告となり弁護士費用を負担することが酷な場合があることから（かかる場合に弁護士費用を地方公共団体が負担することは違法としたものとして，最判昭和59・4・24判時1121号44頁［百選〔3版〕72］参照），当該職員が勝訴（一部勝訴を含む）した場合において，弁護士に報酬を支払うべきときは，普通地方公共団体は，議会の議決によりその報酬額の範囲内で相当と認められる額を負担することができるとする規定（2002年改正前の自治旧242条の2第8項）が，1994年の地方自治法改正で置かれていた。しかし，代位訴訟制度の廃止により，かかる規定を存置する必要はなくなり，職員の弁護士報酬公費負担の規定も削除された。

#### (o)　原告代理人の弁護士報酬

住民訴訟で勝訴した住民は，弁護士に支払うべき報酬額の範囲内で「相当と認められる額」を当該地方公共団体に請求できる（自治242条の2第12項）。住民訴訟で約1億3400万円の賠償を命ずる判決が確定し，市は約9500万円を回収済みの事案において，市が住民に支払う弁護士報酬額を第1審判決は900万円としたが，控訴審判決は300万円とした。上告審の最判平成21・4・23民集63巻4号703頁［百選116］は，「相当と認められる額」とは，住民の弁護士が当該訴訟のために行った活動の対価として社会通念上適正妥当と認められる額をいい，その具体的な額は，当該訴訟における事案の難易，弁護士が要した労力の程度および時間，認容された額，判決の結果普通地方公共団体が回収した額，住民訴訟の性格その他諸般の事情を総合的に勘案して定められべきとする。そして，認容額と回収額は，「相当と認められる額」の算定に当たっての重要な考慮要素であり，原審のいうように，「一般的に従たる要素として他の要素に加味する程度にとどめるのが相当である」ということはできないとし，認容額と回収額についてほとんど考慮することなく，また，他に合理的根拠を示すこともなく300万円と認定した原審判決は違法とする（第1審判決が妥当として破棄自判）。不当利得返還請求権の行使の義務付けを求める住民訴訟を提起し控訴審で勝訴したが，上告審で不当利得返還請求権を放棄する議決が議会でなされたため，請求が棄却され，その判決が確定した事案において，神戸地判平成30・1・17判タ1453号171頁は，請求棄却判決である以上，地方自治法242条の2第12項の要件を満たさないと判示した。

#### (p)　差止訴訟の要件

差止訴訟においては，対象行為の蓋然性が問題になる。差止訴訟について，2002年の地方自治法改正で，「回復の困難な損害を生ずるおそれ」の要件（この要件を訴訟要件と解したものとして，最判平成12・12・19民集54巻9号2748頁［百選〔3版〕A30〕参照）が削除され，代わりに，「当該行為を差し止めることによつて人の生命又は身体に対する重大な危害の発生の防止その他公共の福祉を著しく阻害するおそれがあるときは，することができない」（同242条の2第6項）という要件が新設された。

#### (q)　差止請求の対象

差止訴訟においては，対象行為の特定性も問題になる。織田が浜埋立工事費用差止訴訟において，最判平成5・9・7民集47巻7号4755頁［百選A23］は，「事前の差止請求において，複数の行為を包括的にとらえて差止請求の対象とする場合，その一つ一つの行為を他の行為と区別して特定し認識することができるように個別，具体的に摘示することまでが常に必要とされるものではない」と判示し，対象の特定の厳格さを要求していない。

#### (r)　財務会計行為該当性

住民訴訟の対象になる事項は，財務会計行為に限られるが，何が財務会計行為かが争点になることが少なくない。土地区画整理法に基づく換地処分により市が土地を取得したことは財務会計行為に当たらないが（最判昭和51・3・30判時813号24頁），土地区画整理事業において保留地を随意契約で売却する行為は財務会計行為に当たるとするのが判例の立場である（最判平成10・11・12民集52巻8号1705頁［百選104］）。また，最判平成2・4・12民集44巻3号431頁は，保安林で道路建設が違法に行われたためになされた原状回復措置費用について，当該道路建設を行わせた行為は，保安林としての財産的価値に着目し，その価値の維持，保全を図る財務的処理を直接の目的とする財務会計上の財産管理行為には当たらないとする。指定管理者の指定自体は，公共用物設置の目的を達成するために行われる行政管理的行為であって，当該公共用物の財産的価値の維持，保全を図る財務処理を直接の目的とする財務会計上の行為には当たらないとする裁判例もある（大阪地判平成18・9・14判タ1236号201頁）。地方公共団体が出資した会社の財産を譲渡する議案を承認する議決をしたことは，地方公共団体が出資した行政目的を遂行するためのものであり，それによって市の出資による権利の財産的価値に影響を及ぼすことがあっても，財務会計行為に当たらないとするものとして，浦和地判平成6・10・31判例自治140号22頁がある（高知地判平成27・3・10判時2322号49頁も同旨）。市長による予算の調製は，住民訴訟の対象とならないとするものとして，最判平成28・7・15判時2316号53頁がある。このように，裁判例においては，財務会計行為該当性を判断するに当たり，財務会計処理を直接の目的としているかを重視する傾向がみられる。

なお，住民訴訟で財産の管理を怠る事実の違法が争われることがあるが，地方自治法242条1項にいう「財産」とは，公有財産，物品および債権ならびに基金であり（同237条1項），公有財産とは，普通地方公共団体の所有に属する財産のうち，同法238条1項各号（基金に属するものを除く）である。ダム使用権の設定予定者の地位が，同条1項4号の「地上権，地役権，鉱業権その他これらに準ずる権利」にも同項7号の「出資による権利」にも当たらないとしたものとして，東京高判平成26・3・25判時2227号21頁（八ッ場ダム茨城住民訴訟事件）がある。

**(s)　先行行為の違法**

先行行為が違法であれば，それに基づく財務会計行為も違法として住民訴訟で争うことができるかは重要な問題である[14)]。最判昭和60・9・12判時1171号62頁［百選〔3版〕70］は，津地鎮祭事件の最大判昭和52・7・13民集31巻4号533頁を引用して，財務会計上の行為が違法となるのは，単にそれ自体が直接法令に違反する場合だけではなく，その原因となる行為が法令に違反して許されない場合も含むと判示した。そして，収賄容疑で逮捕された職員を懲戒免職にせず分限免職にして退職手当を支給した場合，条例上，分限免職処分がなされれば当然に所定額の退職手当が支給されることとなっており，本件分限免職処分は本件退職手当の支給の直接の原因をなすものというべきであるから，前者が違法であれば後者も当然に違法となるものと解するのが相当であると判示している。もっぱら森林組合の職務に従事させる者を町が給与を負担できるように町の職員として採用し森林組合に派遣していた事案においても，最判昭和58・7・15民集37巻6号849頁［判例集51］は，先行行為である採用と財務会計行為である給与の支給の一体性にかんがみ，長に対する損害賠償請求を認容している。同様に，最判平成10・4・24判時1640号115頁［百選〔3版〕69］は，商工会議所への市職員の派遣が違法であれば，当該職員に対する給与の支給も違法であり，住民訴訟で損害賠償請求，不当利得返還請求が可能であることを前提としている。し

---

14)　裁判例の整理については，碓井・住民訴訟148頁以下参照。

かし，最高裁は，先行行為と財務会計行為を行う者が異なり，かつ，先行行為が長から独立性を有する機関によって行われた事例において，先行行為それ自体の違法は原則として住民訴訟で争えないと判示した（最判平成4・12・15民集46巻9号2753頁［百選105］）。

***Column*　一日校長事件**

教育委員会が，退職勧奨に応じた教頭職にある者について，年度末に1日だけ名目上，校長に任命し，名誉昇給制度を適用して退職承認処分を行い，知事が昇給後の給与に基づき退職手当の支出決定を行った事案において，前掲最判平成4・12・15は，知事は独立した機関としての教育委員会の有する固有の権限内容まで介入しうるものではなく，知事の有する予算の執行機関としての職務権限には，おのずから制約があり，教育委員会がした学校その他の教育機関の職員の任免その他の人事に関する処分については，知事は，当該処分が著しく合理性を欠き，そのためこれに予算執行の適正確保の見地から看過しえない瑕疵の存する場合でない限り，当該処分を尊重しその内容に応じた財務会計上の措置をとる義務があり，これを拒むことは許されないと判示している。

また，最判平成15・1・17民集57巻1号1頁（議員野球大会旅費事件）は，県議会議長の発した旅費命令が著しく合理性を欠き，そのために予算執行の適正確保の見地から看過しえない瑕疵がある場合でない限り，普通地方公共団体の長は，議会の決定を尊重しその内容に応じた財務会計上の措置をとる義務があり，旅行命令を前提として知事の補助職員がした議員に対する旅費の支出負担行為および支出命令は，財務会計法規上の義務に違反する違法なものであるということはできないと判示している。

その後，最判平成17・3・10判時1894号3頁は，知事部局の職員（総務部長，総務部財政課主幹兼総務係長）に旅行命令が出され，総務部財政課主幹兼総務係長が支出命令を専決した事案において，支出命令につき専決を任された総務部財政課主幹等の地位にあった者は，当該旅行命令を是正する権限を有していなかったので，当該旅行命令が著しく合理性を欠き，予算執行の適正確保の見地から看過できない瑕疵が存しない限り，その内容に応じた財務会計上の措置を講ずる義務があり，当該事案においては，かかる瑕疵があったとはいえないから，当該支出命令は違法でないと判示している。

この事案においては，旅行命令，支出命令いずれについても，本来の権限を有するのは知事であり，専決権限の所在は異なっていたと推測されるが，支出命令の専決者が旅行命令を是正する権限を有しないとはいえ，支出命令の専決者が旅行命令に疑問を抱けば，それを知事に伝え，知事の指揮監督権の行使により旅行命令を是正することが可能と考えられる。したがって，前掲最判平成 17・3・10 によれば，先行する非財務会計行為を知事の指揮監督権行使を通じて間接的に是正する可能性があっても，財務会計行為の専決者が直接是正する権限を有しない場合には，予算執行の適正確保の見地から看過しえない瑕疵が存する場合を除き，先行行為に従った財務会計上の措置を講ずる義務があることになり，前掲一日校長事件最高裁判決の法理の適用範囲を大幅に拡張するものといえるように思われる。個人的に責任を問われる立場にある予算執行職員の責任を限定し過度の負担を負わせないようにするという観点からは肯定的に理解することもできようが，予算執行職員の責任は故意または重過失がある場合に限られるので，間接的是正が可能な場合にも義務違反を認めるべきという考えもありうると思われる（都市計画事業認可等の違法性の有無は，予算執行職員が当然に判断すべき事柄ではないが，先行行為に重大明白な瑕疵があり無効であることが予算執行職員でも容易に判断しうる場合や先行行為が違法として取り消されている場合には，後行行為である公金支出が違法性を帯びることがあるとするものとして，東京高判平成 13・11・20 判時 1786 号 46 頁参照）。

普通地方公共団体と土地開発公社との委託契約により，土地開発公社が先行取得を行った土地について，当該委託契約の義務の履行として地方公共団体が，当該土地を買い取る契約は，①委託に関する市の判断に裁量権の範囲の著しい逸脱または濫用があり，委託契約を無効としなければ地方自治法 2 条 14 項，地方財政法 4 条 1 項の趣旨を没却する結果となる特段の事情があり，同契約が私法上無効である場合，②委託契約は無効でないが，違法であって地方公共団体が取消権または解除権を有している場合や，委託契約が著しく合理性を欠き，契約締結に予算執行の適正確保の見地から看過しえない瑕疵が存在し，かつ客観的に地方公共団体が同契約を解消することができる特殊な事情があるにもかかわらず，これらを顧慮せず漫然と買取りの契約を締結した場合に違法となるとするのが判例である（最判平成 20・1・18 民集 62 巻 1 号 1 頁［百選 50］［判例集 198］）。

同判決がいう「客観的に地方公共団体が同契約を解消することができる特殊な

事情」とは何かについて，具体的な考え方を示したのが，最判平成21・12・17判時2067号18頁である。同判決は，委託契約が無効ではなく，地方公共団体が取消権または解除権も有していないものの，委託契約が著しく合理性を欠き，契約締結に予算執行の適正確保の見地から看過しえない瑕疵が存在する場合において，市が土地開発公社に事実上の働きかけを真摯に行えば，当該公社において本件委託契約の解消に応ずる蓋然性が大きかったというような事情が認められない限り，客観的にみて市が本件委託契約を解消することができる特殊な事情があったということはできないものと解されるとする。そして，仮に本件委託契約を解消して当該公社が本件土地を引き受けることとした場合には，当該公社がその取得金額と時価との差額を損害として被ることとなるのであるから，市長が当該公社の理事長として本件委託契約解消の申入れに応ずることは，当該公社との関係では職務上の義務違反が問われかねず，しかも，市は，当該公社の設立団体の1つにすぎず，出資割合も基本財産の約14％にとどまり，また，当該公社の運営上の重要事項は理事会が議決するものとされているのであるから，市長が当該公社の理事長として土地売買契約解消につき他の設立団体や理事の同意を取り付けることは一層の困難が予想されるとする。他方，本件土地を当該公社に売却した者が本件売買契約の解消に応ずる見込みが大きいとか，本件土地を第三者に本件売買契約の代金額相当額で売却することが可能であるなどの事情も認められないことを指摘し，市長は，有効な本件委託契約に基づく義務の履行として本件土地を買い取るほかはなかったのであり，本件土地を買い取ってはならないという財務会計法規上の義務を負っていたということはできないと判示している（随意契約の締結が違法であっても，当該契約が私法上当然に無効といえない場合には，地方公共団体は債務を履行する義務を負うから，債務の履行として行われる行為自体は違法ではないとした最判昭和62・5・19民集41巻4号687頁［百選〔3版〕44］も参照)。

最判平成23・12・2判時2140号14頁［百選44］［判例集197］は，過疎に悩む地方公共団体が，税収および雇用の増加のための工業用地造成用地取得に当たり，代替地を提供し，当該代替地の賃貸借契約を締結した事案において，本件賃貸借契約は，賃借人である市の側から更新をすることができず，存続期間中であっても賃貸人から解約の申出ができる内容となっており，賃料の減額も制限されるなど，市に不利な内容であったが，市がこれらの約定に応じたのは，賃借人の側からの更新の約定を設けることに応じない賃貸人が自ら契約を更新する動機付けとなるに足りる金額の賃料を支払うことによって，代替地である湿地の貴重な自然を保全する観点からは現実的でやむをえないものであって，次善の策ともいえ，当該契約の目的に照らして不合理であるとはいえないし，その賃料が特に高額であるといった事情があるともいえないので，本件賃貸借契約に予算執行の適正確保の見地から看過しえない瑕疵はないとして，公金支出の違法性を否定している。最判平成25・3・21民集67巻3号375頁も，前掲最判平成20・1・18を援用し，当該契約が違法であるとしても私法上無効とはいえず，町がその取消権または解除権を有していたともいえず，町が協議会に事実上の働きかけを真摯に行えば協議会においてその解消に応ずる蓋然性が大きかったというような特殊な事情があったともいえないから，当該契約に基づく債務の履行として行った支出命令が財務会計法規上の義務に違反する違法なものではないと判示している[15)]。土地開発公社が取得した土地を市がその簿価に基づき正常価格の約1.35倍の価格で買い取る売買契約を締結したことが，裁量権の逸脱または濫用に当たらず違法ではないとしたものとして，最判平成28・6・27判時2314号25頁がある。

なお，名古屋高判令和3・10・7裁判所ウェブサイトは，沖縄県における米軍ヘリパッドの移設工事のために愛知県警察本部長が県公安委員会の承認を得ずに専決で機動隊の派遣決定を行い，派遣された警察官に対する給与・超過勤務手当等の支出決定・支出命令を行ったことは違法であるとして，県警本部長に損害賠償請求を行うことを県知事に義務づける判決を下した。この事案においては，派遣決定を行った者と支出決定・支出命令を行った者が同一であるため，先行行為である派遣決定の違法性を認識すべきであったとされれば，支出決定・支出命令の違法性も当然に認識すべきであったことになる。

学説は，住民訴訟による非財務会計行為の間接統制機能を積極的に評価する立場と消極的に評価する立場に分かれている。

**(t)　独占禁止法25条との関係**

独占禁止法は，排除措置命令（排除措置命令がされなかった場合にあっては課徴

---

15)　この問題について，野呂充「住民訴訟における違法性論の再検討」芝池義一先生古稀記念『行政法理論の探究』（有斐閣，2016年）457頁以下参照。

金納付命令）が確定した後においては，同法25条1項の規定に基づく損害賠償請求を認めており，この場合には，事業者および事業者団体は，故意または過失がなかったことを証明して，同項に規定する責任を免れることはできないから（同条2項），民法の不法行為規定に基づく損害賠償請求に比べ，原告にとり有利といえる。しかし，談合により被害を受けた地方公共団体が，独占禁止法25条に基づく損害賠償請求をなしうるという理由だけで直ちに，民法の不法行為規定に基づく損害賠償請求権の不行使が地方自治法242条の2第1項3号の「怠る事実」に当たらないとはいえない（最判平成21・4・28判時2047号113頁［百選103]）。

**(u)　地方公営企業管理者の責任**

鳴門競艇従事員共済会から鳴門競艇従事員に支給される離職せん別金に充てるため，鳴門市が2010年7月に同共済会に対して補助金を交付したことが，給与条例主義を定める地方公営企業法38条4項の規定に違反する違法，無効な財務会計上の行為であるなどとして，同市の住民らが，地方自治法242条の2第1項4号の規定に基づき，市長を被告として，当時の市長の職にあった者に対して損害賠償請求をすることを求めるとともに，同市公営企業管理者企業局長を被告として，当時の企業局長および企業局次長の各職に在った者らに対して損害賠償請求をすること等を，それぞれ求める住民訴訟を提起した。最判平成28・7・15判時2316号53頁（第1次上告審）は，本件補助金を交付した当時，臨時従事員に対して離職せん別金または退職手当を支給する旨を定めた条例の規定はなく，本件補助金の交付は，給与条例主義を潜脱し，補助金の支給には公益上必要があることが要件となるとする地方自治法232条の2の規定に違反すると判示した。

差戻上告審の最判令和元・10・17集民262号119頁は，地方公営企業の管理者は，地方公営企業の業務を執行し，当該業務の執行に関して地方公共団体を代表し（地公企8条），業務に関して企業管理規程を定める権限も付与されている（同法10条）のであるから，管理者である企業局長は，同市の競艇事業に関する企業管理規程や従前の運用にかかわらず，その業務の執行の適正を確保すべき地位にあることを重視して，その過失を認めた。他方，地方公共団体の長は，同法8条1項各号により地方公共団体の長の権限として留保された事項および法令に特別の定めのある事項を除き，地方公営企業に関する権限を有せず，地方公共団体の長が管理者に対して指示することができるのは，住民の福祉に重大な影響がある地方公営企業の業務の執行に関しその福祉を確保するため必要があるとき，または当該管理者以外の地方公共団体の機関の権限に属する事務の執行と当該地方公共団体の業務の執行との間の調整を図るため必要があるときに限られていることに鑑みれば，地方公共団体の長の管理者に対する一般的指揮監督権は排除されており，地方公営企業の業務の執行は，原則として管理者に委ねられていることを指摘する。そして，地方公共団体の長は，地方公営企業の予算を調製するに当たり，当該地方公営企業の業務執行の権限を有する管理者が作成した予算の原案を尊重することが予定されていることを重視し，当時の市長が本件予算の調製に当たり，本件支出が違法であると現実に認識していたとは窺われないと認定して，本件予算を調製したことを理由とする当時の市長の不法行為責任を否定した。

**(v)　損　害**

2002 年の地方自治法改正前の地方自治法 242 条の 2 第 1 項 4 号に基づく損害賠償請求訴訟，同年改正後の同号に基づく損害賠償の義務付け訴訟を提起するためには，地方公共団体に損害が生じていなければならない。

***Column*　田子の浦ヘドロ訴訟**

田子の浦ヘドロ訴訟においては，製紙会社の工場廃水に起因するヘドロの浚渫（しゅんせつ）は，本来，原因者である製紙会社が行うべきであるのに，県が浚渫を行ったため，県に損害が生じたとして，製紙会社に対する損害賠償請求が住民訴訟でなされた。最判昭和 57・7・13 民集 36 巻 6 号 970 頁［百選〔3 版〕92］は，一般に，河川港湾等いわゆる自然公物に対する汚水の排出は，社会通念上一定の限度までは許容されているものと解され，上記限度を超えない汚水排出の結果生じた汚染ないしヘドロ堆積等は，当該自然公物の管理権者である地方公共団体の行政作用により処理されるべきものであるとする。さらに，社会通念上許容される一定の限度を超えた結果，汚染ないしヘドロ堆積等が生じた場合であっても，そのような状態に至った原因の中に行政上の対策の不備等があって，汚水排出者にすべての責任を負わせることが必ずしも適当でない場合もありうるから，支出すべき費用およびその分担については，なお公物管理権者の合理的かつ合目的的な行政裁量にゆだねられている部分があり，行政裁量により特別の支出措置を講ずることが許されることもあると解するのが相当であるとする。したがって，住民が地方公共団体に代位して汚水排出者に対して損害賠償請求権を行使しうるのは，県が支出した浚渫費用のうち，以上の部分を除いた部分に限られると判示している。

また，市が市民のためにゲートボール場等を設置するために，土地所有者に固定資産税を非課税にすることを約束して低廉な報償費を支払うのみで土地を借り受けたところ，違法な非課税措置により市が損害を被ったとして固定資産税額相当分の損害賠償が請求された事案において，最判平成6・12・20民集48巻8号1676頁［百選112］は，本件は固定資産税を非課税とすることができる場合ではないので，本件非課税措置は違法であり，同市は，これにより上記税額相当の損害を受けたというべきであるが，同市は，同時に，本来ならば支払わなければならない土地使用の対価の支払を免れたとする。

そして，本件非課税措置をとったことによる同市の損害と，上記措置をとらなかった場合に必要とされる本件土地の対価の支払を免れたという同市が得た差引利益とは，対価関係があり，また，相当因果関係があるというべきであるから，両者は損益相殺の対象となるとして，結局，非課税措置をとったことによる損害はなかったと認定している（他方，前掲最判昭和58・7・15は，森林組合に出向した職員の給与を町が負担したことと，町が行政事務を免れたことによる利益との損益相殺を否定している）。

大阪府が日本下水道事業団に委託して下水道建設を行わせたところ，同事業団が電気設備に関する部分について民間業者に請け負わせるための指名競争入札で談合があった事件において，最判平成14・7・18判時1798号74頁［百選111］は，本件各工事の請負金額が本件談合によりつり上げられたものであり，本件談合がなく公正な競争が確保されていた場合，その金額は少なくとも20％は低額になったものであるということを前提とするならば，本件談合という不法行為がなければ，同事業団が支出する請負金額の合計額は，その差額に相当する分について減少し，本件差額相当分が同事業団から大阪府へ還付されたものというべきであるとする。そして，大阪府が同事業団が発注する工事の請負金額の決定に介入することはできず，同事業団の精算報告の内容の諾否を決めることができないことが，上記の点に影響を及ぼすものではないから，本件談合という不法行為によって本件差額が生ずるのであるならば，大阪府に本件差額相当額の損害が発生するものというべきであるとする。

地方公共団体が支出を行う場合であっても，国の全額補助事業による場合には，自治体財政に不利益を生じさせていないから住民訴訟で責任を追及することはできないとする裁判例（東京地判昭和62・4・16行集38巻4＝5号365頁）もあるが，これに対しては批判がある。民間のマンション開発業者からの町への寄付の趣旨に沿って，町が土地を購入し，自治会に集会所建設用地として無償譲渡したこと等が違法であるとして住民訴訟が提起された事案において，最判平成23・1・14判時2106号33頁［百選87］は，本件寄付は，実質的には当該業者から自治会に対して行ったものとみることができ，本件無償譲渡によって町の財産が実質的に減少したとはいえないことを，本件無償譲渡の違法性を否定する根拠の1つとして挙げている。

⒲　**不当利得**

地方自治法242条の2第1項4号の規定に基づく義務付け訴訟では，損害賠償請求権の行使の義務付けを請求する場合もあれば，不当利得返還請求権の行使の義務付けを請求する場合もある。神奈川県議会政務活動費の交付等に関する条例およびその前身の神奈川県議会政務調査費の交付等に関する条例（以下，両者を併せて「本件条例」という）に基づいて交付された政務活動費または政務調査費（以下，両者を併せて「政務活動費等」という）について，その収支報告書の支出の一部に虚偽記載があり架空支出であったものの，本件会派の収支報告書の支出総額が，交付額を上回っていた場合，不当利得があるといえるかが問題になる。最判平成30・11・16民集72巻6号993頁（以下「平成30年判決」という）は，本件条例が，政務活動費等につき，具体的な使途を個別に特定した上で政務活動費等を交付すべきものとは定めておらず，年度ごとに行われる決定に基づき一定額を交付し，年度ごとに収支報告を行うこととされ，その返還に関して当該年度における交付額から使途基準に適合した支出の総額を控除して残余がある場合にはこれを返還しなければならない旨定められているので，収支報告書上の支出の一部が実際には存在しないものであっても，当該年度において，収支報告書の支出の総額から実際には存在しないものおよび使途基準に適合しないものの額を控除した額が政務活動費等の交付額を下回ることとならない場合には，当該政務活動費等の交付を受けた会派または議員は，県に対する不当利得返還義務を負わないと判示した。平成30年判決は，議員が政務活動費として支出したと主張した支出が架空支出であったと認められた事案であったが，平成30年判決によれば，当該事案と同様の定めが設けられている条例の下では，架空支出についても不当利得返還請求ができなくなる場合がありうることになる。また，平成30年判決や最判令和3・12・21判例自治483号11頁（以下「令和3年判決」という）の事案のように，会派に対してのみ政務活動費が支払われた場合，架空支出のみ，または違法な支出のみ行い適法な支出を一切行わなかった議員であっても，当該議員が所属する会派全体の適法な支出額が当該会派に交付された政務活動費の額以上であれば，当該議員の架空支出や違法支出を住民訴訟で問責することはできないことになってしまう。他方，政務活動費の返還に関しては，平成30年判決や令和3年判決で問題となった条例とは異なる内容の規定を設けている条例もある。たとえば，目黒区政務活動費の交付に関する条例（平成13年目黒区条例第5号）は，区長において，政務活動費を充てることのできる経費の範囲外の支出の額に相当する額の政務活動費の返還を命ずることができると定めている（14条2項）。東京都政務活動費の交付に関する条例（平成13年東京都条例第24号）は，使途基準に違反して政務活動費が使用されたときは，知事において，その交付の決定の全部または一部を取り消すことができ（13条1項），その場合，すでに政務活動費が交付されているときは，知事において，その取消しに係る部分の返還を命じなければならないと定めている（14条）。また，京丹後市議会政務活動費の交付に関する条例（平成27年京丹後市条例第25号）は，政務活動費の実績の報告があったときは議長がその内容を審査し（10条5項），市長が政務活動費の額を確定して支払い（11条・12条），支払後に，議長において，偽りその他不正な手段により交付を受けたと認めるときその他同条例および関係規則に違反していると認めるときはその旨を市長に報告し，報告を受けた市長において，政務活動費の交付の決定を取り消し，すでに政務活動費が交付されているときは，会派または無会派議員に対し当該政務活動費の返還を命ずると定めている（13条）。このような条例の規定が設けられている場合には，平成30年判決や令和3年判決のような事実関係の下でも，所定の機関において，使途制限に適合しない支出の額に相当する部分について返還を命ずるなどの対応をとることが可能となりうる。平成30年判決や令和3年判決は，このような条例に基づく対応まで否定する趣旨を含むものではないと考えられる。上記判例を前提とするならば，交付期間単位において全体として剰余金が生じたか否かにかかわらず，目的外支出や架空支出について返還を命じうる規定を地方自治法または条例に設けることは検討課題といえる。

(x)　上　訴

適法な監査請求手続を経た住民が原告側に補助参加の申出をしたときは，当該住民は共同訴訟参加をすることが可能であるところ補助参加を選択したものというべく，当該補助参加を共同訴訟的補助参加と解することはできず，原告が上訴を取り下げれば，当該訴訟は終了すると解されている（最判昭和63・2・25民集42巻2号120頁）。

住民訴訟の判決の効力は，当事者となった住民のみならず，当該地方公共団体の全住民に及ぶものというべきであり，複数の住民の提起した住民訴訟は類似必要的共同訴訟と解されている。住民訴訟においては，自ら上訴をしなかった共同訴訟人をその意に反して上訴人の地位に就かせることはできず，自ら上訴しなかった共同訴訟人は，上訴人にはならない。上訴をした共同訴訟人のうちの一部がこれを取り下げても，その者に対する関係において原判決が確定することにはならないが，その者は上訴人ではなくなるものと解されている（前掲最判平成9・4・2）。

(y)　一身専属性

原告が死亡した場合においては，住民訴訟は承継されず，当然に終了する（最判昭和55・2・22判時962号50頁）。

(z)　実　績

1999年4月1日から2021年3月31日までの22年間において，住民訴訟の提起件数は，都道府県では1400件（1号請求222件，2号請求63件，3号請求198件，4号請求1193件。同一の事件で複数の種類の請求が行われることがあるため，合計数と一致しない。市区町村にかかる住民訴訟についても同じ）あるが，原告の全部勝訴は7件，一部勝訴も54件にとどまっている。同期間中に市区町村にかかる住民訴訟の提起件数は3884件（1号請求586件，2号請求238件，3号請求547件，4号請求3409件）あるが，原告の全部勝訴は37件，一部勝訴は147件にとどまっている。

***Column*　国民監査請求・国民訴訟**

地方公共団体における住民監査請求・住民訴訟に対応する制度が国にないことの問題は，日本弁護士連合会でも認識され，同連合会は，2005年6月16日付けで「公金検査請求訴訟制度の提言」を具体的な条文とともに公表している。また，地方公共団体における住民監査請求制度・住民訴訟制度と同様の国民監査請求・国民訴訟制度を創設する法案が国会に提出されたことがある。すなわち，当時の「みんなの党」，「新党改革」が共同で，2012年3月9日，第180回国会に「違法な国庫金の支出等に関する監査及び訴訟に関する法律案」を参議院に提出したが，同年9月8日，審議未了・廃案になっている。「新党改革」の荒井広幸議員が，2013年2月，「『国民監査請求制度』の創設に関する質問主意書」において，この制度等に対する政府の見解を質したが，政府は，「『国民監査請求制度』の創設」については，「憲法が，予算についての国会議決及び決算の国会に対する提出を定め，国の財政に関して国会による統制を徹底させる立場をとっていること，また，会計検査院は憲法上の独立機関であり，検査活動に関する自律性が確保されるべきことなどから，慎重な検討を要するものと考えている」と回答している。すなわち，憲法は国会を財政統制機関としており，国民訴訟制度により裁判所による財政統制を図ることが憲法の趣旨に適合するかという問題があること，会計検査院の独立性に配慮して，各議院または各議院の委員会もしくは参議院の調査会から国会法105条（同法54条の4第1項において準用する場合を含む）の規定による要請があったときすら，会計検査院は，当該要請に係る特定の事項について検査を実施してその検査の結果を報告することができる（会検30条の3）として，報告を義務づけていないにもかかわらず，国民1人からの請求で検査を義務づけられることの問題を指摘したものと考えられる。

## *4* 住 民 参 加

### (1) 意　義

地方自治法で定められた直接請求や住民監査請求・住民訴訟の制度とは別に，自治行政の多様な局面において，住民参加の要求が1960年代から顕著に高まってきた[16)]。これは，高度経済成長に伴う価値観の多様化，公害問題の深刻化等を背景としているが，イギリス，アメリカ等，他の先進国においても，同時期に住民参加の要請の高まりがみられた[17)]。住民参加は住民自治の拡充に資するた

16）　地方自治法上のものとそれ以外のものを併せて，広く住民参加制度の現状分析を行ったものとして，武田真一郎「日本の住民投票制度の現状と課題について」行政法研究21号（2017年）1頁以下，田村達久「住民参政制度の分析と住民投票の可能性」新藤宗幸編著『住民投票』（ぎょうせい，1999年）55頁以下参照。

17）　橋本宏子「住民参加」法教165号（1994年）49頁参照。

め，地方分権改革においても，その重要性が指摘されている[18]。すなわち，地方分権推進法（2001年失効）7条1項は，地方公共団体は，「住民参加の充実のための措置その他の必要な措置を講ずることにより，地方分権の推進に応じた地方公共団体の行政体制の整備及び確立を図るものとする」と規定していた（地方分権改革推進法〔2010年失効〕7条1項も同旨の規定である）。また，1997年の地方分権推進委員会第2次勧告は，地方公共団体に対して，「政策形成過程等への住民の広範な参加を促し，行政と住民との連携・協力に努め，住民の期待と批判に鋭敏かつ誠実に応答して行くことが重要になる」と指摘している[19]。

**_Column_　岩倉市市民参加条例**

2012年に制定された岩倉市自治基本条例3章では，「協働の仕組み」について定めており，同条例10条1項では，議会および執行機関は，市民の市政およびまちづくりへの参加を推進するため，政策等の立案・実施・評価のそれぞれの過程において多様な参加の機会を設けるとともに，参加しやすい環境の整備に努めること等を規定し，同条4項では，市民参加と協働に関し必要な事項は別に条例で定めることとしている。これを受けて，2016年に岩倉市市民参加条例が制定された。潜在的な市民の意見を施策に反映させるため，無作為に抽出された18歳以上の住民に参加を依頼する市民討議会（同条例15条），市民10人以上の署名があれば，市民が具体的な政策を提案することができ，執行機関は，提案のあった政策について総合的に検討し，検討の結果およびその理由を当該提案に係る代表者に通知する政策提案制度（同条例18条），新たな人材を発掘するために，審議会等の委員の候補者として，市政に関心を持つ市民を事前に登録する市民委員登録制度（同条例19条）等，多様な市民参加の手続が定められており，きわめて注目に値する。

市民討議会の例として，旧学校給食センター跡地利用について，無作為に選んだ2000人の18歳以上の市民に参加依頼文を発送し，参加の意向を表明した80名の中から年齢構成を考慮した抽選で定員の40人を選んで2017年に行われたものがある。市民討議会では，最初に岩倉市の概要について市が情報提供を行い，専門家から市民討議会の意義，参加者の心得等についての講演が行われている。

---

18)　実際には，住民参加の機能はきわめて多様でありうる。小高剛「住民参加」成田編・争点〔新版〕117頁参照。

19)　具体的内容について，藤原静雄「住民参加」法教209号（1998年）30頁参照。さらに，地方分権推進計画における住民参加の内容について，室井敬司「住民参加の拡大・多様化」小早川＝小幡編・自治・分権103頁参照。

### (2) 住民投票制度

住民参加の形態は多様であるが，法的観点から特に興味深いのが住民投票制度である[20]。住民投票については，1976年の第16次地方制度調査会答申（「住民の自治意識の向上に資するための方策に関する答申」）が，地方公共団体の廃置分合，特定の重大な施策・事業を実施するために必要な経費にかかる住民の特別の負担，議会と長の意見が対立している特に重要な事件等について住民投票制度の導入を検討する必要があることを提言している。しかし，地方分権推進委員会第2次勧告は，住民投票制度の導入には，やや慎重な姿勢を見せている。すなわち，この勧告は，住民投票制度について，住民参加の機会の拡大のために有効と考えられると述べる一方で，現行の代表民主制との関係に十分留意する必要があり，また，適用対象とすべき事項，その法的効果等の検討も必要なことから，国は，その制度化については，その後も慎重に検討を進める必要があると述べているのである。

住民投票制度の導入には消極・積極の両論がある[21]。消極論は，現行の地方自治制度が，代表制民主主義を基本原則としていると理解し，この基本原則を最大限尊重し，それが有効に機能しない場合に限って例外的に住民投票という直接民主主義により，代表制民主主義を補完することが正当化されるとするもので，換言すれば，代表制民主主義に高い評価を与えるものといえる。これに対して，積極論は，直接民主主義を理想とし，現行の地方自治法が代表制民主主義を採用しているのは，物理的・技術的に直接民主主義の実施が困難なための次善の策にすぎないとする。したがって，住民投票制度の導入が可能であるならば，積極的にこれを導入することによって，直接民主主義の理想型に接近すべきであるということになる。

---

20）住民投票全般については，小西・前掲注7）83頁以下，同「住民投票を巡る昨今の動きと課題」自治体法務研究69号（2022年）48頁以下，武田・前掲注16）1頁以下，新藤編著・前掲注16）参照。東京都議会局「調査資料96（地方分権時代の住民参加特集）」（東京都）も豊富な資料を掲載しており有益である。また，東京都がまとめた住民投票条例集も参照。

21）榊原秀訓「住民投票制度」室井力編『住民参加のシステム改革』（日本評論社，2003年）212頁以下参照。

### (3) 住民投票条例

この住民投票を条例により制度化したものが住民投票条例である。1982年に制定された「窪川町原子力発電所設置についての町民投票に関する条例」を嚆矢として，「巻町における原子力発電所建設についての住民投票に関する条例」，「白石市における産業廃棄物処分場設置についての住民投票に関する条例」，「名護市における米軍のヘリポート基地建設の是非を問う市民投票に関する条例」，「日米地位協定の見直し及び基地の整理縮小に関する県民投票条例」（沖縄県），「吉野川可動堰建設計画の賛否を問う徳島市住民投票条例」[22]，「鳥取市庁舎整備に関する住民投票条例」等，社会的にも注目された住民投票条例が続々と制定されている[23]。これまでに条例で導入された住民投票制度の中には，原子力発電所設置，産業廃棄物処理施設設置等，特定の問題に関するものが多いが，一般的な住民投票の条例化（「常設型」といわれることもある）の例として，1997年制定の大阪府箕面市市民参加条例，2000年に制定された長崎県小長井町の「小長井町まちづくり町民参加条例」，2002年制定の愛知県高浜市住民投票条例，2003年制定の広島市住民投票条例，和光市市民参加条例[24]等が挙げられる。杉並区のように，自治基本条例の中に住民投票に関する規定（26条・27条）を設けている例もある。武蔵野市の調査によると，常設型住民投票条例を定めている地方公共団体は，2020年12月時点で78存在した[25]。

***Column* 旧広島市民球場解体の賛否を問う住民投票実施請求**

広島市住民投票条例は，住民投票の対象を「市政運営上の重要事項」（1条）とし，「市政運営上の重要事項」とは，現在または将来の市民の福祉に重大な影響を及ぼし，または及ぼすおそれのあるものであって，①市の機関の権限に属しない事項，②法令の規定に基づき住民投票を行うことができる事項，③もっぱら特定の市民または地域に関係する事項，④市の組織，人事または財務の事務に関する事項，⑤上記①～④のほか，住民投票に付することが適当でないと認められる事項を除くと定義している

---

22） 武田真一郎『吉野川住民投票——市民参加のレシピ』（東信堂，2013年）が制定経緯を含めて詳細に解説している。

23） わが国で実施された住民投票を4期に分けて概観するものとして，武田・前掲注16）4頁以下。

24） 小林博志「市民参加条例と和光市市民参加条例について」東洋法学47巻1号（2003年）1頁以下参照。

25） 「武蔵野市住民投票条例（仮称）骨子案」（2021年2月）13頁。

（2条）。住民投票に付する事項を「旧広島市民球場解体の賛否を問う」として住民投票請求書を添えて代表者証明書の交付申請がなされたところ，市政運営上の重要事項に該当しないとして申請が却下されたため，却下処分の取消訴訟が提起された事案において，広島地判平成23・9・14判タ1381号130頁，広島高判平成24・5・16判例集不登載は，重要事項に該当しないとした市長の判断に裁量権の逸脱・濫用はないと判示している。

***Column*　廃止された住民投票制度**

重要財産・営造物の独占的利益付与および独占的使用の許可（自治旧213条。1948年7月新設，1964年3月廃止），戦争中の強制合併市町村の分離（自治1948年改正法附則2条。1948年7月新設，2年間で失効）[26)]，自治体警察の廃止（警旧40条の3。1951年6月新設，1954年6月廃止）については，住民投票制度が廃止されている。戦争中の強制合併市町村の分離については，33件の住民投票が実施され，賛成28件，反対5件であった。自治体警察の廃止については，住民投票の結果，1203の自治体警察が廃止された[27)]。さらに，1956年制定の新市町村建設促進法が，合併する町村の中で特定の地域・部落が他の町村へ移ることを希望する場合における住民投票について定めていた[28)]。

住民投票制度については，発動要件をどうするか，すなわち，有権者の一定割合以上の請求に基づいて行うこととするのか，長・議会の発案で行うこととするのか，定住外国人・未成年者にも投票権を与えるべきか（滋賀県米原町は，全国で初めて永住外国人に投票権を付与し，周辺町村との合併の是非に関する住民投票を2002年3月31日に実施している），余りにも低い投票率で意思決定がなされないように最低投票率を設定するのか，住民投票の対象についての選択肢（賛成・条件付賛成・反対等）をどのように定めるか，投票の時期をいつにするか，投票区をどのように設定するか，投票前の運動を規制するか（個別訪問禁止等），投票運動に対する公的助成を行うか，特別多数決制度を採用するか，再投票禁止期間を

26）　鹿谷雄一「住民投票と市町村合併」大東法政論集9号（2001年）242頁以下，小林博志「合併と分町・分村」西南学院大学法学部創設50周年記念論文集編集委員会編『変革期における法学・政治学のフロンティア』（日本評論社，2017年）28頁以下，同「市町村合併，分村・分町と住民投票制度」西南学院大学法学論集50巻1号（2017年）3頁以下。

27）　鹿谷雄一「住民投票と自治体警察」大東法政論集10号（2002年）187頁以下，坂田期雄『新しい都市政策と市民参加』（ぎょうせい，1978年）318頁以下。

28）　小林・前掲注26）西南学院大学法学論集50巻1号6頁以下。

設定するか，条例を制定する場合に個別対応型とするか常設型とするか，常設型の場合，住民投票に適した事項をリストアップするポジティブリスト方式をとるのか，住民投票になじまない事項をリストアップするネガティブリスト方式をとるのか，住民投票法を制定すべきか等の問題がある[29]。

***Column*** **外国人の住民投票**

住民投票条例を定めている地方公共団体は，2021年3月31日現在78あり，そのうち，外国籍の住民に投票権を認める地方公共団体は43存在するが，多くは，永住外国人（東京都小金井市）や日本に3年以上在留した者など，外国籍の住民の投票権を日本国籍の住民の投票権よりも制限している。他方，神奈川県逗子市は，全国に先駆けて，2006年，外国籍の住民に日本国籍の住民と同じ要件で投票権を認める住民投票条例を施行した。大阪府豊中市は，当初，日本に3年以上在留した外国人に限定した条例案をパブリックコメントに付したところ，日本国籍の住民と区別する必要はないという意見を受けて，在留期間の制限を設けない住民投票条例を2009年に施行した。他方，兵庫県明石市では，定住外国人に投票資格を認める住民投票条例案が2015年に市議会で否決され，東京都武蔵野市では，外国籍の住民に日本国籍の住民と同じ要件で投票権を認める住民投票条例案が2021年に市議会で否決されるなど，外国籍の住民に住民投票資格を認めることへの慎重論も根強い。

また，これまでに制定された住民投票条例は住民投票結果に法的拘束力を持たせない諮問型であり，真のレファレンダムではないが（市長が住民投票結果に従わないことを違法ではないとしたものとして，那覇地判平成12・5・9判時1746号122頁［百選25］参照），そもそも住民投票に法的拘束力を持たせる条例の制定が可能かという問題がある。かかるレファレンダム制度の採用は，憲法が採用する議会と長の二元的代表システムおよびそれを前提とした地方自治法の規定に反し許されないとする見解がかつては支配的であったが，近時は，肯定説も有力になりつつあり，見解が分かれている[30]。なお，大規模な公の施設の設置について，条例で定めるところにより，住民投票に付すことができることとし，住民投票で過半数の同意がなければ当該公の施設は設置できないこととし，住民投票の結果に法

29）阿部泰隆「住民投票制度の一考察」ジュリ1103号（1996年）41頁以下，藤原静雄「『市民』・『参加』・住民投票」公法64号（2002年）181頁以下，同「住民投票の制度設計」都市問題88巻2号（1997年）79頁以下，東京都「住民参加制度研究会報告書」（1996年7月）第1部4章参照。

的拘束力を持たせる地方自治法改正案が2011年通常国会に提出される予定であったが，地方6団体との調整がつかず，結局，提出されなかった。

**Column　同意制条例**

住民投票は，特定の問題についての住民の多数の意思を確認し，それを長が政策決定の参考にするというものであるが，いわゆる迷惑施設の設置や環境汚染のある事業の実施等について，周辺住民全員の同意を得ることを許可の条件とする「同意制条例」[31]が制定されることがある。たとえば，新潟県柏崎市ペット葬祭施設の設置等に関する条例6条2号では，「ペット葬祭施設の設置に係る土地の隣接土地所有者……の同意を得ていること」を許可要件の一つとしている。また，群馬県邑楽郡板倉町土砂等による土地の埋立ての規制に関する条例5条2項は，土砂等による土地の埋立て等の事業の許可を受けようとする者に隣接地権者の同意書を提出することを義務づけており，隣接地権者とは，事業区域の外側から100メートル以内の地権者とすることとされている（同条例施行規則4条3項)。かかる条例の下では，周辺住民は，いわば拒否権を持つことになり，住民投票に参加しうる住民よりも強い地位が付与されることになる。しかし，個別法において立地が可能な地域において，周辺住民全員の同意がなければ立地できないという要件を条例で付加することの適法性には疑義が呈されている。迷惑施設を立地したり環境汚染のある事業を実施したりすることが適切でない地域であれば，ゾーニング（地域地区規制）により規制するのが妥当であり，法律においても，地域の事情を踏まえて，条例によるゾーニングを柔軟に可能にすることが望ましい。そして，ゾーニングに当たっては，住民参加を保障すべきであろう。

## 5　公の施設の利用権

### (1)　公の施設の意義

住民は，法律の定めるところにより，その属する普通地方公共団体の役務の提供を等しく受ける権利を有するが（自治10条2項)，地方自治法は，特に公の施設（地方公共団体が設置する学校・公園・道路・図書館・病院等）の利用権について，このことを明確にしている。公の施設に関する地方自治法の規定は，従前は営造

30）　住民投票に一定の限度で法的拘束力を持たせることを認める見解として，武田・前掲注16）24頁，礒崎・自治体政策法務69頁参照。住民投票の憲法上の問題について，辻村みよ子「『住民投票』の憲法的意義と課題」ジュリ1103号（1996年）34頁以下，棟居快行「代表民主制・直接民主制」法教165号（1994年）47頁参照。

31）北村喜宣『行政法の実効性確保』（有斐閣，2008年）35頁以下参照。

物という用語で規定されていた。営造物とは，一般に公の目的に供される人的物的施設の総合体を意味するが，地方自治法上は定義規定がなく，その解釈をめぐり疑義が生ずることが稀でなかった。また，元来，講学上の概念である「営造物」は国民になじみのないものであり，より分かりやすい名称を用いることとし，1963年の地方自治法改正で「公の施設」という言葉が使用されることになったのである。林道は，主として森林の保続培養，林産物の搬出等のために森林所有者の利用に供されるものであるが，一般住民の利用にも開放されていれば，「公の施設」である（浦和地判平成5・10・18判例自治134号73頁）。「公の施設」に該当しないものとしては，試験研究機関，もっぱら外国人観光客相手の宿泊施設等がある[32]。市庁舎内の会議室を休日に限定して一般開放している「市民フォーラム」は，地方自治法238条3項（現4項）にいう公用に供する行政財産であり，同法244条の「公の施設」に該当しないとしたものとして，東京高判平成13・3・27判時1786号62頁がある。行政財産の一般開放を目的外使用としてとらえる伝統的思考によるものであるが，市庁舎の一部を休日に限って一般開放するように，公用財産の空間的時間的分割使用により公共用財産として利用する動きが進めば，公用財産と「公の施設」を二律背反のものとしてとらえる思考自体が見直しを迫られることになろう[33]。

この点で注目されるのが，名古屋地決平成15・1・10判タ1141号160頁である。同決定は，名古屋市教育センターが，全体としては公用財産に該当するものの，ある施設が公用財産に該当し，その使用許可が地方自治法238条の4第4項（現7項）によって規律されるものであるとしても，その許可・不許可の判断について有する権限主体の裁量権の範囲がどの程度まで及ぶかは，当該施設の設置目的，利用の実態に加えて，当該施設の種類，規模，構造，設備等の具体的状況を勘案して決すべきものであり，公用財産に該当するからといって，直ちに，その権限の行使について何らの制約を受けないと解すべき根拠はないとする。そして，本件施設は，その事業に支障がない限りとの条件付きではあるが，講堂および展示ホールの施設貸与も事業目的としており，その設備内容や利用可能な機器

---

32）　森源二「公の施設」法教165号（1994年）52頁。
33）　宇賀克也「国公有財産有効活用の法律問題」成田編・争点〔新版〕327頁参照。

等の一覧表を添付した「名古屋市教育センター利用のご案内」と題するパンフレットを作成し，一般に配布して利用を呼びかけている事実が一応認められ，これによれば，本件施設のうち講堂および展示ホール部分は，住民の一般的利用に供されることを予定しているというべきであるとする。そして，この意味で，本件施設のうち，講堂等の使用関係は，地方自治法244条の「公の施設」に準じて規律されるべきであるとの申立人の主張は，理解できないものではないと述べている。同決定は，公用財産であっても，その一部を時間を限定して公共用物として用いる場合があることを正面から認めたものといえよう。

***Column*　公園と校庭の共用**

東京都新宿区立花園公園は，新宿区立花園小学校の校庭を兼ねている。学校は平日の午前8時から午後4時までグラウンド部分を優先的に使用するが，ベンチや遊具のある人工芝の部分は，一般の人も自由に使用することができる。また，土日祝日は，もっぱら公園として使用されている。公立小学校の校庭という場所に限定して，公園と兼用しているのである。このような共用が実現した背景には，同校の校庭が狭く，隣接する旧花園公園を取り込んで校庭を拡張したという経緯がある。

### ⑵　条例主義

法律またはこれに基づく政令に特別の定めがあるものを除くほか，「公の施設」の設置および管理に関する事項は，条例で定めなければならない（自治244条の2第1項）。条例で定める重要な施設のうち条例で定める特に重要なものについて，これを廃止し，または条例で定める長期かつ独占的な利用をさせようとするときは，議会において出席議員の3分の2以上の同意を得なければならない（同条2項）。

***Column*　公の施設の廃止**

条例で定める重要な公の施設のうち条例で定める特に重要なものについて，これを廃止し，または条例で定める長期かつ独占的な利用をさせようとするときは，議会において出席議員の3分の2以上の者の同意を得なければならない（自治244条の2第2項）。大阪市では，地方公営企業として行われてきた地下鉄事業とバス事業を廃止するためには，議会において出席議員の3分の2以上の者の同意が必要であると条例で定めていたが，この要件をクリアして両事業が2018年4月1日から民営化された。

### (3) 指定管理者

1963年の地方自治法改正で公共団体および公共的団体への管理委託制度が導入され，1991年の地方自治法改正で第三セクターのうち一定の範囲のものにも委託が可能になったが，2003年の地方自治法改正で，管理委託制度に代えて指定管理者制度が採用されることになった（同244条の2第3項）[34]。県営名古屋空港の管理運営について，指定管理者制度を活用して，名古屋空港ビルディング株式会社に行わせているのがその例である[35]。

***Column*** **都市公園法の管理許可**

プロ野球またはJリーグの本拠地となる野球場またはサッカー場は，指定管理者制度を採用していることが少なくないが（ZOZOマリンスタジアムは千葉ロッテマリーンズが，茨城県立カシマサッカースタジアムは鹿島アントラーズFCが指定管理者となっている），この制度を用いず，都市公園法の管理許可によったのが，県営宮城球場（ネーミングライツの売却により「楽天Koboスタジアム宮城」〔現在は，「楽天生命パーク宮城」〕となる）であり，楽天野球団が，同法5条2項2号の「当該公園管理者以外の者が設け，又は管理することが都市公園の機能の増進に資すると認められるもの」として許可を受けて管理している。指定管理者制度と都市公園法の管理許可制度を比較すると，施設使用料は，前者では地方公共団体に帰属するが，利用料金制度を導入した場合には指定管理者に帰属する。しかし，条例による制限がある（自治244条の2第8項）。これに対し，後者では使用料は管理許可を受けた者に帰属し，料金の設定についても，管理許可を受けた者の裁量が広く認められる。県営宮城球場に都市公園法の管理許可制度が用いられたのは，楽天野球団の管理運営上の自由度を高めることにより，同球団が安定的な経営を行うことができるようにするためである。

### (4) 不当な差別的取扱いの禁止

#### (a) 利用を拒否しうる「正当な理由」

普通地方公共団体および指定管理者は，正当な理由がない限り，住民が公の施

---

34）　この改正について，成田頼明「『公の施設』の管理委託から管理代行制度へ」自治実務セミナー42巻5号（2003年）17頁，篠原俊博「地方自治法の一部を改正する法律の概要について」地方自治669号（2003年）22頁以下参照。指定管理者制度が果たしてきた役割と今後の課題について検討するものとして，板垣勝彦「指定管理者制度15年の法的検証」横浜法学28巻1号（2019年）27頁以下参照。

35）　指定管理者制度導入後15年間の検証を行うものとして，板垣・現代的課題436頁以下参照。

設を利用することを拒んではならない（自治244条2項)。また，普通地方公共団体および指定管理者は，住民が公の施設を利用することについて，不当な差別的取扱いをしてはならない（同条3項)。このように，住民には，差別を受けることなく公の施設を利用する権利が保障されている。利用を拒否しうる「正当な理由」(換言すれば「不当な差別的取扱い」に当たらない場合）とは，相手方が使用料を納付しない場合，収容可能人員を超過する場合，その者に公の施設を利用させることによって，他の利用者に重大な迷惑を及ぼす蓋然性が高い場合等である[36)]。

合同葬のための利用許可申請が，「上尾市福祉会館設置及び管理条例」が定める「会館の管理上支障があると認められるとき」に該当するとして拒否された上尾市福祉会館事件において，最判平成8・3・15民集50巻3号549頁［百選57］は，地方公共団体の公の施設として本件会館のような集会の用に供する施設が設けられている場合，住民等は，その施設の設置目的に反しない限りその利用を原則的に認められることになるので，管理者が正当な理由もないのにその利用を拒否するときは，憲法の保障する集会の自由の不当な制限につながるおそれがあるとして，「会館の管理上支障があると認められるとき」に該当するのは，会館の管理上支障が生ずるとの事態が，許可権者の主観により予測されるだけでなく，客観的な事実に照らして具体的に明らかに予測される場合に限られるとする。そして，当該事案においては，この要件が満たされていないので，不許可処分は違法としている。他方，類似の事案（泉佐野市市民会館事件）において，最判平成7・3・7民集49巻3号687頁は，公の施設である市民会館の使用を拒否できる場合は，使用許可によって単に危険な事態を生ずる蓋然性があるというだけでは足りず，明らかな差し迫った危険の発生が具体的に予見されることが必要であるとし，拒否事由の存在を肯認することができるのは，そのような事態の発生が許可権者の主観により予測されるだけでなく，客観的な事実に照らして具体的に明らかに予測される場合でなければならないと判示したが，当該集会のための利用を許可すれば，職員，通行人，付近住民等の生命，身体または財産が侵害される

---

36)　公の施設の利用を拒否しうる「正当な理由」の有無が争われた例につき，兼子・新自治95頁以下参照。

事態を生ずることが，具体的に明らかに予見されるとして，不許可処分は適法としている。

***Column*　敵意ある聴衆（hostile audience）の法理**

泉佐野市市民会館事件最高裁判決は，「主催者が集会を平穏に行おうとしているのに，その集会の目的や主催者の思想，信条に反対する他のグループ等がこれを実力で阻止し，妨害しようとして紛争を起こすおそれがあることを理由に公の施設の利用を拒むことは，憲法21条の趣旨に反するところである」として，いわゆる「敵意ある聴衆の法理」（「敵対的聴衆の法理」ともいう）を肯定した。そして，上尾市福祉会館事件最高裁判決は，「主催者が集会を平穏に行おうとしているのに，その集会の目的や主催者の思想，信条等に反対する者らが，これを実力で阻止し，妨害しようとして紛争を起こすおそれがあることを理由に公の施設の利用を拒むことができるのは……警察の警備等によってもなお混乱を防止することができないなど特別な事情がある場合に限られるものというべきである」と判示し，「敵意ある聴衆の法理」の下で公の施設の利用を拒否できる場合がいかなる場合かをより明確に示した。その後の裁判実務においても，この法理が適用されている。

**(b)　住民に準ずる地位にある者**

最判平成18・7・14民集60巻6号2369頁［百選16］［判例集200］［判例集II 29］（旧高根町簡易水道事業給水条例無効等確認請求事件）は，「住民に準ずる地位にある者による公の施設の利用関係に地方自治法244条3項の規律が及ばないと解するのは相当でなく，これらの者が公の施設を利用することについて，当該公の施設やこれらの者と当該普通地方公共団体との結び付きの程度等に照らし合理的な理由なく差別的取扱いをすることは，同項に違反するものというべきである」と判示している。地方公共団体の住民でなくても，その区域内に事務所，事業者，家屋敷，寮等を有し，その地方公共団体に対し地方税を納付する義務を負うなど住民に準ずる地位にある者については，地方自治法244条3項の規律が及ぶことを最高裁が明示したのは，本件判決が初めてであると思われ，「公の施設」一般について重要な意義を有する。地方公共団体の住民でないため選挙権を有していない者は，当該地方公共団体に地方税を納めていても，差別的取扱いを受けがちであり，本件の別荘給水契約者も，それ以外の給水契約者の基本料金の3.57倍の基本料金を払うこととされていた。しかも，水道休止届による基本料金支払義務の免除制度が別荘給水契約者に限り認められないこととされ，別荘を使用しない期間の基本料金の支払を免れるために給水契約を一度解除しなければならないことになり，この場合，水道使用を再開するためには，改めて30万円の加入金を支払う必要が生じた。本件判決は，水道料金は，原則として個別原価に基づいて設定されるべきと判示し，旧高根町が行ったような個別原価を無視した料金設定一般に警鐘を鳴らしている。今後，「公の施設」の使用料を定める条例を制定する場合，実質的に住民と同視される者への不当な差別にならないように十分留意する必要があろう。

### (5)　目的外使用許可との関係

地方自治法244条2項の規律に服するのは，住民の利用に供するための施設を，その設置目的に基づいて使用する場合に限られ，それ以外の場合には，同法238条の4第7項の目的外使用許可の問題として処理される（大阪地判平成20・3・27判タ1300号177頁）。目的外使用許可をするか否かは，原則として管理者の裁量にゆだねられ，行政財産の目的および用途と目的外使用の目的，態様等との関係に配慮した合理的な裁量判断により使用許可をしないこともできる。その裁量権の行使が逸脱濫用に当たるか否かの司法審査においては，その判断が裁量権の行使としてされたことを前提とした上で，その判断要素の選択や判断過程に合理性を欠くところがないかを検討し，その判断が重要な事実の基礎を欠くか，または社会通念に照らし著しく妥当性を欠くものと認められる場合に限って，裁量権の逸脱または濫用として違法となるとするのが判例（最判平成18・2・7民集60巻2号401頁［百選59］［判例集145］）の立場である。同判決は，学校施設は学校教育上支障があれば使用を許可することができないことは明らかであるが，そのような支障がないからといって当然に許可しなければならないものではなく，行政財産である学校施設の目的および用途と目的外使用の目的，態様等との関係に配慮した合理的な裁量判断により使用許可をしないこともできると判示する。

### (6)　審査請求

普通地方公共団体の長以外の機関（指定管理者を含む）がした公の施設を利用する権利に関する処分についての審査請求は，普通地方公共団体の長が当該機関の最上級行政庁でない場合においても，当該普通地方公共団体の長に対してするものとされている（自治244条の4第1項）。

普通地方公共団体の長は，公の施設を利用する権利に関する処分についての審査請求がされた場合には，当該審査請求が不適法であり，却下するときを除き議会に諮問した上，当該審査請求に対する裁決をしなければならない（同条2項）。議会は，この諮問を受けた日から20日以内に意見を述べなければならない（同条3項）。普通地方公共団体の長は，議会に諮問をしないで審査請求を却下したときは，その旨を議会に報告しなければならない（同条4項）。

地方自治法244条の4は，公の施設の利用関係の設定・廃止がすべて行政処分であることを前提としているわけではない。実際，公の施設である水道の利用関係は契約により設定される。したがって，地方自治法244条の4は，公の施設の利用関係の設定・廃止が行政処分によるものについての行政不服審査法の特別規定と解される。

***Column*　裁定的関与の一部廃止**

2014年に行政不服審査法が全部改正され，審査請求における審理の公正性が向上したことに伴い，同年に成立した「行政不服審査法の施行に伴う関係法律の整備等に関する法律」は，行政上の不服申立てに対する裁定等により，国が普通地方公共団体に対し，または都道府県が市町村に対し関与する裁定的関与のうち，公正な審理手続による不服申立人の手続保障を理由とする特例を廃止することとした。公の施設を利用する権利に関する処分についても，この改正前は，都道府県知事がした処分については総務大臣，市町村長がした処分については都道府県知事に審査請求をすることができたが，この裁定的関与は廃止された。同様の理由で廃止された裁定的関与として，給与その他の給付に関する処分（自治206条），行政財産を使用する権利に関する処分（同238条の7），職員の賠償責任に関する処分（同243条の2の2。地方公営企業法で準用される場合を含む），過料の処分（同255条の3），住民基本台帳法に基づく市町村長の処分（同法旧31条の4）についての不服申立てがある。

# II　住民の義務

住民は，法律の定めるところにより，その属する普通地方公共団体の負担を分任する義務を負う（自治10条2項）。ここでいう「負担」とは，地方税（同223

条）のほか，分担金（同224条）・使用料（同225条・226条）・手数料（同227条）・受益者負担金等である。「分任する」とは，平等に分けて負担に応ずるという意味であるが，必ずしも均等に分けることを意味するわけではなく，所得等に応じて負担割合が異なることはありうる。また，個別の法律において，住民の義務が定められている例がある。例えば，都市の住民は，地方公共団体が都市緑地法の目的を達成するために行う措置に協力する義務を負う（都市緑地2条3項）。

**Column　ふるさと納税**

2009年4月1日から「ふるさと納税」制度が施行された[37]。この制度は，元来，地方で生まれ育った者が進学や就職を機に都会に移住し，そこで納税し，その結果，都会の地方公共団体が税収を得る一方，「ふるさと」の地方公共団体には税収がないことは均衡を欠くという受益と負担のライフサイクル・バランス論の観点から，自己の意思で「ふるさと」に納税する制度を設けられないかという問題提起がなされたことを契機に議論が開始されたものである。「ふるさと納税」という名称は，この議論の契機を示すものといえる。しかし，実際に設けられた制度は，納税の分割方式ではなく，地方公共団体に寄付が行われた場合に寄付金控除を行う仕組みであり，また，寄付先の地方公共団体も「ふるさと」に限定されず，任意に選択可能である。税の分割方式が採用されなかったのは，住民税が，「地域社会の会費」であり，(i)現在の住所地以外の地方公共団体に課税される納税者と現在の住所地以外の地方公共団体の間で受益と負担の関係を説明すること，(ii)現在の住所地以外の地方公共団体に個人住民税の課税権を認めること，(iii)地方公共団体が現時点において居住もしておらず無関係な者に条例の効力を及ぼし課税すること，(iv)納税者の意思により納付先を選択できるとすることは，理論的に困難なことによる。(i)～(iii)は，受益と負担を対応させる地方税の応益負担原則違反，ひいては地方公共団体の財政需要を住民が分任するという負担分任原則違反を問題にするものといえる。寄付金税制は，これらの問題をクリアするために選択された。すなわち，寄付は，個人の自由意思で行うものであるので，受益と負担の関係は問題にならず，また，任意に行うものであるから，税と異なり，強制性との関係も問題にならない。もっとも，負担分任原則との関係で，住民間の税負担の公平性の侵害が許容限度内となるように税負担の軽減の程度を設定することは必要になる。

なお，2016年の地域再生法の一部を改正する法律により，地方創生応援税制として，いわゆる企業版ふるさと納税制度が導入された。これは，地方公共団体が行う一定の

37）　ふるさと納税研究会委員によるこの制度の立法過程での議論については，佐藤英明「『ふるさと納税研究会報告書』とふるさと納税制度」ジュリ1366号（2008年）157頁以下，同「いわゆる『ふるさと納税』制度について――制度の性格と合理性の検討」都市問題研究61巻3号（2009年）59頁以下参照。

地方創生事業に対する企業の寄付について，既存の損金算入措置に加えて，法人住民税，法人事業税，法人税の税額控除の優遇措置を新設し，地方創生に取り組む地方公共団体を応援することを意図したものである。

# 第9章　普通地方公共団体に対する国または都道府県の関与等

**Point**

1）普通地方公共団体は，その事務の処理に関し，法律またはこれに基づく政令によらなければ，普通地方公共団体に対する国または都道府県の関与を受け，または要するとされることはない。

2）自治事務については，「助言又は勧告」，「資料の提出の要求」，「是正の要求」，「協議」が基本的関与類型であり，「同意」，「許可，認可又は承認」，「指示」，「代執行」は例外的にのみ認められる関与類型である。

3）法定受託事務の場合は，「助言又は勧告」，「資料の提出の要求」，「同意」，「許可，認可又は承認」，「指示」，「代執行」，「協議」が基本的関与類型である。

4）各大臣は，その担任する事務に関し，都道府県の自治事務の処理が法令の規定に違反していると認めるとき，または著しく適正を欠き，かつ，明らかに公益を害していると認めるときに，都道府県に対して違反の是正または改善のために必要な措置を講ずべきことを求めて是正の要求を行うことができる。また，各大臣は，その担任する事務に関し，市町村の事務（市町村の自治事務および市町村が行う法定受託事務のうち都道府県が本来果たすべき責務にかかる事務）の処理について，都道府県の執行機関に対し，是正の要求を行うよう指示することができるのが原則であるが，緊急を要するときその他特に必要があると認めるときは，自ら当該市町村に対して是正の要求をすることができる。

5）都道府県の執行機関は，市町村の自治事務の処理が法令の規定に違反していると認めるとき，または著しく適正を欠き，かつ，明らかに公益を害していると認めるときは，当該市町村に対し，当該自治事務の処理について違反の是正または改善のために必要な措置を講ずべきことを勧告することができる。

6）法定受託事務の処理が法令の規定に違反していると認められるとき，または著しく適正を欠き，かつ，明らかに公益を害していると認められるときに，各大臣は都道府県に対し，都道府県の執行機関は市町村に対し，違反の是正または改善のため講ずべき措置に関し是正の指示をすることができる。

7）都道府県の執行機関による是正の要求は，各大臣からの指示があった場合にのみなしうるが，是正の指示については，各大臣からの指示がなくても，都道府県の執行機関の独自の判断でもなしうる。各大臣は，市町村の第１号法定受託事務の処理について，都道府県の執行機関が行う是正の指示に関して必要な指示をすることにより，間接的に市町村に関与するのが原則であるが，緊急を要するときその他特に必要があると認めるときは，自ら当該市町村に対して是正の指示をすることができる。

8）その性質上特に必要がある場合，例外的に自治事務について法律の定めるところにより国の直接執行が認められているものがある。これが国の行政機関による並行権限の行使と呼ばれるものである。

9）各大臣は，その所管する法律またはこれに基づく政令にかかる都道府県の法定受託事務の処理について，都道府県が当該法定受託事務を処理するに当たりよるべき基準を定めることができ，都道府県の執行機関は，市町村の法定受託事務について処理基準を定めることができる。各大臣は，市町村の第１号法定受託事務の処理について，都道府県の執行機関に対し，処理基準に関し，必要な指示をすることができ，特に必要があると認めるときは，自ら処理基準を定めることもできる。

10）地方自治法は，行政手続法に範をとり，普通地方公共団体に対する国または都道府県の関与の手続の一般ルールを法定している。

11）普通地方公共団体の長その他の執行機関は，その担任する事務に関する国の関与のうち公権力の行使に当たるもの，不作為，協議について不服があるときは，国地方係争処理委員会に対し，当該関与を行った国の行政庁を相手方として，文書で，審査の申出をすることができる。

12）国の関与に対する審査の申出（協議に対するものを除く）をした普通地方公共団体の長その他の執行機関は，国地方係争処理委員会への審査の申出により問題が解決しない場合には，高等裁判所に対し，当該審査の申出の相手方となった国の行政庁を被告として，違法な国の関与の取消訴訟または不作為の違法確認訴訟を提起することができる。

13）自治紛争処理委員は，普通地方公共団体相互間または普通地方公共団体の機関相互間の紛争について調停を行い，審査請求等の審理を行うことに加え，都道府県の市町村に対する関与について市町村が不服を有する場合の審査の申出の審査，連携協約にかかる紛争の処理方策の提示も行う。

# I　関与に関する規定の整備

普通地方公共団体の行う事務については，当該団体の自主性を尊重すべきである。そこで，地方分権一括法は，機関委任事務制度の廃止に伴い，主務大臣・都道府県知事の指揮監督権（自治旧150条），都道府県知事による取消・停止権（同旧151条）等の包括的関与を廃止するにとどまらず，港湾管理者の臨港地区の設定に対する運輸大臣（当時）の認可（港湾旧38条1項）の廃止，地方債の発行にかかる自治大臣（当時）・都道府県知事の許可の原則協議制への移行（地財5条の3第1項）等の個別法に基づく関与の廃止・縮減を行っている。しかし，統一性，適法性等の確保のために，国または都道府県が関与を行う必要性を全く否定することはできない。その場合，普通地方公共団体に対する国または都道府県の関与が公正・透明に行われることは，国と普通地方公共団体，都道府県と市町村を対等・協力の関係にするために必要不可欠といえる。

従前は，個別法で定める関与についての原則が法定されておらず，このことが過剰・不透明な関与による地方公共団体の自主性の侵害をもたらしているという批判が存在した。そこで，地方分権推進委員会は，国と普通地方公共団体との新しい関係を確立するため，国の関与の一般原則ならびに自治事務および法定受託事務のそれぞれの性格に応じた国の関与の基本類型を，国と普通地方公共団体との関係のルールに関する一般法に定めることを勧告した（第2次勧告）。地方分権推進計画は，この勧告に基づいて，普通地方公共団体に対する国または都道府県の関与（都道府県に対する国の関与および市町村に対する国または都道府県の関与）についての基準と手続を整備するとともに，地方自治法に規定されている国と普通地方公共団体との関係に関する規定についても再構成することとした。これを受けて，地方分権一括法で地方自治法の改正が行われ，普通地方公共団体に対する国または都道府県の関与等に関する規定が整備された。

# II 関与の意義

## *1* 定 義

地方自治法245条は,「普通地方公共団体に対する国又は都道府県の関与」に関する定義規定を設けている。すなわち,本条は,「普通地方公共団体に対する国又は都道府県の関与」を普通地方公共団体の事務の処理に関し,国の行政機関または都道府県の機関が行う次に掲げる行為をいうとし,「次に掲げる行為」として,1号(「普通地方公共団体に対する次に掲げる行為」),2号(「普通地方公共団体との協議」),3号(「前2号に掲げる行為のほか,一定の行政目的を実現するため普通地方公共団体に対して具体的かつ個別的に関わる行為(相反する利害を有する者の間の利害の調整を目的としてされる裁定その他の行為(その双方を名あて人とするものに限る。)及び審査請求その他の不服申立てに対する裁決,決定その他の行為を除く。)」)の3つを列記している。

そして,1号の「普通地方公共団体に対する次に掲げる行為」として,「イ 助言又は勧告」「ロ 資料の提出の要求」「ハ 是正の要求」「ニ 同意」「ホ 許可,認可又は承認」「ヘ 指示」「ト 代執行」を挙げている。このように,関与の基本類型を1号・2号で列記し,その上で,基本類型に該当しない関与について,3号で包括的に規定する方式をとっている。3号が規定する基本類型外の関与は,検査,監査および後述する国の行政庁による並行権限の行使等(→V *7*)であるが,これらについても,地方自治法が定める関与法定主義,関与の手続,係争処理手続の規定の適用対象とする必要があるため,関与の定義に包含しているのである。

## *2* 裁定的関与

ただし,3号においては,「相反する利害を有する者の間の利害の調整を目的としてされる裁定その他の行為(その双方を名あて人とするものに限る。)及び審査請求その他の不服申立てに対する裁決，決定その他の行為」が除かれている。その理由は，かかる紛争処理手続については，別に法律の根拠・手続が定められていることが通常であり，関与法定主義や関与手続に関する地方自治法の規定を適用する必要性が乏しいこと，私人である当事者の権利救済という観点が必要になる場合があり，地方公共団体の自主性を尊重するため，関与を必要最小限にするという地方自治法の基本理念が必ずしも妥当しないこと，別の法律で定められた紛争解決手続に，さらに地方自治法の係争処理制度を付加することは，紛争解決を不必要に遅延させるおそれがあることによる。

これらは，学問上，地方公共団体に対する裁定的関与として論じられてきたものであり[1]，地方分権一括法による改正後の地方自治法においても，自治事務における例がみられたが（自治旧244条の4第6項・旧255条の3第2項・4項），これらの規定は削除された。また，法定受託事務については，一般的に審査請求の審理を通じた裁定的関与の制度が設けられたことは前述した（→5章II ***3***(5)）。ただし，地方分権一括法による改正前の地方自治法が採用していた裁定的関与前置主義（自治旧256条）[2]は廃止された。法定受託事務について審査請求を一般的に認めたことについては議論があり，処分庁に対する不服申立てにとどめるべきという意見も少なくない[3]。裁定的関与については，審査庁の裁決に対して，処分庁（地方公共団体）側の出訴が法律上明示的に保障されていないことが，地方自治の保障の観点から問題とされている[4]。

---

1)　塩野・地方公共団体37頁，人見・分権改革273頁以下参照。地方分権改革が進められる中でも，なお国の関与が存続し続ける意義は何かという問題意識から，ドイツにおける国家監督について詳細に分析したものとして，金崎剛志「国家監督の存続理由――理念としての自治と制度としての監督(1)～(9・完)」法協133巻2号157頁，3号353頁，5号623頁，6号675頁，7号892頁，8号1220頁，9号1351頁，10号1507頁，11号1719頁（2016年）参照。

2)　裁定的関与前置主義への批判として，阿部泰隆『行政救済の実効性』（弘文堂，1985年）108頁以下参照。

3)　例えば，芝池義一「地方自治法改正案の検討」法時71巻8号（1999年）82頁，石森久広「法定受託事務に係る審査請求」小早川＝小幡編・自治・分権95頁参照。

4)　塩野・行政法III 270頁，曽和・行政法執行システム231頁，人見・分権改革291頁参照。立法論として，碓井光明『行政不服審査機関の研究』（有斐閣，2016年）367頁参照。

**Column　行政不服審査法改正の経緯と裁定的関与の取扱い**

2007年7月に出された行政不服審査制度検討会最終報告においては，「裁定的関与としての審査請求・再審査請求の仕組みも，審査請求人の手続保障のレベルを上げることで審理の一段階化〔審査請求を経て再審査請求をするというように行政過程で多段階の不服申立てを認めるのではなく，不服申立てを1回にすること―著者注〕を図る観点からは，廃止の方向で検討するべきものと考えられる。／また，現行行審法上は，異議申立手続は審査請求手続に比べて不服申立人のための手続保障が不十分であるが，今回の行政不服審査制度の見直しにより，新しい審査請求手続における対審的構造の導入や合議制の第三者機関の関与等により審査請求人の手続保障のレベルを上げることとすることを踏まえると，国民の権利利益の救済の観点からは，裁定的関与としての審査請求・再審査請求を廃止しても特段の支障はない。このことは，地方分権の観点にもかなうものと考えられる。／しかしながら，裁定的関与については，国等と地方の関係の在り方の問題として総合的に議論されることも必要である。／このため，国等と地方の関係を含む不服申立手続については，その在り方についての地方分権改革推進委員会等における結論を待つこととする」とされた。2007年11月16日の地方分権改革推進委員会による「中間的な取りまとめ」では，裁定的関与としての審査請求・再審査請求の取扱いについて，地方分権改革推進委員会としては，政府の法案取りまとめ状況を注視していくこととすると述べるにとどめられている。2008年通常国会に提出された行政不服審査法改正案（2009年7月21日の衆議院解散に伴い廃案）においては，裁定的関与については，新行政不服審査法の規定は適用せず，旧行政不服審査法の規定がなおその効力を有することとされた（法案附則4条）。裁定的関与である審査請求に前置される異議申立ても，経過措置の特例を定める附則4条の規定の適用を受ける。

民主党を中心とした連立政権下において，「行政救済制度検討チーム」が設けられ，改めて，行政不服審査法の抜本的な見直しが行われ，2011年12月，検討結果の取りまとめがなされた。そこにおいては，2008年行政不服審査法改正案における「旧法適用の経過措置」については，①国等の機関が不服申立先とされている地方公共団体の機関の処分については，手続保障の水準向上のメリットを当面は国民が享受できないこと，②国等の機関が不服申立先とされている地方公共団体の機関の処分については「旧法」により，その他については「新法」（改正後の本法）によることとなり，国民の権利救済にかかる制度が二元化することは，国民にとっても，不服申立てに対応する国および地方公共団体の行政の現場にとっても，必ずしも理解が容易とはいえないと思われることから，この方針は採用しないこととしている。

2014年に制定された「行政不服審査法の施行に伴う関係法律の整備等に関する法律」は，審査請求の手続保障水準の向上に伴い，手続の公正さを目的とする裁定的関与を廃止したが，判断の統一性・事務の適正な処理の確保等の観点からの裁定的関与は存続することとなった。

## 3　助言または勧告，協議，同意

「助言又は勧告」は非権力的関与であるが，勧告は尊重義務を伴う点で助言よりも強度な関与ということができる。地方自治法245条2号の「協議」は，合意まで要求されないのに対して，1号の「同意」は，協議の結果，合意に達することを要する。「許可，認可又は承認」は，普通地方公共団体からの申請を受けて，これを応諾することによって，禁止を解除したり，普通地方公共団体の行為の効果を完成させる法効果を持つものをいう。最終的に国の行政機関または都道府県の機関が応諾しなければならない点においては，「同意」も「許可，認可又は承認」も異ならないが，前者は後者と異なり，双方の協議を通じて合意点を見出す点で，後者に比して軽度の関与ということができよう。

## 4　指　　示

「指示」は，国の行政機関または都道府県の機関が普通地方公共団体に対して一定の行為に従うよう求めるものであり，法的拘束力を伴う。「命令」「指揮」という文言は，一般に上下関係を前提とする場合に用いられているので，対等・協力関係にある者に対しても用いられうる「指示」を関与の基本類型としたのである。地方分権推進計画においては，従来地方公共団体に対する監督のための関与として行われてきた命令・指揮監督等については，身分上の関係や国庫金の取扱いに関連するものを除き，今後は，その性質に応じて，助言および勧告，是正措置要求等または指示によることとするとされている。地方分権一括法で，従前，「命ずる」とされていた表現を「指示する」に改めた例として，漁業法128条4項がある。また，地方分権推進計画においては，「指示」は，自治事務については，国民の生命，安全，健康に直接関係する場合，広域的な被害の蔓延防止の観点からの事務の処理に関する場合に限り，法定受託事務についても，当該事務の適正な処理を確保するため特に必要と認められる事項および場合にのみ行いうることとしている[5)]。

## *5* 届　　出

地方分権推進法（2001 年失効）5 条において，地方公共団体に対する国の関与として明示されていた「届出の受理」は，地方自治法 245 条には明示されていないが，同法 250 条の 5 に届出に関する手続規定が置かれていることから，同法 245 条 3 号に届出も含まれると解することもできる。しかし，届出の受理という概念は，行政手続法 37 条と同様，地方自治法 250 条の 5 で否定されている（→Ⅶ ***10***）。

## *6* 国の行政機関

地方自治法 245 条にいう「国の行政機関」とは，内閣府設置法 4 条 3 項に規定する事務をつかさどる機関たる内閣府，宮内庁，同法 49 条 1 項（内閣府に置かれる外局）もしくは 2 項（外局に置かれる委員会または庁）に規定する機関，国家行政組織法 3 条 2 項に規定する機関，法律の規定に基づき内閣の所轄の下に置かれる機関（人事院）またはこれらに置かれる機関をいう。したがって，国会，裁判所のように行政機関でないものはもとより，行政機関であっても，内閣，内閣官房，国家安全保障会議，内閣法制局，復興庁，会計検査院等は，本条にいう「国の行政機関」に含まれないし，独立行政法人，国立大学法人，大学共同利用機関法人，日本司法支援センター，特殊法人，認可法人，指定機関も，「国の行政機関」ではない。また，行政手続法 2 条 5 号に規定されている「行政機関」とは異なり，「法律上独立に権限を行使することを認められた職員」は含まれない。

## *7* 固有の資格

地方自治法 245 条の関与の定義では，普通地方公共団体がその固有の資格において当該行為の名あて人となるものに限り，また，国または都道府県の普通地方

5)　両者とも同じ「指示」という言葉を用いることに疑問を示すものとして，大橋洋一「国の関与のルール」法教 209 号（1998 年）15 頁参照。

公共団体に対する支出金の交付および返還にかかるものが除かれている。「固有の資格」という文言は，行政不服審査法7条2項や行政手続法4条1項においても用いられている。普通地方公共団体がその固有の資格において当該行為の名あて人となる場合とは，一般私人と同様の立場で名あて人となる（道運4条1項に基づく一般旅客自動車運送事業の許可がその例）のではなく，起債の協議のように，一般私人では立ちえず，普通地方公共団体であるからこそ立ちうる特別の立場で名あて人となる場合を意味する[6)]。地方公共団体がその固有の資格において国または都道府県の関与の名あて人となるもの以外のものについては，一般私人と同様，行政手続法の規定の適用を受けることになるが，地方分権推進計画は，地方公共団体および民間団体に共通する規制緩和の観点から，極力，関与を緩和する方向で取り組むものとしている。

**_Column_　公有水面埋立承認取消処分に対する審査請求に係る国土交通大臣の裁決**

沖縄県宜野湾市所在の普天間飛行場の代替施設を同県名護市辺野古沿岸域に建設するための公有水面の埋立てについて，沖縄防衛局が，仲井眞弘多元沖縄県知事から公有水面埋立の承認（以下「本件承認処分」という）を受けていたところ，翁長雄志前沖縄県知事の死去により同県知事職務代理者となった富川盛武同県副知事は，地方自治法153条1項の規定に基づき，2018年8月16日から同県知事選挙における当選人の告示の日の前日までの期間，本件承認処分の取消処分について謝花喜一郎同県副知事に事務の委任を行った。謝花副知事は，同月31日付け書面で，本件承認処分を取り消した（以下「本件承認取消処分」という）。同年10月4日，同知事選挙における当選人として玉城康裕氏が告示された。沖縄防衛局長は，同月17日，国土交通大臣に対して，本件承認取消処分を取り消す旨の裁決を求めて，行政不服審査法に基づく審査請求および同審査請求に対する裁決があるまで本件承認取消処分の効力を停止することを求める執行停止の申立てを行った。国土交通大臣は，同月30日に執行停止決定を行った。玉城知事は，不適法な執行停止申立てに対してなされた執行停止決定について地方自治法245条に規定する国の関与に該当するとして，同法250条の13第1項の規定に基づき，国地方係争処理委員会に対して審査の申出を行ったが，2019年2月18日，同委員会は，審査の申出の対象となる「国の関与」に当たらないとして却下する決定を行った。さらに，国土交通大臣は，同年4月5日，本件承認取消処分を取り消す旨の裁決（以下「本件裁決」という）を行った。審査請求に対してなされた本件裁決は，地方自治法245条に規定する国の関与に該当するとして，同法250条の

6）「固有の資格」の具体的判断基準については，宇賀・行政手続三法解説79頁以下参照。

13第1項の規定に基づき，国地方係争処理委員会に対して審査の申出を行った。同委員会は，同年6月17日，本件裁決は国の関与に当たらず，同委員会の審査対象に該当しないとして申出を却下した。

同法245条3号括弧書は，「審査請求その他の不服申立てに対する裁決，決定その他の行為」を「関与」から除外しているところ，国の機関等が行政不服審査法7条2項に規定する「固有の資格」で相手方となった処分に関する審査請求に対して裁決がされた場合等，審査請求がその要件を欠き，その結果，裁決にも成立に係る瑕疵がある場合には，裁決としての効力を有せず，もはや裁決として扱う必要がないので，地方自治法245条3号にいう「一定の行政目的を実現するため普通地方公共団体に対して具体的かつ個別的に関わる行為」として，同委員会が審査すべき国の関与に当たりうる。本件で沖縄防衛局長が行った審査請求は，「固有の資格」で行ったといえるかが，本件審査の申出における最大の争点であった。同委員会は，本件承認取消処分は，本件承認処分を取り消すものであり，本件承認処分の性質と表裏の関係にあるので，公有水面埋立承認の性質について検討する。そして，一般私人および事業者としての地方公共団体が公有水面の埋立てを行うためには，都道府県知事の免許（埋立免許）を受けなければならないとするとともに（公水2条1項），国が埋立てを行う場合には，当該事業を実施する官庁が都道府県知事の承認（埋立承認）を受けなければならないとしていること（同法42条1項）について，公有水面の埋立承認による埋立権限の付与という効果は，埋立免許における一般私人と同様の立場に向けられたものということができ，この埋立権限の付与処分（承認）を取り消す処分は埋立権限を奪う不利益処分として，国（の機関）がその「固有の資格」において受ける処分に当たらないから，本件審査請求は適法であり，本件裁決に成立に係る瑕疵があるとはいえないとした。福岡高那覇支判令和元・10・23判時2443号3頁も，埋立免許と埋立承認はその本質において異なるものではなく，国の機関は，埋立承認について，一般私人と同様の立場でその相手方となるものであり，国の機関等であるからこそ立ちうる特有の立場，すなわち「固有の資格」において相手方となるものではないと判示した。その上告審の最判令和2・3・26民集74巻3号471頁も，公有水面埋立事業については，国の機関と国以外の者のいずれについても，都道府県知事の処分（埋立免許または埋立承認）を受けて初めて当該事業を適法に実施しうる地位を得ることができるものとされ，かつ，当該処分を受けるための規律が実質的に異ならないのであるから，処分の名称や当該事業の実施の過程等における規律に差異があることを考慮しても，国の機関が一般私人が立ちえないような立場において埋立承認の相手方となるものとはいえないので，埋立承認は，国の機関が行政不服審査法7条2項にいう「固有の資格」において相手方となるものということはできないと判示した。

### *8*　支出金の交付および返還

「国又は都道府県の普通地方公共団体に対する支出金の交付及び返還に係るもの」が関与の定義から除外されているのは，相手方が地方公共団体であるか否かを問わず，支出金の適正な執行を確保する必要があると考えられたこと，予算措置に基づく支出金につき関与法定主義を適用することが必ずしも妥当とはいえないことによる。もっとも，地方分権一括法は，「補助金等に係る予算の執行の適正化に関する法律」を改正して，標準処理期間，不服審査制度を設け，関与の適正化に配慮している[7]。

## Ⅲ　関与の法定主義

私人の権利・自由を侵害する行政作用については法律の根拠を必要とする侵害留保原則が国と私人との関係において適用されるという説が立法実務上とられていることは，周知の事実である。地方自治法245条の2は，「普通地方公共団体は，その事務の処理に関し，法律又はこれに基づく政令によらなければ，普通地方公共団体に対する国又は都道府県の関与を受け，又は要することとされることはない」と定めており，普通地方公共団体に対する国または都道府県の関与の法定主義を明確にしている。そのため，省令または通達を根拠にして行われてきた関与については，廃止するか，法律またはこれに基づく政令に規定し直す作業が必要になった。法律またはこれに基づく政令に根拠を有しない関与がなされた場合，たとえ，指示・命令等の文言が用いられていても，地方公共団体はそれに従う必要はない。

国・地方公共団体と私人間では法律の留保に服さないとされる助言・勧告等の非権力的関与も含めて，本条が関与の法定主義を定めたことは注目に値する。こ

---

7）　地方公共団体に対する補助金交付決定の仕組みの改革について，阿部泰隆「国・地方公共団体の関係調整ルール」ジュリ1090号（1996年）44頁参照。

れは，従前，非権力的関与の形式をとりながら，実際には，強力な干渉が行われることがあったことへの反省に基づく面があると同時に，国と普通地方公共団体を対等・協力の関係として位置づける以上，関与には民主的正当化根拠が必要であるという理念を基礎にしているとみることができよう。

## Ⅳ　関与の基本原則

地方自治法245条の3は，関与の基本原則について定めている。地方自治法に基づく関与のみならず，個別法に基づく関与も，本条の定める関与の基本原則を遵守したものでなければならない。

### *1*　比例原則

地方自治法245条の3は，第1項において，「国は，普通地方公共団体が，その事務の処理に関し，普通地方公共団体に対する国又は都道府県の関与を受け，又は要することとする場合には，その目的を達成するために必要な最小限度のものとするとともに，普通地方公共団体の自主性及び自立性に配慮しなければならない」と定め，普通地方公共団体に対する国または都道府県の関与についての比例原則の適用を明確にしている。

### *2*　代執行等

地方自治法245条の3第2項以下は，例外的にのみ認められる関与の類型と，例外が認められる場合の基準について定めている。すなわち，同条2項は，「国は，できる限り，普通地方公共団体が，自治事務の処理に関しては普通地方公共団体に対する国又は都道府県の関与のうち第245条第1号ト及び第3号に規定する行為を，法定受託事務の処理に関しては普通地方公共団体に対する国又は都道府県の関与のうち同号に規定する行為を受け，又は要することとすることのないようにしなければならない」と規定している。これによって，自治事務，法定受託事務双方において，地方自治法245条3号の関与は例外的なものであることが明確にされ，3号に該当する特別の関与類型を法定する場合にも，なぜ1号・2号の基本類型では対応できないかについての説明責務が立法者に課されることになる。また，自治事務についての代執行による関与が原則として許容されないことも明確になっている。

### *3* 協　　議

地方自治法245条の3第3項は，「国は，国又は都道府県の計画と普通地方公共団体の計画との調和を保つ必要がある場合等国又は都道府県の施策と普通地方公共団体の施策との間の調整が必要な場合を除き，普通地方公共団体の事務の処理に関し，普通地方公共団体が，普通地方公共団体に対する国又は都道府県の関与のうち第245条第2号に規定する行為を要することとすることのないようにしなければならない」と定めている。したがって，自治事務，法定受託事務を通じて，協議という形式による関与は，国または都道府県の施策と普通地方公共団体の施策との間の調整が必要な場合に限って認められることになる。

### *4* 同　　意

地方自治法245条の3第4項は，「国は，法令に基づき国がその内容について財政上又は税制上の特例措置を講ずるものとされている計画を普通地方公共団体が作成する場合等国又は都道府県の施策と普通地方公共団体の施策との整合性を確保しなければこれらの施策の実施に著しく支障が生ずると認められる場合を除き，自治事務の処理に関し，普通地方公共団体が，普通地方公共団体に対する国又は都道府県の関与のうち第245条第1号ニに規定する行為を要することとすることのないようにしなければならない」と定めている。したがって，同意という形式による関与は，自治事務に関しては，例外的な位置づけになる。

### *5* 許可，認可または承認

地方自治法245条の3第5項は，「国は，普通地方公共団体が特別の法律により法人を設立する場合等自治事務の処理について国の行政機関又は都道府県の機関の許可，認可又は承認を要することとすること以外の方法によつてその処理の適正を確保することが困難であると認められる場合を除き，自治事務の処理に関し，普通地方公共団体が，普通地方公共団体に対する国又は都道府県の関与のうち第245条第1号ホに規定する行為を要することとすることのないようにしなければならない」と規定している。「許可，認可又は承認」という関与も，自治事務については，原則として認められないことになる。

## *6* 指　　示

地方自治法245条の3第6項は，「国は，国民の生命，身体又は財産の保護のため緊急に自治事務の的確な処理を確保する必要がある場合等特に必要と認められる場合を除き，自治事務の処理に関し，普通地方公共団体が，普通地方公共団体に対する国又は都道府県の関与のうち第245条第1号ヘに規定する行為に従わなければならないこととすることのないようにしなければならない」と規定している。自治事務においては，指示という関与は，緊急の必要がある場合等に限って例外的に認められるものであることが明確にされている。

## *7* 基本的関与類型

以上のように，自治事務については，地方自治法245条各号のうち，「助言又は勧告」，「資料の提出の要求」，「是正の要求」，「協議」が基本的関与類型であり，「同意」，「許可，認可又は承認」，「指示」，「代執行」は例外的にのみ認められる関与類型ということになる。「助言又は勧告」，「資料の提出の要求」は非権力的関与であり，「協議」も双方が合意を目指して誠実に努力する義務を課すにとどまり緩やかな関与であることから，自治事務についての基本的関与類型とされている。これに対して，「是正の要求」は法的拘束力を有するが，自治事務についても違法状態等を是正するために例外的に権力的関与の必要があるという認識の下に基本的関与類型とされているのである。

また，法定受託事務の場合は，「助言又は勧告」，「資料の提出の要求」，「同意」，

「許可，認可又は承認」，「指示」，「代執行」，「協議」が基本的関与類型であることが明らかになっている（第2号法定受託事務については，「是正の要求」も認められている。→V *3*）。

# V　一般ルールとしての関与および法定受託事務にかかる処理基準

## *1*　一般的根拠規定

関与法定主義の採用は，関与の法的根拠が個別法に置かれなければならないことを当然に意味するものではない。地方分権推進計画においては，関与法定主義の採択が明言されてはいるが，一定の類型の関与（助言および勧告，資料の提出の要求，是正措置要求，是正の勧告，法定受託事務にかかる是正措置を講ずべき旨の指示ならびに代執行）については，直接，地方自治法を根拠として行うことができることとしている。

これを受けて，地方自治法245条の4～245条の8に，地方自治法を根拠とする関与の類型が規定されている。それ以外の関与の場合には，個別法に根拠規定を置くことが必要である。また，地方自治法245条の4～245条の8の類型の関与であっても，これらの条文において関与者として規定されている者以外のものを関与者とする場合には個別法の根拠規定が必要になる。

## *2*　技術的な助言および勧告ならびに資料の提出の要求

地方自治法245条の4第1項は，各大臣または都道府県知事その他の都道府県の執行機関は，その担任する事務に関し，普通地方公共団体に対し，①普通地方公共団体の事務（自治事務・法定受託事務の双方を含む）の運営その他の事項について適切と認める技術的な助言または勧告をすることができること，②当該助言もしくは勧告をするためまたは普通地方公共団体の事務の適正な処理に関する情報を提供するため必要な資料の提出を求めることができることを定めている。地方自治法旧150条や旧151条の2においては，「主務大臣」という文言が用いられていたが，この表現を用いると，地方公共団体の事務の執行についても，各省大臣が権限を有するような印象を与えるため，「主務大臣」に代えて「各大臣」という表現を使用している。ここでいう「各大臣」は，内閣府設置法4条3項に規定する事務を分担管理する大臣たる内閣総理大臣または各省大臣であり，したがって，それ以外の者（例えば，外局の長）が普通地方公共団体に対して技術的助言または勧告をし，資料の提出を求める場合には，地方自治法245条の4第1項を一般的根拠規定とすることはできないことになる。「技術的」とは，主観的判断，意思を伴わないという意味である。資料の提出を求めることができるのは，当該助言もしくは勧告をするためまたは普通地方公共団体の事務の適正な処理に関する情報を提供するため必要な場合に限られているが，これは，資料提出要求に応じる負担を考えると，国の利益のためにのみ資料提出要求をなしうるとするのは適当でなく，当該地方公共団体にとって利益になる場合に限定することが合理的と考えられたからである。東日本大震災で被災した浦安市が千葉県議選浦安市選挙区の投開票事務（第2号法定受託事務）の実施が困難という立場を表明したため，2011年4月1日，千葉県選挙管理委員会が浦安市選挙管理委員会に対し，当該事務を適正に行うように勧告した例がある。

さらに，同条2項は，各大臣は，その担任する事務に関し，都道府県知事その他の都道府県の執行機関に対し，前項の規定による市町村に対する助言もしくは勧告または資料の提出の求めに関し，必要な指示をすることができるとしている。

他方，同条3項は，普通地方公共団体の長その他の執行機関は，各大臣または都道府県知事その他の都道府県の執行機関に対し，その担任する事務の管理および執行について技術的な助言もしくは勧告または必要な情報の提供を求めることができることも明確にしている。本項に対応する規定は，地方自治法旧245条5項であるが，そこでは，「監査を求め，並びにその結果に基く技術的な助言又は勧告を求めることができる」としていた。本項では，「監査を求め」の部分は削除されている。

## 3　是正の要求

### (1)　要　　件

自治事務にかかる是正の要求についても，地方自治法に一般的根拠規定が設けられている。地方自治法245条の5第1項は，各大臣がその担任する事務に関し，都道府県の自治事務の処理が「法令の規定に違反していると認めるとき」，または「著しく適正を欠き，かつ，明らかに公益を害していると認めるとき」に，都道府県に対して違反の是正または改善のために必要な措置を講ずべきことを求めて行う是正の要求の一般的根拠規定である。後者の「著しく適正を欠き，かつ，明らかに公益を害していると認めるとき」を含めることには疑問が提起されている[8)]。

### (2)　是正の要求の指示

地方自治法245条の5第2項は，各大臣がその担任する事務に関し，市町村の事務（市町村の自治事務および市町村が行う法定受託事務のうち都道府県が本来果たすべき責務にかかる第2号法定受託事務。したがって，市町村が行う法定受託事務のうち国が本来果たすべき責務にかかる第1号法定受託事務は除く）の処理について都道府県の執行機関に対し，是正の要求をするよう指示することができることを定めている。市町村教育委員会の担任する事務については都道府県教育委員会（2号），市町村選挙管理委員会の担任する事務については都道府県選挙管理委員会（3号），それ以外の市町村の執行機関の担任する事務については都道府県知事（1号）に対して，上記の指示を行うことになる。なお，国の指示に基づかずに都道府県自身の判断で市町村に対して是正の要求を認めることも立法政策としては考えうるが，是正の要求には法的拘束力があるので，同じ地方公共団体である都道府県の独自の判断で行わせることは適当ではないと考えられた。

この指示には法的拘束力があり，都道府県の執行機関は，指示に従って是正の要求を行わなければならない（同条3項）。このように，各大臣は，市町村の事

---

8)　原田・法としくみ66頁参照。阿部・前掲注7）48頁は，後者は前者に含まれるとする。

務（第1号法定受託事務を除く）については，直接に当該市町村に対して是正の要求をするのではなく，都道府県の執行機関に対して市町村に是正の要求をするように指示をするのが原則であるが，緊急を要するときその他特に必要があると認めるときは，自ら当該市町村に対して是正の要求をすることができる（同条4項)。

### ⑶　関与主体

地方自治法245条の5第2項2号・3号において，それぞれ都道府県教育委員会，都道府県選挙管理委員会を関与主体としたのは，これらの事務が市町村の教育委員会，選挙管理委員会の事務と密接に関係しているのみならず，政治的中立性が特に要求されるため，都道府県知事を関与主体とするよりも，政党所属制限のある上記委員会を関与主体とするほうが適切であるからである。他方，本条2項1号において，市町村の教育委員会および選挙管理委員会を除くすべての執行機関について，都道府県知事が関与主体とされたのは，①市町村長の担任する事務については都道府県知事の担任する事務との関連性が強いこと，②人事（公平）委員会，監査委員の担任する事務については，都道府県・市町村間で事務関連性が稀薄であること，③市町村の農業委員会，固定資産評価審査委員会と対応する委員会は都道府県にはないことによる。

### ⑷　効　　果

是正の要求を受けた普通地方公共団体は，当該事務の処理について違反の是正または改善のための必要な措置を講じなければならない（自治245条の5第5項)。しかし，自治事務および第2号法定受託事務という地方公共団体の自主性・自立性を尊重すべき事務に対する関与制度であるため，いかなる措置をとるかについては，地方公共団体の裁量にゆだねられている。

**_Column_　是正の要求を行わなかったことが違法とされた例**

広島地判平成24・9・26判時2170号76頁は，東広島市長が宅地造成等規制法に基づく規制権限を違法に行使しなかったことに対し，広島県知事が是正の要求をしなかったことが，著しく合理性を欠き国家賠償法1条の適用上違法であると判示した。

### ⑸　内閣総理大臣の措置要求制度からの変更点

本条に対応するのが，地方自治法旧246条の2が定めていた内閣総理大臣の措置要求の規定である。そこにおいては，主務大臣の請求に基づき内閣総理大臣が措置要求を行うことになっていたが，地方自治法245条の5においては，各大臣が関与主体になっている。また，市町村に対する是正の要求について，地方自治法旧246条の2においては，都道府県知事に行わせるが，必要があると認めるときは，内閣総理大臣は自ら当該措置を行うことができるとしていた。これと比較して，地方自治法245条の5第4項においては，都道府県を経由しない直接の是正の要求の要件が厳格になっている。また，地方自治法旧246条の2の異議に関する規定は，国地方係争処理委員会（→Ⅷ）の規定が設けられたことにより削除されている。

**_Column_　是正の要求の例**

都道府県の自治事務について，各大臣が是正の要求を行った例，各大臣が市町村の第2号法定受託事務について直接に是正の要求を行った実例はまだない。しかし，各大臣からの指示に基づき，都道府県知事が市町村の自治事務について是正の要求を行った例は存在する。

2009年2月13日，総務大臣は，東京都知事に対して，国立市が住民基本台帳ネットワークに接続していない状態の是正の要求を行うように指示した。これが，都道府県知事に対する是正の要求の指示が行われた最初の例である。この指示を受けて，東京都知事は，同月16日に，国立市に対し是正の要求を行った。

また，総務大臣からの指示に基づき，同じく，住民基本台帳ネットワークへの接続を求めて，2009年8月12日に，福島県知事から矢祭町に対し，是正の要求が行われた。しかし，国立市・矢祭町のいずれも，是正の要求に対する審査の申出を行わなかった（国立市は，その後，市長が交代し，接続が行われた）。

各大臣が直接に市町村の自治事務について是正の要求を行った最初の例が，文部科学大臣が沖縄県竹富町教育委員会に対して，2014年3月14日に行ったものである。義務教育諸学校の教科用図書の無償措置に関する法律（平成26年法律第20号による改正前のもの）13条4項は，「採択地区が2以上の市町村の区域をあわせた地域であるときは，当該採択地区内の市町村立の小学校及び中学校において使用する教科用図書については，当該採択地区内の市町村の教育委員会は，協議して種目ごとに同一の教科用図書を採択しなければならない」と定めていたが，竹富町教育委員会は同県八重山地区（石垣市，竹富町，与那国町）の他の市町が採択した中学公民教科書と異なる教科書を採択していた。これが違法であるとして，文部科学大臣は2013年10月18日に沖縄県教育委員会に対して，竹富町に是正の要求を行うように指示したが，沖縄県教育委員会は竹富町教育委員会が違法行為を行ったという認識に疑問を抱き，この指示に従わなかったため，文部科学大臣が直接に竹富町教育委員会に是正の要求を行ったものである。

## *4*　是正の勧告

### ⑴　要　　件

地方自治法245条の6は，都道府県の執行機関は，市町村の自治事務の処理が法令の規定に違反していると認めるとき，または著しく適正を欠き，かつ，明らかに公益を害していると認めるときは，当該市町村に対し，当該自治事務の処理について違反の是正または改善のため必要な措置を講ずべきことを勧告することができると定めている。本条の関与は，都道府県・市町村間に限られるものである。都道府県は市町村の自治事務の処理について，独自の判断で是正の要求をすることはできないが，是正の勧告は法的拘束力はないので，国の指示に基づかずに，都道府県の裁量で行うことが認められている。

### ⑵　関与主体

是正の勧告を行う都道府県の執行機関は，市町村教育委員会の担任する自治事務については都道府県教育委員会（2号），市町村選挙管理委員会の担任する自治事務については都道府県選挙管理委員会（3号），それ以外の市町村の執行機関の担任する自治事務については都道府県知事（1号）である。

***Column*　是正の勧告の例**

2001年2月5日に，福島県知事が泉崎村長に対して一時借入金の年度内償還を行うよう是正の勧告を行った例，2003年5月30日に東京都知事が国立市，杉並区，中野区に住民基本台帳ネットワークに接続していない状態の是正の勧告を行った例，同年6月4日に福島県知事が矢祭町に住民基本台帳ネットワークに接続していない状態の是正の勧告を行った例，2004年10月4日に福島県知事が北塩原村長に対して固定資産の価格の修正に関して是正の勧告を行った例（ただし，これについては地方税法419条1項に勧告権限が規定されている），2007年4月26日，埼玉県知事が川口市長に対し，消防本部消防長の任命行為について任命資格を満たしていないため是正するよう勧告した例，2008年9月9日に東京都知事が国立市に住民基本台帳ネットワークに接続していない状態の是正の勧告を行った例，2009年3月17日，福島県知事が再度矢祭町に住民基本台帳ネットワークに接続していない状態の是正の勧告を行った例，2009年8月6日と同年12月15日に千葉県知事が本埜村長（当時）に対し，臨時会の招集の請求に応じ議会を招集することを勧告した例，2010年7月2日，鹿児島県知事が阿久根市長に議会を招集するように是正の勧告を行い，同月23日，議会を招集して補正予算の議決を受けるよう是正の勧告を行った例，2020年12月25日，徳島県知事は，小松島市長に対して，水質汚濁防止法3条の規定に基づく排出基準に適合しない排出水を排出しないように勧告を行った例がある。

## *5*　是正の指示

### (1)　要　　件

法定受託事務の処理が法令の規定に違反していると認められるとき，または著しく適正を欠き，かつ，明らかに公益を害していると認められるときに，違反の是正または改善のため講ずべき措置に関しなされる是正の指示については，地方自治法245条の7が一般的根拠規定になっている。自治事務が対象か，法定受託事務が対象かという点を除けば，是正の要求と是正の指示の要件は同じである。是正の要求が「必要な措置を講ずべきこと」を求めるのに対して，是正の指示は，「講ずべき措置に関し」指示するものであり，後者のほうが，より内容が特定されている。

### (2)　関与主体

地方自治法245条の7第1項は，各大臣が，その所管する法律またはこれに基づく政令にかかる都道府県の法定受託事務の処理に関して，当該都道府県に対して行う是正の指示に関する規定である。市町村の法定受託事務に関し，都道府県の執行機関が行う是正の指示については，同条2項が定めている。指示を行う都道府県の執行機関は，市町村教育委員会の担任する法定受託事務については都道府県教育委員会（2号），市町村選挙管理委員会の担任する法定受託事務については都道府県選挙管理委員会（3号），それ以外の市町村の執行機関の担任する法定受託事務については都道府県知事（1号）である。

### (3) 都道府県の執行機関独自の判断による是正の指示

都道府県の執行機関による是正の要求は，各大臣からの指示があった場合にのみなしうるが，是正の指示については，各大臣からの指示がなくても，都道府県の執行機関の独自の判断でもなしうる。

**Column　是正の指示の例**

宮崎県の口蹄疫問題では，2010年7月，農林水産大臣が宮崎県に対し，是正の指示を行う準備をしていたが，宮崎県が殺処分に応じたため，是正の指示は行われなかった。

国土交通大臣が2016年3月7日，沖縄県知事に対して，辺野古の公有水面埋立承認取消処分の取消しを求める是正の指示を行ったのが，各大臣の都道府県知事に対する是正の指示の最初の例である。これに対して沖縄県が国地方係争処理委員会に審査を申し出たところ，同月16日に国土交通大臣は是正の指示を撤回したが，同日あらためて，公有水面埋立承認取消処分を取り消すように指示した。2020年2月28日，農林水産大臣は，沖縄防衛局長による造礁サンゴ類の特別採捕許可申請に対して7日以内に許可処分を行うように，沖縄県知事に是正の指示を行った。沖縄県知事は，本件埋立承認後，埋立予定海域において広範な軟弱地盤が発見され，大幅な地盤改良工事が不可欠になったところ，いまだ追加承認工事のための変更申請もなされていない段階でサンゴ類の特別採捕許可の判断はできず，是正の指示は違法であるとして，国地方係争処理委員会に審査の申出をしたが，当該指示が違法でない旨の通知を受けたので，当該指示の取消しを求める訴訟を提起した。最判令和3・7・6民集75巻7号3422頁は，沖縄防衛局は，公有水面埋立法上，本件護岸工事を適法に実施しうる地位を有していたところ，本件サンゴ類は，この工事の予定箇所またはその近辺に生息していたのであり，本件護岸工事により死滅するおそれがあった以上，本件サンゴ類を避難させるために本件水域外の水域に移植する必要があったとして，当該指示を適法と判示した。しかし，同判決には，2名の反対意見が付されている。反対意見では，埋立事業の実施のために変更承認が必要であることが明確になった場合には，埋立承認時になされた要件適合性の判断は実質的に無意味になっているから，埋立承認が有効に存在していることのみを理由として本件サンゴ類の採捕が漁業法等の目的に適合すると形式的に判断することはできないこと，サンゴ類の移植による生残率は低く，サンゴ類に重大かつ不可逆な被害を生じさせる蓋然性が高く，本件変更申請が不承認になれば，本件サンゴ類の移植は水産資源の保護に逆行する結果になることを指摘し，本件変更申請が承認される蓋然性は，特別採捕許可の判断において要考慮事項となるところ，本件指示の時点では，変更申請はなされていなかったのであるから，沖縄県知事の不作為は違法とはいえないとする。第2号法定受託事務については，2013年8月1日，熊本県選挙管理委員会が上天草市選挙管理委員会に対して，漁業法89条の規定に基づく海区漁業調整委員会委員の選挙人名簿の調製等に関して，是正の指示を行った例がある。

**Column　都道府県知事独自の判断による是正の指示の例**

都道府県知事独自の判断による是正の指示の例として，奈良県知事が 2001 年 4 月 2 日および 2002 年 10 月 8 日に大和高田市長に対して行ったもの（現業員数が社会福祉法 16 条に規定する標準数に対し不足しているため，被保護世帯数に見合った現業員を増員し，実施体制の整備を図るべきとするもの），2004 年 4 月 30 日に福島県知事がいわき市に対し，農業委員会が行った農地賃借の許可が違法であるとしてその取消し等の措置を講ずることを求めたもの，2005 年 11 月 2 日に青森県知事が弘前市長に対し，障害者福祉手当，特別障害者手当受給資格調査員証を速やかに交付し，交付簿を整備することを指示した例，2011 年 4 月 2 日，千葉県選挙管理委員会が浦安市選挙管理委員会に対し，千葉県議会議員選挙のための期日前投票の告示等の事務が行われておらず違法として是正を指示した例がある。

### ⑷　各大臣の指示に基づく是正の指示

各大臣は，その所管する法律またはこれに基づく政令にかかる市町村の第 1 号法定受託事務の処理について，都道府県の執行機関に対し，地方自治法 245 条の 7 第 2 項の規定による市町村に対する指示に関し，必要な指示をすることができる（同条 3 項）。このように，各大臣は，市町村の第 1 号法定受託事務の処理については，都道府県の執行機関が行う是正の指示に関し必要な指示をすることにより，間接的に市町村に関与するのが原則である。

**Column　大臣の指示に基づく是正の指示の例**

直前のコラムで述べたのと同一の事案において，2002 年 2 月 21 日に，奈良県知事が厚生労働大臣からの指示に基づき大和高田市長に対して，社会福祉法に基づき現業員数を被保護世帯数に見合うよう増員し，実施体制の整備を図り，保護の実施の適正化を図るため，面接相談員の設置を早急に行うよう是正の指示を行った例がある。

しかし，緊急を要するときその他特に必要があると認めるときは，各大臣は自ら当該市町村に対し，是正または改善のため講ずべき措置に関し，必要な指示を行うことができる（同条 4 項）。各大臣が市町村に直接に是正の指示を行った例は，2018 年 12 月 1 日現在，存在しない。

第 1 号法定受託事務は，国において特に適正な処理を確保する必要がある事務であり，1997年の地方分権推進委員会第2次勧告も，国が一般的に関与する選択肢も認めており，戸籍法のように，国が直接に市町村に関与する仕組みを採用しているものもある。にもかかわらず，本条が，各大臣は，都道府県を通じて間接的に関与することを原則とし，各大臣の直接関与を緊急を要するとき等の例外的場合に限定したのは，各大臣がすべての市町村に対して直接関与することは困難であり，市町村の実情により詳しい都道府県を原則的関与主体とするほうが合理的と考えられたためである。

## *6* 代執行

### ⑴ 要　件

法定受託事務についての代執行に関しては，地方自治法245条の8が，一般的根拠規定になる[9)]。本条により定められた手続を簡素化する代執行の特例を設ける場合は，もとより本条を根拠とすることはできず，個別法に根拠規定を設ける必要がある。本条の代執行の対象になるのは，地方公共団体の長が管理する法定受託事務に限られている。各大臣の所管する法律もしくはこれに基づく政令にかかる都道府県知事の法定受託事務の管理もしくは執行が法令の規定もしくは当該各大臣の処分に違反するものである場合または当該法定受託事務の管理もしくは執行を怠るものである場合において，他の方法によってその是正を図ることが困難であり，かつ，それを放置することにより著しく公益を害することが明らかであることが要件となる。

**Column　裁判を介在させない代執行**

法定受託事務の代執行手続は，以下に述べるように，裁判を介在させるのが原則であるが，個別法において，裁判を介在させない特例手続が定められている場合がある。たとえば，国土交通大臣は，国の利害に重大な関係がある事項に関し，必要があると認めるときは，都道府県に対し，期限を定めて，都市計画区域の指定または都市計画の決定もしくは変更のため必要な措置をとるべきことを指示することができるところ（都計24条1項），都道府県が所定の期限までに正当な理由がなく指示された措置をと

9）　法定受託事務について代執行に係る一般的根拠規定を設けることが，機関委任事務制度を全廃することに各省庁が同意した大きな理由の一つであったことにつき，藤田・行政組織法249頁参照。

らないときは，国土交通大臣は，正当な理由がないことについて社会資本整備審議会の確認を得た上で，自ら当該措置をとることができるとされている（同条4項本文)。市町村が是正の指示を受ける場合にも，類似の仕組みがとられている（同項ただし書・5項)。建築基準法17条7項・12項も，社会資本整備審議会の確認を得た上で，裁判を介在させずに代執行を認めている。

### ⑵ 手　続

各大臣が代執行を行うに至るまでの手続は以下のようになる。

①各大臣は，文書により，当該都道府県知事に対して，その旨を指摘し，期限を定めて，当該違反を是正し，または当該怠る法定受託事務の管理もしくは執行を改めるべきことを勧告することができる（自治245条の8第1項)。

②各大臣は，都道府県知事が①の期限までに①の規定による勧告にかかる事項を行わないときは，文書により，当該都道府県知事に対し，期限を定めて当該事項を行うべきことを指示することができる（同条2項)。

③各大臣は，都道府県知事が②の期限までに当該事項を行わないときは，高等裁判所に対し，訴えをもって，当該事項を行うべきことを命ずる旨の裁判を請求することができる（同条3項)。この訴えは，当該都道府県の区域を管轄する高等裁判所の専属管轄とされている（同条7項)。この訴えについては，行政事件訴訟法43条3項（「民衆訴訟又は機関訴訟で，前2項に規定する訴訟以外のものについては，第39条及び第40条1項の規定を除き，当事者訴訟に関する規定を準用する」）の規定にかかわらず，同法41条2項の規定は準用されない（自治245条の8第14項)。行政事件訴訟法41条2項の規定は，関連請求にかかる訴訟の移送・併合に関するものであるが，代執行に関する訴訟は迅速な処理が必要であるので，関連請求にかかる訴訟とは別個に審理するためである。地方自治法245条の8に定めるもののほか，③の訴えについては，主張および証拠の申出の時期の制限そのほか審理の促進に関し必要な事項は，最高裁判所規則で定めることとしている（同条15項)。

④各大臣は，高等裁判所に対し③の規定により訴えを提起したときは，直ちに，文書により，その旨を当該都道府県知事に通告するとともに，当該高等裁判所に対し，その通告をした日時，場所および方法を通知しなければならない（同条4項)。

⑤当該高等裁判所は，③の規定により訴えが提起されたときは，速やかに口頭弁論の期日（訴えの提起があった日から15日以内の日）を定め，当事者を呼び出さなければならない（同条5項）。

⑥当該高等裁判所は，各大臣の請求に理由があると認めるときは，当該都道府県知事に対し，期限を定めて当該事項を行うべきことを命ずる旨の裁判をしなければならない（同条6項）。

⑦各大臣は，都道府県知事が⑥の裁判に従い⑥の期限までに，なお，当該事項を行わないときは，当該都道府県知事に代わって当該事項を行うことができる。この場合においては，各大臣は，あらかじめ当該都道府県知事に対し，当該事項を行う日時，場所および方法を通知しなければならない（同条8項）。

高等裁判所の判決に対する上告の期間は1週間であり（同条9項），上告は執行停止の効力を有しない（同条10項）。各大臣の請求に理由がない旨の判決が確定した場合において，すでに代執行が行われているときは，都道府県知事は，当該判決の確定後3か月以内にその処分を取り消し，または原状の回復その他必要な措置をとることができる（同条11項）。

市町村長の法定受託事務の管理もしくは執行が法令の規定もしくは各大臣もしくは各都道府県知事の処分に違反するものがある場合または当該法定受託事務の管理もしくは執行を怠るものがある場合における代執行については，上記の①～⑦に準ずることになる。この場合において，①～⑦において，「各大臣」とあるのは「都道府県知事」と，「都道府県知事」とあるのは「市町村長」と，「当該都道府県の区域」とあるのは「当該市町村の区域」と読み替えることになる（同条12項）。各大臣は，その所管する法律またはこれに基づく政令にかかる市町村長の第1号法定受託事務の管理または執行について，都道府県知事に対し，準用される①～⑦の措置に関し，必要な指示をすることができる（同条13項）。

***Column*　辺野古代執行訴訟**

仲井眞弘前沖縄県知事が2013年12月27日に行った普天間飛行場代替施設建設のための辺野古の公有水面埋立承認を2015年10月13日に翁長雄志沖縄県知事が取り消したところ，政府は，同月27日，本件取消処分について代執行等の手続を開始する旨の閣議決定を行い，翌28日，国土交通大臣は，本件取消処分の取消しを勧告し（自治245条の8第1項），同年11月9日，本件取消処分の取消しを求める指示を行い

（同条2項），同月17日，沖縄県知事を被告として，福岡高等裁判所那覇支部に代執行訴訟を提起した（同条3項）。他方，同年10月14日，沖縄防衛局長が国土交通大臣に対して，本件取消処分の取消しを求める審査請求を行い，執行停止の申立てをしたところ，同月27日，執行停止を認める決定がなされたため，沖縄県知事は，同年11月2日，執行停止決定の取消しを求めて国地方係争処理委員会への審査の申出を行った。しかし，この申出が同年12月28日に不適法として却下された。沖縄県知事は，同月25日，福岡高裁那覇支部に，本件執行停止決定の取消訴訟を提起し，2016年2月1日，国地方係争処理委員会の却下決定を不服として，執行停止決定による関与の取消訴訟（以下「本件関与取消訴訟」という）（自治251条の5第1項）を提起した。2016年2月29日，福岡高裁那覇支部は，①国土交通大臣は本件代執行訴訟を，沖縄県知事は本件関与取消訴訟を取り下げること，②沖縄防衛局長は，本件審査請求および本件執行停止の申立てを取り下げ，埋立工事を直ちに中止すること，③国土交通大臣はあらためて是正の指示を行い，沖縄県知事は不服があれば，国地方係争処理委員会への審査の申出を行うこと等を内容とする和解勧告を行い，同年3月4日，国土交通大臣および沖縄県知事の双方が，和解案を受け入れ，和解が成立した。そのため，本件代執行訴訟は取り下げられた[10]。

### (3)　職務執行命令訴訟との相違

このように，法定受託事務についての代執行は，基本的に地方自治法旧151条の2が定めていた職務執行命令訴訟の手続に準じたものになっている。ただし，旧151条の2は，地方公共団体の執行機関による機関委任事務の執行に関する規定であったため，地方自治法2編7章（「執行機関」）に置かれていたのに対して，本条は，法定受託事務についての規定であるため，2編11章（「国と普通地方公共団体との関係及び普通地方公共団体相互間の関係」）に置かれている。また，本条2項の「指示」は，旧151条の2第2項では「命令」となっていた。旧151条の2は，機関委任事務に関する規定であったため，主務大臣の包括的指揮監督権に基づく「命令」が規定されたのに対して，法定受託事務については，各大臣に包括的指揮監督権が与えられているわけではなく，地方自治法の一般的関与類型としても「命令」は存在しない。そこで，245条1号へにおいて一般的関与類型とし

10)　このように，辺野古の公有水面埋立承認取消処分をめぐり，審査請求，審査の申出，代執行訴訟，関与取消訴訟など，複数の形態の争訟が提起されている。その全体について，紙野健二＝本多滝夫編『辺野古訴訟と法治主義――行政法学からの検証』（日本評論社，2016年）参照。

て認められている「指示」が選択されることになった。また，旧151条の2第15項に存在した特別法に関する規定は本条にはみられず，同項に該当した教育職員免許法19条等は，地方分権一括法により削除されている。法定受託事務の代執行が行われた例は，2018年12月1日現在，存在しない。

***Column*　職務執行命令訴訟**

職務執行命令訴訟について，砂川事件における最判昭和35・6・17民集14巻8号1420頁は，国の委任を受けてその事務を処理する関係における地方公共団体の長に対する指揮監督につき，いわゆる上命下服の関係にある，国の本来の行政機構の内部における指揮監督の方法と同様の方法を採用することは，その本来の地位の自主独立性を害し，ひいて，地方自治の本旨にもとる結果となるおそれがあり，地方公共団体の長本来の地位の自主独立性の尊重の要請と，国の機関委任事務を処理する地位に対する国の指揮監督権の実効性の確保の要請との間に調和を図る必要があり，この調和を図るために職務執行命令訴訟の制度が採用されたと解すべきであるとする。そして，職務執行命令訴訟制度が裁判所を関与せしめその裁判を必要としたのは，地方公共団体の長に対する国の指揮命令が適法であるか否かを裁判所に判断させ，裁判所が当該指揮命令の適法性を是認する場合，初めて代執行権および罷免権を行使できるものとすることによって，国の指揮監督権の実効性を確保することが，上記の調和を期しうる所以であり，この趣旨から考えると，職務執行命令訴訟において，裁判所が国の当該指揮命令の内容の適否を実質的に審査することは当然であって，形式的審査では足りないと判示した。

また，最大判平成8・8・28民集50巻7号1952頁［百選122］［判例集Ⅱ114］は，砂川事件における前掲最判昭和35・6・17を前提とした上で，使用裁決の申請は，有効な使用認定の存在を前提として行われるべき手続であるから，使用認定に重大かつ明白な瑕疵があってこれが当然に無効とされる場合には，主務大臣が都道府県知事に対して署名等代行事務の執行を命ずることは許されないので，有効な使用認定がされていることは，署名等代行事務の執行を命ずるための適法要件をなすものであって，使用認定にこれを当然に無効とするような瑕疵がある場合には，本件職務執行命令も違法というべきことになるとする。したがって，使用認定にかかる瑕疵があるか否かについては，職務執行命令訴訟において，審理判断を要するものと解するのが相当であるとする。このように，先行行為である使用認定について都道府県知事が審査できる範囲を，その有効性に限定している。しかし，法定受託事務の代執行訴訟については，先行行為について無効の瑕疵があるか否かのみならず，それに取り消しうべき瑕疵があるか否かについても，都道府県知事が審査できると解すべきと思われる。

## *7*　国の直接執行

地方自治法250条の6は，自治事務にかかる国の行政機関の並行権限に関する規定である[11]。ダブル・トラックともいう。同法1条の2に定められた国と地方公共団体の役割分担原則の下で自治事務とされたものにつき，国の行政機関が別途の観点から権限を行使することは原則として認められるべきではない。しかし，その性質上特に必要がある場合，例外的に自治事務について法律の定めるところにより国の直接執行が認められているものがある。建築基準法17条12項による国の利害に重大な関係がある建築物についての必要な措置がその例である（同条7項，廃棄物24の3も参照）。1999年，地方分権一括法案の参議院行財政改革・税制等に関する特別委員会附帯決議においては，「地方公共団体の自主性及び自立性に極力配慮し，国民の利益を保護する緊急の必要があり，かつ，国がこれを行うことが不可欠である場合など，限定的・抑制的にこれを発動しなければならない」とされている。

## *8*　処 理 基 準

地方分権推進計画は，法令に基づいて処理される自治事務にかかる基準のうち必要なものは，通達によらず，法律またはこれに基づく政令（法律またはこれに基づく政令の委任に基づく省令または告示を含む）に定めることとしているが，法定受託事務については，国または都道府県が本来果たすべき役割にかかる事務であることから，国内または都道府県内の整合性を確保するため，法律またはこれに基づく政令の定めに従って処理するに当たりよるべき基準（処理基準）を，都道府県の事務については法令所管大臣が，市町村の事務については都道府県知事等が定めることができるとしている。処理基準は，解釈基準である場合も裁量基

11）　並行権限については，小早川光郎「並行権限と改正地方自治法」金子宏先生古稀祝賀『公法学の法と政策(下)』（有斐閣，2000年）289頁以下，本多滝夫「並行権限の法的統制の課題」室井力先生古稀記念『公共性の法構造』（勁草書房，2004年）451頁以下参照。

準である場合もある。

これを受けて，地方自治法245条の9第1項は，各大臣は，その所管する法律またはこれに基づく政令にかかる都道府県の法定受託事務の処理について，都道府県が当該法定受託事務を処理するに当たりよるべき基準を定めることができるとし，同条2項は，都道府県の執行機関が，市町村の法定受託事務について処理基準を定めることを認めている。処理基準を定める都道府県の執行機関は，市町村教育委員会の担任する法定受託事務については都道府県教育委員会（2号），市町村選挙管理委員会の担任する法定受託事務については都道府県選挙管理委員会（3号），それ以外の市町村の執行機関の担任する市町村の法定受託事務については都道府県知事（1号）である。

各大臣は，市町村の第1号法定受託事務の処理について，都道府県の執行機関に対し，同条2項により定める基準に関し，必要な指示をすることができるが（同条4項），特に必要があると認めるときは，自ら処理基準を定めることもできる（同条3項）。都道府県の執行機関が同条2項により定める処理基準は，同条3項により各大臣が定める処理基準に抵触するものであってはならない（同条2項）。

以上述べたいずれの処理基準も，その目的を達成するために必要な最小限度のものでなければならず，過剰な干渉にわたることのないようにしなければならない（同条5項）。また，対等・協力の関係にある行政主体に対して示されるものである以上，処理基準は法的拘束力を持つものではない[12)]。ただし，処理基準に違反した事務処理が行われる場合には，是正の指示がなされる可能性がある。処理基準の公表については定めがないが，一般国民（住民）にも周知することが望ましく，公表する運用をすべきであろう。処理基準は，一般的基準であり，具

12）　成田監修・ポイント53頁，塩野・行政法Ⅲ269頁，藤田・行政組織法250頁，人見剛「分権改革と自治体政策法務」ジュリ1338号（2007年）99頁参照。水戸地判平成26・1・16判時2218号108頁も，処理基準の法的拘束力を否定している。ただし，鳥取地判平成18・2・7判時1983号73頁は，処理基準が法的拘束力を有すると解しており，その控訴審の広島高松江支判平成18・10・11高民59巻4号1頁も，法定受託事務の処理基準が，鳥取県情報公開条例9条2項1号にいう「実施機関が従わなければならない各大臣等の指示その他これに類する行為」に当たるとする。

体の事例について個別に指示するものではない。また，処理基準において新たな義務を創設すること（必置規制，協議の義務付け等）はできない。

## Ⅵ　基本類型以外の関与規定

地方自治法には，以上に述べた関与の基本類型以外に，個別の関与規定が置かれている。すなわち，各大臣等がその所掌する特定分野について行う助言等とは別に，総務大臣または都道府県知事が，総合的見地から，組織および運営の合理化にかかる助言および勧告ならびに資料の提出の要求を行う根拠規定（自治252条の17の5），総務大臣または都道府県知事による普通地方公共団体の財務にかかる実地検査の根拠規定（同252条の17の6），市町村に関する調査を総務大臣が都道府県知事に指示する根拠規定（同252条の17の7），長の臨時代理者の選任に関する根拠規定（同252条の17の8），臨時選挙管理委員の選任に関する根拠規定（同252条の17の9）である[13)]。

## Ⅶ　関与の手続

### *1*　公正・透明の原則

行政手続法4条1項は，「国の機関又は地方公共団体若しくはその機関に対する処分（これらの機関又は団体がその固有の資格において当該処分の名あて人となるものに限る。）及び行政指導並びにこれらの機関又は団体がする届出（これらの機関又は団体がその固有の資格においてすべきこととされているものに限る。）については，この法律の規定は，適用しない」と定めている。その理由は，行政手続法1条1項（「この法律は，……国民の権利利益の保護に資することを目的

13)　詳しくは，宇賀克也「関与等の個別規定」小早川＝小幡編・自治・分権90頁以下参照。

とする」）にいう「国民」は一般私人であり，国の機関または地方公共団体もしくはその機関が「固有の資格」で処分の名あて人となるような場合を念頭に置いているわけではないからである。

もっとも，このことは，対等・協力の関係であるべき国と地方公共団体との間に，公正・透明な手続が必要なことを否定するものではもとよりなく，いかなる手続を設けるべきかは，行政手続法が積み残した課題の1つであった。地方分権推進委員会第2次勧告は，行政と国民の間を規律する行政手続法において目的とされている「行政運営における公正の確保と透明性の向上」は，国と地方公共団体との間においても採用されるべき普遍性を有する法理であることに照らし，行政手続法に範をとり，地方公共団体に対する国の関与の手続等について，一般ルール法に定めることを提言している。この勧告を基礎にして，地方自治法246条は，「次条から第250条の5までの規定は，普通地方公共団体に対する国又は都道府県の関与について適用する。ただし，他の法律に特別の定めがある場合は，この限りでない」と規定し，普通地方公共団体に対する国または都道府県の関与の手続の一般原則を法定している。これによって，国・地方公共団体間の適正手続のあり方という行政手続法が積み残した課題が解決されたことになる。「普通地方公共団体に対する国又は都道府県の関与」とは，地方自治法に基づく関与に限定されているわけではなく，個別法に基づく関与も含まれる。

## *2*　助言等の方式等

### ⑴　行政手続法における行政指導の明確原則

行政手続法35条1項は，「行政指導に携わる者は，その相手方に対して，当該行政指導の趣旨及び内容並びに責任者を明確に示さなければならない」と行政指導の明確原則を定め，同条2項は，行政指導に携わる者は，当該行政指導をする際に，行政機関が許認可等をする権限または許認可等に基づく処分をする権限を行使しうる旨を示すときは，その相手方に対して，①当該権限を行使しうる根拠となる法令の条項，②前記①の条項に規定する要件，③当該権限の行使が前記②の要件に適合する理由を示さなければならないとし，同条3項は，「行政指導が口頭でされた場合において，その相手方から前2項に規定する事項を記載した書面の交付を求められたときは，当該行政指導に携わる者は，行政上特別の支障がない限り，これを交付しなければならない」と書面交付請求について規定している。ただし，同条4項は，「前項の規定は，次に掲げる行政指導については，適用しない」とし，「相手方に対しその場において完了する行為を求めるもの」（1号），「既に文書（前項の書面を含む。）又は電磁的記録（電子的方式，磁気的方式その他人の知覚によっては認識することができない方式で作られる記録であって，電子計算機による情報処理の用に供されるものをいう。）によりその相手方に通知されている事項と同一の内容を求めるもの」（2号）については，書面交付請求制度の適用を除外している。

### (2)　助言・勧告等の明確原則

行政手続法35条の規定を参考にして，地方自治法247条は，1項において，「国の行政機関又は都道府県の機関は，普通地方公共団体に対し，助言，勧告その他これらに類する行為……を書面によらないで行つた場合において，当該普通地方公共団体から当該助言等の趣旨及び内容を記載した書面の交付を求められたときは，これを交付しなければならない」とし，国の行政機関または都道府県の機関が，普通地方公共団体に対して，助言・勧告等の非権力的関与を行う場合の明確原則を定めている。そして，同条2項において，「前項の規定は，次に掲げる助言等については，適用しない」とし，「普通地方公共団体に対しその場において完了する行為を求めるもの」（1号），「既に書面により当該普通地方公共団体に通知されている事項と同一の内容であるもの」（2号）を掲げている。

### (3)　個別法に基づく助言等

地方自治法247条1項において，助言・勧告のほかに，「その他これらに類する行為」と規定されているのは，関与の手続ルールについて，基本類型の関与のみならず，個別法の必要に基づき設けられている基本類型以外の関与についても適用する必要があるためである。災害対策基本法3条4項の「指導」，同法77条2項の「要請」等がその例である。

### (4)　口頭による助言・勧告等

助言・勧告等を「書面によらないで行つた場合において」という表現からうかがえるように，助言・勧告等を書面で行う必要は必ずしもなく，口頭で行うことも可能であるが，口頭でなされた助言・勧告等に関して書面交付請求があった場合には，原則として，それに応じなければならないことになる（自治 247 条 1 項）。書面交付請求は，通常，関与を受けた後，当該関与に従うか否かを判断するためになされることになると思われ，請求の時期も，当該判断前であるのが通常であろう。しかし，法文上，請求時期について特段の定めがないため，当該判断後に請求することも許容されると解される。

### (5)　行政手続法 35 条 3 項との相違

行政手続法 35 条 3 項の場合と異なり，「責任者」については，書面交付請求の対象とはなっていない。その理由は，地方自治法が関与法定主義を定めたことにより，助言・勧告等の非権力的関与であっても，関与権限を有する者は法律上明らかになり，明確性の担保という観点から書面交付請求制度の対象とする必要はないと考えられたからである。また，行政手続法 35 条 3 項では，「行政上特別の支障がない限り」書面を交付しなければならないこととされているが，地方自治法 247 条 1 項には，その趣旨の制限はない。

### (6)　不利益取扱いの禁止

行政指導には法的拘束力はないので，行政手続法 32 条 2 項は，「行政指導に携わる者は，その相手方が行政指導に従わなかったことを理由として，不利益な取扱いをしてはならない」ことを明記している。国の行政機関または都道府県の機関が普通地方公共団体に対して行う助言等には法的拘束力はなく，これに従うか否かは，名あて人である普通地方公共団体の任意の判断にゆだねられる。助言等に従わなかったことを理由として，不利益な取扱いがなされるとすれば，法治主義に反することになろう。地方自治法 247 条 3 項は，このことを明確にするため，「国又は都道府県の職員は，普通地方公共団体が国の行政機関又は都道府県の機関が行つた助言等に従わなかつたことを理由として，不利益な取扱いをしてはならない」と規定している。

**Column　技術的助言の不遵守を理由とする不指定処分**

いわゆるふるさと納税について，返戻品競争が過熱したことから，総務大臣は，技術的助言として，平成27年4月1日付け通知および平成28年4月1日付け通知で，返戻品について換金性の高いものや高額なまたは返戻割合の高いものの送付を行わないようにすること等を求めた。さらに，平成29年4月1日付け通知（返戻割合を3割以下とすることを求めるもの）および平成30年4月1日付け通知（返戻割合を3割以下とすることに加えて，返戻品を地場産品に限ることを求めるもの）を発した。

平成31年法律第2号による地方税法の一部改正により，いわゆるふるさと納税として個人住民税に係る特例控除の対象となる寄附金について，所定の基準に適合する地方団体として総務大臣が指定するものに対するものに限定する制度が導入された。本件改正規定は，2019年6月1日に施行されたが，地方税法37条の2は，指定基準の一つとして募集の適正な実施に係る基準を総務大臣が定めることとし，これを受けて総務大臣が定めた募集適正基準等を定める告示（平成31年告示第179号）1条は，ふるさと納税制度が，ふるさとやお世話になった地方団体に感謝し，もしくは応援する気持ちを伝え，または税の使い途を自らの意思で決めることを可能とすることを趣旨として創設された制度であることを踏まえ，その適切な運用に資するため，指定に係る基準等を定めるとしていた。そして，同告示2条3号（令和2年総務省告示第206号による改正前のもの。以下同じ）は，本件指定制度を導入する改正法が施行される前の2018年11月1日から2019年5月31日までの間にふるさと納税制度の趣旨に反する方法により寄附金の募集を行い，著しく多額の寄附金を受領していた地方団体について，指定対象期間における寄附金の募集を適正に行う見込みがあるか否かにかかわらず，指定を受けられないとするものであった。最判令和2・6・30民集74巻4号800頁は，それは，実質的には，総務大臣による技術的助言に従わなかったことを理由とする不利益な取扱いを定める側面があることは否定し難く，地方税法37条の2第2項につき，関係規定の文理や総務大臣に対する委任の趣旨等のほか，立法過程における議論を斟酌しても，同項が当該改正法の施行前の募集実績を考慮する基準の策定を委任する授権の趣旨が明確に読み取れるとはいえず，本件告示2条3号の規定のうち，本件改正規定の施行前における寄附金の募集および受領について定める部分は，委任の範囲を逸脱した違法なものとして無効であると判示している[14)]。

---

14）　同判決と神奈川県臨時特例事業税事件最高裁判決（最判平成25・3・21民集67巻3号438頁）を比較検討し，地方税法が一般法としての地方自治法に優先することを示す点が両者に共通していることを指摘するものとして，小西敦「地方税法と地方自治法の交錯，そして地方財政法——2つの最高裁判決を参照して」地方税826号（2020年）2頁以下参照。

## 3　資料の提出の要求等の方式

地方自治法248条は，「国の行政機関又は都道府県の機関は，普通地方公共団体に対し，資料の提出の要求その他これに類する行為……を書面によらないで行つた場合において，当該普通地方公共団体から当該資料の提出の要求等の趣旨及び内容を記載した書面の交付を求められたときは，これを交付しなければならない」と定めており，資料の提出の要求等についても，書面交付請求制度を採用している。本条にいう「その他これに類する行為」とは，首都圏整備法30条の「報告」の求め，同法22条2項の「資料の提出，意見の開陳，説明その他の必要な協力」の求め，豪雪地帯対策特別措置法12条の2の「調査」等である。

## 4　是正の要求等の方式

地方自治法249条1項は，「国の行政機関又は都道府県の機関は，普通地方公共団体に対し，是正の要求，指示その他これらに類する行為……をするときは，同時に，当該是正の要求等の内容及び理由を記載した書面を交付しなければならない。ただし，当該書面を交付しないで是正の要求等をすべき差し迫つた必要がある場合は，この限りでない」と規定している。そして，同条2項は，「前項ただし書の場合においては，国の行政機関又は都道府県の機関は，是正の要求等をした後相当の期間内に，同項の書面を交付しなければならない」と定めている。したがって，是正の要求等の場合は，普通地方公共団体は，交付請求を行わなくても，その内容および理由を記載した書面を入手することができることになる。

本条は，行政手続法14条1項が「行政庁は，不利益処分をする場合には，その名あて人に対し，同時に，当該不利益処分の理由を示さなければならない。ただし，当該理由を示さないで処分をすべき差し迫った必要がある場合は，この限りでない」と規定していることを参考にしているが，同条3項が，「不利益処分を書面でするときは，前2項の理由は，書面により示さなければならない」と定めていることからうかがえるように，行政手続法は，不利益処分につき書面主義を採用しているわけではなく，この点は，個別法の定めるところにゆだねている。

これに対して，地方自治法249条は，是正の要求等の書面主義を採用している点に特色がある。

助言，勧告，資料の提出の要求等の場合に書面に記載されるのは「趣旨及び内容」であるのに対して，是正の要求等の場合に書面に記載されるのは「内容及び理由」である。是正の要求等は法的拘束力を有するため理由提示義務を課しているのである。地方自治法249条1項にいう「その他これらに類する行為」の例としては，「近畿圏の近郊整備区域及び都市開発区域の整備及び開発に関する法律」38条3項の処分の差止要求，承認または不承認の処分の取消しがある。

## *5*　協議の方式

地方自治法250条1項は，「普通地方公共団体から国の行政機関又は都道府県の機関に対して協議の申出があつたときは，国の行政機関又は都道府県の機関及び普通地方公共団体は，誠実に協議を行うとともに，相当の期間内に当該協議が調うよう努めなければならない」と定め，同条2項は，「国の行政機関又は都道府県の機関は，普通地方公共団体の申出に基づく協議について意見を述べた場合において，当該普通地方公共団体から当該協議に関する意見の趣旨及び内容を記載した書面の交付を求められたときは，これを交付しなければならない」と規定している。

本条1項の努力義務は，国の行政機関，都道府県の機関のみならず，協議の申出をした普通地方公共団体にも課されている点に留意が必要である。したがって，普通地方公共団体は，法令上同意を要するとされていない協議の場合も，誠実に協議し，相当の期間内に合意に達するように努力しなければならない。本条2項は，協議についても，書面交付請求制度を設けることによって，協議過程の透明化を図ることを意図している。

## *6*　許認可等の基準および許認可等の取消し等の基準

### (1)　許認可等の基準

行政手続法5条1項は，「行政庁は，審査基準を定めるものとする」と規定し，同条3項は，「行政庁は，行政上特別の支障があるときを除き，法令により申請の提出先とされている機関の事務所における備付けその他の適当な方法により審査基準を公にしておかなければならない」と定めている。

地方自治法250条の2は，これを参考にして，国の行政機関または都道府県の機関に対して普通地方公共団体から法令に基づく申請または協議の申出があった場合の許認可等の基準の設定・公表について定めている。すなわち，同条第1項は，「国の行政機関又は都道府県の機関は，普通地方公共団体からの法令に基づく申請又は協議の申出……があつた場合において，許可，認可，承認，同意その他これらに類する行為……をするかどうかを法令の定めに従つて判断するために必要とされる基準を定め，かつ，行政上特別の支障があるときを除き，これを公表しなければならない」と規定している。

本条1項にいう「申請」とは，許可，認可，承認，同意その他の普通地方公共団体に対し何らかの利益を付与する処分を求める行為であって，当該行為に対して国の行政機関または都道府県の機関が諾否の応答をすべきこととされているものをいう（行手2条3号の「申請」の定義参照）。本項にいう「その他これらに類する行為」とは，大阪湾臨海地域開発整備法4条1項の「指定」等である。

許認可等の基準をあらかじめ公にしておくことは，普通地方公共団体に許認可等がなされるかについての予測可能性を与え，許認可等の見込みのない申請等を防止し双方の事務負担を軽減するとともに，普通地方公共団体に許認可等を得るためにどのような対応が必要かについての指針を与えることになる。さらに，国の行政機関または都道府県の機関による恣意的な裁量権の行使を抑止する効果も有する。

***Column*** **同意基準の不存在を理由として不同意の取消しが勧告された例**

市町村が農用地利用計画を作成・変更する場合，都道府県知事と協議し，その同意を得なければならないとされているため，我孫子市は，根戸新田の土地を農用地から除外することを内容とする農用地利用計画変更案を作成し千葉県知事に協議をしたが，千葉県知事は不同意とした。この事案は自治紛争処理委員の審査に付されたが，自治紛争処理委員は，同意基準がないことの違法は重大な手続的瑕疵であるとして，千葉県知事に対して，不同意を取り消し，同意基準を設定・公表した上で協議を再開すべき旨の勧告を2010年5月18日に行った［百選124］。

### ⑵　許認可等の取消し等の基準

不利益処分については，行政手続法12条1項が，「行政庁は，処分基準を定め，かつ，これを公にしておくよう努めなければならない」と規定している。これを参考にして，地方自治法250条の2第2項は，「国の行政機関又は都道府県の機関は，普通地方公共団体に対し，許認可等の取消しその他これに類する行為……をするかどうかを法令の定めに従つて判断するために必要とされる基準を定め，かつ，これを公表するよう努めなければならない」と規定している。同項にいう「その他これに類する行為」とは，許認可等の停止等である。

### ⑶　行政手続法の審査基準・処分基準にかかる規定との異同

地方自治法250条の2において，行政手続法の審査基準に対応する許認可等の基準については，設定・公表とも法的義務であるのに対して，行政手続法の処分基準に対応する許認可等の取消し等の基準については，設定・公表とも努力義務になっており，行政手続法に準拠している。ただし，行政手続法の審査基準，処分基準については，「公にして」おくという表現であるのに対して，地方自治法250条の2は，「公表」という言葉を用いている。行政手続法は，「公にして」おくという表現（行手5条3項・6条・12条1項）と「公表」（同36条）という表現を使い分けているが，地方自治法250条の2は，行政手続法36条の「公表」を念頭に置いたものではなく，行政手続法にいう「公にして」おくの意味と解すべきであろう[15)]。

行政手続法5条2項・12条2項は，それぞれ，審査基準・処分基準について，当該許認可等または不利益処分の性質に照らしてできる限り具体的なものとしなければならないと定めている。地方自治法250条の2第3項も，同様に，「国の行政機関又は都道府県の機関は，第1項又は前項に規定する基準を定めるに当たつては，当該許認可等又は許認可等の取消し等の性質に照らしてできる限り具体的なものとしなければならない」と規定している。

---

15）　行政手続法における「公にしておく」と「公表」の差異について，宇賀・行政手続三法解説92頁参照。

## 7　許認可等の標準処理期間

行政手続法6条は，「行政庁は，申請がその事務所に到達してから当該申請に対する処分をするまでに通常要すべき標準的な期間（法令により当該行政庁と異なる機関が当該申請の提出先とされている場合は，併せて，当該申請が当該提出先とされている機関の事務所に到達してから当該行政庁の事務所に到達するまでに通常要すべき標準的な期間）を定めるよう努めるとともに，これを定めたときは，これらの当該申請の提出先とされている機関の事務所における備付けその他の適当な方法により公にしておかなければならない」と定めている。地方自治法250条の3第1項は，「国の行政機関又は都道府県の機関は，申請等が当該国の行政機関又は都道府県の機関の事務所に到達してから当該申請等に係る許認可等をするまでに通常要すべき標準的な期間（法令により当該国の行政機関又は都道府県の機関と異なる機関が当該申請等の提出先とされている場合は，併せて，当該申請等が当該提出先とされている機関の事務所に到達してから当該国の行政機関又は都道府県の機関の事務所に到達するまでに通常要すべき標準的な期間）を定め，かつ，これを公表するよう努めなければならない」と規定している。

行政手続法6条においては，標準処理期間の作成自体は努力義務になっているが，これを定めたときには，公にしておくことが義務づけられている。これに対して，地方自治法250条の3第1項においては，標準処理期間の設定のみならず，これを公表することも努力義務になっている。本項の括弧書は，経由機関が法定されている場合であり，例えば，市町村が，都道府県知事を経由して，各大臣に申請等を提出するケースにおいては，申請等が都道府県知事の事務所に到達してから各大臣の事務所に到達するまでの標準処理期間の設定・公表の努力義務も存在することになる。

地方自治法250条の13第2項・251条の3第2項は，「相当の期間」を徒過した不作為に対する審査の申出について，250条の14第3項・251条の3第6項は，国地方係争処理委員会，自治紛争処理委員による必要な措置の勧告について規定している。標準処理期間は，「相当の期間」を判断する際の重要な考慮要素ではありうるが，両者が常に一致するとはいえない。標準処理期間が必要以上に長く設定されていれば，標準処理期間経過前に「相当の期間」を経過したと判断される場合がありうるし，逆に，標準処理期間が不当に短すぎれば，標準処理期間を経過しても，「相当の期間」を経過していないということもありうる。

なお，地方分権推進計画においては，標準処理期間に「申出等を行う前に申出等に係る事項の調整に通常要すべき標準的な期間」を含むこととされていた。これに対して，地方自治法250条の3第1項には，かかる事実上の調整に要する期間は含まれていない。許認可基準の明確化・詳細化等により事実上の調整の必要性自体を減少させることが望ましいが，標準処理期間に事実上の調整期間を含める場合，かかる事実上の調整を一般的に容認する趣旨との誤解を生じさせるおそれがあることが懸念されたためである。

## *8*　申請等の到達主義

標準処理期間を設定しても，申請等に対する審査の開始時点が国の行政機関または都道府県の機関の裁量で決められるのでは，申請等の可及的速やかな処理は期待しがたい。行政手続法7条は申請が行政庁の事務所に到達した時点から審査義務が発生することを明確にしている。地方自治法250条の3第2項も，「国の行政機関又は都道府県の機関は，申請等が法令により当該申請等の提出先とされている機関の事務所に到達したときは，遅滞なく当該申請等に係る許認可等をするための事務を開始しなければならない」と明記している。

## *9*　許認可等を拒否する処分および許認可等の取消し等の方式

行政手続法は，その8条で申請拒否処分における理由提示について，14条で不利益処分における理由提示についてそれぞれ定めている。地方自治法250条の4も，国の行政機関または都道府県の機関の処分の慎重性・合理性を担保し，普通地方公共団体に不服申立ての便宜を与えるため，「国の行政機関又は都道府県の機関は，普通地方公共団体に対し，申請等に係る許認可等を拒否する処分をするとき又は許認可等の取消し等をするときは，当該許認可等を拒否する処分又は許認可等の取消し等の内容及び理由を記載した書面を交付しなければならない」と規定している。行政手続法においては，申請拒否処分や不利益処分を書面で行うか否かは個別法にゆだね，処分が書面で行われる場合には，理由も書面で示すことを義務づけるにとどまっている（行手8条2項・14条3項）。これに対して，地方自治法250条の4は，申請等にかかる許認可等を拒否する処分，許認可等の取消し等の処分を書面により行うことを義務づけている。

## *10* 届　出

行政手続法37条は，届出の到達主義について定めているが，地方自治法250条の5も，「普通地方公共団体から国の行政機関又は都道府県の機関への届出が届出書の記載事項に不備がないこと，届出書に必要な書類が添付されていることその他の法令に定められた届出の形式上の要件に適合している場合は，当該届出が法令により当該届出の提出先とされている機関の事務所に到達したときに，当該届出をすべき手続上の義務が履行されたものとする」と規定している。

地方自治法は，届出についての定義を置いていないが，行政手続法2条7号と同様，届出とは，国の行政機関又は都道府県の機関に対し「一定の事項の通知をする行為（申請に該当するものを除く。）であって，法令により直接に当該通知が義務付けられているもの（自己の期待する一定の法律上の効果を発生させるためには当該通知をすべきこととされているものを含む。）」を意味するものと解される。地方自治法250条の5は，届出の「受理」をしないという運用により，届出制が実質的に許可制として運用される実態があることにかんがみて，届出の「受理」概念を否定し，かかる運用を是正しようとするものである。本条により，形式的要件を充足した届出がなされた場合には，届出がないものとして扱うことができないことが明確にされたが，本条は，もっぱら届出の手続上の要件について規定したものであり，届出の内容が正しいか否かという実体上の問題には関知していない。

### *11*　国の直接執行の方式

地方自治法250条の6第1項は，「国の行政機関は，自治事務として普通地方公共団体が処理している事務と同一の内容の事務を法令の定めるところにより自らの権限に属する事務として処理するときは，あらかじめ当該普通地方公共団体に対し，当該事務の処理の内容及び理由を記載した書面により通知しなければならない。ただし，当該通知をしないで当該事務を処理すべき差し迫つた必要がある場合は，この限りでない」と定めている。国の行政機関が地方公共団体に対して事前に通知せずに並行権限を行使することを認めた場合，事務の競合により混乱が生じたり，効率的運営に支障が生じたりするおそれがある。そこで，並行権限の行使については，事前通知義務を課して必要な調整が行われることを可能にしているのである。事前の通知を省略しうる場合においても，国の行政機関は，自ら当該事務を処理した後，相当の期間内に，上記の通知をしなければならない（同条2項）。

## Ⅷ　国と普通地方公共団体との間の係争処理の仕組み

### *1*　国地方係争処理委員会

#### (1)　意　　義

普通地方公共団体に対する国の関与の適正を確保するためには，両者間に生じた係争が事実上の力関係により不透明に処理されるのではなく，公正・中立な立場で係争を審査する機関により処理されることが望ましいことはいうまでもない。そして，係争処理手続についても，透明性が確保されることが必要である。また，裁判所に過度に負担をかけないように，司法審査に移行する前に，行政過程において，係争のスクリーニングを行うことが望まれる[16]。そこで，1999年の地方分権一括法による改正で設けられた地方自治法250条の7第1項は，国地方係争処理委員会を置くこととしている。

### ⑵　組織上の位置付け

国と普通地方公共団体が対等であるという以上，両者間の係争を処理する機関も，内閣の外に置くことが望ましいといえる。しかし，行政過程における係争処理機関である以上，会計検査院のように憲法自体が内閣の外に置くことを肯定しているのでない限り，内閣の内部に置かざるをえないとされたのである。内閣の内部に置く場合においても，内閣法制局のように，各大臣からの独立性を確保するため，内閣直属の機関とすることも考えられるが[17]，地方分権推進委員会も，組織構成の中立性・公平性や一定の職権行使の独立性が保障された権威ある機関である限り，府または省に置くこととしても差し支えないとしており（第4次勧告），総務省に置かれることとなったものである（2001年1月の省庁再編前は総理府に置かれていた[18]）。

### ⑶　権　　限

地方自治法250条の7第2項によれば，国地方係争処理委員会は，普通地方公共団体に対する国または都道府県の関与のうち国の行政機関が行うものに関する審査の申出につき，地方自治法の規定によりその権限に属させられた事項を処理すると規定している。当初，国地方係争処理委員会を裁決機関とすることも検討されたが，分担管理原則に照らして，国地方係争処理委員会が国の行政庁に対して法的拘束力を有する裁決を行うことに対して疑問が提起され，最終的に同委員会は勧告権限を有する国家行政組織法上の8条機関にとどまった。しかし，地方自治法250条の18は，国地方係争処理委員会の勧告があったときは，当該勧告を受けた国の行政庁は，当該勧告に示された期間内に，当該勧告に即して必要な

---

16)　国地方係争処理委員会を設ける意義については，小早川光郎「国地方関係の新たなルール」西尾編著・分権と自治128頁以下参照。

17)　内閣直属とすべきであるとするものとして，稲葉馨「国・地方公共団体間の係争処理」法教209号（1998年）16頁参照。

18)　総務省に置くとしても，外局としての行政委員会としたほうが，地方分権推進委員会の本来の構想により適合したであろうとするものとして，藤田・行政組織法257頁参照。

措置を講ずるとともに，その旨を委員会に通知しなければならないと規定しており，また，国地方係争処理委員会の勧告を受けた国の行政庁が当該勧告に示された期間内に措置を講じないときは，普通地方公共団体の長その他の執行機関は訴訟を提起しうるので（自治 251 条の 5 第 1 項 4 号），勧告はかなりの実効性を持つものと思われる。

### (4)　委　　員

#### (a)　定　　員

国地方係争処理委員会は，5 人の委員をもって組織される。委員は非常勤とされているが，そのうち 2 人以内は常勤とすることができる（自治 250 条の 8）。2018 年 12 月 1 日現在，常勤の例はない。

#### (b)　任　　命

委員は，優れた識見を有する者のうちから，両議院の同意を得て，総務大臣が任命することとされており（自治 250 条の 9 第 1 項），国地方係争処理委員会が，きわめて権威ある機関として位置づけられていることがうかがわれる。委員の任命は国会同意人事となっているが，委員の任期が満了し，または欠員を生じた場合において，国会の閉会または衆議院の解散のために両議院の同意を得ることができない場合が生じうる。地方自治法 250 条の 9 第 3 項は，その場合には，総務大臣は，同条 1 項の規定にかかわらず，同項に定める資格を有する者のうちから，委員を任命することができると定めている。この場合，任命後最初の国会において両議院の事後承認を得なければならず，それが得られないときは，総務大臣は，直ちにその委員を罷免しなければならない（同条 4 項）。

委員の政治的中立性を確保することが重要であるため，委員の任命については，そのうち 3 人以上が同一の政党その他の政治団体に属することとなってはならないとされている（同条 2 項）。人事院の人事官についても，同様の制限がある（国公 5 条 5 項）。

#### (c)　服　　務

委員は，在任中，政党その他の政治団体の役員となり，または積極的に政治運動をしてはならない（自治 250 条の 9 第 14 項）。さらに，委員は，職務上知り得た秘密を漏らしてはならず，その職を退いた後も，守秘義務を負う（同条 13 項）。

常勤の委員は，在任中，総務大臣の許可がある場合を除き，報酬を得て他の職務に従事し，または営利事業を営み，その他金銭上の利益を目的とする業務を行ってはならない（同条15項）。また，委員は，自己に直接利害関係のある事件については，その議事に参与することはできない（同条16項）。

### (d) 任　期

委員の任期は3年であるが（ただし，補欠の委員の任期は，前任者の残任期間）（自治250条の9第5項），委員の再任は認められている（同条6項）。委員の任期が満了したときに，直ちに後任者を任命することができない場合がありうる。そのために国地方係争処理委員会の職務に支障が生ずることは避けなければならない。そこで，委員の任期が満了したときは，当該委員は，後任者が任命されるまで引き続きその職務を行うものとされている（同条7項）。

### (e) 罷　免

委員が公正中立に職務を執行することを保障するためには，職員が恣意的に罷免されることがないように，その身分を保障する必要がある。そこで，地方自治法は，罷免事由を以下の場合に限定している。

①破産手続開始の決定を受け，または拘禁刑以上の刑に処せられた委員（自治250条の9第8項）。

②委員のうち何人も属していなかった同一の政党その他の政治団体に新たに3人以上の委員が属するに至った場合において，これらの者のうち2人を超える員数の委員（同条9項1号）。

③委員のうち1人がすでに属している政党その他の政治団体に新たに2人以上の委員が属するに至った場合において，これらの者のうち1人を超える員数の委員（同条9項2号）。

④委員のうち2人がすでに属している政党その他の政治団体に新たに属するに至った委員（同条10項）。

⑤総務大臣が，心身の故障のため職務の執行ができないと認める委員，または職務上の義務違反そのほか委員たるに適しない非行があると認める委員（同条11項）。

罷免権者は，いずれの場合においても総務大臣であるが，②③⑤の場合には，両議院の同意を得る必要がある。法文上は①の場合には，「罷免しなければならない」，②③の場合には，「罷免するものとする」，④の場合には，「直ちに罷免するものとする」，⑤の場合には，「罷免することができる」とされており，罷免の要請の強度等に応じた書き分けがなされている。以上の場合（同条4項後段による場合を含む）を除くほか，委員は，その意に反して罷免されることはない（同条12項）。

### (f) 特別職

委員の任命が国会同意人事であるため，委員は特別職となり（国公2条3項9号），「一般職の職員の給与に関する法律」の規定は適用されない。そこで，委員の給与は，別に法律で定めることとしている（自治250条の9第17項）。

### (g) 専門委員および庶務

地方分権推進計画においては，国地方係争処理委員会に専門調査員および最小限の人数の庶務担当職員を置くことができるとしていたが，この点については，地方自治法は政令に委任している（自治250条の12）。政令においては，国地方係争処理委員会に専門委員を置くことができるとされ（自治令174条1項），委員会の庶務は，総務省自治行政局行政課において処理することとされている（同174条の2）。

## (5) 委員長

委員会には委員長が置かれるが，委員長は委員の互選により定めることとされている（自治250条の10第1項）。委員長は，会務を総理し，委員会を代表する（同条2項）。また，委員長に事故があるときは，あらかじめその指名する委員が，その職務を代理する（同条3項）。

## (6) 会　議

国地方係争処理委員会は，委員長が招集し（自治250条の11第1項），委員長および2人以上の委員の出席がなければ，会議を開き，議決をすることができない（同条2項）。委員会の議事は，出席者の過半数でこれを決し，可否同数のときは，委員長の決するところによる（同条3項）。委員会の委員長に対して，可否同数のときの裁定権のみを付与する場合と表決権も付与する場合があるが，委員長が国務大臣をもって充てられるのでない場合には，表決権も付与する方式がとられている（→宇賀・概説Ⅲ1編9章*2*(4)）。国地方係争処理委員会の場合も，委員長は国務大臣をもって充てられるわけではなく，表決権を付与されている。委員長の出席がないと会議を開き議決をすることができないとされているので，委員長に事故のあるときには，委員長が指名した委員長代理（同250条の10第3項）が，地方自治法250条の11第2項の規定の適用については，委員長とみなされることとしている（同250条の11第4項）。

### (7) 審査手続

#### (a) 国の関与に対する審査の申出

普通地方公共団体の長その他の執行機関は，その担任する事務に関する国の関与のうち是正の要求，許可の拒否その他の処分その他公権力の行使に当たるものに不服があるときは，国地方係争処理委員会に対し，当該関与を行った国の行政庁を相手方として，文書で，審査の申出をすることができる（自治250条の13第1項柱書）。ただし，代執行手続における指示（同245条の8第2項・13項），代執行（同条8項）は，審査の申出の対象から除外されている（同250条の13第1項1号～4号）。これに関する係争は，代執行手続の中で処理することが予定されているからである。非権力的関与についても，審査の申出の対象とすべきという意見もある[19]。

また，関与の定義から，地方公共団体が私人と同じ立場で当該行為の名あて人となるものが除かれているので（同245条），かかる場合には，私人と同様，行政不服審査法により争うことになり，国地方係争処理委員会に対し審査の申出をすることはできない。1997年の地方分権推進委員会第4次勧告においては，国と普通地方公共団体が対等の関係にあるとする以上，国地方係争処理委員会に対する審査の申出は，国と普通地方公共団体の双方からできることとすべきとしていた。しかし，普通地方公共団体が是正の指示等に従わないことの違法を国地方係争処理委員会が確認しても当該関与の効力に影響はない等の理由で，審査の申出は，普通地方公共団体の長その他の執行機関の側のみから行えることとされた。この点については疑問が提起されている[20]。

#### (b) 執行不停止原則

行政不服審査法は執行不停止原則をとっているが（行審25条1項参照），国地方係争処理委員会による審査についても，明文の規定はないが，審査の申出は，国の関与の効力に影響を及ぼさないこととされている（地方分権推進計画第2，5(3)イ(エ)）[21]。

19）　大貫裕之「国と地方公共団体との係争処理の仕組み」ジュリ1127号（1998年）87頁参照。

20）　人見剛「地方分権推進計画における係争処理手続の問題点」地方分権研究会編『地方分権の法制度改革』（地方自治総合研究所，1999年）55頁，村上・行政訴訟88頁参照。

### (c) 審査の申出期間

国・地方間の係争を早期に解決するため，国の関与のうち是正の要求，許可の拒否その他の処分その他公権力の行使に当たるものに対する審査の申出は，当該国の関与があった日から30日以内にしなければならないとされており，行政事件訴訟法の取消訴訟と比較して，出訴期間が短くなっている。ただし，天災その他やむをえない理由があるときは，この限りでないが（自治250条の13第4項），その場合でも，やむをえない理由がやんだ日から1週間以内にしなければならない（同条5項）。審査の申出にかかる文書を郵便で提出した場合には，期間の計算については，郵送に要した日数は算入しない（同条6項）。

### (d) 不作為にかかる審査の申出

行政不服審査法においては，その3条において，不作為についての審査請求も認められているが，普通地方公共団体の長その他の執行機関は，その担任する事務に関する国の不作為（国の行政庁が，申請等が行われた場合において，相当の期間内に何らかの国の関与のうち許可その他の処分その他公権力の行使に当たるものをすべきにかかわらず，これをしないこと）に不服があるときも，国地方係争処理委員会に対し，当該国の不作為にかかる国の行政庁を相手方として，文書で，審査の申出をすることができる（自治250条の13第2項）。この場合には，審査の申出の期間制限は定められていない。

### (e) 協議にかかる審査の申出

さらに，普通地方公共団体の長その他の執行機関は，その担任する事務に関する当該普通地方公共団体の法令に基づく協議の申出が国の行政庁に対して行われた場合において，当該協議にかかる当該普通地方公共団体の義務を果たしたと認めるにもかかわらず当該協議が調わないときも，国地方係争処理委員会に対し，当該協議の相手方である国の行政庁を相手方として，文書で，審査の申出をすることができるとされている（自治250条の13第3項）。この場合も，審査の申出の期間制限はない。

### (f) 事前通知

このように，審査の申出の対象になるのは，国の関与のうち処分その他公権力

---

21）　なお，私人が行う争訟と国の関与に対する争訟との関係については，鈴木庸夫「分権一括法案における関与と係争処理」月刊自治研476号（1999年）57頁参照。

の行使に当たるもの，不作為，協議の3類型である。普通地方公共団体の長その他の執行機関は，審査の申出をしようとするときは，相手方となるべき国の行政庁に対し，その旨をあらかじめ通知しなければならない（自治250条の13第7項）。これは，当該行政庁に事前に再考の機会を与えるためである。

**(g) 審査権の範囲**

国の関与のうち是正の要求，許可の拒否その他の処分その他公権力の行使に当たるものに対する審査の申出については，国地方係争処理委員会の審査権の範囲は，自治事務の場合と法定受託事務の場合とで異なる。すなわち，自治事務の場合には，国の関与が違法か否かのみならず，普通地方公共団体の自主性および自立性を尊重する観点から不当でないかについても審査することができる（自治250条の14第1項）。これに対して，法定受託事務の場合には，適法性の審査のみが可能である（同条2項）。

**(h) 審査の結果，国地方係争処理委員会が講ずる措置**

審査の結果，違法性（自治事務，法定受託事務），不当性（自治事務）がないと認めるときは，国地方係争処理委員会は，理由を付してその旨を当該審査の申出をした普通地方公共団体の長その他の執行機関および当該国の行政庁に通知するとともに，これを公表しなければならない。逆に，審査の結果，違法性（自治事務，法定受託事務）または不当性（自治事務）があると認めるときは，国地方係争処理委員会は，当該国の行政庁に対し，理由を付し，かつ，期間を示して，必要な措置を講ずべきことを勧告するとともに，当該勧告の内容を当該普通地方公共団体の長その他の執行機関に通知し，かつ，これを公表しなければならない（自治250条の14第1項・2項）。不作為および協議に対する審査の申出の場合も，理由提示，当事者への通知，公表が行われることは共通しており（同条3項・4項），不作為の場合には，審査の申出に理由があると認めるときは，勧告も行われる（同条3項）。いずれの場合の審査および勧告も，迅速な解決を図るため，審査の申出があった日から90日以内に行わなければならないこととされている（同条5項）。このように迅速に審査および勧告が行われることになっていることもあり，執行停止の申立てについての定めは置かれていない[22]。

22） 村上・行政訴訟88頁は，執行停止制度の必要性を指摘する。

**(i)　関係行政機関の参加**

国地方係争処理委員会は，関係行政機関を審査の手続に参加させる必要があると認めるときは，国の関与に関する審査の申出をした普通地方公共団体の長その他の執行機関，相手方である国の行政庁もしくは当該関係行政機関の申立てによりまたは職権で，当該関係行政機関を審査の手続に参加させることができる（自治250条の15第1項)。ただし，あらかじめ，当該国の関与に関する審査の申出をした普通地方公共団体の長その他の執行機関および相手方である国の行政庁ならびに当該関係行政機関の意見を聴かなければならない（同条2項)。

**(j)　証拠調べ**

証拠調べの方法は，行政不服審査法の規定に準じたものになっている。すなわち，国の関与に関する審査の申出をした普通地方公共団体の長その他の執行機関，相手方である国の行政庁および参加を認められた関係行政機関（以下「参加行政機関」という）は，証拠の提出および陳述の機会を保障されている（自治250条の16第2項)。さらに，これらの者は，証拠調べの申立てをすることもできる。証拠調べは，国地方係争処理委員会の職権でも行うことができる（同条1項)。証拠調べの方法は，①適当と認める者に，参考人としてその知っている事実を陳述させ，または鑑定を求めること，②書類その他の物件の所持人に対し，その物件の提出を求め，またはその提出された物件を留め置くこと，③必要な場所につき検証すること，④国の関与に関する審査の申出をした普通地方公共団体の長その他の執行機関，相手方である国の行政庁もしくは参加行政機関またはこれらの職員を審尋することである（同項1号～4号)。

**(k)　調　　停**

国地方係争処理委員会は，国の関与に関する審査の申出があった場合において，相当であると認めるときは，職権により調停案を作成して，これを当該国の関与に関する審査の申出をした普通地方公共団体の長その他の執行機関および相手方である国の行政庁に示し，その受諾を勧告するとともに，理由を付してその要旨を公表することができる（自治250条の19第1項)。調停案を示された普通地方公共団体の長その他の執行機関および国の行政庁から，これを受諾した旨を記載した文書が国地方係争処理委員会に提出されれば調停が成立することになる。この場合において，国地方係争処理委員会は，直ちにその旨および調停の要旨を公表するとともに，当該普通地方公共団体の長その他の執行機関および国の行政庁にその旨を通知しなければならない（同条2項）。

**(l)　国の関与に関する審査の申出の取下げ**

国の関与に関する審査の申出をした普通地方公共団体の長その他の執行機関は，審査結果の通知もしくは勧告があるまで，または調停が成立するまでは，いつでも当該審査の申出を取り下げることができる（自治250条の17第1項）。この取下げは文書でしなければならない（同条2項）。

**(m)　勧告に対する国の行政庁の措置等**

国地方係争処理委員会の勧告を受けた国の行政庁は，当該勧告に示された期間内に，当該勧告に即して必要な措置を講ずるとともに，その旨を国地方係争処理委員会に通知しなければならない。国地方係争処理委員会は，当該通知にかかる事項を当該勧告にかかる審査の申出をした普通地方公共団体の長その他の執行機関に通知し，かつ，これを公表しなければならない（自治250条の18第1項）。また，国地方係争処理委員会は，勧告を受けた国の行政庁に対し，当該勧告に即して講じた措置についての説明を求めることができる（同条2項）。

**(n)　政令への委任**

地方自治法に規定するもののほか，国地方係争処理委員会の審査および勧告ならびに調停に関し必要な事項は，政令で定めることとされている（自治250条の20）。

***Column*　国地方係争処理委員会への審査の申出の例**

国地方係争処理委員会への審査の申出の第1号は，横浜市勝馬投票券発売税不同意事件であった。この申出にかかる勧告［百選123］が，2001年7月24日に出されている[23]。国地方係争処理委員会への審査申出の2件目は，2009年11月6日に新潟県知事からなされたもので，「国土交通大臣の，独立行政法人鉄道建設・運輸施設整備支援機構……に対する北陸新幹線長野・上越（仮称）間，上越（仮称）・富山間，富山・金沢間工事実施計画……の認可」は，新幹線鉄道の建設に関する工事に要する費用を負担すべき新潟県の意見を十分に聴取しておらず重大明白な瑕疵がある無効な行政処分であり，新潟県に不利益が及ぶことから，適切な措置を講ずべきである旨の勧告を求めて行われたものである。同年12月24日になされた国地方係争処理委員会の決定は，同委員会の審査の対象外の行為に対する審査の申出であり不適法として却下している。この事案は，同委員会に対する審査の申出の範囲が現行のままでよいか

23）　人見・分権改革32頁以下参照。

という問題を投げかけたといえる。3件目は，沖縄県知事が行った公有水面埋立承認取消処分に対する審査請求を本案とする執行停止申立てを国土交通大臣が認容した決定を不服として，沖縄県知事が2015年11月2日に審査の申出をしたもので，同年12月28日，国地方係争処理委員会は，本件執行停止決定は，国地方係争処理委員会の審査の対象となる国の関与に該当せず，審査の申出は不適法として却下した。4件目は，2016年3月7日に，国土交通大臣が本件公有水面埋立承認取消処分の取消しを求める是正の指示を行ったことに対するものである。同年6月20日，国地方係争処理委員会は，本件是正の指示の適法性については判断せず，国と沖縄県が普天間飛行場の返還という共通の目標の実現に向けて真摯に協議することを求める決定を行った[24)]。5件目は，沖縄県知事による公有水面埋立承認処分の撤回に対する審査請求を本案とする執行停止申立てを国土交通大臣が認容した決定を不服として，沖縄県知事が2018年11月29日に審査を申し出たものである。国地方係争処理委員会は，2019年2月18日，本件執行停止決定は国の関与には当たらないので，同委員会の審査対象にならないとして審査の申出を却下した。6件目は，高知市長が2018年10月31日付けで高松国税局長に対して行った参加差押えにかかる財産についての換価の催告に対して換価を行わないことにつき，その不作為が違法または不当であるとして，高知市長が高松国税局長を相手方として，同年12月10日に審査の申出を行ったものである。この申出は，2019年1月17日に取り下げられた。7件目は，公有水面埋立承認取消処分に対する沖縄防衛局長による審査請求に対して国土交通大臣が行った裁決に対して，2019年4月22日に沖縄県知事が審査の申出を行ったものである。国地方係争処理委員会は，同年6月17日，当該裁決は審査の申出の対象になる国の関与に当たらないとして申出を却下した。8件目は，総務大臣が泉佐野市について地方税法37条の2第2項および314条の7第2項の規定による指定をしなかったことは違法または不当であるとして，2019年6月10日，泉佐野市長が不指定処分を取り消し，指定をするよう勧告することを求めて審査の申出を行ったものである。同委員会は，同年9月3日付けで，本決定の到達の日から30日以内に，本決定の趣旨に従い，再度の検討を行った上で，その結果を理由とともに泉佐野市長へ通知することを勧告した。9件目は，農林水産大臣が沖縄県知事に対して行った是正の指示の取消しをするよう勧告することを求めて，同知事が，2020年3月30日に審査の申出を行ったものである。同委員会は，同年6月19日，当該是正の指示が違法でないと認める旨の通知を同知事に対して行った。10件目は，辺野古埋立ての設計変更申請に対する不承認処分を取り消した国土交通大臣の裁決を不服として，沖縄県知事が2022年5月9日に審査の申立てを行ったものである。

---

24）　3件目および4件目の申出について，武田真一郎「辺野古新基地建設と国地方係争処理委員会の役割」紙野＝本多編・前掲注10）113頁以下参照。

## 2　普通地方公共団体に対する国の関与に関する訴訟

### (1)　訴訟提起が可能な場合

訴訟を提起するためには，国地方係争処理委員会への審査の申出を前置しなければならない。国の関与に対する審査の申出（協議に対するものを除く）をした普通地方公共団体の長その他の執行機関は，①国地方係争処理委員会の審査の結果または勧告に不服があるとき，②国地方係争処理委員会の勧告に対する国の行政庁の措置に不服があるとき，③当該審査の申出をした日から 90 日を経過しても，国地方係争処理委員会が審査または勧告を行わないとき，④国の行政庁が，国地方係争処理委員会の勧告に対する措置を講じないとき，のいずれかに該当するときは，高等裁判所に対し，当該審査の申出の相手方となった国の行政庁（国の関与があった後または申請等が行われた後に当該行政庁の権限が他の行政庁に承継されたときは，当該他の行政庁）（ただし，被告とすべき行政庁がないときは国）を被告として，違法な国の関与の取消訴訟または不作為の違法確認訴訟を提起することができる（自治 251 条の 5 第 1 項）。

**Column　国地方係争処理委員会の決定を不服とする訴訟**

国地方係争処理委員会の決定を不服とする地方自治法 251 条の 5 第 1 項の規定に基づく訴訟の例が，2015 年 12 月 28 日の同委員会による却下決定を不服として，沖縄県知事が，2016 年 2 月 1 日に提起した訴訟である。しかし，同年 3 月 4 日に国と沖縄県の間で和解が成立し，沖縄県知事は本件訴訟を取り下げた。サンゴ類の特別採捕許可申請に対して 7 日以内に許可するようにとの是正の指示が違法でないとする国地方係争処理委員会の通知を不服として提起された訴訟の最高裁判決が，最判令和 3・7・6 民集 75 巻 7 号 3422 頁である。

### (2)　訴 訟 手 続

#### (a)　準用規定

上記の訴訟は裁判所法 3 条にいう「法律上の争訟」ではなく，機関訴訟（行訴 6 条）として位置づけられている[25]。したがって，国の行政庁の関与の取消しを

25)　小早川光郎「司法型の政府間調整」松下＝西尾＝新藤編・制度 66 頁。

求める訴訟については，原則として取消訴訟に関する規定が準用されることになり（同43条1項），国の行政庁の不作為の違法確認を求める訴訟については，原則として当事者訴訟に関する規定が準用されることになる（同条3項）。いずれの場合も，行政庁の訴訟参加（同23条），職権証拠調べ（同24条）の規定等が準用される。しかし，学説上は，国の違法な関与は，地方公共団体の自治権の侵害に当たり，地方公共団体が抗告訴訟を提起しうる余地を肯定するものが多数である[26)27)]。

**(b)　専属管轄**

原告の便宜にも配慮し，当該普通地方公共団体の区域を管轄する高等裁判所の専属管轄とされている（自治251条の5第3項）。

**(c)　出訴期間**

出訴期間は，前記（→(1)）のうち①の場合は，国地方係争処理委員会の審査の結果または勧告の内容の通知があった日から30日以内，②の場合は，国の行政庁の措置についての国地方係争処理委員会の通知があった日から30日以内，③の場合は，当該審査の申出をした日から90日を経過した日から30日以内，④の

26)　成田頼明「地方自治の保障」宮沢俊義先生還暦記念『日本国憲法体系(5)』（有斐閣，1964年）309頁，塩野・行政法Ⅲ 277頁，同「地方公共団体の法的地位論覚書き」，「地方公共団体に対する国家関与の法律問題」塩野・地方公共団体37頁，119頁，阿部泰隆「区と都の間の訴訟（特に住基ネット訴訟）は法律上の争訟に当たらないか(上)(下)」自治研究82巻12号（2006年）3頁以下，83巻1号（2007年）3頁以下，同「続・行政主体間の法的紛争は法律上の争訟にならないのか(上)(下)——東京地裁平成18年3月24日判決について」自治研究83巻2号3頁以下，3号20頁以下（2007年），斎藤・法的基層142頁，山本未来「行政主体間の争訟と地方自治」愛知大法経論集177号（2008年）1頁，小林武『地方自治の憲法学』（晃洋書房，2001年）279頁，江口とし子「国と地方自治体との関係」藤山雅行編『新・裁判実務体系（25）行政争訟』（青林書院，2004年）89頁，寺田友子「行政組織の原告適格」民商83巻2号（1980年）271頁，薄井・分権時代213頁，山本隆司「行政組織における法人」塩野宏先生古稀記念『行政法の発展と変革(上)』（有斐閣，2001年）861頁，碓井・要説113頁以下，木佐茂男「国と地方公共団体の関係」雄川一郎＝塩野宏＝園部逸夫編『現代行政法大系(8)』（有斐閣，1984年）412頁以下，曽和・前掲注4）206頁，白藤博行「国と地方公共団体との間の紛争処理の仕組み」公法62号（2000年）209頁参照。

27)　大日本帝国憲法下で，市町村が国の機関に多数の訴訟を提起していたことについて，垣見隆禎「明治憲法下の自治体の行政訴訟——行政裁判所判例を中心に」福島大学行政社会論集14巻2号（2001年）102頁以下，同「団体自治と争訟」公法78号（2016年）177頁以下参照。

場合は，国地方係争処理委員会の勧告に示された期間を経過した日から30日以内である（自治251条の5第2項1号～4号）。

#### (d) 訴訟手続の迅速性の確保

訴訟手続の迅速性を確保するため，第1に，原告は，国の関与に関する訴えを提起したときは，直ちに，文書により，その旨を被告に通知するとともに，当該高等裁判所に対し，その通知をした日時，場所および方法を通知しなければならない（自治251条の5第4項）。第2に，当該高等裁判所は，訴えが提起されたときは，15日以内に口頭弁論の期日を指定し，当事者を呼び出さなければならない（同条5項）。第3に，高等裁判所の判決に対する上告の期間は，1週間とされている（同条6項）。そのほか，主張および証拠の申出の時期の制限その他審理の促進に関し必要な事項は，最高裁判所規則で定めることとされている（同条10項）。執行停止手続については規定がないが，その必要性が指摘されている[28]。

### (3) 国等による違法確認訴訟制度

1997年の地方分権推進委員会第4次勧告においては，是正措置要求等に従わないことを理由とする違法確認訴訟を国の行政庁から提起することを認めるべきとされていた。しかし，地方分権一括法では，国の行政庁による違法確認訴訟の制度は創設されず，地方公共団体の長その他の執行機関のみが訴訟を提起できるとされた[29]。

しかし，地方公共団体が是正の要求に従わず，審査の申出もしない事案があったことを踏まえて，総務省の「国・地方間の係争処理のあり方に関する研究会」[30]が，2009年12月7日に公表した報告書において，「自治事務に関する是正の要求」と「法定受託事務に関する是正の指示」に限定し，地方公共団体が審査申出期間内に審査の申出を行わないとき，国が「違法確認型の訴訟」または「義務付け型・差止め型の訴訟」を提起（国地方係争処理委員会の審査・勧告を前置しない）する仕組みを創設することを提言した[31]。この提言を受けて，国等が是正の要求等をした場合において，①地方公共団体がこれに応じた措置を講じず，か

28） 鈴木庸夫「機関委任事務の廃止と政府間手続」ジュリ1090号（1996年）57頁，村上・行政訴訟97頁参照。

29） かかる制度設計の可能性について，塩野・法治主義435頁以下参照。

つ，国地方係争処理委員会への審査の申出もしないとき（審査の申出を取り下げた場合を含む），②審査の申出があり国地方係争処理委員会が審査の結果または勧告の内容を通知した場合において，当該普通地方公共団体の長その他の執行機関が当該是正の要求または指示の取消しを求める訴えを提起せず（訴え提起後に訴えが取り下げられた場合を含む），かつ，是正の要求または指示にかかる措置を講じないとき，③国地方係争処理委員会が当該審査の申出をした日から90日を経過しても審査または勧告を行わない場合において，当該普通地方公共団体の長その他の執行機関が当該是正の要求または指示の取消しの訴えを提起せず（訴え提起後に訴えが取り下げられた場合を含む），かつ，是正の要求または指示にかかる措置を講じないときに，国等は不作為の違法確認訴訟を提起することができることとする地方自治法改正案が，2012年通常国会に提出され，成立した（自治251条の7第1項）[32]。

**Column　辺野古公有水面埋立承認取消処分の取消しにかかる違法確認訴訟**

2016年7月22日，国土交通大臣は，沖縄県知事を被告として，是正の指示に従わず，辺野古の公有水面埋立承認の取消処分を取り消さない不作為の違法確認訴訟を提起した。福岡高那覇支判平成28・9・16判時2317号42頁は，国土交通大臣の主張を全面的に認め，沖縄県知事による本件公有水面埋立承認取消処分は違法であるとして，

30）この研究会は，欧米諸国の類似制度の比較研究を行っている。ドイツにおいて，州が市町村に対し，その決定，裁決等の取消しを求めて提起する監督訴訟について，斎藤誠「ドイツの監督訴訟制度に関する考察(上)(下)——地方公共団体の義務の司法的執行の問題に寄せて」地方自治750号2頁以下，751号2頁以下（2010年）参照。ドイツにおける国家監督については，塩野・地方公共団体44頁，木佐茂男「プロイセン＝ドイツ地方自治法理論研究序説——『地方警察』権の分析を中心とした国家とゲマインデの関係」木佐・国際比較330頁以下参照。アメリカの自治体が州法を執行しない場合における州政府による是正については，柴田直子「アメリカの地方政府による州法の不執行と州政府による是正(上)(下)」地方自治755号2頁以下，756号2頁以下（2010年）参照。

31）地方分権一括法により導入されることにはならなかったが，条例・規則の違法確認訴訟について，学界で議論されている。塩野・法治主義405頁，439頁以下，大貫・前掲注19）90頁以下参照。

32）国等による違法確認訴訟制度について，久元喜造「地方自治法における違法確認訴訟制度の創設について(1)(2・完)」自治研究88巻11号3頁以下，12号3頁以下（2012年）参照。国等による違法確認についても行政過程における係争処理前置とすべきとするものとして，出石稔「自治体の事務処理と国の関与」髙木＝宇賀編・争点212頁参照。

是正の指示に従わない不作為の違法を確認した。沖縄県知事は，この判決を不服として，同月23日，上告を行った。最判平成28・12・20民集70巻9号2281頁［判例集158］［判例集II 7］は，前知事による公有水面埋立承認処分は違法でも不当でもなく，同処分の取消処分は違法であるから，同取消処分の取消しを求める是正の指示は適法であり，この是正の指示から1週間の経過により，是正の指示に従う措置を講ずる相当の期間が経過したので，同取消処分を取り消さないことは違法であるとして上告を棄却した。

# IX　自治紛争処理委員

## *1*　自治紛争調停委員制度の見直し

地方自治法旧251条は，自治紛争調停委員について定めていた。自治紛争調停委員は，普通地方公共団体相互の間または普通地方公共団体の機関相互の間の紛争について，同条が定める調停を行うこと（調停制度）と，旧255条の4が定める審査請求等の審理を行うこと（審理制度）を任務としていた。地方分権一括法も，自治紛争調停委員が従来果たしてきた上記の2つの機能については，今後も引き続き維持する必要性があるという立場に立っているが，これに加えて，地方分権推進委員会第4次勧告および地方分権推進計画に基づき，都道府県の関与について市町村が不服を有する場合の審査の申出に関して，審査し，勧告等を行う機能（勧告制度）も行わせることとし，名称も，自治紛争調停委員ではなく，自治紛争処理委員[33]に変更した（自治251条1項）。

## *2*　自治紛争処理委員の組織

自治紛争処理委員は3人とされ，事件ごとに，優れた識見を有する者のうちから，総務大臣または都道府県知事がそれぞれ任命する。この場合においては，総

33）　自治紛争処理委員について詳しくは，宇賀克也「自治紛争処理委員について」ジュリ1412号（2010年）70頁以下参照。

務大臣または都道府県知事は，あらかじめ当該事件に関係のある事務を担任する各大臣または都道府県の委員会もしくは委員に協議する（自治251条2項）。自治紛争処理委員は，代表自治紛争処理委員を互選しなければならない（自治紛争処理委員の調停，審査及び処理方策の提示の手続に関する省令3条1項）。代表自治紛争処理委員は，自治紛争処理委員の会議を主宰し，自治紛争処理委員を代表する（同条2項）。自治紛争処理委員は，何人からも指示を受けず，良心に従い，かつ，法令に基づいてその職務を執行しなければならない（同令2条）。総務大臣または都道府県知事は，自治紛争処理委員が当該事件に直接利害関係を有することとなったときは，当該自治紛争処理委員を罷免しなければならない（自治251条5項）。3人の自治紛争処理委員は相互に独立しており，合議制機関ではないが，調停案の作成およびその要旨の公表についての決定，審査結果・勧告の決定，関係行政機関の参加の決定，処理方策の決定等，重要事項の決定については，自治紛争処理委員の合議によるものとされている（同251条の2第10項・251条の3第15項・251条の3の2第5項）。

## *3*　自治紛争処理委員の紛争調停制度

普通地方公共団体相互の間または普通地方公共団体の機関相互の間に紛争があるときは，地方自治法に特別の定めがあるものを除くほか，都道府県または都道府県の機関が当事者となるものにあっては総務大臣，その他のものにあっては都道府県知事は，当事者の文書による申請に基づきまたは職権により，紛争の解決のため，自治紛争処理委員を任命し，その調停に付することができる（自治251条の2第1項）。したがって，都道府県と市町村の間の紛争においても，この調停制度を利用することができる。

当事者の申請に基づき開始された調停においては，当事者は，総務大臣または都道府県知事の同意を得て，当該申請を取り下げることができ（同条2項），この取下げがあると，自治紛争処理委員は，その職を失う（同251条4項1号）。自治紛争処理委員は，調停案を作成するため必要があると認めるときは，合議により，当事者および関係人の出頭および陳述を求め，または当事者および関係人ならびに紛争にかかる事件に関係のある者に対し，紛争の調停のため必要な記録の提出を求めることができる（同251条の2第9項・10項）。自治紛争処理委員は，合議により，調停案を作成して，これを当事者に示し，その受諾を勧告するとともに，理由を付してその要旨を公表することができる（同条3項・10項）。この場合，自治紛争処理委員は，直ちに調停案の写しを添えてその旨および調停の経過を総務大臣または都道府県知事に報告しなければならない（同条4項）。

調停による解決の見込みが立たないと認めるときは，自治紛争処理委員は，合議により，総務大臣または都道府県知事の同意を得て，調停を打ち切り，事件の要点および調停の経過を公表することができる（同条5項・10項）。この場合，調停を打ち切った旨を当事者に通知しなければならず（同条6項），当該通知をしたときに，自治紛争処理委員は，その職を失う（同251条4項2号）。

調停は，当事者のすべてから，調停案を受諾した旨を記載した文書が総務大臣または都道府県知事に提出されたときに成立する（同251条の2第7項前段）。この場合においては，総務大臣または都道府県知事は，当事者から文書の提出があった旨を自治紛争処理委員に通知し（同条8項），直ちに調停が成立した旨および調停の要旨を公表するとともに，当事者に調停が成立した旨を通知しなければならない（同条7項後段）。当該通知がされたときに，自治紛争処理委員は，その職を失う（同251条4項3号）。

**_Column_　自治紛争処理委員による調停の例**

1955年，湯河原町と熱海市との境界変更にかかる調停のため，自治紛争調停委員が任命されたことがある。この件では，当事者は，湯河原町，熱海市，神奈川県，静岡県であり，都道府県も当事者になっていたため，自治大臣（当時）が任命しており（地方分権一括法による改正前の自治251条1項），勧告案が受諾されている。都道府県または都道府県の機関が当事者となっていないため，都道府県知事が自治紛争調停委員を任命した例は数件あり，東京都では，1982年，埋立地にかかる港区，江東区および品川区の境界にかかる調停のために東京都知事が自治紛争調停委員を任命したことがある。自治紛争処理委員に制度変更になってからのものとしては，山口県美和町長が，美和町議会が行った公共事業の発注，運営調査に関する決議および同決議の一部改正決議を取り消す旨の裁定を求めた事案において，山口県知事が，2004年2月13日に自治紛争処理委員の調停に付した例があるが，調停は成立しなかった。さらに，2010年8月に，徳島県知事が自治紛争処理委員を任命した例もある。この事案においては，鳴門市議会が可決した議会基本条例案において，市議会が特別職職員を独自採用することができることを定めた規定を設けたことに対し，市長が再議書を提出したが，市議会は，再議書の提出は議決の通知を受けてから行うべきであるとして，通知前に提出された再議書の受取りを拒否した。他方，市長は，自らが議場におり議決を知っていたのであるから，議決の通知前であっても再議を求めることができるとし，再議にかけた条例案が審議未了のまま閉会したため，条例案は廃案となったと主張し，当該条例を公布しなかった。そのため，市議会が徳島県知事に自治紛争処理委員による調停を申請したのである。同年9月17日に自治紛争処理委員が示した調停案を市長・市議会双方が受諾し，調停が成立している。また，佐賀県は，海砂採取許可の境界線をめぐり長崎県との交渉が難航したため，2010年11月11日，自治紛争処理委員による調停を総務大臣に対して申請した。2012年2月3日に自治紛争処理委員により調停案が勧告され，長崎県知事が同年3月22日，佐賀県知事が同年26日に調停案を受諾した旨の文書を総務大臣に提出し，調停が成立した。なお，この件では，境界をめぐり紛争が生じている玄界灘の海域で長崎県知事が海砂採取を許可したところ，佐賀県唐津市の漁業者が長崎県知事には許可権限はなく，許可は違法としてその取消訴訟を2010年9月22日に提起している。

東京湾の中央防波堤埋立地の帰属をめぐって，江東区および大田区から調停の申請が東京都知事に対して行われ，東京都知事は，2017年7月20日，自治紛争処理委員を任命した。自治紛争処理委員は，同年10月16日，調停案を提示して受諾を勧告した。江東区はこれを受諾したが，大田区は受諾しなかったため，調停不成立となった。

## *4*　連携協約にかかる紛争の処理方針

2014年の地方自治法改正により，連携協約にかかる紛争の処理方策の提示を自治紛争処理委員が行う仕組みが導入されたことは前述した（→4章II ***5***）。

## *5*　自治紛争処理委員による審査請求等の審理制度

総務大臣または都道府県知事に対して，普通地方公共団体の長または委員会の委員または監査委員の失職等にかかる決定についての審査請求，または地方自治法の規定による審査の申立てもしくは審決の申請があった場合においては，総務大臣または都道府県知事は，自治紛争処理委員を任命し，その審理を経た上，審査請求に対する裁決をし，審査の申立てに対する裁決もしくは裁定をし，または審決をするものとされている。ただし，行政不服審査法24条の規定により当該審査請求，審査の申立てまたは審決の申請を却下する場合は，この限りでない（自治 255 条の 5 第 1 項）。

**Column　自治紛争処理委員による審査請求等の審理の例**

地方自治法の規定による審査請求，再審査請求，審査の申立てまたは審決の申請にかかる審理を行う機能については，自治大臣または総務大臣が任命した例はないが，都道府県知事が任命したものは数件ある。例えば，1992 年，土佐山田町議会議員の除名処分の取消しを求める審決の申請について，当該議員からの要求に基づいて高知県知事が自治紛争調停委員を任命した例がある（地方分権一括法による改正前の自治 255 条の 4）。また，名古屋市長が市議会の 2 つの議決を不服として愛知県知事に審査の申立てをした事案において，2010 年 11 月 19 日，愛知県知事は，自治紛争処理委員を任命して審理を行わせ，翌年 1 月 14 日にいずれの申立ても棄却した[34)]。名古屋市長は，上記両議決の取消訴訟を提起したが，名古屋地判平成 24・1・19（平成 23 年［行ウ］32 号）および名古屋地判平成 24・1・19（平成 23 年［行ウ］33 号）［百選 127］は，いずれも，愛知県知事裁定と同様の理由により請求を棄却している。

## *6*　自治紛争処理委員による審査の申出の審査および勧告制度

自治紛争処理委員による審査の申出の審査は，基本的に国地方係争処理委員会による審査に準じたものになっている。審査対象は，①都道府県の関与のうち是正の要求，許可の拒否その他の処分その他公権力の行使に当たるもの（代執行手続にかかるものを除く）（自治 251 条の 3 第 1 項），②都道府県の不作為（同条 2 項），③都道府県との協議の不調（同条 3 項）である。審査の申出をすることができるのは，市町村長その他の市町村の執行機関であり，都道府県の行政庁の側からの申出は認められていない。

市町村長その他の市町村の執行機関は，都道府県の関与に不服がある場合，総務大臣に対して文書により自治紛争処理委員の審査に付することを求める旨の申出を行うことができる。この申出を受けた総務大臣は，速やかに自治紛争処理委員を任命し，当該申出にかかる事件をその審査に付さなければならない（同条 1

34）　斎藤誠「名古屋市議会の再議議決に係る市長の審査申立てに対する愛知県知事の裁定（2 件，平成 23 年 1 月 14 日）」自治研究 87 巻 6 号（2011 年）121 頁以下参照。

項～3項)。自治紛争処理委員は，職権により調停を行うこともできるが，その場合の手続は，紛争調停制度に準じたものになっている（同条11項～14項)。

自治紛争処理委員による勧告の要件および効果は，国地方係争処理委員会の場合と異ならない（同条5項～7項)。審査の結果または勧告の内容は自治紛争処理委員から総務大臣に報告され（同条8項)，総務大臣は，勧告を受けた行政庁に対して，勧告に即して講じた措置について説明を求めることができる（同条10項)。

***Column*　我孫子市長による審査の申出**

2010年2月24日に，我孫子市長が「農業振興地域の整備に関する法律」13条4項の規定に基づく農用地利用計画の変更協議の申出に対し千葉県知事が不同意としたことを不服として，総務大臣に審査の申立てを行い，総務大臣が自治紛争処理委員を任命して，審査が行われ，同年5月18日に勧告が出されている。都道府県の関与に対する審査の申出がなされた最初の例である。勧告の内容は，千葉県知事に対し，同意基準を明確に作成し公にしておくべき義務に違反していることを理由として，不同意をいったん取り消し，同意基準を作成し公にした上で協議を再開することを求めるものであった。千葉県知事は，この勧告に従い，地方自治法に基づく同意基準を作成し公にして，5月31日，不同意を取り消し，協議再開を我孫子市長に通知した。これを受けて，千葉県知事と我孫子市長の協議が再開された。同年6月27日，千葉県知事は改めて不同意としたため，我孫子市長は同年7月26日，再度，審査の申出を行った。同年10月21日，千葉県知事の2度目の不同意は違法でも不当でもないという審査結果が通知された［百選124］。これに対して我孫子市長から訴訟は提起されずに終了することとなった。

## *7*　訴訟の提起

自治紛争処理委員による審査の申出をした市町村長その他の市町村の執行機関は，①自治紛争処理委員の審査の結果または勧告に不服があるとき，②勧告を受けた都道府県の行政庁の措置に不服があるとき，③申出をした日から90日を経過しても，自治紛争処理委員が審査または勧告を行わないとき，④都道府県の行政庁が勧告を受けた措置を講じないとき，のいずれかに該当するときは，当該市町村の区域を管轄する高等裁判所に対し，当該申出の相手方となった都道府県の行政庁（都道府県の関与があった後または申請等が行われた後に当該行政庁の権限が他の行政庁に承継されたときは，当該他の行政庁。被告とすべき行政庁がないときは都道府県）を被告として，訴訟を提起し，違法な都道府県の関与の取消しまたは都道府県の不作為の違法確認を求めることができる（自治 251 条の 6 第 1 項）。この訴訟も機関訴訟とされている。

## 近年の地方分権の動き

| | |
|---|---|
| 1993年4月19日 | 第23次地方制度調査会「広域連合及び中核市に関する答申」 |
| 6月3日 | 衆議院「地方分権の推進に関する決議」 |
| 6月4日 | 参議院「地方分権の推進に関する決議」 |
| 10月27日 | 第3次行革審「最終答申」<br>（地方分権の推進に関する大綱方針の策定，地方分権推進に関する基本法制定，地方分権特例制度〔パイロット自治体〕を提言） |
| 1994年2月15日 | 閣議決定「今後における行政改革の推進方策について」 |
| 5月24日 | 行政改革推進本部に地方分権部会設置 |
| 9月26日 | 地方6団体「地方分権の推進に関する意見書」（内閣に提出） |
| 11月22日 | 第24次地方制度調査会「地方分権の推進に関する答申」 |
| 12月25日 | 閣議決定「地方分権の推進に関する大綱方針」 |
| 1995年5月15日 | 地方分権推進法成立 |
| 7月3日 | 地方分権推進法（5年間の限時法）施行<br>地方分権推進委員会発足 |
| 8月10日 | 地方6団体地方分権推進本部設置 |
| 1996年3月29日 | 地方分権推進委員会中間報告<br>（国と地方の関係，地方行政体制の整備等） |
| 12月20日 | 地方分権推進委員会第1次勧告<br>（機関委任事務制度の廃止，国地方関係調整ルール〔国の関与の一般原則と類型〕，国庫補助負担金・税財源，権限移譲等） |
| 12月25日 | 閣議決定「行政改革プログラム」 |
| 1997年2月24日 | 第25次地方制度調査会「監査制度の改革に関する答申」 |
| 7月8日 | 地方分権推進委員会第2次勧告<br>（自治事務・法定受託事務区分，国地方関係調整ルール〔国の関与の手続等〕，必置規制・地方支分部局の縮減，都道府県・市町村関係，地方行政体制の整備，国庫補助負担金・税財源等） |
| 9月2日 | 地方分権推進委員会第3次勧告<br>（地方事務官制度の廃止，事務区分） |
| 10月9日 | 地方分権推進委員会第4次勧告<br>（国地方関係調整ルール〔国の関与，国地方係争処理手続〕，事 |

| | |
|---|---|
| | 務区分，市町村への権限移譲等） |
| 12月24日 | 自治省「機関委任事務制度の廃止後における地方公共団体の事務のあり方及び一連の関連する制度のあり方についての大綱」 |
| 1998年5月29日 | 閣議決定「地方分権推進計画」 |
| | 地方分権推進委員会「地方分権推進計画の決定に当たって」 |
| 11月19日 | 地方分権推進委員会第5次勧告 |
| | （公共事業のあり方の見直し，国が策定または関与する開発計画・整備計画の見直し等） |
| 1999年3月26日 | 閣議決定「第2次地方分権推進計画」 |
| 7月8日 | 地方分権一括法成立 |
| 2000年4月1日 | 地方分権一括法施行 |
| 5月12日 | 地方分権推進法改正法成立 |
| | （2001年7月2日まで有効期間を1年間延長） |
| 8月8日 | 地方分権推進委員会意見 |
| | （国庫補助負担金の整理合理化と当面の地方財源の充実確保方策，法令における条例・規則への委任のあり方等） |
| 10月25日 | 第26次地方制度調査会「地方分権時代の住民自治制度のあり方及び地方税財源の充実確保に関する答申」 |
| 11月27日 | 地方分権推進委員会「市町村合併の推進についての意見」 |
| | （市町村合併の意義，効果，推進方策） |
| 12月1日 | 閣議決定「行政改革大綱」 |
| 2001年6月14日 | 地方分権推進委員会最終報告（地方税財源充実確保方策等） |
| 7月2日 | 地方分権推進法失効 |
| 7月3日 | 地方分権改革推進会議令公布・施行 |
| | 地方分権改革推進会議発足 |
| 12月12日 | 地方分権改革推進会議「中間論点整理」 |
| | （事務事業の見直しにあたっての基本的な考え方等） |
| 2002年6月17日 | 地方分権改革推進会議「事務・事業の在り方に関する中間報告」（地方分権改革の基本的な考え方等） |
| 6月25日 | 閣議決定「経済財政運営と構造改革に関する基本方針2002」 |
| 10月30日 | 地方分権改革推進会議「事務・事業の在り方に関する意見」 |

| | |
|---|---|
| 2003 年 5 月 23 日 | 第 27 次地方制度調査会「地方税財政のあり方についての意見――地方分権推進のための三位一体改革の進め方について」 |
| 6 月 6 日 | 地方分権改革推進会議「三位一体の改革についての意見」 |
| 6 月 11 日 | 地方財政審議会「地方税財政制度改革（三位一体の改革）に関する意見」 |
| 6 月 27 日 | 閣議決定「経済財政運営と構造改革に関する基本方針 2003」 |
| 11 月 13 日 | 第 27 次地方制度調査会「今後の地方自治制度のあり方に関する答申」「当面の地方税財政のあり方についての意見」 |
| 2004 年 5 月 12 日 | 地方分権改革推進会議「地方公共団体の行財政改革の推進等行政体制の整備についての意見」 |
| 5 月 26 日 | 地方財政審議会「地方税財政制度改革（三位一体の改革）に関する意見」 |
| 6 月 4 日 | 閣議決定「経済財政運営と構造改革に関する基本方針 2004」 |
| 2005 年 3 月 31 日 | 市町村の合併の特例に関する法律失効 |
| 4 月 1 日 | 市町村の合併の特例等に関する法律施行 |
| 6 月 21 日 | 閣議決定「経済財政運営と構造改革に関する基本方針 2005」 |
| 12 月 9 日 | 第 28 次地方制度調査会「地方の自主性・自律性の拡大及び地方議会のあり方に関する答申」 |
| 2006 年 2 月 28 日 | 第 28 次地方制度調査会「道州制のあり方に関する答申」 |
| 6 月 7 日 | 地方 6 団体「地方分権の推進に関する意見書」（内閣と国会に提出） |
| 7 月 3 日 | 「地方分権 21 世紀ビジョン懇談会」報告書公表 |
| 7 月 7 日 | 閣議決定「経済財政運営と構造改革に関する基本方針 2006」 |
| 12 月 8 日 | 地方分権改革推進法成立 |
| 2007 年 5 月 30 日 | 「首長の多選問題に関する調査研究会報告書」公表 |
| 6 月 19 日 | 閣議決定「経済財政改革の基本方針 2007」 |
| 6 月 22 日 | 地方公共団体の財政の健全化に関する法律公布 |
| 11 月 16 日 | 地方分権改革推進委員会「中間的な取りまとめ」公表 |
| 12 月 8 日 | 「新しい地方財政再生制度研究会」報告書公表 |
| 2008 年 3 月 24 日 | 道州制ビジョン懇談会中間報告 |
| 5 月 15 日 | 定住自立圏構想研究会報告書公表 |

| | |
|---|---|
| 5月28日 | 地方分権改革推進委員会第1次勧告（国と地方の役割分担の基本的な考え方，くらしづくり分野・まちづくり分野の抜本的見直し，基礎自治体への権限移譲と自由度の拡大等） |
| 6月27日 | 閣議決定「経済財政改革の基本方針 2008」 |
| 8月1日 | 地方分権改革推進委員会「国の出先機関の見直しに関する中間報告」 |
| 9月16日 | 地方分権改革推進委員会「道路・河川の移管に伴う財源等の取扱いに関する意見」 |
| 12月8日 | 地方分権改革推進委員会第2次勧告（義務付け・枠付けの見直し，国の出先機関の見直し） |
| 2009年4月24日 | 地方分権改革推進委員会「国直轄事業負担金に関する意見」 |
| 6月5日 | 地方分権改革推進委員会「義務付け・枠付けの見直しに係る第3次勧告に向けた中間報告」 |
| 6月16日 | 第29次地方制度調査会答申「今後の基礎自治体及び監査・議会制度のあり方に関する答申」 |
| 6月23日 | 閣議決定「経済財政改革の基本方針 2009」 |
| 10月7日 | 地方分権改革推進委員会第3次勧告「自治立法権の拡大による『地方政府』の実現へ」 |
| 11月9日 | 地方分権改革推進委員会第4次勧告「自治財政権の強化による『地方政府』の実現へ」 |
| 11月17日 | 内閣府に地域主権戦略会議設置 |
| 12月15日 | 閣議決定「地方分権改革推進計画」 |
| 2010年1月1日 | 総務省に地方行財政検討会議を設置 |
| 6月22日 | 閣議決定「地域主権戦略大綱」 |
| | 総務省「地方自治法改正に向けての基本的な考え方」を公表 |
| 12月28日 | 閣議決定「アクション・プラン――出先機関の原則廃止に向けて」 |
| 2011年1月26日 | 総務省「地方自治法抜本改正についての考え方（平成22年）」公表 |
| 4月28日 | 「国と地方の協議の場に関する法律」成立 |
| | 「地域の自主性及び自立性を高めるための改革の推進を図るための関係法律の整備に関する法律」（第1次一括法）成立 |

| | |
|---|---|
| 8月26日 | 「地域の自主性及び自立性を高めるための改革の推進を図るための関係法律の整備に関する法律」（第2次一括法）成立 |
| 11月29日 | 閣議決定「義務付け・枠付けの更なる見直しについて」 |
| 2012年8月29日 | 「大都市地域における特別区設置法」成立 |
| 11月15日 | 閣議決定「国の特定地方行政機関の事務等の移譲に関する法律案」 |
| | 閣議決定「国の出先機関の事務・権限のブロック単位での移譲について」 |
| 11月30日 | 閣議決定「地域主権推進大綱」 |
| 2013年3月8日 | 閣議決定「地方分権改革推進本部の設置について」 |
| 3月12日 | 閣議決定「義務付け・枠付けの第4次見直しについて」 |
| 6月7日 | 「地域の自主性及び自立性を高めるための改革の推進を図るための関係法律の整備に関する法律」（第3次一括法）成立 |
| 6月14日 | 閣議決定「経済財政運営と改革の基本方針について」 |
| 6月25日 | 第30次地方制度調査会答申「大都市制度の改革及び基礎自治体の行政サービス提供体制に関する答申」 |
| 9月13日 | 地方分権改革推進本部決定「国から地方公共団体への事務・権限の移譲等に関する当面の方針について」 |
| 12月20日 | 閣議決定「事務・権限の移譲等に関する見直し方針について」 |
| 2014年4月30日 | 地方分権改革推進本部決定「地方分権改革に関する提案募集の実施方針」 |
| 5月28日 | 「地域の自主性及び自立性を高めるための改革の推進を図るための関係法律の整備に関する法律」（第4次一括法）成立 |
| 6月24日 | 閣議決定「経済財政運営と改革の基本方針2014について」 |
| 8月25日 | 総務省「地方中枢拠点都市圏構想推進要綱」制定 |
| 11月21日 | 「まち・ひと・しごと創生法」成立 |
| 2015年6月19日 | 「地域の自主性及び自立性を高めるための改革の推進を図るための関係法律の整備に関する法律」（第5次一括法）成立 |
| 6月30日 | 閣議決定「経済財政運営と改革の基本方針2015」 |
| 7月28日 | 参議院選挙区選挙に合区を導入する改正公職選挙法成立 |
| 2016年3月16日 | 第31次地方制度調査会答申「人口減少社会に的確に対応す |

| | |
|---|---|
| | る地方行政体制及びガバナンスのあり方に関する答申」 |
| 5月13日 | 「地域の自主性及び自立性を高めるための改革の推進を図るための関係法律の整備に関する法律」（第6次一括法）成立 |
| 6月2日 | 閣議決定「経済財政運営と改革の基本方針2016」 |
| 2017年4月19日 | 「地域の自主性及び自立性を高めるための改革の推進を図るための関係法律の整備に関する法律」（第7次一括法）成立 |
| 6月9日 | 閣議決定「経済財政運営と改革の基本方針2017」 |
| 2018年6月15日 | 閣議決定「経済財政運営と改革の基本方針2018」 |
| 6月19日 | 「地域の自主性及び自立性を高めるための改革の推進を図るための関係法律の整備に関する法律」（第8次一括法）成立 |
| 2019年5月31日 | 「地域の自主性及び自立性を高めるための改革の推進を図るための関係法律の整備に関する法律」（第9次一括法）成立 |
| 6月21日 | 閣議決定「経済財政運営と改革の基本方針2019」 |
| 2020年6月3日 | 「地域の自主性及び自立性を高めるための改革の推進を図るための関係法律の整備に関する法律」（第10次一括法）成立 |
| 6月26日 | 第32次地方制度調査会答申「2040年頃から逆算し顕在化する諸課題に対応するために必要な地方行政体制のあり方等に関する答申」 |
| 7月17日 | 閣議決定「経済財政運営と改革の基本方針2020」 |
| 2021年5月19日 | 「地域の自主性及び自立性を高めるための改革の推進を図るための関係法律の整備に関する法律」（第11次一括法）成立 |
| 6月18日 | 閣議決定「経済財政運営と改革の基本方針2021」 |
| 2022年5月13日 | 「地域の自主性及び自立性を高めるための改革の推進を図るための関係法律の整備に関する法律」（第12次一括法）成立 |
| 6月7日 | 閣議決定「経済財政運営と改革の基本方針2022」 |
| 12月28日 | 第33次地方制度調査会答申「多様な人材が参画し住民に開かれた地方議会の実現に向けた対応方策に関する答申」 |

# 判例索引

**〈大審院・最高裁判所〉**

**〈高等裁判所〉**

**〈地方・簡易裁判所〉**

# 事項索引

## く



## け



## こ

## さ



## し

## ち

## り



## れ



## ろ



## わ

地方自治法概説〔第10版〕

Local Autonomy Law Text, 10th ed.

| | |
|---|---|
| 2004年11月30日 初　版第1刷発行 | 2015年3月31日 第 6 版第1刷発行 |
| 2007年 2 月10日 第2版第1刷発行 | 2017年3月30日 第 7 版第1刷発行 |
| 2009年 4 月 5 日 第3版第1刷発行 | 2019年3月10日 第 8 版第1刷発行 |
| 2011年 3 月25日 第4版第1刷発行 | 2021年3月10日 第 9 版第1刷発行 |
| 2013年 3 月25日 第5版第1刷発行 | 2023年3月30日 第10版第1刷発行 |

著　者　宇賀克也

発行者　江草貞治

発行所　株式会社有斐閣

〒101-0051 東京都千代田区神田神保町 2-17

https://www.yuhikaku.co.jp/

装　丁　与儀勝美

印　刷　株式会社暁印刷

製　本　大口製本印刷株式会社

装丁印刷　萩原印刷株式会社

落丁・乱丁本はお取替えいたします。定価はカバーに表示してあります。



Printed in Japan ISBN 978-4-641-22843-6